LA COUR

Romancier et journaliste nord-américain, James Albert Michener est né en 1907 à New York (Etats-Unis) mais grandit en Pennsylvanie. Une bourse d'études lui permet de fréquenter pas moins de neuf universités en Europe et en Amérique.
Sa carrière commence en 1933 comme professeur de lettres en Pennsylvanie et au Colorado. Il se spécialise bientôt en histoire et en sciences sociales, donne des cours à l'université Harvard (1940-1941), collabore avec l'éditeur Macmillan à New York de 1941 à 1949, avec un interlude comme historien de la Marine dans le Pacifique Sud (1944-1946).
Son premier roman Tales of the South Pacific *(Contes du Pacifique, 1947) obtient en 1948 le prix Pulitzer (équivalent de notre prix Goncourt). Une comédie musicale,* South Pacific, *en sera tirée.*
Suivront de nombreux romans, tous des best-sellers : The Fires of Spring *(Les Feux du printemps),* Return to Paradise *(Retour au paradis) qui sera porté à l'écran de même que* The Bridges at Toko-Ri *(Les Ponts de Toko-Ri),* Sayonara, Caravans, Centennial *(Colorado Saga) et divers essais.*

Le roman vrai du programme spatial américain : voilà la fabuleuse histoire que nous raconte James Michener, l'auteur de *Colorado Saga,* depuis le « kidnapping » des savants allemands à la barbe des Russes en 1945 jusqu'au triomphe de la navette, en passant par les vols historiques de Gemini et d'Apollo et les premiers pas de l'homme sur la Lune.
Les héros ? Quatre hommes et quatre femmes que le destin a placés au cœur de cette aventure. Huit figures dont l'histoire personnelle se confond avec la légende de l'espace, avec, en toile de fond, les luttes d'influence, les rivalités, les débats politiques et scientifiques qui ont agité les coulisses de ce projet titanesque.
Mélangeant, pour le plus grand plaisir du lecteur, l'héroïque et le quotidien, le scientifique et le sentimental, James Michener a écrit, avec *La Course aux étoiles,* le meilleur roman de sa longue carrière.

JAMES MICHENER

La Course aux Étoiles

TRADUIT DE L'AMÉRICAIN
PAR JEHANNE AUGUSTINS
JACQUES GUIOD
HENRI ROBILLOT

Tome II

MAZARINE

L'édition originale de cet ouvrage est parue
chez Random House, New York, sous le titre :

SPACE

La dernière objection contre le rendez-vous orbital écartée, et la commission spéciale, sur le point de trancher en faveur du vol lunaire selon von Braun, Mott fut assailli d'un dernier doute. Après trois jours passés à tenter de le dissiper, il résolut de consulter une dernière fois, par prudence, les hommes avec lesquels il avait travaillé le plus longtemps, ces solides chercheurs de Langley qui n'avaient jamais abandonné le programme d'études durant les mornes années où ils étaient sans le sou. Lorsqu'il les eut rejoints, plusieurs lui proposèrent de voler jusqu'à Wallops où ils seraient hors de portée du téléphone et où « ils pourraient faire un bon vieux brain-storming des familles sur la plage ».

Ils retinrent un appareil de la N.A.S.A., se posèrent sur l'île où ils passèrent la matinée à étudier les changements radicaux amenés par l'acquisition d'une base navale proche. Les sites de lancement étaient maintenant équipés de plates-formes de béton et des routes sillonnaient les vastes marais. Une cantine moderne avait remplacé les caisses de boîtes de conserve et l'ensemble de la base avait un air de prospérité. Plusieurs hommes, cependant, formulèrent des réserves que Mott avait préféré ne pas exposer en public :

« Je me demande s'ils travaillent aussi dur que nous dans le temps, quand nous dormions sur la plage pour attendre le résultat de nos petites fusées. »

L'après-midi, ils s'installèrent dans des transats face à l'Atlantique dans les lames turbulentes duquel tant de leurs fusées expérimentales étaient tombées les années passées. Au bout d'un moment, l'un d'eux déclara :

« Ils font tout un foin autour des gens de la Mercury mais aucun n'est allé plus haut que les fusées que nous avons lancées de cette plage.

– D'accord, mais un de ces jours, ils vont filer tout droit à quatre cent mille kilomètres et il n'y aura pas d'atmosphère à mesurer là-haut!

– Alors, quel est le programme, Mott? Filer se poser directement, ou fixer une sorte de rendez-vous intermédiaire?

– Nous avons renoncé définitivement au vol direct. »

Lorsqu'il expliqua que la N.A.S.A. allait adopter le plan de von Braun avec rendez-vous orbital, l'un de ses interlocuteurs objecta :

« Tu sais qu'il y a un super-crack à Langley, un nommé John Houbolt, qui essaie de convaincre tout le monde que le rendez-vous orbital terrestre est une absurdité et qu'un rendez-vous orbital lunaire s'impose.

– Tu veux dire, expédier tout le système vers la Lune sans se poser dessus? Séparer, de là, les éléments et en laisser un seul faire le boulot? Puis réunir les deux et revenir?

– Exactement.

– Je ne crois guère au rendez-vous sur orbite lunaire, dit Mott qui reconnut n'avoir même pas envisagé cette solution dans sa thèse de doctorat. Mais dans notre commission, bien entendu, nous avons abordé cette hypothèse. Un quart d'heure nous a suffi pour comprendre qu'elle ne présentait aucun avantage. »

Là-dessus, un des hommes de Langley émit une opinion qui fit dresser l'oreille à Mott.

« Tu n'as rien pigé à l'idée de Houbolt. Pour lui, l'avantage, c'est l'allégement du système. Pendant l'ascension de la fusée, tu te débarrasses des éléments devenus inutiles. Elle ne cesse de perdre du poids jusqu'à ce qu'il ne reste plus à la fin qu'une capsule de rien du tout. D'après lui, on pourrait même abandonner l'engin ayant servi à l'alunissage. Ou sa majeure partie.

– Comment ça? » demanda Mott d'un ton abrupt, croyant entendre à nouveau l'homme de Chance-Vought qui lui avait parlé, cette fameuse nuit, près du terrain d'essai en Californie. « Balancez tout... Mott... y compris la machine qui vous ramène sur terre... vous êtes devenu le vaisseau spatial. »

« C'est son plan, pas le mien. D'après ses calculs, le poids ne cesserait de diminuer pendant la durée du trajet. »

Un autre chercheur intervint :

« Mott, avez-vous déjà songé, vous autres, à l'aspect des véhicules lunaires... Je veux dire, vous rendez-vous clairement compte qu'en l'absence de toute atmosphère, donc de frottement, votre machine peut comporter autant de protubérances et d'aspérités que vous voulez. C'est-à-dire que vous pouvez lui donner exactement la forme qui vous arrange. Inutile de vous obnubiler sur l'aérodynamisme. L'aérodynamisme, vous le recherchez dans les dessins d'avions parce qu'ils volent dans l'atmosphère. Sans atmosphère, pas besoin de lignes profilées. »

Il suggéra alors à ses compagnons de rentrer :

« Je veux un endroit pour dessiner. » Une fois installés devant une bière, il leur esquissa le croquis d'un module lunaire. Bien lui en prit, car ces chercheurs chevronnés avaient tendance à oublier que, dans un espace dépourvu d'atmosphère, un véhicule pouvait être construit à partir des matériaux les plus fragiles et revêtir les formes les plus insolites.

« S'il vous faut une place pour une clef à molette spatiale, il suffit de la fixer contre le flanc de la machine. »

Quand il eut terminé son croquis du véhicule lunaire, une masse cubique hérissée de quinze ou vingt saillies, Mott en revint aux propos tenus sur la plage par son collègue.

« Parlez-moi un peu de ce délestage des éléments. »

Les hommes se lancèrent alors dans de brillantes spéculations sur l'exploration spatiale.

« Vous partez avec cette fusée géante, la plus grande que von Braun puisse construire et, en quinze opérations environ, vous éliminez élément après élément. Quand vous vous placez sur orbite lunaire, il vous en reste, disons, cinq ou six des plus légers. L'un d'eux se détache et vous amène sur la Lune... Vous ne le reverrez pas, et ainsi de suite jusqu'à la terre dans une nacelle. Voilà l'avantage du rendez-vous sur orbite lunaire.

– Figurez-vous, dit Mott pensif, qu'un ingénieur de chez Chance-Vought m'a fait exactement la même suggestion. Se débarrasser de tout. Qu'est-ce que ça donne dans les faits? »

Sans paramètres précis, mais à partir d'hypothèses très élaborées, les hommes se lancèrent dans l'étude passionnée du problème. Les étoiles apparurent, la Lune se leva, la Terre, dans son incessante révolution, donna l'impression que le ciel tournait et les constellations suivirent lentement leur route. L'un des hommes sauta dans sa voiture pour aller chercher des sandwiches et de la bière, un autre des rames de papier. Vers trois heures du matin, tous les aspects de la question ayant été analysés, Mott parvint aux deux données numériques suivantes :

> « Au lancement, un véhicule transportant trois hommes vers la Lune devrait peser environ trente tonnes. Au cours d'un vol d'à peu près deux cents heures, le maximum d'éléments – disons neuf – serait largué. Au plongeon final, il ne restera ni combustible, ni nourriture, ni oxygène; simplement trois hommes dans une capsule avec un bouclier thermique complètement consumé. Le poids total résiduel serait alors de quatre tonnes au plus. »

« Ma parole, s'exclama l'un des hommes de Langley, c'est faisable. »

Ils passèrent l'heure suivante à vérifier leurs chiffres et, à quatre heures du matin, alors qu'Altaïr s'élevait à l'est, Mott confirma :

« C'est faisable. »

Il regagna Langley en hâte pour rencontrer Houbolt, le prototype du chercheur aux idées invariablement critiquées par ses supérieurs.

« Mille mercis d'être venu, Mott. Quand j'ai essayé de leur expliquer que le rendez-vous orbital lunaire était la meilleure solution, ils n'ont même pas voulu m'écouter. Si la communauté scientifique de ce pays refuse d'entendre la voix de la raison... Ils refusent même d'envisager des comparaisons. »

Mott discuta avec lui pendant deux jours, réexaminant en détail tous ses plans et ses calculs, et le quitta avec la certitude que si le rendez-vous orbital terrestre de Wernher von Braun était réalisable, celui, lunaire, de Houbolt lui était supérieur. Il commença aussitôt une campagne en sa faveur, en veillant à ne pas montrer son enthousiasme. Il avait essuyé suffisamment de rebuffades lorsqu'il s'était mêlé de la discussion opposant l'astronaute à la machine seule, pour douter de pouvoir résister à un nouveau heurt avec la commission sénatoriale; et il avait des raisons de penser que c'était von Braun qui avait mis le sénateur Grant au courant des positions subversives de Mott et de Kolff.

Mott devrait jouer serré. Par bonheur, il trouva un allié aussi inattendu que puissant : Lyndon Johnson, dans une série de manœuvres compliquées, avait réussi à convaincre quelques millionnaires texans de céder des terrains près de Houston à une université qui, à son tour, offrit à la N.A.S.A. d'y implanter le grand centre spatial de la nation. Johnson, à la suite de nouvelles démarches, persuada la N.A.S.A d'installer sur cette base son Centre des vols spatiaux habités et d'y affecter les chercheurs les plus brillants de Langley. Ainsi, le centre texan de Lyndon Johnson devint-il le rival du centre d'Alabama de von Braun et les hostilités s'engagèrent.

Si l'Alabama soutenait l'E.O.R.[1], le Texas devait soutenir le L.O.R.[2] et Mott se trouva du coup l'allié des dynamiques texans contre ses anciens alliés allemands de Huntsville. Ce fut un conflit d'un an où se mêlaient politique, finance, orgueil régional, doctrines adverses sur l'exploration spatiale. Finalement, la situation parut se bloquer entre les deux conceptions du rendez-vous orbital.

Les sénateurs Glancey et Grant n'admettant pas d'être pris dans cette impasse prièrent Mott de venir témoigner devant la commission. Mais il s'était engagé avec tant d'énergie dans la lutte qu'il demanda à être excusé et les deux sénateurs convinrent de ne solliciter son intervention qu'en cas

1. Rendez-vous orbital terrestre.
2. Rendez-vous orbital lunaire.

d'urgence extrême. Mme Pope organisa des rencontres où l'Alabama plaida pour l'E.O.R. et le Texas pour le L.O.R. et le débat s'étant achevé acrimonieusement, sans conclusions, elle appela Mott et l'invita à venir se présenter le lendemain matin devant ses deux sénateurs.

Il roula toute la nuit après une inspection qu'il avait dirigée au M.I.T. et apparut devant les deux membres du Congrès l'œil rouge et les traits tirés. Une fois de plus, ils ne mâchèrent pas leurs mots :

« Il faut que nous prenions une décision avant la fin du mois. Voyez si vous pouvez taper sur la table. »

Mott leur demanda quel mode d'atterrissage ils préféraient et Grant aboya :

« Nous n'y connaissons rien. Nous nous contentons de recevoir les factures. »

Mott s'envola d'abord pour le Texas où un gigantesque centre spatial s'édifiait sur le sol marécageux, et trouva les Texans convaincus par l'alternative de Langley :

« Voler haut, tout jeter, se mettre en orbite autour de la Lune, n'emmener que le minimum à la surface et encore moins en repartant. » Cette opération était réalisable avec les fusées existantes ou en voie d'achèvement et c'était une solution élégante.

En tant qu'ex-ingénieur, Mott aimait le mot *élégant,* car il impliquait toute une échelle de valeurs : une solution élégante devant être plus simple que celle des concurrents, moins coûteuse, plus rapide à appliquer, bref, combler les aspirations d'un technicien. Le rendez-vous lunaire était élégant.

Mais il fallait le faire admettre à l'Alabama qui devait fournir les fusées et, dès son arrivée à Huntsville, Mott comprit aussitôt que les Allemands se sentaient trahis. Il eut d'amers entretiens avec von Braun et Kolff, des discussions prolongées avec des chercheurs de moindre importance qui tentèrent de le pousser dans ses derniers retranchements. Kolff, pour sa part, ne consentit aucune concession; un an plus tôt, le petit homme à la face carrée avait mis en jeu toute sa carrière et sa réputation sur la méthode Jules Verne, et ses fusées géantes bien-aimées condamnées, il avait axé tous ses efforts sur le projet de von Braun et son rendez-vous orbital terrestre. Cette fois, il ne changerait pas de position.

Il invita cependant Mott à dîner à Monte Sano où il revit Liesl et Magnus qui étudiait, dans l'orchestre de l'Alabama-Tennessee, le Concerto en ré pour trompette de Telemann.

« Il va jouer dans cinq villes, précisa Mme Kolff, il voyagera en car et verra des endroits que Dieter et moi n'avons jamais vus.

– Il est très jeune pour être soliste de concert, dit Mott.

– Il joue depuis l'âge de quatre ans, expliqua Dieter, un grand tribut à l'Amérique qui lui a donné l'instrument et l'instruction. »

Après le dîner, les parents persuadèrent leur fils de jouer la cadence du premier mouvement du concerto. Solidement planté sur ses pieds écartés, la tête haute, le robuste adolescent égrena les harmonies de sa partition avec une limpidité et une souplesse de virtuose. Dès qu'il eut terminé, il s'inclina et partit travailler dans sa chambre.

Les Kolff n'avaient pas invité Mott pour lui faire écouter leur fils; ils voulaient discuter avec lui des grandes décisions à venir. A sa grande surprise, il vit Liesl s'asseoir près de son mari sur la galerie extérieure, face au ciel criblé d'étoiles. Elle resta silencieuse, les écoutant avec attention.

Kolff : Il faut que je te parle franchement, Stanley.

Mott : Pas des vols habités. Ça, c'est définitivement réglé.

Kolff : D'accord, je sais très bien que notre équipe a perdu la partie.

Mott : Et pas l'objectif Lune. C'est là que nous allons et rien ne nous arrêtera.

Kolff : D'accord. J'ai essayé de raisonner avec toi, mais n'y suis pas arrivé.

Mott : Alors, de quoi s'agit-il?

Kolff : D'un problème aux répercussions très sérieuses. (Il parlait tantôt allemand, tantôt anglais, usant de mots simples, de plus savants dans sa langue propre mais sans manifester de préférence pour l'une ou l'autre au gré des idées qui lui venaient à l'esprit.)

Mott : Mes décisions sont pratiquement arrêtées. Je ne vois pas ce qui...

Kolff : Attends un peu. Et cette fois, Stanley, tu dois m'écouter. Je te supplie de ne pas pousser la N.A.S.A. à choisir le rendez-vous orbital lunaire.

Mott : Tu me sidères. L'orbite lunaire est la solution parfaite.

Kolff : Oui, mais d'un problème qui ne mérite pas d'être résolu.

Mott : Elle nous enverra sur la Lune. Et nous permettra d'en repartir.

Kolff : C'est un exploit sans lendemain. Une réussite sans conséquences valables.

Mott : Avec cette technique, nous pourrons aller partout.

Kolff : Non, Stanley! Elle nous emmènera sur la Lune, mais ensuite, elle ne servira plus à rien... Ce ne sera qu'un rêve coûteux évanoui dans le néant.

Mott : Et où est l'erreur, d'après toi, Dieter?

Kolff : La solution von Braun de l'orbite terrestre

est infiniment supérieure parce qu'elle donne accès à la Lune tout en créant un relais à partir duquel explorer le reste de l'univers. Une base spatiale sur orbite permanente? Nous pouvons l'établir entre cent soixante et cinq cents kilomètres au-dessus de la Terre, pas plus. Explorer Mars et Vénus? Nous partirons de notre station orbitale terrestre. Creuser des mines dans les astéroïdes? Placer de grands télescopes dans l'espace? Etablir des colonies sur la Lune? Tout cela peut être fait à partir d'une plateforme spatiale mise en orbite terrestre. Avec ta solution, rien de ce que je viens d'énumérer n'est possible.

Mott : Il se peut que nous refusions toutes ces expériences.

Kolff : La marche de l'histoire ne le permet pas. Il faudra réaliser ces opérations l'une après l'autre.

Mott : Et si nous refusons?

Kolff : Si nous nous révélons irresponsables, d'autres nations s'en chargeront. Le Japon... L'Inde... la France... et, bien entendu, la Russie.

Mott : Est-ce sur la demande de von Braun que tu me harcèles?

Kolff : Connais-tu la formule *sub speciae aeternitatis*? Sous l'œil de l'éternité. Je ne suis ni pour, ni contre Wernher. Je veux simplement que ce pays ne fasse pas d'erreur de manœuvre. J'agis comme si l'éternité regardait par-dessus mon épaule.

Mott : Je crains que nous nous opposions à ton point de vue. Nous allons choisir le rendez-vous en orbite lunaire.

Kolff : Alors, je dois lutter contre toi. Je vais soutenir von Braun aussi énergiquement que possible. Parce que je veux t'éviter de commettre une tragique erreur, indigne de toi, avec tout ce que tu sais.

Mais Dieter Kolff et les autres Allemands qui s'étaient joints à sa croisade éprouvèrent un choc brutal lorsque von Braun, ayant rassemblé l'équipe entière de l'Alabama, annonça sans émotion que, reconnaissant enfin le raisonnement des hommes du Texas, il se joignait à eux. Il déclara caduc son projet de rendez-vous sur orbite terrestre et ordonna de se rallier aux techniciens du Texas pour travailler au rendez-vous sur orbite lunaire.

Cette nouvelle souleva un tumulte où von Braun fut sommé de se justifier. Il s'exécuta puis, le tumulte apaisé, invita Mott à expliquer comment fonctionnerait la coopération Texas-Alabama.

« On pourrait y voir une vulgaire reddition devant la puissance du Texas et celle de Lyndon Johnson, mais ce n'est pas le cas. C'est une juste opinion scientifique. De plus, en opérant ainsi, nous assurons à toutes les grandes bases et à Cap Canaveral des missions d'égale importance. Nous allons démonter l'appareil en six ou sept éléments. Huntsville assumera la responsabilité de deux, la Californie de deux ou trois, le Mississippi d'une, Houston des deux qui lui incombent plus le programme des astronautes proprement dit.

– Et comment, demanda un ingénieur chevronné, pourrons-nous assembler sept parties élaborées en sept endroits différents?

– Grâce à la précision », répondit Mott.

Il expliqua comment les caractéristiques de chaque élément seraient si minutieusement définies, avec une tolérance d'erreur ne dépassant pas un cinquantième de millimètre que leur assemblage ne poserait aucun problème. Il constata alors que Dieter Kolff, furieux de ce qu'il considérait comme une décision erronée, s'était levé, le visage congestionné, prêt à descendre en flammes le programme en présence des journalistes réunis dans la salle. Il fallait donc à tout prix le neutraliser.

« Et notre bon ami Dieter Kolff, ajouta Mott d'un ton paisible, sera enfin en mesure de construire sa fusée géante qui nous emmènera vers les profondeurs de l'espace. »

Les Allemands qui travaillaient avec Kolff applaudirent et Dieter, conscient d'avoir été joué, se rassit sans dire un mot. Lui et Mott n'allaient plus échanger une parole durant sept ans.

Il a été dit précédemment que le président Eisenhower, hostile aux dépenses excessives en matière spatiale, et plus que réticent devant le programme, avait pris une série de judicieuses mesures.

Tout d'abord, il avait confié le programme à des mains civiles, le protégeant ainsi d'une ingérence des militaires. Il avait surtout, apprenant que la candide N.A.S.A. était sur le point de diffuser sur les ondes un appel invitant les civils à se porter candidats à l'entraînement astronautique avec un salaire de huit mille trois cent trente dollars par an et un classement en catégorie GS-12, sauté au plafond et mis en garde les responsables contre les tordus et exaltés de toute sorte qui n'allaient pas manquer de se porter volontaires. Comme l'avait fait aigrement remarquer un technicien, « nous allons être submergés par tous les matadors, plongeurs sous-marins, coureurs automobiles, mordus de l'Himalaya-parce-qu'il-est-là, sans compter la troupe des femmes qui exigeront de la Cour suprême qu'elle entérine leur droit de voler ».

Eisenhower mit rapidement terme à cette absurdité. Ayant convoqué les chefs de la N.A.S.A., il déclara :

« Les hommes dont nous avons besoin pour ces missions existent dans les cadres de l'armée. Ce sont nos pilotes d'essai. Voilà des années qu'ils font ce genre de travail et ils sauteront sur l'occasion. » Par cette simple initiative, il s'assurait que les sept premiers astronautes seraient des individus compétents et disciplinés qui ne risqueraient pas de mettre le pays dans l'embarras. En outre, étant lui-même un soldat, il savait qu'il pouvait engager les meilleurs capitaines de la Navy et les meilleurs colonels de l'Air Force pour cinq cent soixante dollars par mois, « plus quelques avantages ou primes à tel ou tel titre ».

Le commandant John Pope se trouvait avec ses escadrilles à bord du *Tulagi* au large des côtes d'Asie, contrôlant les vols de reconnaissance sur les points chauds comme la Corée ou le Vietnam quand les premiers bulletins furent diffusés, invitant les pilotes de la Navy ayant l'expérience des vols d'essai à postuler leur admission au groupe de sélection dans lequel une poignée de candidats seraient admis à suivre les cours d'entraînement. Satisfait de son affectation à l'astronautique, l'estimant propre à lui valoir d'intéressantes promotions, il ne pouvait guère manifester son intérêt pour ces nouvelles perspectives d'avenir, mais il se rendit compte que s'il éprouvait l'envie de revenir à ce genre d'activité, il serait sans doute sélectionné. « Deux ans d'expérience de pilote d'essai sur au moins vingt appareils différents, moins de quarante et un ans au 31 décembre, pas plus d'un mètre soixante-dix-sept, pas plus de soixante-quinze kilos. » Il n'était pas mécontent de se dire qu'il aurait fait l'affaire, puis il oublia l'intermède.

Mais, en avril 1959, quand il se rendit compte de l'excitation causée par la présentation des sept premiers astronautes au public, il vérifia si, dans le groupe, se trouvaient certains de ses anciens camarades de vol et, pendant deux jours, il arpenta le *Tulagi* en confiant à qui voulait l'entendre : « Dites donc, vous savez que je les connais bien, ces gars-là. Al Shepard et Scott Carpenter étaient avec moi à Pax River. Des types formidables. J'ai volé avec John Glenn en Corée, lui de jour, moi de nuit. A Edwards, ils m'ont dit que Slayton était un vrai caïd. »

Il suivit de loin la campagne de presse faite autour des Sept Sacro-Saints, comme les avait baptisés un irrévérencieux pilote de la Navy et il lut avec intérêt et une pointe d'envie les récits merveilleux brodés par *Life* autour d'eux et de leurs épouses. Quand la première capsule Mercury fut lancée avec des singes, le même pilote de la Navy affubla ces astronautes magnifiés par les médias de « Singes en boîte » pour bien marquer qu'il ne s'agissait pas d'aviateurs mais d'une charge vivante passive dans une machine compliquée placée sous le contrôle d'ordinateurs et de spécialistes au sol.

Pope ne partageait pas ce mépris. Il rappela qu'aux premiers stades de toute technique nouvelle, la machine gardait la priorité et il annonça :

« Donnez à ces types-là une chance de partir et ils partiront, je les connais. Ils savent prendre leurs responsabilités. »

Et il affirma qu'ils quitteraient bientôt la terre pour effectuer leurs missions historiques mais il avait singulièrement minimisé les difficultés auxquelles allait se heurter le programme spatial américain. Il se trouvait à bord du *Tulagi* en ce jour d'avril 1961 où le Soviétique Youri Gagarine fit son premier vol dans l'espace et, durant plusieurs semaines, se sentit déprimé par ce qu'il considérait comme une défaite personnelle. « Où étaient nos gars de la Navy? Pourquoi ne sont-ils pas montés là-haut les premiers? » Et sa déception ne fut en rien atténuée lorsque Alan Shepard réalisa ce que Pope et d'autres appelèrent « *un saut de puce* » et, une fois au courant des détails de l'opération, il écrivit à sa femme une lettre désabusée :

> « Ne laisse pas tes sénateurs se répandre en discours sur le glorieux triomphe de notre programme spatial. Le vol de Shepard n'était qu'un pétard d'enfant comparé au météore de

Youri Gagarine. Shepard est monté à cent quatre-vingt-sept kilomètres, Gagarine à plus de trois cents. Shepard a tenu l'air quinze minutes, Gagarine cent huit. Notre homme a parcouru moins de cinq cents kilomètres, leur cosmonaute quarante mille. Dis aux gars de ton équipe de s'activer un peu. »

Le véritable vol de John Glenn, un triple parcours orbital, enthousiasma Pope qui commença à rassembler une série d'articles sur le célèbre astronaute et sa réception dans les diverses nations du monde. Il apprit le nom de la femme de Glenn et comment « elle avait bravement surmonté un léger bégaiement prouvant que les femmes des astronautes étaient aussi courageuses que leurs maris ». Il se surprit à envisager sérieusement de se présenter au prochain concours de recrutement parmi les pilotes d'essai militaires.

Mais lorsque la circulaire fut affichée au tableau officiel de Jacksonville où il vérifiait si de nouveaux avions pouvaient se poser sans peine sur les porte-avions croisant au large de la Floride, il fut dissuadé de faire sa demande par l'amiral Crane, commandant de la zone, qui lui débita un laïus paternel bien senti.

« Pope, évitez cette tentation. Devenir astronaute, apparaître aux actualités, quoi de plus séduisant? Nous sommes d'ailleurs fiers des hommes de notre Navy. Ils ont surpassé tous les autres. Vous savez, naturellement, que John Glenn est un marine, mais je vous assure que tous ces garçons qui ont quitté le service, Navy, Air Force ou armée de terre, mettent fin à leur carrière militaire, qu'ils le sachent ou pas. Ils auront un temps la vedette, ils connaîtront les défilés triomphaux et, quand ils voudront revenir et retrouver un commandement, les portes se fermeront. Leur rôle dans les divers services de l'armée est terminé. Pope, c'est un fait connu dans la Navy, et je suis sûr que vous vous en doutez, vos supérieurs ont une très haute opinion de vous. Tous les espoirs vous sont permis chez nous. Vous avez vu mon dernier rapport. Le prochain sera encore plus appuyé. Ne lâchez pas la proie pour l'ombre. Laissez la Lune aux jeunes aigles aux yeux bleus. La vraie tâche à accomplir est ici, sur les océans du monde. »

Pope ne se présenta pas à la deuxième sélection d'astronautes et il avait chassé la question de son esprit lorsque différents événements se produisirent. En septembre, quand les nouvelles nominations furent annoncées avec neuf jeunes hommes présentés sur les écrans de télévision, il cria à Penny, venue lui rendre visite de Washington :

« Hé! dis donc, ils ont pris Pete Conrad! Tu l'as connu à Pax River. Tu as même couché chez lui une nuit, après la grande fête. »

Se précipitant dans la pièce, Penny trouva son mari dans un état d'excitation exceptionnel.

« Voilà Frank Borman. J'ai volé avec lui à Edwards. Et je suis sûr que le petit bonhomme là-bas, au bout, c'est John Young. Un pilote fantastique. »

Du coup, Pope se mit à suivre avec envie les carrières des Sept Sacro-Saints et des Neuf Nouveaux Notoires car c'étaient des hommes de son âge, des hommes avec lesquels il avait piloté, avec lesquels il avait simulé des combats à bord d'appareils inconnus au-dessus des eaux argentées de la Chesapeake ou des landes nues d'Edwards. Il se souvint qu'un matin à Pax River, il était allé demander à Pete Conrad :

« Rien qui cloche dans ce coucou? »

Il avait entendu le diplômé de Princeton lui répondre :

« Très délicat dans l'atterrissage à vitesse réduite. »

L'intérêt qu'il portait aux futurs explorateurs de l'espace n'excluait pas l'intérêt qu'il portait à sa propre carrière. L'amiral Crane avait vu juste à propos de la cote d'amour de Pope parmi ses supérieurs hiérarchiques. En effet, peu après son passage à Jacksonville, John reçut l'avis de sa promotion au grade de capitaine de frégate et sa nomination de second à bord de son vieux porte-avions *Tulagi*, toujours en mission dans le Pacifique. Cet avancement effaça les dernières traces de nostalgie tandis qu'il se préparait à prendre son nouveau commandement. Crane l'ayant rencontré lui confia :

« Alors, vous êtes content d'être resté avec la flotte? Acquittez-vous de votre tâche à votre honneur et vous gagnerez vos galons de capitaine. Ensuite, toutes les portes vous seront ouvertes chez nous. »

Penny apprit avec joie sa promotion et s'arrangea pour faire un saut en avion à Pensacola où se donnait une fête en son honneur. Comme ils s'habillaient pour la circonstance, elle eut un cri d'allégresse en le voyant dans son nouvel uniforme.

« Tu es plus beau que jamais! »

Elle voulut alors lui parler de son travail à elle, mais il était trop absorbé pour la suivre.

« Je t'ai parlé de quelque chose, il y a dix minutes, mais tu ne m'écoutais pas. Le sénateur Glancey m'a chargée d'entreprendre les démarches en vue d'une sélection spéciale d'astronautes. Le programme se réalise plus vite que nous l'avions prévu. Est-ce que cela t'intéresserait?

– Non. J'ai été tenté, il y a quelques mois. Mais la

Navy m'a laissé entrevoir des perspectives inespérées, maintenant mon choix est fait. »

Elle l'embrassa avec fougue et s'écria :

« John, je suis tellement soulagée. Je vois le programme spatial se développer dans un vrai climat de... d'hystérie. Les politiciens s'en servent dans leurs campagnes. Les journaux l'exploitent pour se vendre. Et ce type de *Folks* avec ses plans bien huilés. Pour finir, combien d'astronautes vont se retrouver floués?

– C'est ce que me disait l'amiral Crane récemment.

– Et j'ai bien l'impression que quand le programme sera pleinement réalisé, le pays s'en désintéressera complètement. »

John ayant mis en doute cette dernière déclaration, Penny reprit :

« Je vois déjà Glancey qui commence à battre en retraite et c'est un vrai papier de tournesol. Lui et Lyndon Johnson prévoient l'avenir avec dix ans d'avance.

– Et Grant?

– Il est parfait, John. Bleu, blanc, rouge jusqu'au cœur de sa cervelle. Je l'adore, cet homme-là. »

Elle eut un rire gêné et ajouta :

« Je veux dire que, quelquefois, j'en suis malade pour lui. Sa femme siphonnée, sa fille à moitié braque, vraiment il méritait mieux.

– Où en est-elle, au fait, sa fille?

– Tu ne sais pas? Elle a un doctorat de lettres et elle est doyenne de faculté dans une université de Los Angeles.

– Ça ne prouve pas qu'elle soit tellement braque.

– Mais l'université n'a pas de professeurs. Elle se contente de vendre de superbes diplômes gravés à cinq cents dollars pièce. Si tu veux un second doctorat, tu n'as qu'un mot à dire. »

Tous deux brièvement réunis, liés par un amour qui n'avait cessé de grandir depuis leurs années de collège, fêtèrent avec conviction l'avancement de John. Mais il y eut un moment embarrassant durant les bruyants discours prononcés au club des officiers. John fit part de sa joie et de sa fierté, encore qu'il ne fût pas sûr de mériter un tel avancement – vives protestations –, aussitôt après, Penny se leva, heurta son verre de son couteau, et déclara :

« Promotions à toutes les étapes dans la famille Pope. » Se tournant vers son mari, elle ajouta :

« Je ne voulais pas jouer les trouble-fête au milieu de ces réjouissances, mais je suis la nouvelle conseillère permanente de la commission spatiale du Sénat. »

Au milieu des acclamations et des bravos, les épouses s'assemblèrent autour de Penny pour l'embrasser et John, observant la scène du bout de sa table, eut cette pensée mesquine : tout ce remue-ménage à son arrivée a été causé par sa promotion, pas par la mienne. Ce dont il ne se souvenait pas, c'est qu'elle avait tenté de lui parler de sa bonne étoile mais y avait renoncé devant son peu d'attention. Réagissant contre sa mesquinerie, il se leva d'un bond, se fraya un passage au milieu des femmes, saisit Penny par les deux mains et l'attira à lui pour l'embrasser.

« *Conseillère permanente*, est-ce que ça veut dire que tu es inamovible?

– Oui. A moins que je ne parte avec la caisse.

– Bravo. On va enfin pouvoir s'offrir une nouvelle voiture. »

La carrière du commandant Pope aurait sans doute suivi la trajectoire prévue par l'amiral Crane si le *Tulagi* était resté dans le Pacifique. Mais le jour où Pope vint rejoindre son poste à bord, il apprit qu'il devait immédiatement mettre le cap sur Jacksonville pour croiser dans la mer des Caraïbes avec la mission de récupérer la capsule Mercury Aurora 7 à bord de laquelle l'astronaute Scott Carpenter allait réaliser un triple vol orbital.

Le livret d'instructions concernant le processus de récupération comptait cent quarante et une pages, avec une biographie de Carpenter précisant qu'il avait fait son stage de pilote d'essai à Pax River. Ayant rapidement parcouru la brochure, Pope comprit qu'une douzaine de bateaux de la Navy devaient être en position de suivre le vol et de recueillir Carpenter où qu'il pût tomber dans le Pacifique ou l'Atlantique. Cent vingt-cinq avions environ seraient chargés de la même mission.

> « Au cœur de l'opération (écrivit-il à Penny), le *Tulagi* avec des hélicoptères, des vedettes, des hommes-grenouilles veillera au retour de nos hommes. Nous détecterons la capsule au radar, lui fournirons nos coordonnées, puis la repérerons visuellement pour expédier nos hélicoptères au point d'impact précis. C'est un exercice tactique extraordinaire et je suis fier que mon bâtiment y participe. »

Il étudia le livret page après page, découvrant les rôles des divers participants à l'opération : les observateurs isolés sur l'île Ascension, les lointains guetteurs à l'écoute en Australie, les marins à bord du destroyer en bordure de l'Antarctique, la centaine de spécialistes suivant le vol kilomètre par kilomètre à Cap Canaveral.

Le rôle du *Tulagi* était multiple. Trouver le point propice d'où surveiller l'arrivée de la capsule avec son parachute, envoyer les hélicoptères dès le signal reçu, les plongeurs pour sauver Carpenter au cas où son appareil subirait les avaries où Gus Grissom, à la fin du second vol Mercury, avait failli rester. Organiser le transfert de l'astronaute sur le porte-avions, diffuser les messages annonçant au monde que le vol s'était soldé par un succès.

Dans sa quasi-totalité, le bon déroulement de l'opération incombait à Pope qui par précaution en fit répéter les phases aux diverses équipes placées sous sa responsabilité. Et lorsque le grand porte-avions quitta Jacksonville avec seize journalistes et reporters de la télévision, il leur déclara : « Vous participez à une mission militaire. Je souhaite qu'elle s'accomplisse de façon parfaite. »

Le *Tulagi* parvint au point qui lui était assigné dans les Caraïbes l'après-midi du 22 mai 1962, s'attendant à voir Carpenter descendre du ciel vers la fin de la matinée du 24. Les hélicoptères et les circuits radio furent vérifiés, et les hommes-grenouilles firent des exercices de plongée pour se familiariser avec les températures et les courants.

Peu avant l'aube du 24, le *Tugali* fut assailli par une série de grains accompagnés de pluies torrentielles; quelques journalistes rédigèrent aussitôt des articles pessimistes, mais à neuf heures, l'océan semblait si débonnaire qu'un reporter déclara : « Il pourrait rallier le bateau en ski nautique. » A ce moment, les vedettes chargées d'hommes-grenouilles passèrent en trombe dans un jaillissement d'écume. C'était une matinée superbe, comme celle qu'avait peut-être connue Christophe Colomb naviguant dans les parages.

Puis le *Tulagi* reçut des messages rassurants du centre de contrôle à Cap Canaveral. « Aurora 7 sur la cible. Tous les systèmes fonctionnent. Rapports positifs de toutes les stations. Arrivée selon horaire prévu. » La dernière heure d'attente entamée, certains doutes se firent et, au bout d'un moment, Pope entendit Cap Canaveral demander : « Combien de carburant? » Il n'y eut pas de réponse, mais le cap répéta : « Vérifiez. Combien de carburant? »

Une demi-heure plus tard, l'impression se

confirma qu'un incident avait dû se produire puisque le cap alertait des navires croisant à deux cents ou trois cents milles du *Tulagi* en leur demandant d'être parés aux manœuvres de sauvetage.

« Que se passe-t-il? demanda-t-il à un spécialiste de la N.A.S.A. à bord du porte-avions, qui ne put rien répondre de précis.

– Un problème de carburant, apparemment.

– Il ne va pas amerrir ici?

– Vous voulez dire plonger?

– Plonger. »

Avant que l'homme de la N.A.S.A. ait pu répliquer, la radio crépita : « USS *Intrepid.* Parés pour la récupération. »

L'*Intrepid* se trouvait à deux cent cinquante milles! Shepard était arrivé pratiquement sur la cible, Gus Grissom de même et le vol de Glenn avait frisé la perfection. Celui-ci semblait s'achever en fiasco et John Pope sur sa passerelle, contemplant le ciel vide, dut se retenir pour ne pas lâcher une bordée de jurons. Pourquoi faut-il que ce soit nous qui ayons cette poisse? ne cessait-il de ressasser. Il avait répété dix fois la phrase d'accueil préparée pour Carpenter : « Salut, Scott! On est loin de Pax River, hein? » Durant deux jours, incapable de se rappeler le prénom de la femme de l'astronaute, il avait fini par câbler au cap : « Nom de Mme Carpenter, S.V.P. » et ils avaient répondu : « Renée. » Il voulait donc conclure son petit discours avec un « il paraît que Renée est en pleine forme ».

Et maintenant, tout était dans le lac. Les minutes passaient et la surface des Caraïbes restait vide. Pas de vedettes lancées; pas d'hélicoptères décollés. Le grand porte-avions roulait de façon imperceptible dans la houle apaisée et John Pope était de plus en plus ulcéré.

Lorsque la radio annonça que l'*Intrepid* avait récupéré Carpenter en excellent état en dépit de sa mésaventure, la frustration de Pope parvint à son comble; il ne décolérait pas d'avoir été privé d'une expérience si soigneusement préparée et, en même temps, un désir ancien se réveillait en lui : Seigneur, si je pouvais recommencer à voler! Je voudrais essayer tous les avions du monde. La Lune... Il se mordit les lèvres jusqu'au sang. Je connais tous les cratères de la Lune. Debout sur la passerelle de son bateau, il sentait les larmes lui monter aux yeux. Puis, brusquement, il se précipita vers sa cabine où, d'une main tremblante, il se mit à rédiger une dépêche pour un ami du bureau du personnel à Washington.

> « J'apprends que, avant que la N.A.S.A. choisisse son premier contingent d'astronautes possédant une formation scientifique, elle a l'intention d'engager un groupe spécial de six hommes techniciens des vols d'essai. Je remplis toutes les conditions requises : âge, poids, taille, expérience au combat et en vol d'essai. J'ai l'intention de demander l'autorisation de présenter ma candidature après avis de mon supérieur direct, l'amiral Crane. »

A sa grande surprise, il vit arriver en avion sur le *Tulagi* l'amiral en personne qui transmit de la part des gros bonnets de la Navy un message qui le stupéfia :

> « John, je vous ai donné de mauvais conseils à Jacksonville et je vous prie de m'en excuser. Quand je vous ai dissuadé de devenir astronaute, je pensais égoïstement à la Navy. Je ne me rendais pas compte de l'importance de l'aventure spatiale et à quel point elle allait devenir vitale pour l'avenir de la marine.
>
> « La N.A.S.A. va sélectionner six pilotes expéri-

mentés et il est capital qu'au moins deux d'entre eux appartiennent à la Navy. Je sais que les autres grands corps de l'armée ont mis en avant les plus méritants de leurs candidats, en particulier l'Air Force. Ils s'imaginent que l'espace leur appartient et si nous voulons participer à l'aventure, il faudra nous battre et présenter nos meilleurs éléments. Tout le monde est d'accord là-dessus, vous êtes notre candidat numéro un.

« Le responsable du comité de sélection est un astronaute de l'Air Force que vous avez peut-être connu à Edwards, Deke Slayton. Il paraît que c'est un homme intègre. Que savez-vous de lui? Potassez la question. Découvrez ce qu'il aime boire, quels avions il a pilotés, et ainsi de suite, car son veto sera sans appel. Je suppose que vous savez qu'il devait prendre la place de Carpenter dans la capsule, mais que des ennuis cardiaques l'en ont empêché. Qu'il l'ait mal digéré se comprend sans peine. En tout cas, c'est lui l'homme à satisfaire en priorité. »

L'amiral Crane s'arrangea pour que Pope fût relevé de son poste à bord du *Tulagi* et envoyé à New York où un groupe d'instructeurs leur expliqua, à lui et à sept autres candidats de la Navy, le comportement type des hommes promus à d'importantes responsabilités. Un psychologue d'Annapolis s'étendit sur les attitudes corporelles et leurs significations.

« Penchez-vous en avant à partir des genoux et non de la taille. Paraissez toujours prêts à foncer pour estoquer un adversaire. Ne penchez pas la tête, signe d'indécision. Si vous avez une barbe très sombre, rasez-vous deux fois par jour, mais n'utilisez jamais de talc. Un homme ne se sert que de savon. »

L'instructeur passa en revue une cinquantaine de gestes et de poses « dynamiques ». Mais ce fut un ancien d'Annapolis devenu cadre dans le privé qui leur laissa le souvenir le plus marquant.

« Les hommes de valeur que la commission va chercher à reconnaître portent des mi-bas. Rien de pire qu'un P-D.G. qui montre vingt centimètres de mollet nu. Pas un de mes adjoints n'a de chaussettes ou de chaussures marron. Les grandes tâches en ce bas monde sont assurées par des hommes qui portent des chaussures noires bien cirées. D'autre part, si vous êtes invités à dîner, ce qui ne peut manquer d'arriver, souvenez-vous de trois choses. Ne tambourinez pas avec votre fourchette ou votre cuillère. Ne les prenez que pour manger et ensuite reposez-les. Deuxio, si vous commandez à boire, ne réclamez pas de vin. Les vrais hommes boivent du whisky, jamais de rhum, c'est exotique, et le gin uniquement dans les Martini. Troisièmement, un détail qui peut vous rendre service. Mangez à l'anglaise, couteau dans la main droite, fourchette dans la gauche. Cela vous distinguera du commun des mortels. »

Un entraîneur de football avait également été invité. Il ne venait pas d'Annapolis dont les équipes étaient médiocres, mais de l'une des huit grandes universités du pays qui prenaient la formation de l'homme au sérieux.

« J'ai discuté avec les membres de commissions de sélection antérieures, dont le champ d'intérêt s'étend à tous les domaines. Voyez leur coefficient de réussite. Seize candidats choisis, seize gagnants. Et ils veulent élargir le record. Alors essayez de donner l'impression que vous êtes capables de vous sortir de toutes les difficultés. Ne restez pas plantés les poings sur les hanches. Ça, c'est le style laveur de carreaux.

« Mais d'un autre côté, n'essayez pas de rouler des mécaniques, comme des gros durs. Ils ne cherchent pas des gorilles, mais des responsables capables de mener à bien une mission représentant des milliards de dollars. Ils savent que vous êtes des braves, sinon vous ne seriez pas là, alors inutile de les impressionner avec votre héroïsme.

« Maintenant, ça va peut-être vous paraître drôle de la part d'un entraîneur sportif, mais surveillez votre langage. Construisez vos phrases. Parce que dans votre entraînement vous aurez beaucoup à lire, beaucoup à écrire. Vous pouvez utiliser le jargon des pilotes d'essai, mais tâchez de ne pas bafouiller parce que vous allez vous trouver en face de types qui vous valent aux commandes d'un avion et qui parlent impeccablement. »

De New York, Pope et les autres prirent l'avion jusqu'à Houston où ils s'inscrivirent sous de faux noms à l'hôtel Rice. Quatre journées d'interrogatoire intensif et d'examens médicaux étaient prévues, les candidats furent invités par une circulaire posée sur leur oreiller à passer une bonne nuit de repos. Pope ne manqua pas de suivre ce conseil.

Le lendemain, il se réveilla tôt, résolu à faire la meilleure impression devant la commission et, après s'être rasé, il téléphona à sa femme pour lui annoncer qu'il était décidé à se cramponner jusqu'au bout. « Quand j'étais sur la passerelle de mon bateau, attendant le messager du ciel, j'ai su que je voulais être astronaute, que rien ne m'avait jamais autant fait envie. Prie pour moi, parce que mon destin doit se réaliser à tout prix. »

Lorsqu'il s'avança d'un pas vif, légèrement penché en avant avec ses longues chaussettes et ses souliers noirs impeccables, ses cheveux châtains coupés court, sa dentition éclatante, ses yeux à la vision sans défaut, il ne manquait pas de prestance. Il savait écrire avec un style élégant et précis, avait en astronomie les connaissances d'un professionnel et était titulaire du dossier personnel le plus élogieux de Pax River. Mais lorsque son regard se planta dans celui de Deke Slayton, avec son visage impassible, il comprit que durant les quelques journées à venir, cette commission allait faire défiler plus d'une centaine de jeunes pilotes de valeur égale à la sienne et il eut froid dans le dos.

Parmi ces militaires à l'allure sévère se tenait, au bout de la grande table, un homme ressemblant à un professeur d'université. La quarantaine, des lunettes cerclées de métal, cet homme au sourire affable se leva lorsque Slayton le présenta :

« Le docteur Stanley Mott, notre tête pensante. »

Pope songea alors que son destin tenait au vote de cet intellectuel sympathique. Remarquant alors le candidat qui le précédait, il resta bouche bée : le pilote d'essai qui s'était attardé à parler avec un officier d'aviation appartenant au jury se retourna et vit Pope.

« Pope! Ils ont dû racler le fond du tonneau! »

C'était le major Randy Claggett, le candidat favori du corps des marines, qui ne semblait guère impressionné par les membres de la commission. Lorsqu'il tapa sur l'épaule de son vieux copain avant de quitter la salle d'une démarche élastique,

Pope remarqua qu'il ne portait pas de longues chaussettes noires.

C'était une soirée de gala pour les Allemands de Huntsville; un cinéma local avait obtenu une copie du nouveau film *I Aim at the Stars* et tout le monde avait acheté des billets car ce film relatait la biographie de leur héros, Wernher von Braun.

Le bruit courait que bien des libertés avaient été prises avec les faits dans le scénario et qu'en vue de rendre l'histoire plus alléchante pour le public féminin, la secrétaire allemande bien connue du héros de Peenemünde avait été transformée en séduisante espionne anglaise. On disait aussi que le populaire acteur allemand Curt Jurgens avait fait du personnage de Wernher une création valable. Quoi qu'il en fût, tous les membres de l'équipe de Peenemünde se rendirent en force au spectacle, espérant un chef-d'œuvre et désireux de montrer à leurs enfants à quoi ressemblait le grand centre de lancement de fusées germaniques.

Le programme commença par un concert de l'orchestre local où le jeune Magnus Kolff se distingua avec une superbe interprétation du *Carnaval de Venise.* Ses parents ravis l'invitèrent à se joindre à eux pour assister à la projection du film, mais il préféra rester avec les jeunes musiciens de l'orchestre.

Le film se révéla désastreux. Pas un détail technique n'était exact. Le décor ne ressemblait en rien à Peenemünde et tous les intermèdes du récit étaient grotesques. Les Kolff cherchèrent en vain trace de ce qu'ils avaient connu au temps de leurs premières amours et un bon nombre d'ingénieurs manifestèrent leur écœurement devant cette accumulation d'âneries. Von Braun, heureusement, n'était pas là pour subir cette ignominie mais tous les assistants virent leurs rôles caricaturés ou bafoués.

Par exemple, la miraculeuse évasion de Dieter et de Liesl Kolff avec des papiers d'une importance capitale n'était même pas mentionnée. Pire encore, un journal de la région reproduisait un commentaire de la photo qui avait paru dans un quotidien anglais : « Je vise les étoiles mais parfois je frappe Londres. » La communauté de Peenemünde était indignée et Mme Kolff déclara à son fils : « Un homme éminent comme von Braun, personne ne devrait avoir le droit de s'en moquer ».

VI

LES JUMEAUX

Après avoir consulté la liste des cent dix postulants aux six postes disponibles du programme d'astronautique, Stanley Mott s'adressa aussitôt au président du comité de sélection.

« Je dois, à mon avis, être disqualifié. Je connais un de ces hommes.

– Lequel?

– Le numéro quarante-sept. Charles Lee, pilote d'essai de l'armée. S'il se fait appeler Hickory, alors je le connais. Il a travaillé pour moi comme gardien à Huntsville.

– Qu'est-ce que vous pensiez de lui?

– Un vrai montagnard du Tennessee. Formidable, ce gosse. Ma femme avait la même opinion de sa femme Sandra, une vraie montagnarde elle aussi. Je lui ai conseillé de laisser tomber son boulot de garde et de faire des études.

– Et il a suivi ce conseil?

– Oui. Ma femme a trouvé à Sandra un travail d'infirmière. Lui, de son côté, est allé à Vanderbilt et en est sorti diplômé avec mention.

– C'est le genre d'hommes que nous recherchons. Restez avec nous et donnez-nous votre opinion.

– Je ne voterai pas lorsque son nom passera.

– S'il est aussi remarquable que vous l'affirmez, ce ne sera pas nécessaire. »

Mott était donc resté, avait étudié chacun des concurrents et soutenu vigoureusement la candidature de Randy Claggett, du Texas, et de John Pope, de Fremont, qui furent acceptés. Son chaleureux témoignage en faveur de Hickory Lee permit au jeune homme de figurer également sur la liste, mais les trois autres candidats choisis par lui furent éliminés.

Après que les six lauréats eurent été présentés au public lors d'une importante conférence de presse, les dirigeants de la N.A.S.A. assignèrent à Mott une affectation totalement différente, qui devait lui donner de grandes satisfactions durant les dix années à venir.

« Vous êtes un homme plein de bon sens. Très versé dans l'ingénierie et la science. Nous voulons que vous vous occupiez de la formation et de l'éducation de ces jeunes gens. Au train où vont les choses, ils constitueront l'épine dorsale de notre programme d'ici à quelques années et nous tenons à ce qu'ils soient au mieux de leur forme. »

Le premier soin de Mott fut de confronter l'impression que lui avaient faite les six nouveaux astronautes à l'opinion plus technique du psychiatre qui avait supervisé les examens auxquels avaient été soumis les cent dix candidats d'origine, dont il avait d'emblée éliminé une trentaine, et il trouva le docteur Loomis Crandall, exerçant dans une clinique de Denver, extrêmement sympathique. Fumant à la chaîne, les cheveux prématurément gris, âgé de quarante et quelques années, diplômé de l'université de Chicago, il s'était livré à des travaux de recherches approfondis à Vienne et à Rome et avait une solide expérience de psychologue de l'armée de l'air à Colorado Springs. Son énergie juvénile, combinée avec sa chevelure poivre et sel, en faisait le personnage idéal, alliant à la fois l'érudition et le bon sens de l'homme de la rue pour travailler avec les jeunes et fringants pilotes d'essai.

Il ne s'exprimait pas dans le jargon de sa spécialité.

« Vous avez travailler, docteur Mott, avec six des jeunes hommes les plus hautement motivés d'Amérique. Regardez leurs visages. Regardez leurs états de service. »

Et il étala sur la table six grandes photos des élus, chacune accompagnée d'un texte de trois lignes.

Randolph Claggett, 1929. Texas A.M. Major U.S.M.C. Patuxent River.
Charles « Hickory » Lee, 1933. Univ. Vanderbilt. Major U.S. Army Edwards.
Timothy Bell, 1934. Univ. d'Arkansas. Civil. Allied Aviation. Pilote d'essai.
Harry Jensen, 1933. Univ. du Minnesota. Capitaine, Air Force, Edwards.
Edward Cater, 1931. Etat du Mississippi. Capitaine. Air Force. Edwards.
John Pope, 1927. Fremont. Cmdr. Marine U.S. Patuxent River.

Mott consulta la liste pendant que le docteur Crandall exposait ses conclusions.

« Pope est le plus vieux, Bell est le plus jeune, les autres sont à peu près tous du même âge. Beaucoup de points communs dans d'autres domaines. Tous protestants. Tous originaires de petites villes. Tous mariés et pères d'au moins deux enfants, à l'exception de Pope. Tous du Midwest ou du Sud. Cette dernière caractéristique est significative. Pour avoir répondu à nos critères rigoureux, ces hommes devaient posséder des qualités particulières. Bonne conduite, bravoure, un certain esprit religieux. Un cocktail bien dosé. Et quel mot, croyez-vous, résume le mieux tout cela? Le patriotisme. Le bon vieux patriotisme. Et où le rencontre-t-on de nos jours? Surtout dans le Sud. Au pays de la guerre civile. Mott, sur un millier d'hommes qui dirigent véritablement l'armée, la marine, l'aviation et les marines, vous pourriez constater que soixante-dix pour cent sont originaires du Sud... qui comporte combien? Trente pour cent de la population. Absolument hors de proportion, mais c'est uniquement parce que les métiers héroïques ont toujours séduit les gens du Sud... hommes ou femmes. Regardez la liste. Texas, Tennessee, Arkansas, Mississippi. Et le jeune gars qui a fait ses études dans le Minnesota est né en Caroline du Sud. Il a émigré dans le Nord uniquement parce que sa famille était suédoise et voulait qu'il vive dans le Minnesota. »

Mott demandant pourquoi les astronautes jusqu'alors ne comprenaient aucun catholique, la réponse de Crandall fut immédiate :

« Sur quoi avons-nous insisté dans ces premiers groupes? Spécialisation en maths, ingénierie, science, pilotage d'essai pour la plupart. Et que demande le pilotage d'essai? Des études de maths, d'ingénierie et de sciences. Et sur quelles matières les grandes écoles catholiques mettent-elles l'accent? Tout sauf les maths, l'ingénierie et les sciences. C'est pourquoi jusqu'à présent aucun jeune homme ayant étudié selon la tradition catholique n'a jamais été éligible.

– Je suis catholique, bon sang. J'avais vraiment envie de voir un catholique dans ce groupe, d'autant qu'il n'y en a jamais eu dans les premiers. Mais où en dénicher un? Pas à Notre-Dame. Pas à Villanova. »

Repoussant les papiers, il ajouta avec enthousiasme : « Nous fondons de grands espoirs sur deux catholiques de choc dans le prochain groupe. »

Crandall insista sur le fait évident que la majorité

des astronautes jusqu'alors, dans ce groupe en tout cas, étaient originaires de petites villes.

« J'ai beaucoup réfléchi à la question et ce n'est pas d'ordre génétique, ni une affaire d'aptitude. Il doit s'agir d'un facteur socio-économique. Les jeunes garçons, dans les petites villes, vivent en général très proches de leurs parents. On les incite à prendre les choses au sérieux. Leurs familles les encouragent à étudier, à entrer chez les boy-scouts, à se livrer à des jeux de société. Ces hommes, tous autant qu'ils sont, avaient, à dix ans déjà, le caractère formé.

– Ce résultat peut être obtenu dans une grande ville, mais la plupart du temps l'adolescent est orienté vers d'autres voies. Les affaires. Des professions comme la mienne. La gestion politique. (Il observa une pause.) Je vais vous dire une chose, Mott. Je n'aimerais vraiment pas vivre dans un pays dirigé par ces astronautes. Très conservateurs. Doués de fort peu d'imagination dans tout autre domaine que le leur. Ils sont tous républicains, vous savez. »

Mais il insista également sur un point que Mott connaissait déjà : ces hommes étaient décidés à réussir.

« Chacun d'entre eux est un super-perfectionniste, habité par une farouche volonté de se surpasser. Lâcheté, réticence, tentation de tirer au flanc, tout cela leur est étranger. Leur endurance au travail est inimaginable. Si vous devez vous charger de leur éducation, ne craignez pas de les surmener. Ces hommes sont capables d'apprendre dix fois plus qu'un étudiant normal. Dix fois plus que vous et moi aurions pu assimiler. Ce sont des super-machines. »

Lorsque Mott s'enquit d'une certaine particularité commune aux six, Crandall devint volubile.

« Le trait que vous soulignez m'a préoccupé au

commencement. Vingt-deux astronautes, vingt-deux des jeunes hommes les plus remarquables d'Amérique et pas un seul athlète parmi eux. Pourquoi? Eh bien, j'ai beaucoup cogité là-dessus et suis arrivé à quelques explications fantaisistes. Des gars aussi motivés n'ont pas de temps à perdre pour pratiquer des sports. Ou peut-être : l'ingénierie et la science exigent tant de travaux pratiques qu'il n'est pas question de s'entraîner quotidiennement au football. Ou encore : dans les sports, les motivations sont toutes extérieures. Ce qui compte, c'est ce que dit l'entraîneur. Ce que dit le règlement. Dans le domaine où travaillent ces hommes, les motivations sont intérieures. J'avais encore une demi-douzaine de ces cracks et quand j'en ai discuté avec les professeurs, certains d'entre eux n'étaient pas fâchés que dans les tests de sélection si cruciaux, les grands athlètes aient obtenu des résultats nuls. »

Il leva les mains pour souligner sa stupeur, puis éclata d'un rire joyeux.

« Quelle bêtise de ma part! J'avais négligé un fait simple qui expliquait tout. Chaque fois que nous avons procédé à une sélection, nous avons choisi des hommes de plus en plus petits, afin qu'ils puissent loger dans nos appareils. Si nous avions sélectionné les footballeurs intelligents, et il y en a, croyez-moi, ils auraient mesuré un mètre quatre-vingt-dix et auraient pesé plus de cent kilos. Un seul de ces gorilles occuperait davantage d'espace que deux de nos hommes comme Grissom et Young. En fait, les ingénieurs qui construisent les machines souhaiteraient que nous fixions la taille maximale à moins d'un mètre soixante-quinze et le poids à quatre-vingts kilos.

– Il me semble me rappeler que John Pope se débrouillait pas mal au football. Claggett également, déclara Mott.

– Tous pratiquaient des sports, reconnut Crandall. Et certains étaient très doués. Mais pas un seul des vingt-deux premiers n'était ce qu'on appelle un champion et, du coup, je suis revenu insidieusement à ma première supposition. Ce n'étaient pas des champions parce que ces hommes n'aiment pas perdre leur temps à faire du sport, pour la bonne raison que les buts qu'ils se sont fixés ne leur permettent pas pareille extravagance.

« Les astronautes, enchaîna-t-il, sont en grande majorité les aînés d'une famille. Ils ont été choyés. Leur ego est puissant. Leurs parents les ont peut-être trop poussés, mais en même temps ils les aimaient. Ces hommes trouvent normal qu'on s'occupe d'eux. Il ne faut pas les envoyer promener. Par ailleurs, aucun astronaute, quelle que soit la tension que vous lui faites subir, n'a jamais d'ulcère d'estomac. Ces salopards connaissent un truc que ni vous ni moi n'avons réussi à apprendre. Travailler comme des damnés toute la journée, mais décompresser le soir. Prendre un bon repas et s'offrir une bonne nuit de sommeil. Ne les traitez donc pas comme des porcelaines fragiles. Ces types-là sont coriaces. »

Il disposait de davantage d'analyses statistiques qu'il aurait pu communiquer à Mott, mais il estimait que les points les plus importants ayant été abordés, il était temps de convoquer un homme dont Mott devrait faire son collaborateur.

« Je veux vous présenter Tucker Thompson, rédacteur en chef du magazine *Folks*. C'est lui qui à l'origine a réussi à rompre la mainmise de *Life* sur les astronautes. Il faut qu'il fasse du bon boulot sur ces six derniers, sinon il est saqué. »

Avant que Mott ait pu dire « j'ai déjà rencontré Thompson », le journaliste fit irruption dans la pièce, un large sourire aux lèvres, et Mott put examiner l'homme avec qui il allait travailler. Il était de haute taille, bronzé, âgé d'une cinquantaine d'années et lorsqu'il tendit la main, sa manchette se retroussa sur une imposante gourmette en or. Le col de sa chemise était boutonné et il arborait une cravate d'une chaude couleur, un pantalon noir admirablement repassé, une luxueuse veste blanche et, bien entendu, des mocassins italiens. Avec un début de calvitie, il avait un regard étincelant et des dents très blanches.

« Je suis Tucker Thompson », dit-il, avançant d'un pas, puis il s'immobilisa, recula légèrement et pointa un long index sur Mott. « Hé! je vous connais. Je vous ai vu dans le bureau du sénateur Grant. Vous êtes... (Il hésita.) Vous êtes le docteur Mott. »

Il avait apporté un jeu des photos de famille prises par son magazine, et lorsqu'il les étala sur le bureau, le docteur Crandall déclara :

« Oui, j'ai oublié de préciser. Ces jeunes hommes n'ont jamais eu peur d'épouser de jolies filles. Pas de problèmes psychologiques sur les rôles conflictuels du mari et de la femme. Boom! Ils sont déjà au lit! »

De la pointe d'un crayon, il désigna les épouses.

« Quatre normales. Deux problèmes. Le Suédois Jensen a épousé la Suédoise Inger. Quoi de plus américain! Le garçon du Tennessee qu'on appelle Hickory a épousé la fille d'un paysan du Tennessee, et je souhaite à tous les hommes d'avoir autant de chance. Le genre sportive, possède son propre cheval, sa vieille voiture déglinguée. Mais quand elle se met sur son trente et un! Pardon, numérotez vos abattis! »

Mott examina la photo de Mme Lee et s'émerveilla du chemin parcourut par la jeune fille plutôt gauche qu'il avait connue.

« C'était une amie de ma femme. Admirez la fermeté de ce regard. Celle-là peut réussir n'importe quoi si elle l'a décidé.

– Bell, le civil, enchaîna le docteur Crandall, le jeune garçon si chaudement recommandé par le sénateur Glancey, s'est trouvé une vraie beauté, comme vous pouvez voir. Probablement, la meilleure mère du groupe.

– Et photogénique comme personne, ajouta Tucker Thompson. Avec ou sans les trois gosses.

– Ed Cater, l'aviateur du Mississippi, s'est épousé une femme à l'allure extrêmement trompeuse. Miss Confédération tout craché, mais elle dirigeait une firme spécialisée dans les hypothèques avant d'épouser Ed. Une femme de tête.

– Je ne vois là aucun problème, déclara Mott, ajustant ses lunettes sur son nez. Sinon pour moi. Me concentrer sur mon travail.

– Les problèmes, ce sont ces deux-là qui nous en posent, dit Thompson, et si j'avais fait partie du comité de sélection, je ne pense pas que je les aurais acceptés. »

Il indiqua la photo de Debby Dee Claggett : en blouse vague, sandales, cheveux blonds plutôt décoiffés, une cigarette au bec.

« Quelle vulgarité, non? Nous avons eu une réunion pour décider de la façon dont il faudrait s'y prendre avec elle. Ce n'est pas une sportive. Ce n'est pas une cover-girl. Et elle a deux handicaps majeurs. Deux de ses gosses sont d'un autre homme. Il est mort, bien entendu. Ils étaient mariés légalement. Et en plus, elle a la manie de traiter tous ceux qu'elle déteste ou qu'elle adore de « saleté ».

L'air écœuré, il posa la photo de Debby Dee à l'envers sur la table et montra à sa place une véritable horreur.

« Nos maquilleurs ont fait ce qu'ils ont pu avec Debby Dee. Qu'est-ce que vous en pensez? »

Dans sa version améliorée, Debby Dee portait un ruché autour du cou, des pendentifs verts aux oreilles, une coiffure bouffante et son sourire exhibait une bonne vingtaine de dents, dont deux en or.

Personne ne dit mot et au bout d'un moment, Tucker Thompson confia aux deux autres :

« Lorsqu'elle a vu la photo, elle a dit : « Cette « saleté a l'air d'une putain de Shanghai. » Nous avons un problème avec Debby Dee.

– Qu'avez-vous décidé lors de votre réunion? demanda Mott.

– Nous pouvons la présenter de deux façons. La belle plante du Texas. Nous pouvons déclarer que son père possédait un vaste ranch.

– C'était le cas?

– Personne ne sait où il se trouve. (Il toussa.) Ou alors, comme je l'ai proposé, nous pouvons mettre l'accent sur la mort de son premier mari.

– Mais d'après vous, le fait qu'il soit le père de ses deux enfants est un handicap, dit Crandall.

– Dans notre métier, d'une faiblesse nous faisons souvent un atout. Pour la jeter en pâture au public. Nous avons vérifié son dossier et il semble qu'elle se soit conduite avec un courage extraordinaire lorsque son mari s'est tué en avion. Nous avons quelques photos. Nous pouvons prétendre que Claggett était le plus proche ami de la famille. Il a immédiatement proposé de veiller sur les orphelins et ainsi de suite. Nous transformons un élément négatif en élément positif.

– La meilleure solution pour vous, suggéra Crandall, ce serait de la présenter comme une originale un peu loufoque.

– Dangereux, riposta Thompson. Très dangereux. Car on ne sait jamais comment le public américain peut réagir devant une originale. Prenez, par exemple, Gertrude Stein et Amy Lowell, qui ont tant de succès. Bon sang, on ne peut pas trouver plus tordues que ces deux-là, mais nous les avons adoptées au fond de nos cœurs. Maintenant, nous vendons des automobiles avec le portrait de Gertrude Stein par Picasso. Le même phénomène pourrait se reproduire avec Debby Dee, mais ça n'est pas évident.

– Ne pourrait-on lui interdire de dire « saleté » en public? suggéra Crandall.

– Je ne pense pas que Debby Dee soit amendable », dit Thompson qui prit ensuite la dernière photographie, celle de Mme John Pope, conseillère juridique de la commission spatiale du Sénat.

Elle portait une jupe rouge de coupe classique qui lui arrivait juste en dessous des genoux, un col claudine blanc et un rang de perles; ses cheveux tirés en arrière étaient retenus par une barrette, mais c'étaient ses yeux noirs qui retenaient l'attention.

« Nous l'avons vue, vous savez, rappela Mott au journaliste, avec le sénateur Grant.

– Je me souviens d'elle. Dans un bureau, elle est formidable. Mais dans l'optique de notre campagne, elle pourrait se révéler néfaste.

– Pourquoi? demanda Mott. Elle correspond exactement à ce que nous voulons, il me semble. Originaire d'une petite ville. Fréquente l'église. Un amour remontant à l'enfance.

– C'est une bombe à retardement, messieurs, affirma Thompson, comme instruit par une longue expérience. Qu'est-ce que *Life* a découvert avec ses astronautes? Le jour du décollage, il vous faut dans les journaux une photo de la femme attendant à la maison, ou peut-être en train de prier dans une église. Les gosses. La barrière blanche. Les voisins inquiets sur lesquels elle s'appuie. Si l'un des fils possède un skateboard, c'est très bien, mais le mieux, c'est encore une bicyclette. La fille avec une poupée, pas un nounours. Voilà qui serre le cœur vraiment, qui rend les photos de l'espace beaucoup plus réelles que celles de la fusée en train de s'élever.

– Et qu'est-ce qu'on va photographier si l'astronaute John Pope part pour une mission dangereuse? Sa femme dans un bureau de Washington en train de mordre son crayon? Elle devrait se trouver loin de Washington, au fond d'un trou perdu, dans une maison blanche entourée d'une barrière. Et bon dieu, elle n'a même pas d'enfants! Il n'y a rien de bon à en tirer. Et savez-vous ce que je redoute le plus? Ces sacrées bonnes femmes qui occupent de hautes fonctions! Durant le vol, quand nous ne pourrons pas empêcher les journalistes de l'interroger, elle est fichue de dire : « Pourquoi n'y a-t-il « aucun Noir dans ce programme? » « Quand « emmènera-t-on des femmes dans l'espace comme « viennent de le faire les Russes? » Dieu sait ce qu'elle ira inventer mais vous pouvez parier que ce sera désastreux. »

Il tapota du bout de son crayon la photo en prédisant :

« Cette femme est une bombe nucléaire. Déposée au cœur même de mon programme.

– Partez des faits, dit Mott, d'une jeune femme de valeur qui travaille dans le même bureau..., etc.

– Dans mon métier, fit remarquer Thompson, il ne faut pas se montrer trop malin. Tenez-vous-en à la petite maison et à la barrière blanche. Et vous savez pourquoi? Les deux tiers de nos lecteurs sont des femmes et d'instinct, elles méprisent les jeunes femmes brillantes comme Penny Pope qui ont une situation en vue et savent garder la ligne.

– A part Debby Dee, fit remarquer Mott, les quatre premières sont plutôt minces.

– Mais jolies également. Comme des mannequins. Les femmes trouvent normal que les mannequins soient minces. Et aucune d'entre elles ne rêve d'un métier. (D'un large geste de la main, il indiqua les photos étalées.) Si une femme est jolie, sa minceur est admirable. Si elle occupe un poste administratif, c'est un signe d'avarice et de méchanceté. Dites-moi ce que je dois faire avec celle-là. »

Et il pointa un index accusateur sur Penny Pope.

Toutes ces questions prirent une importance vitale pour Rachel Mott quand la N.A.S.A. l'engagea pour servir de cicérone aux familles des six nouveaux astronautes. Elle obtint cet emploi grâce au brillant palmarès de son mari, mais tous ceux qui la connaissaient la savaient parfaitement à la hauteur de sa tâche. Agée de quarante-trois ans, toujours très soignée dans sa tenue, c'était une excellente femme d'intérieur, mère de famille, une Bostonienne douée d'un sens aigu du devoir.

Lorsqu'elle et Stanley s'installèrent près du nouveau quartier général de l'espace à Houston, elle déplora que Millard choisisse de rester en Californie avec tous les autres fanas du surf, mais se réjouit de voir Christopher, maintenant âgé de treize ans, s'adapter si facilement à la vie du Texas. Rien ne lui donna plus de satisfaction que de voir le respect unanime qu'inspirait son mari à la N.A.S.A. où il était reconnu non seulement comme l'un des mentors des nouveaux astronautes, mais également comme l'un des membres les plus brillants de l'équipe permanente. Il passait sans cesse d'une importante commission à une autre, s'attaquant d'abord en tant qu'ingénieur à un problème d'une haute technicité pour ensuite traiter en savant des sujets concernant le cosmos.

Il consacrait néanmoins la majeure partie de son énergie à initier les six jeunes astronautes aux mystères de la N.A.S.A., et moins d'une semaine après leur arrivée à Houston, il avait programmé pour eux une série de cours comparables aux disciplines avancées de quelque excellente université d'ingénierie, sauf que ses élèves avaient deux heures par jour de théorie et dix heures de laboratoire. Ce programme se poursuivrait pendant environ six mois, après quoi ils s'orienteraient vers telle ou telle spécialisation.

Un travail aussi intensif laissait aux femmes beaucoup de liberté et c'était là que commençaient les responsabilités de Rachel.

Tucker Thompson veillait à ce que les épouses soient régulièrement photographiées en train de se livrer à ces occupations qui mettaient le mieux en valeur le rôle des femmes de la N.A.S.A. Comme trois d'entre elles avaient des liens étroits avec l'Eglise – appartenant à des religions traditionnelles – les photos rassurantes ne manquaient pas : école du dimanche, pique-niques, soupers pour les vieux, sortie du culte avec les autres paroissiens le dimanche matin. Thompson insistait également sur les promenades en famille lorsque les astronautes se trouvaient à Houston et sur les matches locaux de base-ball. Le basket-ball ne lui inspirait que mépris. Un sport de nègres essentiellement de nos jours, disait-il. Nos lecteurs ne croient qu'au base-ball.

Rachel voyait les épouses lorsqu'elles vaquaient à leurs occupations quotidiennes et tout d'abord prise pour un espion de la N.A.S.A., elle avait fini, grâce à son professionnalisme et à sa force de caractère, par s'attirer leur respect. A la fois compréhensive et persuasive, elle n'hésitait jamais à exprimer son opinion si elle le jugeait nécessaire. Son aspect soigné, son élégance, l'aisance avec laquelle elle s'exprimait impressionnaient ces jeunes femmes, qui se montraient également très attentives à leur propre apparence.

Debby Dee, de six ans seulement sa cadette et réfractaire à toute observation, lui donnait du fil à retordre, mais Rachel ne prenait pas trop à cœur cet échec, car elle trouvait la Texane beaucoup trop délurée pour son goût et les enfants Claggett encore plus indisciplinés que les siens. Le style des Claggett ne correspondait guère à ses goûts et elle ne fut pas fâchée d'apprendre que son mari n'obtenait de son côté guère de succès avec le commandant Claggett.

« Il finit son travail plus vite que les autres et connaît les avions sur le bout du doigt, mais les contacts avec lui sont vraiment difficiles. Il tourne tout en plaisanterie. »

Rachel, comme tout le monde, avait un faible pour les Suédois, Harry et Inger Jensen, séduisants, intelligents et toujours prêts à rendre service. « De perpétuels boy-scouts », comme les décrivit quelqu'un, et Harry effectivement avait été chef de patrouille. Ils étaient tous deux bien reconnaissables avec leurs cheveux blonds, leur étroit visage triangulaire, leurs yeux bleus. Ils souriaient sans cesse et étaient éperdument amoureux l'un de l'autre.

Le couple de civils lui donnait du souci car il semblait manquer de la rigueur propre aux familles de militaires; encore que Stanley lui eût affirmé que Tim Bell était l'un des plus extraordinaires pilotes issus de l'industrie privée. « Le général Funkhauser d'Allied Aviation ne recommande pas un homme s'il n'est pas à la hauteur. Cherchez les qualités de sa femme, pas ses faiblesses. » L'ennui, avec les Bell, du point de vue de Rachel, c'était que le mari était trop séduisant et sa femme d'une grâce de poupée inquiétante. Comme ils étaient aussi photogéniques l'un que l'autre, leurs photos étaient largement diffusées et avec le temps, Mme Mott en vint à reconnaître que malgré leurs défauts, les Bell représentaient tout compte fait un atout considérable pour le programme.

En revanche, elle sympathisa tout de suite avec les trois épouses du Sud, Cater, Jensen, Lee; irréprochables, toujours disponibles, rien ne les distinguait des millions d'autres épouses courageuses qui avaient autrefois accompagné leurs maris avec Jules César jusqu'aux frontières de l'empire, ou avec Robert Clive pour pacifier l'Inde, ou avec Douglas MacArthur pour occuper le Japon. Ces femmes étaient des professionnelles en qui elle se reconnaissait et qu'elle respectait.

Gloria Cater, autrefois femme d'affaires du Mississippi, était pour elle une constante surprise, évoquant une « belle » du Sud de jadis doublée d'une réaliste au solide sens pratique. Inger Jensen était fragile, bavarde et très amusante. Mais la perle du contingent sudiste, de l'avis de Rachel Mott, c'était Sandra Lee, le garçon manqué, descendue de ses collines à l'est du Tennessee.

D'emblée très attirée par cette jeune femme indépendante, elle constatait maintenant avec plaisir que Sandra jugeait à sa juste valeur cette expérience avec la N.A.S.A. Capable d'adopter n'importe quelle pose sur la demande de Tucker Thompson et de ses photographes, elle pouvait ensuite s'éloigner sans être le moins du monde affectée par toutes ces absurdités. Rachel aimait l'entendre raconter comment Hickory s'était retrouvé astronaute. « Mon gars a pulvérisé Vanderbilt. Sorti avec mention. Il a gagné son grade d'officier dans l'armée, puis son insigne de pilote, ensuite son diplôme d'ingénieur aéronautique au M.I.T., avec mention de nouveau. » Mais Rachel remarqua que les Lee demeuraient extrêmement réservés; au-delà d'une certaine limite de familiarité, ces deux montagnards battaient en retraite, ne permettaient à personne de les connaître intimement.

C'était à Penny Pope, de Washington, que Rachel s'identifiait le plus, car en cette femme compétente et libre elle remarquait le genre d'efficacité qu'elle s'efforçait d'atteindre dans sa propre vie, plus un charme personnel inégalable. En outre, Mme Pope à coup sûr était d'un niveau intellectuel supérieur à celui des cinq autres, ce que mettait en évidence sa conversation les rares fois où elle abandonnait son travail au Sénat pour venir voir son mari. Contrairement à certains membres du personnel de la N.A.S.A., Rachel ne trouvait pas Penny « froide comme un glaçon », elle la pressentait chaleureuse et passionnée tout en sachant que cette jeune femme du Midwest d'une si parfaite élégance allait présenter des problèmes bien différents de ceux posés par les belles du Sud.

« Alors, de quoi disposons-nous? demanda Tucker Thompson au début de la quatrième semaine, alors que son magazine préparait sa présentation des six épouses. Ce que je recherche, c'est un thème à offrir au public américain, en particulier à la femme d'intérieur américaine. Car ce sont ses « héroïnes » et à nous de nous arranger pour qu'elles le restent.

– Elles sont ravissantes. Une aubaine pour vos photographes.

– Mais il ne suffit pas de les présenter comme ravissantes. Ce que nous recherchons, c'est un peu leur âme collective et à ce petit jeu-là, les premières impressions sont capitales.

– Elles sont intelligentes. Pas la moindre idiote dans le lot. Même Debbie Dee est maligne comme un singe, à sa façon.

– L'intelligence est un facteur négatif quand on essaie de vendre un groupe de femmes. Une seule femme, comme Oveta Culp Hobby, d'accord. Le public peut s'enorgueillir d'une exception. Mais pas de six. Nous sommes à la recherche d'une idée qui fera chanter le cœur de l'Amérique. Notre tâche n'est pas facile, madame Mott, et si vous pouvez nous aider, je vous en serais fort reconnaissant.

– Commencez par la beauté, Tucker, mais parlez de la « vraie Américaine, élégante et soignée ». Faites ensuite de leur diversité une vertu. Servez-vous de Sandra le garçon manqué. Servez-vous de Mme Cater, de son sang-froid, de son efficacité. Et, contrairement à ce que vous craignez, je pense que Mme Pope, aidant discrètement à prendre des décisions qui ont permis à son héros de mari de s'envoler pour des missions périlleuses, représente un atout. « L'unité dans la diversité », voilà votre thème. Ou, peut-être, « la diversité dans l'unité ».

Il y eut plusieurs réunions plénières pour décider du mode de présentation le meilleur. Ce fut en fin de compte la conception exposée par Rachel Mott de la couverture qui l'emporta.

« Un petit drapeau américain au centre, flottant dans le vent, entouré des six épouses en médaillon choisis avec soin. Sandy Lee avec un bandeau sur le front. Gloria Cater en train de mordiller son crayon de P.-D.G. Penny Pope debout devant l'aigle du Sénat. Cluny Bell appuyant son visage fragile sur sa main gauche. Inger Jensen en col claudine, adorable comme à l'accoutumée. Et Debby Dee Claggett... »

Elle s'interrompit. Comment présenter la robuste Texane? Hésitante, elle suggéra :

« Avec un Martini à la main... une cigarette...

– Une chose est sûre, intervint Thompson, nos études psychologiques prouvent que, dans une photo circulaire, les gens en général négligent la position huit heures. Le coin en bas à gauche. Debby Dee figurera à huit heures. »

La couverture fut un succès foudroyant, avec son drapeau américain entouré de six de ses plus séduisantes filles. Dès que les clients commencèrent à écrire pour demander des numéros sans texte afin de pouvoir les encadrer, *Folks* en fit imprimer deux cent mille, en fixa le prix à vingt-cinq *cents* pièce, et lorsque le lot entier eut été vendu et que les six épouses eussent été correctement présentées au public, Thompson demanda à une de ses secrétaires de lui résumer le courrier.

> La plus commentée : Inger Jensen, celle que tout le monde aimerait avoir comme fille. La moins commentée : Penny Pope, qui a donné aux lecteurs l'impression d'être indifférente, et pourquoi n'est-elle pas avec son mari? La préférée : Debby Dee Claggett, qui a l'air de la meilleure mère des six. Consensus : un bouquet américain dont la nation peut être fière.

Rachel Mott estimait, et à juste titre, avoir contribué efficacement à lancer ses six « débutantes » dans la saison mondaine américaine. Mais, le jour où Virgil Grissom et John Young accomplirent leur premier vol historique à bord du nouveau vaisseau spatial Gemini, elle s'aperçut qu'elle s'était bercée d'illusions. Ce fut un moment crucial dans l'histoire de la conquête de l'espace; le sort du programme national en dépendait et ce qui était en jeu, c'était la sécurité de deux astronautes et non plus d'un seul comme auparavant. Il régnait un climat de tension aigu à la N.A.S.A. et Tucker Thompson pensa que le moment était peut-être bien choisi pour évoquer dans la presse les réactions des nouvelles épouses devant la machine qui allait bientôt emporter leurs maris dans l'espace. Il appela Mme Mott.

« Rachel, où sont les filles?

– Je crois que quatre d'entre elles regardent la télé chez Gloria Cater.

– Formidable. Ça fera un cliché sensationnel. Mais pourquoi quatre seulement?

– Mme Pope est à Washington, comme d'habitude. Et Inger Jensen est allée voir ses parents dans le Minnesota.

– Bon sang! C'est la plus photogénique des six avec son charme de petite fille. Enfin, tant pis. Retrouvez-moi à la maison des Cater. » (Il s'apprêtait à raccrocher, mais ajouta soudain : « Ils ont bien une barrière en bois, hein? »)

Lorsqu'ils arrivèrent chez les Cater, Thompson expliqua aux reporters qui attendaient les règles de base régissant les interviews et les prises de photos.

« Ces femmes sont absolument sur les nerfs. Elles se sont réunies ici pour se soutenir mutuellement. Pas de questions brutales. Pas la moindre allusion à un échec éventuel de la mission. »

Rachel aurait dû entrer la première dans le cottage pour prévenir les épouses, mais elle demeura au-dehors pour expliquer leur personnalité aux journalistes femmes. Ce fut donc Tucker qui pénétra le premier dans le living-room. Voyant les femmes pieds nus, en train de jouer au gin-rummy en sirotant des Martinis, tandis que la télévision ronronnait sans que personne y prêtât la moindre attention, il faillit tomber de saisissement. Mme Claggett et l'hôtesse, Mme Cater, du Mississippi, fumaient.

« Seigneur Dieu! s'exclama Thompson. Un instant sacré de l'histoire. Des vies humaines en jeu. Et vous jouez au poker.

– Au gin, rectifia Mme Cater.

– Les journalistes sont là, dehors. Venus de toute la nation, du monde entier. Remettez vos chaussures! »

Sandy Lee entra en action. Avec son efficacité coutumière, elle ramassa les cartes, cacha les Martinis, fit disparaître toute trace de débauche. Puis, avec le charme désarmant qu'elle savait déployer instantanément lorsque les circonstances l'exigeaient, elle alla ouvrir la porte et déclara d'un ton posé :

« Les représentants des principales agences de presse et deux reporters étrangers peuvent entrer et rester un quart d'heure. Nous sortirons ensuite et vous recevrons aussi longtemps que vous le désirerez. Car nous vivons un moment historique et nous éprouvons une grande fierté à y jouer un rôle même mineur. »

Avec une grâce inimitable, elle accueillit les cinq journalistes choisis dans le cottage, sourit bravement aux soixante ou soixante-dix autres tout en refermant la porte. Et alla rejoindre Gloria, Cluny et Debby Dee qui, devant l'écran de télévision, gardaient les yeux fixés sur Walter Cronkite.

Le programme pour lequel les nouveaux astronautes avaient été sélectionnés fut baptisé Gemini parce que, pour la première fois, deux hommes devaient cohabiter à bord du vaisseau spatial dans un habitacle si réduit qu'une fois étendus, ils se touchaient presque et devraient rester ainsi immobilisés durant peut-être quatorze jours. Lorsque le docteur Mott inspecta la capsule, il comprit mieux ce que Crandall lui avait expliqué des restrictions imposées par la N.A.S.A. sur la taille et le poids de ses astronautes; deux hommes de proportions normales n'auraient jamais réussi à se caser dans un espace aussi exigu; et même des hommes aussi entraînés et aussi maigres que les deux astronautes eurent quelque difficulté à y parvenir.

Gemini représentait une forme d'exploration sans précédent dans l'histoire du monde et exigeait des hommes une grande agilité, du courage et une énorme compétence.

Au début des six mois de formation, Deke Slayton, un homme maigre et revêche, apparut devant les astronautes avec une pile de manuels et de plans de vol d'au moins soixante-dix centimètres de haut.

« D'ici le jour où votre nom sera appelé pour un vol, vous aurez appris par cœur tout ce qui figure en gros caractères et compris le reste. »

Les manuels ressemblaient à des jeux compliqués pour adolescents. Ils analysaient avec une parfaite minutie les opérations du vaisseau Gemini; dans l'un d'eux, des diagrammes en couleurs montraient les réseaux de circuits électriques; dans un autre, des dessins éclatés au tracé élégant, du genre utilisé pendant la seconde guerre mondiale pour faciliter la réparation des avions, illustraient le système hydraulique; dans un autre encore, quatre feuilles habilement imprimées, en plastique transparent, étaient posées les unes sur les autres pour permettre à l'astronaute de voir l'intérieur des propulseurs.

Les connaissances demandées semblaient illimitées, s'étendant à seize secteurs principaux d'informations; quel que fût le domaine auquel les hommes s'attaquaient ensuite, la même règle s'appliquait : deux heures de discussion théorique, dix heures de travaux pratiques au laboratoire, puis deux heures à comparer les notes et dix de plus pour s'attaquer concrètement au problème.

Dès le début, la N.A.S.A. avait adopté une méthode logique : demander à ses astronautes de tout étudier, puis spécialiser chacun d'entre eux dans le domaine où il deviendrait expert, familiarisé avec les concepts les plus élaborés et les perspectives d'avenir. Le moment où se répartissaient les responsabilités était toujours excitant et un beau matin Deke Slayton apparut avec une liste :

« Claggett, en raison de vos connaissances approfondies des avions, les structures. Lee, parce que vous avez déjà beaucoup travaillé dans l'électronique, le système électrique. Bell, parce que vous étiez spécialiste de l'aérodynamique chez Allied Aviation, les surfaces portantes. Jensen, parce que vous êtes de petite taille, l'équipement en vol et les mécanismes de survie. Cater, parce que vous avez fait du bon travail sur la propulsion à Edwards, les fusées. Pope, parce que vous avez un doctorat en astronomie, la navigation et les ordinateurs. »

John le remarqua, chaque fois qu'étaient distribués les rôles, le même ordre hiérarchique prévalait, Claggett en tête et lui en dernier. Un jour où il se trouvait seul dans le bureau du docteur Mott, il aperçut une liste où figuraient les noms dans l'ordre habituel, intitulée ORDRE DE SÉLECTION. Lisant à l'envers, il n'eut pas le temps de déchiffrer le texte tapé à la machine accompagnant la liste, mais, Mott revenu, il lui demanda carrément :

« Pouquoi suis-je la lanterne rouge?

– Vous n'étiez pas censé voir ça.

– Je n'ai pas lu le texte. J'ai simplement vu le titre et l'ordre des noms. »

Mott rangea le document dans un tiroir avant de répondre :

« C'est l'ordre dans lequel vous avez été choisi. Il n'existe pas de meilleur aviateur que Claggett. Vous le savez, je suppose.

– Je l'ai connu en Corée et à Pax River. Le meilleur, en effet.

– Les autres ont des états de service impressionnants, Pope. Ce jeune Bell, le civil. Il a piloté tous les appareils imaginables et participe chez Allied Aviation à la mise au point de tous leurs modèles.

– Mais pourquoi suis-je le dernier? »

Voyant Pope démoralisé, Mott décida de jouer franc-jeu avec lui.

« Rien à voir avec vos qualités d'aviateur. Vous avez piloté avec les meilleurs. Rien à voir non plus avec votre bravoure, car en Corée et à Pax River... eh bien, vous avez des médailles qui en donnent la preuve.

– Alors quoi? Quelle est ma faiblesse cachée? Je ne la connais pas et il serait bon que je l'apprenne.

– Les normes », déclara Mott. Comme le jeune aviateur semblait déconcerté, il précisa : « Vous n'étiez pas conforme aux normes. Vous ne vivez pas avec votre femme. Vous n'avez pas d'enfants. Statistiquement, vous représentiez un risque à courir, votre femme en particulier. La N.A.S.A. se sent plus sûre lorsque des inconnus comme Claggett et Lee se conforment aux normes. Parce qu'alors, la loi des nombres joue en notre faveur. Avec vous, nous naviguons à l'estime. Je pense que vous le savez. » Comme Pope ne faisait aucun commentaire, Mott ajouta : « On s'en est rendu compte en Corée et on s'en est certainement rendu compte à Patuxent.

– De quoi s'est-on rendu compte?

– Que vous étiez un solitaire.

– Et quel rapport? L'essentiel, me semble-t-il... c'est que je faisais du bon travail, dit Pope fermement.

– C'est bien pour ça que nous vous avons choisi, John. »

A s'entendre soudain appelé par son prénom, comme si la discussion avait pris un tour nouveau et plus confidentiel, l'astronaute se radoucit et demanda :

« Pourquoi êtes-vous prêt à passer sur ces anomalies? »

Ce terme inhabituel, si adapté au contexte, détendit Mott qui se mit à rire. Enlevant ses lunettes, il dévisagea Pope, de neuf ans son cadet.

« Nous vous avons choisi, dit-il, parce que nous savions que dans les airs vous pourriez vous révéler l'un des plus remarquables de notre équipe. Et vous allez le devenir.

– Mais au sol, méfiance.

– Oui. (Une pause gênée s'ensuivit.) Croyez-vous possible de persuader votre femme de quitter son emploi et de venir s'installer ici à Houston?

– Non. » Pope se moucha pour gagner du temps, puis enchaîna : « Penny m'a dit le week-end dernier que votre femme lui faisait l'impression d'être très semblable à elle-même. Vous avez dû avoir les mêmes problèmes.

– C'est drôle. Ma femme m'en a dit autant de Mme Pope. « Elle me ressemble davantage que « n'importe laquelle des autres. » Mais je n'ai pas eu à affronter le même problème que vous, John, parce que ma femme m'acceptait dans mon rôle. Un jour, je vous parlerai d'El Paso. Et vous expliquerai pourquoi j'ai été viré de Huntsville. Ma femme est restée très proche de moi.

– Pas la mienne », commenta Pope d'un ton sec et sans attendre que Mott lui donnât congé, il se leva et quitta la pièce.

La spécification qu'on lui avait attribué l'enchantait et s'il avait eu le choix parmi tous les autres secteurs, il aurait opté pour l'astronomie et les nouveaux systèmes de navigation, car il les trouvait captivants.

« Je me sens poussé aux extrêmes limites de mon intelligence, écrivit-il à sa femme, et constamment sur le point d'être submergé. Mais bon sang, je finirai par gagner la partie. »

Le grave problème des tournées de coordination l'empêchait de se spécialiser étroitement dans la navigation, car les astronautes étaient requis pour circuler dans le pays et dans le monde entier avec une célérité qui laissait pantois certains observateurs. Au long d'une période de trois mois, Pope et Claggett furent occupés par ces voyages :

... à Worcester, Massachusetts, la David Clarke Company, pour l'essayage de deux sortes différentes de combinaisons spatiales, plus une autre pour Pope avec laquelle il risquait éventuellement de marcher dans l'espace.

... à Los Angeles, Californie, pour une rencontre de deux jours avec les hommes du général Funkhauser, qui avait obtenu le contrat de la fourniture des commandes dans la capsule.

... à St. Louis, Missouri, à la McDonnell Astronautics Cie, pour travailler au vaisseau spatial lui-même.

... à Cleveland, Ohio, pour travailler au Lewis Center de la N.A.S.A. sur les performances des moteurs d'avions et des fusées.

... à Sunnyvale, Californie, à la Lockheed Space Company, pour vérifier les progrès de la fusée Agena à laquelle Gemini allait s'accrocher dans l'espace.

... à Owego, New York, à I.B.M., pour se familiariser avec les nouveaux ordinateurs miniaturisés qui contrôleraient le vaisseau spatial.

... à Fort Apache, Arizona, pour se livrer à une opération survie de trois jours dans le désert, à la recherche de l'eau et des aliments indispensables.

... à Canoga Park, Californie, chez Rocketdyne, pour étudier les principes et les instruments de contrôle conditionnant la rentrée dans l'atmosphère.

... à Redondo Beach, Californie, à la Ramo Corporation, pour travailler aux calculs des trajectoires.

Outre plusieurs des trois cent dix-neuf autres sites industriels où des éléments du programme

Gemini étaient assemblés, y compris nombre des noms les plus illustres dans le monde du business américain : Bell, Burroughs, C.B.S., Douglas, Engelhard Minerals, General Electric, General Motors, B.F. Goodrich, et ainsi de suite.

Ces voyages prenaient une signification particulière pour les apprentis astronautes, chacun s'identifiant plus particulièrement à telle ou telle visite. Hickory Lee, quand il revint de l'Edwards Air Force Base où il avait été soumis à des vols paraboliques C-135, nageait dans l'extase : « Bon dieu, ils m'ont emmené à douze mille mètres, en montant presque à la verticale, puis ils ont piqué du nez et pendant ce bref changement de direction, zoom! Je ballottais dans cet espace capitonné comme une plume dans une tornade du Texas. L'apesanteur totale pendant trente-deux secondes! On est descendu, puis on a de nouveau basculé pour redescendre ensuite. On a fait ça trente-huit fois et je suis ressorti de là couvert de bleus. Ces capitonnages, ça ne protège pas du tout. » Mais pendant plusieurs jours, il ne cessa de parler de ces instants où il avait été accidentellement libéré de l'attraction terrestre.

Certains hommes eurent physiologiquement du mal à s'adapter à cette routine C-135, impitoyablement malmenés pendant que l'énorme avion piquait du nez. John Pope était parmi eux.

« J'échappais probablement à la pesanteur, comme ils disent, mais j'en avais à peine conscience. »

Le sens de l'espace lui fut donné par deux expériences beaucoup plus banales et sophistiquées à la fois puisqu'elles dépendaient de la simple perception de la pesanteur.

« Si vous êtes comme moi et n'arrivez pas à percevoir cette sensation dans tout ce chambardement du C-135, conseilla-t-il aux cinq autres, essayez donc le Guidage Inertiel de Lanley qu'ils nous ont montré dans les films. Fantastique! »

Cependant, ce fut dans une piscine qu'il appréhenda le mieux la sensation d'apesanteur, dans un énorme réservoir cubique plutôt, installé au nouveau centre de Huntsville. En tenue complète d'astronaute, il fut jeté dans l'eau, lesté à la taille des plombs suffisants à une flottabilité statique.

« C'était à la fois bizarre et merveilleux. Pas une absence de poids véritablement, vous comprenez, car, les pieds en l'air le sang se précipitait à la tête, puisque la pesanteur existait toujours. Mais un merveilleux sentiment de liberté. J'adorais ça. Chaque fois que je passais ma combinaison et que la grue me laissait tomber dans la flotte, je me sentais un chevalier du Moyen Age que l'on hissait sur son blanc destrier. Ma lance était une clef à molette, et le monde que je devais conquérir, l'espace. »

La mission la plus spectaculaire fut celle de Randy Claggett à Johnsville, le centre aéronaval, au nord de Philadelphie, où il dut se soumettre à des essais de tolérance dans la gigantesque centrifugeuse. Appliquant le principe de la baratte où le lait est séparé de la crème, sur une machine à plus grande échelle et permettant des variantes contrôlées, les hommes dirigeant les essais assirent leur cobaye sur un siège de pilote et le firent tournoyer à des vitesses de plus en plus grandes jusqu'à ce que le G exigé soit atteint.

> « Un seul coup d'œil à cette saloperie et j'ai eu envie de me tailler, Ils m'ont ficelé comme un saucisson en me demandant : " Vous pouvez encaisser dix G? "
>
> « J'ai répondu : " J'en sais foutre rien. " Là-dessus ils m'ont dit : " Eh bien, vous allez le savoir. " C'était plutôt désagréable comme sensation, mais j'ai gueulé : " Je ressens pas de douleur! ", alors ils ont répondu : " En voilà une bonne dose de quinze! "

« J'ai eu un peu de mal à accommoder, mais quand ils m'ont crié : " Vous pouvez en encaisser vingt? " J'ai répondu : " Sortez-moi de là! ", et ils m'ont dit : " A vous de décider. " Et quand je suis sorti, le compteur indiquait seize G.

« Mais il y avait ce jeune péquenot qui traînait dans les parages et qui s'est proposé comme volontaire. Après l'avoir ficelé, ils sont montés à quinze assez rapidement, et il a souri et crié. Alors, ils ont poussé jusqu'à dix-huit et lui ont demandé s'il voulait essayer vingt, et il a hurlé : " Pourquoi pas? " ils sont montés à vingt, puis ils ont dit que personne encore n'était arrivé à vingt et un, et il a dit : " Allez-y, essayons. " Mais il tournoyait si vite que les mots lui étaient comme arrachés de la bouche, et ils l'ont fait tourner à vingt et un G pendant près de dix secondes. Une pression épouvantable.

« Quand ils ont arrêté la centrifugeuse, il est descendu d'un bond, frais comme un gardon, mais la tête lui tournait un peu, je le voyais bien. Il est parti au volant de sa voiture pour rentrer chez lui, mais quand j'ai quitté la zone des essais, je l'ai vu garé carrément en travers de la bande du milieu, dormant comme un loir. Il avait dû avoir la cervelle complètement caillée par les vingt et un G. Je l'ai ramené à la base, mais les docteurs s'en foutaient complètement. Je me demande souvent ce qui a bien pu lui arriver, à ce paysan.

Les déplacements, qui se poursuivaient sans relâche, devinrent deux fois plus agréables lorsque la N.A.S.A. eut à sa disposition plusieurs douzaines d'avions d'entraînement supersoniques biplaces T-38. Ces appareils racés pouvaient atteindre Mach 1.3 ou plus, et c'était un vrai plaisir de sortir d'une réunion en fin d'après-midi au cap Canaveral, de se ruer à l'aéroport et de monter à bord d'un T-38 qui, fonçant à travers les airs, vous amenait à temps à Houston pour dîner.

Comme le T-38 pouvait contenir deux personnes, Claggett et Pope, copains du temps de Pax River, partageaient souvent cet avion pour aller assister à des réunions de fournisseurs ou faire des essais sur le terrain. Ainsi s'envolèrent-ils pour Key West où ils devaient exécuter des sauts d'urgence en parachute au-dessus de la mer. Trois jours durant, les deux pilotes furent emmenés dans un vieux DC-3 et jetés par-dessus bord à une altitude de trois mille mètres. Tandis qu'ils descendaient, tournoyant lentement sous le soleil des Caraïbes, ils pariaient sur la vedette de patrouille qui les rejoindrait en premier. Le troisième après-midi, une fois les essais terminés, ils filèrent vers l'aérodrome, montèrent à bord du T-38 et survolèrent le golfe du Mexique pour rallier la base aérienne d'Ellington, au nord du centre spatial de Houston, où ils atterrirent au moment où le soleil se couchait derrière la ville.

Etre jeune, avoir le ciel comme élément, un T-38 à sa disposition et des aérodromes un peu partout à travers le pays, la vie ne pouvait rien offrir de meilleur. Pourtant, il ne s'agissait pas de loisirs, car les pilotes devaient effectuer ces vols pour ne pas perdre la main. Un certain nombre d'heures de vol par mois était obligatoire, dont plusieurs de nuit, afin de percevoir les primes pour eux si importantes.

« Bon sang, disait Claggett, moi et Debby Dee, on ne pourrait pas vivre avec mon salaire de base. Sans ces bonnes vieilles primes de vol, nos gosses mangeraient des clopinettes. »

Leur vol préféré était celui de Houston à Cap Canaveral, vers le site mythique d'où un jour ils fuseraient vers l'espace. Et c'était avec une sorte de vénération qu'ils s'approchaient de la fosse sableuse où attendaient les plates-formes de lancement.

Et, comme plusieurs des simulateurs les plus perfectionnés se trouvaient au cap, les astronautes ne se lassaient jamais de grimper dans ces engins extraordinaires pour procéder aux phases d'un vol imaginaire.

Il existait des simulateurs pour le lancement, pour la redescente dans l'atmosphère, pour le système de guidage, pour les ordinateurs. Il en existait un surprenant pour faire échouer un vol et une vraie machine de bande dessinée, hérissée d'accessoires pour atterrir sur la Lune. Il en existait un pour tous les cas d'urgence possibles et imaginables, mais le plus extraordinaire était manœuvré par un docteur en ingénierie de l'université Purdue, un homme de haute taille à la mine sinistre, au menton orné d'une barbiche à la Fu Manchu, que tout le monde appelait Dracula.

Son boulot consistait à anticiper les catastrophes, à imaginer les pires accidents de vol et les désastres qui pouvaient s'ensuivre. Au milieu du processus de lancement dans le simulateur, on imaginait une panne de poussée dans trois fusées, et une série d'appareils télémétriques super-sophistiqués enregistraient alors chaque erreur commise par le pilote nerveux. Ou bien, au moment crucial, les deux ordinateurs principaux exploseraient, et chaque erreur commise par le pilote dans le siège de droite serait froidement enregistrée. Les moteurs prendaient feu, le bouclier abrasif brûlerait; le parachute extracteur ne déploierait pas le grand. Quand Dracula était là, à jouer de ses appareils simulateurs comme d'un violon, la catastrophe était permanente.

Le vol d'essai terminé, il venait trouver les deux pilotes et leur lisait son rapport. « A 00 : 01 : 49 du vol, perte de compression. » Ce salaud ne disait jamais : « J'ai coupé la compression. » Il s'agissait toujours d'une compression défectueuse impersonnelle. « Le commandant a procédé à deux manœuvres erronées avant de procéder à la bonne et la mission a échoué. A 00 : 05 : 23, s'amorce un roulis excessif. Le pilote a tenté d'y remédier en utilisant des méthodes abandonnées depuis quatre mois et le vaisseau s'est écrasé. » On avait parfois l'impression que Dracula ne serait pas satisfait avant que la capsule imaginaire Gemini ait plongé dans l'Atlantique, tuant les deux pilotes. Mais, lorsque le vol véritable commença sans aucun des incidents prévus par Dracula, les astronautes se sentirent pris d'une véritable affection pour lui. Néanmoins c'était, comme disait Claggett, « un vrai salopard », ce que les jumeaux purent vérifier un matin.

Dracula était passé maître dans l'art de monter des spectacles son et lumière qui reproduisaient fidèlement les conditions de vie des astronautes pendant le vol. Des appareils projetaient des images des cieux qui entoureraient les hommes à un moment donné; le roulis générateur de mal de mer qui caractérisait la descente pouvait être reproduit par des vérins hydrauliques – quant au bruit, son imitation ne posait aucun problème. Si bien qu'après avoir totalisé plus de cent cinquante heures à bord de ces simulateurs, Claggett et Pope purent s'estimer – non sans raison – prêts à parer à toute éventualité en cours de vol.

C'est avec cette conviction qu'ils montèrent un beau matin dans le simulateur principal après que celui-ci eut été inexplicablement fermé pendant trois semaines. Ils écoutèrent le compte à rebours : 7, 6, 5, 4, 3, 2, 1 – mise à feu, tendus, comme chaque fois, en se demandant quelle mauvaise surprise leur réservait Dracula.

Mais ce jour-là, le simulateur ne simula pas. Il explosa. Pour de bon. Il y eut une déflagration épouvantable, suivie de divers bruits assourdissants, tandis que la capsule, projetée en l'air sur le simulateur de décollage comme elle l'aurait été au sommet de la fusée Titan, était envahie par les flammes et la fumée. Claggett, faisant preuve d'un sang-froid qui lui valut des félicitations, prit l'une après l'autre toutes les mesures adéquates pour atténuer les conséquences de l'explosion, pendant qu'à sa droite, Pope s'efforçait de contrôler l'incendie. Celui-ci fut bientôt maîtrisé, de sorte que le simulateur put être rapidement remis en état malgré les dégâts importants causés par l'incident.

Les deux astronautes comprirent alors que tout avait été prémédité. Dracula avait mis au point une excellente série de films, un système sonore et une machine pouvant secouer le simulateur en dégageant de la fumée et des flammes. Au briefing, le mélancolique Dracula déclara de sa voix monotone :

« A 00.01.09, l'une des principales fusées a explosé. Le commandant et le pilote ont opéré toutes les manœuvres appropriées sauf en ce qui concerne le contrôle de l'oxygène en cas d'urgence. La mission a donc échoué. »

Lorsque le quartier général demanda à Claggett et à Pope leur réaction devant cette explosion inattendue, Pope, retranché derrière son entraînement de pilote, répondit :

« J'ai essayé, ça n'a pas marché. J'ai essayé la manœuvre numéro 2, sans succès. Mais la manœuvre numéro 3, oui. »

Claggett se montra plus direct :

« J'ai cru crever de trouille. »

Le sénateur Grant ne proposait pas de faire le sale boulot des républicains dans la commission pour l'espace pour le compte des démocrates Lyndon Johnson et Michael Glancey sans contrepartie pour son Etat. Mais, au moment de préciser ses desiderata, il connut des difficultés. Eastland, du Mississippi, avait récolté la plupart des entreprises juteuses sous le contrôle du Sénat, tandis que Mendel Rivers, de Caroline du Sud, avait vu fleurir une telle quantité de postes et d'établissements qu'un amiral avait un jour grommelé : « Mendel, si on vous accorde une base de plus, Charleston va sombrer. »

Parmi tous les projets coiffés par la N.A.S.A., Johnson s'occupait du Texas et Glancey protégeait Red River en lui procurant des contrats. Lutter contre ce favoritisme n'était pas facile, mais Grant avait le bras long. Lorsqu'il menaça de se révolter, les dirigeants démocrates durent trouver comment le calmer.

« Norman, déclara Glancey un matin avant une réunion de comité, l'Air Force et la N.A.S.A. auraient bien besoin d'un nouvel aéroport à l'ouest du Missouri, et nous avons décidé d'en créer un juste au nord de votre ville natale. Très commode lorsqu'on possède son propre avion. »

Glancey persuada également le général Funkhauser de construire une succursale d'Allied Aviation à proximité de la cité industrielle de Webster, et Grant se laissa fléchir, réclamant néanmoins une autre faveur personnelle.

« Un savant extraordinaire, Glancey, Anderssen, notre astronome de l'Etat du Fremont, a persuadé certaines personnes fortunées de nous offrir un planétarium. Ce serait une bonne idée que ce nouveau groupe d'astronautes y vienne étudier les étoiles.

– Eh bien... Norman, voyez-vous... Nous envoyons nos hommes à Chapel Hill, en Caroline du Nord. Leur enseignement est remarquable.

– Je n'en doute pas, répondit sèchement Grant,

mais je suis sûr qu'Anderssen a autant de valeur. »

Rien ne sortit de ce dialogue, mais Grant avait tellement envie de voir six astronautes arpenter les rues de sa ville qu'il revint deux fois à la charge, et Glancey finit par capituler.

« J'en parlerai à la N.A.S.A. », dit-il.

Lorsque les responsables déclarèrent que, malgré l'excellent travail réalisé en Caroline du Nord, ils ne voyaient aucune raison pour que l'Etat du Fremont ne s'en tire pas aussi bien, le centre du savoir se déplaça vers l'ouest. A la première réunion dans le planétarium, le vieil homme déclara aux astronautes :

> « Lorsqu'un homme a étudié le ciel durant dix mille nuits, il est autorisé à se livrer à certaines généralisations. L'espace est sans limites et sans définition. Il n'y a ni est, ni ouest, ni nord, ni sud, ni haut, ni bas, ni intérieur, ni extérieur. Il est véritablement illimité et doit être respecté comme tel. Il ne peut être ni mesuré ni compris. Tout ce que nous pouvons faire, c'est nous conformer à ses lois telles que nous les percevons vaguement.
>
> « C'est de ces lois que j'aimerais parler, et je n'ai nul besoin de vous exhorter à les maîtriser, car le jour n'est pas loin où chacun d'entre vous s'élancera vers l'espace, le bien-être de la nation et de l'humanité tout entière dépendant de la façon dont vous réussirez.
>
> « Voici une galaxie. [Et il projeta sur le ciel du planétarium une étonnante photo de M-51, le Tourbillon.] Il existe environ un milliard d'étoiles dans cette galaxie et environ un milliard de galaxies dans l'univers tel que nous le connaissons pour le moment. Cela signifie que nous avons peut-être jusqu'à un milliard de milliards

d'étoiles différentes. Je vais maintenant augmenter la lumière afin que vous puissiez écrire sur vos calepins un milliard de milliards. C'est le chiffre 1 suivi de dix-huit zéros.
[Il baissa de nouveau la lumière et montra aux astronautes une très belle photographie de la galaxie dans la Chevelure de Bérénice, connue sous la désignation de NGC-4565, une masse allongée d'étoiles et de poussières de galaxies.] « Si nous pouvions voir notre Galaxie, écrite avec un G majuscule, depuis une vaste distance, elle ressemblerait à ceci : une collection de quatre milliards d'étoiles groupées autour d'un noyau central. Je veux que chacun de vous devine où notre Soleil, parmi ces étoiles, se situe à l'intérieur de la Galaxie.
[Il remplaça la 4565 par un dessin représentant notre Galaxie vue d'en haut, et à l'aide d'un index lumineux indiqua la position du Soleil, très à l'écart sur le côté, loin du centre vital.]
« Nous sommes attachés à une étoile de dimensions moyennes, dans une galaxie de dimensions moyennes, loin du centre d'action où naissent de nouvelles étoiles, loin de ces centres de l'univers où de nouvelles galaxies voient le jour. Messieurs, ne commettez, au grand jamais, l'erreur de croire que nous nous trouvons au centre de l'univers, ou à proximité du centre de quoi que ce soit.
« Nous occupons cependant dans notre merveilleuse Galaxie une position admirable dont la complexité nous occupera jusqu'à la fin de nos jours. J'ai passé soixante ans, petit garçon en Norvège et ensuite astronome dans ce pays, à m'efforcer de pénétrer les mystères de notre système planétaire, et je suppose que j'en sais aussi long sur ce sujet que n'importe qui. Mais j'ignore ses origines précises ainsi que le mode

de formation de ses éléments (à l'exception de la Terre, toujours écrite avec un T majuscule), j'ignore les mécanismes qui maintiennent le système ensemble ou sa destinée finale.
« Je suis là devant vous, vieil homme ignorant, terriblement jaloux de cette chance stupéfiante qui vous est donnée d'explorer notre système, et fort désireux de vous aider à acquérir les instruments nécessaires pour accomplir cette exploration. Pour ce faire, il vous faut connaître les étoiles. »

Il leur montra ensuite, à l'aide d'appareils spéciaux, l'écliptique, cette bande arbitraire des cieux où circulent la Lune et les planètes et le long de laquelle le Soleil semble se déplacer. Lorsque les hommes eurent bien fixé dans leur esprit cette ligne imaginaire, il projeta dessus des interprétations des signes du Zodiaque, ces poteaux indicateurs des cieux dont l'origine remonte à des temps immémoriaux.

« J'ai étudié le Zodiaque dans cinq langues différentes et avec tous les moyens mnémotechniques connus, mais le plus efficace me paraît être une comptine écrite en Angleterre, il y a bien longtemps. Elle figure sur votre documentation et j'aimerais que vous la sachiez par cœur d'ici demain. Je me la récite presque tous les soirs et je vous conseille d'en faire autant. »

Et il récita la comptine qui allait aider les astronautes dans leur travail, indiquant du faisceau de sa lampe l'étrange collection de figures associées avec les mots.

« Le Bélier, le Taureau, les Divins Gémeaux

Le Cancer qui suit le Lion
La Vierge et puis la Balance
Le Scorpion, le Sagittaire
Le Capricorne, le Verseau
et le Poisson aux écailles brillantes. »

Ayant fait le tour complet, il revint au Bélier et s'écria :

« Maintenant, tous ensemble! »

Et comme un groupe d'écoliers, les six astronautes psalmodièrent le poème enfantin.

Le professeur Anderssen exigeait que les astronautes apprennent à reconnaître les étoiles de navigation situées le long de l'écliptique, car certaines d'entre elles seraient en général visibles. Mais elles étaient malaisées à repérer et leurs noms n'étaient pas familiers, si bien que les jeunes astronautes eurent du mal à maîtriser le sujet.

« Vous allez simplement apprendre les plus faciles d'ici demain. L'Épi, Antares, Aldebaran, Pollux, Regulus. »

Lorsqu'ils furent familiarisés avec celles-là, il s'attaqua aux plus difficiles, dont certaines étaient à peine visibles pour des yeux non avertis.

« Nunki, dans le Sagittaire, facile à trouver dans le groupe qui ressemble à une théière; Deneb Algedi dans le Capricorne, pas facile à trouver. Hamal dans les Gémeaux, très difficile à trouver. Mais la plus difficile de toutes, à trouver comme à prononcer, se trouve dans la Balance, c'est Zubeneschamali. »

Il eut quelques problèmes avec Randy Claggett, qui prononçait le nom des étoiles à sa façon. La Grande Ourse, Ursa Major, était devenue la grande Rousse, Zubeneschamali, je-ne-baise-qu'au-lit et l'importante étoile de navigation Nunki, Niké.

« Ai-je raison de penser, commandant Claggett, que le mot Niké a une connotation sexuelle?

– Eh bien, ma foi...

– Alors je pense qu'il vaudrait mieux désigner cette étoile par son vrai nom, Nunki. »

Lors d'une interrogation orale, lorsque Anderssen pointa sa baguette sur le Sagittaire et demanda à Claggett d'identifier l'étoile principale, Claggett vociféra :

« Niké! » Le professeur songea un moment à sanctionner le Texan, mais il remarqua que Claggett apprenait le nom et l'emplacement des étoiles plus vite que n'importe qui d'autre, excepté Pope, diplômé en sciences annexes. Aussi fit-il preuve de tolérance à son égard et un jour où il essayait de leur apprendre à reconnaître les étoiles les plus difficiles, il hurla :

« Tâchez de vous rappeler... C'est « Je-ne-baise-qu'au-lit! », et toute la classe applaudit.

Lorsqu'ils furent familiarisés avec les étoiles de l'hémisphère Nord, il réunit ses étudiants dans le planétarium et leur fit un petit discours auquel ils se référèrent souvent dans leurs conversations ultérieures.

C'était un professeur inspiré, dont l'enthousiasme était contagieux. Et c'était vrai qu'il avait observé les étoiles dix mille nuits, trois longues nuits par semaine pendant soixante ans.

> « Nous connaissons, maintenant, je pense, les étoiles de l'hémisphère Nord, en particulier les plus brillantes, et nous avons vu que Dieu ou la nature avait placé la Polaire à l'endroit précis où elle se révèle le plus utile, au pôle Nord.
>
> [Il laissa le ciel se déplacer d'un mouvement lent et majestueux durant trois journées complètes, ne prononçant que quelques paroles de temps à autre pour souligner la vacuité de

l'hémisphère Sud ou la nécessité de reconnaître aussi bien ces quelques étoiles précieuses que leurs sœurs plus nombreuses du nord.]

« Petit garçon de Norvège, après avoir appris à reconnaître les étoiles du nord, comme vous l'avez fait, planté au sommet d'une colline, je fulminais en regardant le ciel, le suppliant de basculer pour me permettre de voir les étoiles du sud, que je savais cachées en dessous de la ligne d'horizon. " Canopus! je vociférais, avance! Je sais que tu es là. Croix du Sud, montre-toi! "

« Songez-y, messieurs. Nous sommes tous les sept des hommes instruits, et jamais aucun d'entre nous n'a vu les étoiles qui guident le sud. Nous allons maintenant les étudier mais je ne peux vous dire à quel point je vous envierai lorsque, bondissant dans l'espace pour voler au-delà de l'ombre de la Terre, vous admirerez dans toute leur gloire ces constellations que je n'ai jamais vues.

[Doucement, il fit apparaître dans son ciel les Nuages de Magellan qui avaient tellement fasciné l'explorateur portugais, la Croix du Sud qui avait guidé et enchanté le capitaine Cook, la luminosité du Centaure, et la froide beauté de Canopus, la deuxième étoile la plus brillante du ciel.]

« Je vous demande de connaître d'ici demain matin les étoiles les plus visibles. Nous passerons ensuite aux autres, les moins repérables. »

Repérables, elles ne l'étaient guère en effet : Achernar, Al Na'ir et des étoiles folles dont Pope lui-même n'avait jamais entendu parler : Miaplacidus et Atria. Mais comme le soulignait Anderssen :

« Elles sont essentielles parce que, à un moment crucial là-haut, ce sera peut-être cette seule portion du ciel que vous pourrez voir. Et, si vous ne connaissez pas ces étoiles, vous serez perdus. »

A sa dernière conférence, lorsqu'il eut acquis la conviction que ses six étudiants en avaient appris davantage pendant les cent vingt heures de cours qu'il n'en savait à la fin de cinq années d'études, il leur déclara :

> « Vous êtes maintenant capables d'identifier les étoiles qui vous donneront les renseignements dont vous avez besoin pour naviguer vers la Lune, Mars ou Jupiter. Vous devez maintenant apprendre à maîtriser les ordinateurs qui absorberont ces données et définiront votre position. Mais, dans un certain sens, sur un plan plus large, aucun d'entre nous ne saura jamais où nous nous trouvons. Nous sommes perdus parmi les étoiles, dans notre Galaxie, parmi les milliards d'autres galaxies qui nous aident à comprendre un univers que nous ne pouvons cerner dans sa totalité. L'exploit que vous allez courageusement accomplir avec vos merveilleuses machines entrouvrira le voile de l'ignorance et nous devrons affronter alors des mystères plus grands encore qui nous domineront jusqu'à ce que d'autres semblables à vous-mêmes, avec leurs propres machines et leurs propres connaissances, écartent encore le voile pour révéler de nouveaux impondérables. Comme je vous envie! »

Tucker Thompson obtint un tel succès avec les six astronautes que son magazine vanta son travail « meilleur que celui de *Life* », et les astronautes applaudirent car, d'après leur contrat avec *Folks*, chacun devait toucher un supplément de vingt-trois mille dollars si les reportages étaient vendus à l'étranger. Les aviateurs par conséquent travaillaient en étroite collaboration avec Tucker et encourageaient leurs épouses à suivre leur exemple. Mais les femmes estimaient que Thompson envahissait trop leur vie privée et il éprouvait quelque dfficulté à leur faire adopter le comportement qu'attribuait à ses héroïnes le grand public américain.

Thompson avait une raison particulière de s'inquiéter au sujet de Cocoa Beach, la ville en pleine explosion démographique située au sud de Canaveral, qui avait abrité autrefois deux mille six cents personnes et en compterait bientôt dix fois plus. Cette agglomération dépourvue de charme avait été jadis une station hivernale où affluaient les migrateurs du Maine, du Minnesota et surtout de l'Ontario. Les plus fortunés continuaient jusqu'à Palm Beach, à environ deux cents kilomètres plus au sud; seuls ceux dont le budget était plus réduit garaient leurs caravanes à Cocoa Beach. Les maisons étaient pour la plupart en bois, sans étage, dépourvues de chauffage, poussiéreuses. Les magasins s'élevaient sur deux niveaux. Il y avait eu des bars, la plupart fermés durant l'été, et des quartiers d'habitation pour une petite population permanente dont les hommes allaient travailler plus au nord le long de la côte jusqu'à Daytona Beach ou vers l'intérieur des terres à Orlando.

Comme Canaveral même, la petite ville se groupait contre un chapelet d'îles et loin de s'épanouir comme une rose s'allongeait tel un radis renflé en son milieu. La région possédait pourtant une sorte de beauté sauvage, avec l'Atlantique rugissant à proximité.

Lorsque les astronautes venaient en mission au cap Canaveral, ce qui était constamment le cas, d'austères logements de célibataires leur étaient fournis dans les bâtiments de la N.A.S.A., auxquels ils préféraient la vie plus animée de Cocoa Beach, à trente kilomètres au sud. Quand ils amenaient leurs femmes, ce qui leur arrivait souvent, ils louaient des chambres dans un motel tout neuf et rutilant, le « Bali Hai », nom emprunté par de nombreuses boîtes de la région à une chanson populaire évoquant les tropiques et l'amour. Ce « Bali Hai » avait été construit par des Canadiens, doués d'un flair infaillible sur l'extention touristique de la Floride.

Les gérants, un couple du Maine, s'appelaient Quint (les Quintuplées), « en l'honneur des Dionne », expliquaient-ils à leurs clients qui n'avaient jamais entendu parler des célèbres sœurs canadiennes. En un sens, ils étaient mal préparés au climat de douce folie qui s'était emparé de leur motel, car c'étaient des yankees rigides de caractère; mais, par ailleurs, ils n'étaient pas si mal choisis car, dans le Maine, ils avaient consacré leurs longs hivers à l'étude des bêtes sauvages et avaient appris que « les animaux, qu'ils soient à quatre ou à deux pattes, étaient capables d'à peu près n'importe quoi ».

Trois atouts considérables jouaient en faveur du Bali Hai; une plage de sable blanc d'où les maris plongeaient dans les rouleaux de l'Atlantique, une piscine dallée de bleu et ombragée de palmiers où les épouses s'ébattaient et un grand bar sombre où les uns et les autres pouvaient se divertir. Les murs du bar de la Dague étaient décorés avec goût d'épées, de poignards, de sabres, de coutelas, de kriss, de couteaux, de stylets, de rapières, de machettes et de navajas, la plupart offerts par des clients qui les avaient ramenés de voyages à l'étranger. Le contraste était saisissant entre l'atmosphère accueillante du bar avec ses tables élégamment dressées et tout cet armement évocateur de violence.

Divers objets en provenance des Bahamas décoraient le reste de la salle : coquillages, filets de pêche, flotteurs en verre et deux gigantesques espadons naturalisés. Le bar de la Dague servait des cocktails au rhum baptisés de noms exotiques tels que « la Chute du Missionnaire » ou « le Dernier Combat d'une Vierge », et un excellent dîner de poissons pour trois dollars net, bière comprise.

Chaque nouveau groupe d'astronautes se voyait recommander l'endroit par les précédents.

« Ne manquez pas le bar de la Dague. Les Quint sont formidables, vous verrez. Ce sont les gens les plus sinistres qu'on ait jamais vus depuis Cotton Mather. Mais la quantité d'huîtres qu'on peut avaler pour cinquante *cents*! »

Tucker Thompson, prévoyant que son groupe voudrait loger au Bali Hai, alla y faire un tour et constata que les chambres étaient propres et les boissons non trafiquées. Il découvrit ensuite un détail qui lui fit passer un frisson glacé dans le dos : le Bali Hai était parfois envahi par des hordes de *groupies* qui tenaient à être au cœur de l'action et, comme la plupart étaient de ravissantes adolescentes, il prévoyait déjà les pires désastres.

Les *groupies* de Cocoa Beach, chasseuses d'astronautes, étaient de la même espèce que leurs cousines européennes en quête de toreros, celles d'Amérique du Sud en quête de coureurs automobiles ou du Canada en quête de hockeyeurs. Toutes les sociétés semblent produire une pléthore de créatures jeunes prêtes à fuir un foyer stable dans l'espoir de trouver l'aventure, et, tout autour du monde, qui se conduisent de la même façon, s'arrangeant pour être au cœur de l'action, fréquentant les bars à la mode et sautant dans le lit de leurs élus avec une alacrité née d'une longue pratique.

Rachel Mott, observant ce phénomène pour la première fois de sa vie, fut consternée par le comportement déchaîné des personnes de son sexe; c'était avec la plus grande impudeur que les filles se jetaient à la tête des hommes, mais quand Tucker Thompson lui demanda son avis un soir au bar de la Dague où cinq ou six filles pulpeuses, dont pas une n'avait vingt ans, étaient agglutinées autour de Randy Claggett, elle admit à contrecœur :

« J'ai été absolument choquée par ces gosses. Où sont leurs parents? » Puis, à la réflexion, j'en suis venue à la conclusion que des filles du même genre devaient hanter les camps où s'entraînaient les gladiateurs, et le jour où les petits hommes descendront d'une autre planète, une escouade de nos filles sera encore là pour les accueillir.

– Oui, eh bien, il va falloir qu'elles fichent la paix à nos astronautes, répliqua Thompson, sinon nous allons passer pour des imbéciles. »

Et il montra aux Mott le numéro de son magazine qui devait sortir la semaine suivante, dans lequel était révélé son programme à long terme pour le groupe spécial. Sur la couverture, alignés dans un ordre impeccable, les nouveaux astronautes, les yeux fixés sur l'objectif, le menton ferme, le regard flamboyant, les cheveux coupés courts, style marines. En gros titre : « Les Six Piliers. » Thompson se pencha en arrière dans son fauteuil, extrêmement satisfait de son travail.

« Dans notre boulot, la bataille est à moitié gagnée si on peut coller au produit une étiquette qui fait mouche. Joe Louis a eu deux fois plus de succès qu'il n'en aurait eu normalement parce qu'on l'appelait le Bombardier Noir. L'Aigle Solitaire, jamais on n'a trouvé mieux. Ainsi le grand public a pu voir en Lindbergh, qui n'était pas facile à promouvoir, un être hautain et singulier, presque humain, pourrait-on dire. J'aime bien la façon dont on commence à appeler Brooks Robinson, le Gant.

Ça a de la classe. Et j'aimais bien le Brouillard Velouté, comme on a appelé Mel Torme, quand on a découvert qu'il ne pouvait pas atteindre les notes aiguës. Ça a sauvé sa carrière. Mais ce qu'on n'a jamais trouvé de mieux, c'est le sobriquet de ce sympathique poids-lourd de Londres qui est venu ici, avec des résultats désastreux. Phil Scot il s'appelait, et quand il a été mis K.O. trois fois par des ringards avant le véritable combat et que tout semblait perdu, un plaisantin l'a baptisé Phil la Syncope, l'Evanescent Cygne de Soho, et des milliers de gogos ont payé pour le voir.

– Les Six Piliers, répéta Mott. Ça sonne bien, effectivement, et c'est vrai qu'ils ont l'air solides.

– C'est ce que nous avons pensé... et comprenez-moi bien, ça n'est pas moi qui ai choisi en dernier ressort... Toute l'équipe a travaillé là-dessus. Nous estimions que *Life* s'était plus ou moins annexé le domaine de la séduction avec leurs équipes. Glenn, Borman, Shepard. Un groupe qui se pose là. Saviez-vous que certains appellent maintenant les premiers astronautes les Sept Sacro-Saints? Donc, pas moyen de rejouer cette carte, mais nous pouvions identifier nos hommes à une notion durable, patriotique. (Il s'interrompit avant d'insister sur un nouvel aspect de la question.) Le côté durable est important. Parce que nos gars vont être sur la sellette pendant longtemps, très longtemps. Les Sept Sacro-Saints sont en train de s'éparpiller... ils travaillent dans le privé et ainsi de suite. Ce seront nos gars qui s'envoleront à bord de Gemini, ceux qui plus tard piloteront les Apollo vers la Lune. »

Il pianota du bout des doigts sur la table, puis regarda par-dessus l'épaule de Rachel Mott les groupies qui continuaient à s'agiter autour de Claggett.

« Si jamais un de nos hommes fait scandale, l'étiquette « solide » ne tient plus. Les journaux râlent déjà parce que nous avons l'exclusivité et, s'ils pouvaient nous descendre en flammes grâce à un esclandre bien croustillant, ils se précipiteraient sur nous comme une bande de loups affamés. (Il s'interrompit pour regarder Mott.) Je mélange un peu mes métaphores?

– En effet, dit Rachel.

– Pardonnez-moi. Mais le fait est, Mott, que je vous demande de parler à vos hommes.

– Ce problème ne me concerne pas.

– Mon œil! répliqua sèchement Thompson. Excusez-moi, madame, mais c'est important. Mme Mott, ici présente, fait du très beau travail avec les femmes. Alors vous, surveillez vos gars. »

Mott l'irritait tellement en ne prenant pas le danger au sérieux que Thompson téléphona à ses supérieurs de *Folks* qui alertèrent le sénateur Grant, le porte-parole du Sénat pour le programme spatial. Grant appela aussitôt Cocoa Beach.

« Mott, Tucker Thompson a absolument raison. Ce serait désastreux si un scandale venait ternir le programme. Faites tenir vos hommes tranquilles. Passez la consigne! »

Mott attendit que tous les hommes fussent réunis à Canaveral car il ne voulait pas régler cette question embarrassante au coup par coup, et ce retard faillit être fatal, car une teenager obstinée de Columbus, Missouri, fille d'un professeur, réussit à pénétrer dans la chambre de Randy Claggett pendant qu'il travaillait dans l'un des simulateurs au cap et elle l'attendait, nue dans son lit, lorsqu'il revint au Bali Hai.

Randy ne se crut pas obligé d'expulser la fille ni même de l'obliger à se rhabiller, mais lorsqu'il lui déclara à neuf heures et demie qu'il lui fallait vraiment aller dîner et qu'elle ne pouvait pas descendre avec lui, elle comprit et s'en alla par l'échelle d'incendie. Tucker Thompson, les voyant arriver d'une allure nonchalante de deux directions opposées, prenant grand soin de s'ignorer l'un l'autre, se rencontrant comme par hasard puis allant s'asseoir à la même table devant un énorme plat d'huîtres et deux bols de *chili*, acquit la conviction que son plan soigneusement orchestré allait être réduit à néant. Il parcourut rapidement des yeux la salle plongée dans la pénombre pour voir si des journalistes avaient été témoins de cet intermède. Par bonheur, ils assistaient tous à une réunion au cap concernant le second lancement imminent de Gemini au cours duquel le populaire Edward White devait marcher dans l'espace. Au moment où il exhalait un soupir de soulagement, il aperçut à une table d'angle une jeune et séduisante Japonaise, au visage d'ivoire lisse et serein, petite, mais de proportions exquises, avec une frange des plus seyantes, des pommettes hautes et les yeux à peine bridés. Elle portait un corsage à plis d'une chaude couleur beige assortie à son teint, un sweater jeté sur les épaules, une large ceinture soulignant la minceur de sa taille, une jupe ample et des mocassins de style italien au bout arrondi.

Dès que Tucker la vit, un signal d'alarme se déclencha dans sa tête. « Celle-là n'est pas une groupie mais une vraie femme. » Un détail surtout le paniqua : de son coin sous les poignards malais qui encadraient son ravissant visage et sa bouche sensuelle, cette Japonaise observait avec cynisme le manège de Randy Claggett et de sa jeune invitée, prenant de temps à autre des notes sur un calepin.

« Qui est-ce? demanda Thompson.

– La femme là-bas dans le coin? dit Mme Mott. C'est une journaliste japonaise. Très estimée dans sa profession. Elle a travaillé un moment pour le *New York Times*. Elle est licenciée ès lettres de Radcliffe. Elle écrit maintenant pour l'*Asahi Shim-*

bun, le plus grand journal du monde, et ses papiers se vendent partout en Europe.

– Qu'est-ce qu'une Japonaise peut bien faire à Cap Canaveral? De l'espionnage.

– Elle écrit sur l'espace. C'est un sujet qui paraît beaucoup l'inspirer. Elle a un brevet de pilote, je crois, et a fait du planeur dans le New Hampshire lorsqu'elle était à Radcliffe.

– Comment s'appelle-t-elle? Elle ne figure pas sur ma liste.

– Mais si, répliqua Rachel, légèrement embarrassée. C'est celle que nous prenions pour un Japonais. Rhee Soon-Ka. Rhee, c'est son nom de famille. Quand je me suis présentée à M. Rhee, *voilà* ce que j'ai trouvé! »

Et elle indiqua la jeune femme penchée sur son bloc-notes.

« Une Japonaise! grommela Thompson. L'empereur Hiro-Hito ferait n'importe quoi pour prendre sa revanche.

– Tucker, du calme. »

Il ne pouvait pas se calmer. Il avait perdu trop de batailles avec la presse pour ne pas reconnaître un ennemi quand il en voyait un et il savait intuitivement que durant les dix années à venir, il allait devoir se bagarrer perpétuellement avec Mme Fu Manchu.

« Vous dites qu'elle a travaillé pour le *New York Times*?

– Un échange avec un journal japonais, je crois.

– Tous les sales tours qu'elle n'a pas appris au Japon, je suis sûr qu'elle les a appris à New York. (Une idée de génie lui vint.) Pensez-vous que je puisse aller la trouver et l'étrangler sur-le-champ?

– Tucker! C'est une femme qui fait son métier. Et elle ne pèse pas plus de quarante-cinq kilos.

– Un cobra n'en pèse pas trois. (Il observa durant quelques minutes l'intruse, puis se leva brusquement et se dirigea vers sa table.) Je suis Tucker Thompson, de *Folks*.

– Je sais, répliqua-t-elle d'une voix chantante. Et c'est vous qui gardez bouclés les six petits boy-scouts.

– C'est à nous que revient la tâche de parler d'eux.

– Apparemment, vous n'avez pas réussi à garder celui-ci derrière les barreaux, dit-elle en montrant Claggett.

– Sa nièce, du Kansas.

– Les papes avaient des nièces. Les astronautes ont des petites amies.

– Vous écrivez un seul mot...

– J'ai l'intention d'écrire environ soixante mille mots.

– Faites attention à...

– Votre tâche, monsieur Thompson, consiste à fournir au public américain des contes de fées. La mienne est de fournir au reste du monde des interprétations adultes.

– Ecoutez, miss... (Il hésita.) Comment vous appelez-vous?

– Rhee Soon-Ka, de naissance. En Amérique, je me fais appeler Cynthia Rhee.

– Vous pourriez vous attirer de graves ennuis, Miss Rhee.

– Avez-vous lu par hasard ma série d'articles sur le Kremlin? je m'attire toujours de graves ennuis. On récole de belles histoires quand on affronte le danger, comme l'a si joliment dit votre amiral John Paul Jones! »

Elle parlait un anglais parfait, si soigneusement énoncé que chaque mot faisait mouche et l'agressivité de Tucker Thompson ne la troublait pas le moins du monde.

« Je vous souhaite bonne chance avec votre

reportage, Miss Rhee, dit-il en se levant pour partir.

– Et vous ferez de votre mieux pour m'empêcher de l'obtenir.

– Avec mes six astronautes, certainement.

– Mais il se trouve que ces six hommes sont justement le sujet de mon article. (Et sans même se référer à ses notes, elle récita dans l'ordre :) Randy Claggett, du Texas, marié à Debby Dee. Hickory Lee, du Tennessee, marié à Sandy. Timothy Bell, de l'Arkansas, marié à Cluny. Harry Jensen, de la Caroline du Sud, marié à la jolie Inger. Ed Cater, du Mississippi, marié à Gloria. Et peut-être le plus intéressant de tous, John Pope, du Fremont, et son ambitieuse épouse, Penny. Vous pourrez lire tout ce que j'écrirai à leur sujet. »

Quand Thompson regagna sa table, il reçut le coup de grâce asséné par Rachel Mott.

« Il paraît qu'elle a déclaré dans un bar qu'afin de compléter ses recherches, elle avait l'intention de coucher avec chacun d'entre eux. (Elle observa une pause.) Les Six Piliers comme vous les appelez. »

Une réunion d'urgence fut tenue dans la chambre de Thompson au Bali Hai et, malgré son intention de laisser Stanley Mott prendre la parole, il ne put se retenir de s'attaquer directement au cœur du problème.

« Messieurs, c'est très simple. Si vous souillez le nom d'un astronaute avec de sordides histoires de coucheries, vous mettez en danger un programme d'une importance vitale pour la nation et pour le monde entier... »

Son extrême nervosité était manifeste. Après un instant de silence, il ajouta :

« Des bruits circulent. J'ai assisté moi-même à

des scènes qui auraient paru suspectes à un journaliste averti. »

Ne sachant comment en dire plus long sur ce point précis, il changea complètement de tactique.

« Vous risquez de perdre beaucoup d'argent, tous autant que vous êtes, si ce programme échoue. »

Il n'eut pas plus tôt prononcé cette phrase qu'il comprit son erreur. Quel jeune homme au sang chaud allait se tenir à l'écart des plus ravissantes jeunes personnes au monde simplement parce qu'un contrat monétaire risquait d'être dénoncé?

Mott prit le relais.

« Le sénateur Grant vient de me téléphoner. Il est responsable des fonds que vous dépensez dans vos T-38. C'est à lui de faire adopter par le Congrès le budget d'environ un milliard de dollars de notre programme Gemini. (Il s'interrompit et eut un petit rire.) Comment diable prononce-t-on ce mot? La moitié de la N.A.S.A. dit Guemini, l'autre moitié Jemini! »

Cette remarque ayant allégé l'atmosphère, Thompson adopta un ton différent.

« Messieurs, les membres influents du Sénat, les dirigeants de la N.A.S.A. nous tous, nous tenons à ce que ce programe aille de l'avant sans anicroche. Vous savez que vous avez déjà été choisis pour des vols à venir d'une importance capitale. Ne fichez pas tout en l'air pour la première idiote venue... »

Il fut interrompu par une voix dure, celle de John Pope, qui déclara :

« Si c'est de sexe que vous parlez, dites-le.

– C'est exactement de ça dont nous parlons, répliqua sèchement Thompson. Si vous vous embarquez dans des histoires avec ces groupies... »

Pope se rebiffa aussitôt :

« Ce n'est pas à vous de venir ici nous sermonner sur ce sujet. Nous ne sommes pas des boy-scouts.

– Le public vous prend pour des boy-scouts.

– A cause peut-être des articles parus dans votre magazine, monsieur Thompson.

– Nous écrivons ce que l'Amérique a besoin d'entendre.

– Nous sommes des pilotes d'essai. Chacun de nous a choisi depuis longtemps son mode de vie. Jusqu'à présent, nous nous sommes assez bien comportés, et franchement, nous n'avons pas besoin de vos conseils. »

Mott s'attendait si peu à cette réaction qu'il n'essaya même pas de répliquer; ce n'était pas là les déclarations d'un jeune astronaute mais plutôt les réflexions qu'auraient pu se faire vers la fin de leur vie un Socrate ou un Voltaire. Tucker Thompson, quant à lui, responsable des droits à protéger, ne se laissa pas réduire au silence.

« Ne prenez pas cet avertissement à la légère. Il y a dans les parages une journaliste qui a annoncé publiquement qu'elle allait coucher avec chacun d'entre vous, et écrire ensuite un livre sur vos prouesses. »

Certains des astronautes étouffèrent une exclamation, mais l'effet recherché par Thompson fut gâché par la voix rauque de Randy Claggett chuchotant :

« Donnez-nous vite le nom et l'adresse de cette fille. »

Lorsque le haut commandement de la N.A.S.A. apprit par le téléphone arabe la menace que faisait peser Cynthia Rhee, il donna à Tucker Thompson des instructions précises.

« Faites entendre raison à cette journaliste coréenne. »

Tucker, se rappelant sa première rencontre avec elle, savait qu'il n'était pas l'homme de la situation.

Il fit donc venir Mme Mott dans sa chambre au Bali Hai et lui dit :

« Vous allez surveiller de près notre Miss Kimchi.

– Qui est-ce? »

Thompson expliqua avec impatience :

« Le Kimchi est la salade de chou la plus puante et la plus épicée du monde. C'est un plat coréen, bourré d'ail. Et cette bonne femme, cette Rhee, est encore deux fois plus infecte. Vous allez lui mettre les points sur les *i*. Je ne veux pas qu'elle embobine nos astronautes. Qu'elle aille se faire foutre! »

Rachel se mit à rire.

« Voilà une formule mal choisie, Tucker.

– C'est votre salaire qui est en jeu si elle ne marche pas droit. »

Rachel se rendit donc au bar de la Dague, où Miss Rhee était assise dans le fond à sa table habituelle. S'approchant d'elle, Rachel demanda en prenant le dossier d'une chaise :

« Vous permettez?

– M. Thompson vous a donné l'ordre de me surveiller? demanda la Coréenne avec une insolence tranquille.

– Exactement, répliqua Rachel d'un ton sec en s'asseyant. Il paraît qu'on vous a entendue au bar vous vanter de coucher avec chacun de nos astronautes. C'est vraiment honteux de tenir des propos pareils. »

A sa grande surprise, la Coréenne perdit toute son agressivité. Comme un soleil levant en automne, un chaleureux sourire éclaira son beau visage et elle posa sa petite main soignée sur celle de Rachel.

« Vous savez bien que les hommes font toujours courir ce genre de bruits quand ils se sentent mis au défi par des femmes plus intelligentes qu'eux.

– Vous les mettez au défi?

– Mais absolument. Des hommes comme votre M. Thompson s'en tirent vraiment trop facilement... Quand je pense aux conneries qu'ils écrivent sur les astronautes.

– Etes-vous obligée d'employer un tel mot?

– C'est le seul qui convienne pour décrire ce que les journalistes par ici ont semé à tout vent.

– Et vous avez l'intention d'y mettre bon ordre?

– Absolument. (Elle se pencha en arrière contre le mur pour observer Mme Mott.) Vous savez, je suis ravie de vous avoir à ma table. Moi qui me demandais comment je pourrais bien faire votre connaissance.

– Pourquoi?

– Vous faites autant partie de mon reportage que Randy Claggett.

– Voilà qui m'étonne.

– Pourquoi? Votre mari joue un rôle important à la N.A.S.A. et pour le comprendre, je dois vous comprendre vous.

– Et pour vous empêcher de provoquer un désastre, déclara Rachel, je dois, moi, comprendre vos motivations.

– Je suis plutôt simple. Farouchement décidée. Maîtresse de moi-même. Mais jamais compliquée.

– Racontez-moi, dit Rachel, et la sincérité de son ton encouragea la jeune Asiatique à se confier.

– Je suis née au bon moment, en 1936, et j'ai donc profité du travail de base effectué par les grandes journalistes ou écrivains qui m'ont précédée. Simone de Beauvoir, Dorothy Thompson et surtout les trois Américaines, plus jeunes, de l'après-guerre. Je ne prétends pas les égaler mais je suis leur héritière et je veux honorer ma profession, comme elles.

– Parlez-moi donc de ces trois Américaines, dit Rachel.

– Une femme comme vous devrait les connaître, répondit Cynthia.

– J'ignore bien des choses, dit Rachel.

– Le fait marquant, c'est qu'elles sont toutes mortes. Chacune d'elle s'est tuée en poussant jusqu'aux plus extrêmes limites l'exercice de sa profession, et j'en ferai autant, je suppose. Maggie Higgins est morte d'épuisement en Corée. Dickie Chapelle s'est révélée plus courageuse que la plupart des hommes, se faisant parachuter derrière les lignes ennemies, naviguant à bord de sous-marins dans des eaux dangereuses, conduisant une patrouille de marines armés de lance-flammes. Elle a fini par sauter sur une mine au Vietnam. Nell Nevler, comme vous le savez, s'est tuée lorsque l'avion soviétique dans lequel elle s'évadait avec son colonel russe s'est écrasé sur l'aéroport de Kiev. C'étaient des femmes courageuses, intelligentes, qui ont défini de nouvelles notions de la liberté, qui ont ouvert d'autres chemins pour les femmes. Et parce qu'elles se sont comportées si brillamment durant les années 50, cela m'a permis de me lancer à mon tour durant les années 70, et je peux vous assurer que je suis résolue à les égaler. »

Rachel l'ayant sondée sur ses intentions envers les Six Piliers, Cynthia se mit à rire.

« Qui sait? Quand la N.A.S.A. lance un satellite, qui peut affirmer avec certitude où il se dirigera. Beaucoup se sont égarés dans l'espace, pour la plus grande consternation de vos brillants sujets de Houston. La même chose peut arriver lorsqu'on lance une personne intelligente sur une cible douée de sentiments. Comment savoir à l'avance? »

Les deux femmes demeurèrent un instant absorbées dans leurs réflexions, puis Cynthia reprit la parole.

« Comparée aux femmes dont je vous ai parlées, je me considère comme plutôt limitée, mais je possède un atout qui m'est propre. Je suis mue par une impulsion dont vous n'imaginez pas la force. Je suis, voyez-vous, une Coréenne élevée au Japon où les Coréens sont traités comme des chiens. Et c'est un haut fourneau qui forge une qualité d'acier tout à fait spécial... souple... solide... indestructible. Je suis comme le sabre d'un samouraï japonais, que je déteste mais que j'admire également. Leurs lames tranchent dans le vif, et je fais de même. »

En levant la tête, Rachel vit Tucker Thompson qui approchait de leur table.

« Alors, mesdames, vous sympathisez? »

Et Rachel songea : comme ce combat va être inégal! La championne coréenne de karaté contre le pisse-copie de Madison Avenue. Mais, après avoir constaté que Tucker se défendait adroitement et parait les coups bas, elle en vint à la conclusion que le duel ne serait peut-être pas aussi inégal qu'elle l'avait craint.

La brusque intervention de John Pope pour défendre le droit de ses collègues astronautes de se conduire à leur guise sans être supervisés par la N.A.S.A. et *Folks* eut plusieurs répercussions. Ses cinq compagnons, sachant que c'était un être réservé et intègre qui risquait peu de badiner avec les groupies, lui furent reconnaissants de ne pas avoir hésité à les défendre sur une question de principe. Ils avaient déjà promu Randy Claggett au rang de maître pilote et ils conféraient maintenant à Pope le titre officieux de leader politique. Ce titre ne lui apporta aucun avantage, seulement un surcroît de responsabilités. Mais, quand de graves problèmes se posaient ou qu'il fallait affronter le haut commandement, ils comptaient sur lui pour prendre la parole et les défendre. Ce privilège qu'il n'avait pas recherché ne lui facilitait par précisément l'existence.

Que ses pairs le lui eussent accordé était d'autant plus étrange qu'ils ne l'aimaient guère; il était trop rigide, trop boy-scout, trop solitaire. Il ne buvait ni ne fumait; il se tenait à l'écart des groupies; et pendant que les autres astronautes flânaient au bar de la Dague, il lui arrivait de courir sur la plage, de faire huit ou neuf kilomètres pour garder la forme. Mais si Pope était différent des autres, cela ne signifiait pas que ceux-ci ressemblaient pour autant à Randy Claggett, avec ses incartades de Texan. L'astronaute type était Hickory Lee; calme, d'une terrifiante efficacité, buvant comme un trou en dehors du service, soupe au lait s'il jugeait ses droits transgressés, et normal dans presque toutes ses autres réactions. Pope et Claggett représentaient les deux extrêmes, Hickory le centre.

Les huiles de la N.A.S.A. n'avaient guère apprécié l'attitude de Pope tenant tête ouvertement à Stanley Mott et à Tucker Thompson, et ce pour deux raisons : ils avaient soigneusement cultivé le mythe selon lequel les astronautes étaient des créatures quasi célestes, « un mélange de Jésus-Christ, d'Ulyssse et de Joe di Maggio », avait écrit un journaliste, et ce mythe leur avait été énormément profitable. Il fallait le préserver à tout prix, éviter qu'il ne soit entaché; ils avaient signé un contrat avec *Folks* conférant au magazine et à Tucker Thompson des privilèges spéciaux, et ils trouvaient déplaisant de le voir contesté aussi durement. Pendant quelques semaines, en conséquence, jusqu'à ce qu'il devint évident que les jumeaux n'allaient pas se livrer à quelque acte de rébellion susceptible de mettre en danger le projet grandiose qui aboutirait au lancement d'un homme sur la Lune, Pope et Claggett furent considérés avec une certaine méfiance.

Les astronautes partageaient soigneusement leur temps entre des périodes de travail acharné et des heures de détente tapageuses. Un après-midi, après un entretien à bâtons rompus avec les journalistes, cinq d'entre eux réunis autour d'une table d'angle au bar de la Dague se livraient à un débat animé pour savoir à quel point, durant un voyage vers la Lune, l'attraction terrestre cédait le pas à l'attraction de la Lune. Les suppositions les plus insensées circulaient. Hickory Lee, frappant la table avec sa chope de bière, s'écria :

« Pope, tu as étudié l'astronomie. Où se trouve le point d'équilibre? »

John l'ignorait, mais apercevant Stanley Mott de l'autre côté de la salle, il l'invita à venir trancher la question. Après leur avoir donné la réponse – trois cent cinquante-deux mille kilomètres de la Terre, trente-cinq mille kilomètres de la Lune – Mott s'attarda auprès des jeunes astronautes pour tâter leur état d'esprit. Tandis qu'il bavardait avec eux, satisfait de leurs réactions, il remarqua que tous les cinq regardaient par-dessus son épaule quelqu'un qui venait d'entrer.

C'était Tim Bell, le civil, qui revenait de chez le coiffeur, les cheveux presque en brosse. Bell, toujours très soigné dans sa mise, se considéra avec complaisance dans une glace et Mott demeura perplexe en entendant Claggett chuchoter :

« On va lui faire le numéro de la coupe de cheveux. »

Les cinq jeunes gens se levèrent et traversèrent la salle d'un pas nonchalant pour s'approcher de Bell planté devant son reflet. Les hanches minces, les épaules larges, sans un gramme de graisse, ils donnaient tous une impression de netteté et d'élégance et Mott ressentit une sorte de fierté à l'idée d'être des leurs. Sortant d'une entrevue avec la presse, ils étaient encore en complet sombre, chemise blanche immaculée et cravate sobre nouée avec soin. Seules les différenciaient leurs chaussures. Claggett portait des bottes texanes, hautes et souples, Harry Jensen des mocassins français aux semelles fines, Pope le style 1920 avec des perforations artistiques dans le cuir...

Mais ce qui faisait vraiment d'eux les cinq clones d'un unique astronaute idéal, c'était la montre qu'ils portaient tous au poignet gauche; un chronographe massif, luxueux, donnant l'heure locale, le temps moyen de Greenwich, le jour de la semaine, le mois, la phase de la lune, sans parler d'un stop de chrono et d'une sonnerie-réveil. Hickory Lee avait déclaré à ce sujet :

« J'ai eu plus de mal à apprendre à me servir de ce monstre que je n'en ai eu avec les maths sup' au M.I.T. »

Mott les vit passer un bref instant, dans un rai de soleil filtrant par une fenêtre à l'ouest, puis ils se retrouvèrent autour de Bell comme s'ils s'apprêtaient à lui cogner dessus.

« Bell! s'exclama Claggett avec élan. Nous avons décidé de te soutenir, quoi qu'il arrive. »

Ed Cater le prit par le bras et lui déclara sur un ton de confidence :

« Au début, on t'a pris pour une andouille, mais tu nous as montré que tu pouvais piloter avec les meilleurs. Tu peux compter sur moi. »

Jensen déclara avec fougue :

« Si jamais tu as besoin d'un coup de main, Tim, fais-moi signe.

– Qu'est-ce qui vous prend? demanda Bell, l'air nerveux.

– Cette coupe de cheveux, dit Claggett. Nous sommes prêts à descendre en ville à l'instant même pour flanquer une volée au gars qui t'a massacré comme ça. »

Belle eut un pâle sourire, supposant à juste titre

qu'il devait cette mise en boîte à sa condition de civil.

Mott, observant la scène, éprouva soudain le poignant désir de voir son fils, parti sur une tout autre voie que celle de ces jeunes dieux. Le soir même, il avoua à sa femme :

« J'ai beaucoup réfléchi, Rachel, à Millard et à nous. Au fossé que nous avons laissé se creuser. »

Sa voix frémissait et il était au bord des larmes.

« Qu'est-ce qu'il y a, mon chéri?

– A travailler avec ces jeunes gens, jour après jour... Ça m'a donné envie de voir notre gosse. Peu importe sa façon de vivre ou ce que les autres pensent. C'est notre fils et je comprends maintenant que nous avons le devoir d'être à ses côtés contre vents et marées. »

Rachel baissa la tête pour cacher ses propres larmes, puis murmura :

« Tu as peut-être raison. Que comptes-tu faire?

– J'ai demandé au Q.G. une permission, la prochaine fois que j'irai en Californie. Trois jours pour aller voir Millard.

– Dans quel but?

– Aucun but. Aucun, Dieu m'en est témoin. Je veux simplement le voir et lui faire comprendre que nous l'aimons. »

Rachel réprima un sanglot, puis après s'être mouchée deux fois, eut un petit rire nerveux et déclara doucement :

« C'est étrange, tu sais, ta réaction au fait de travailler avec ces six hommes. Moi qui vois leurs femmes jour après jour et connais leurs défauts, figure-toi que je serais folle de joie d'avoir n'importe laquelle pour belle-fille...

– N'y compte pas trop. D'ailleurs, maintenant, je m'en fiche. Comme disait Pope l'autre jour : « Nous « n'avons pas besoin de vos conseils. » Millard a fait son choix et c'est à nous de nous adapter.

– Même si nous méprisons ce choix?

– Oui. Nous devons garder le contact avec notre fils. Quoi qu'il fasse. »

Au cours de la visite suivante des astronautes pour vérifier les progrès accomplis à Allied Aviation, Mott loua une voiture et gagna Malibu Beach où, aidé d'une fille en bikini, il réussit à trouver le cottage occupé par Millard et un jeune homme de l'Indiana, un certain Roger. Millard semblait en excellente santé. Plus grand que son père, mince et bronzé, les cheveux longs, apparemment il ne possédait pas de chaussettes car son père ne le vit jamais en porter.

Supposant que son père était venu le chapitrer, Millard se montra tout d'abord assez froid tandis que Roger était carrément sur la défensive. Mais comme l'après-midi s'écoulait sans sermons, l'atmosphère se détendit et lorsque Stanley invita les deux jeunes gens à venir dîner avec lui, ils acceptèrent sans réticence, curieux de connaître la raison de sa visite. Au début, la conversation fut centrée sur les astronautes.

« Est-ce qu'ils sont vraiment aussi... »

Le jeune Mott ne savait pas comment terminer sa phrase sans offenser son père, et un silence gêné s'ensuivit :

« Aussi cloches qu'ils en ont l'air? » suggéra Stanley et comme les deux jeunes gens se mettaient à rire, il leva trois doigts et ajouta : « Parole de scout, Millard, encore plus cloches que tu ne l'imagines.

– Et ça correspond à quoi?

– Chaque fois qu'ils s'envolent, ils risquent leur vie. Une seule erreur et ils sont morts. La discipline pour eux est indispensable.

– Ils n'ont encore jamais eu d'accident. Vous n'en rajoutez pas un peu?

– Les accidents viendront. Mais ils iront de

l'avant. Et un de ces jours, ils se tiendront sur la Lune.

– Mais, comme je disais, ça correspond à quoi ? »

Stanley Mott répondit en choisissant ses mots avec soin.

« C'est le boulot qu'ils ont choisi. C'est leur truc, comme vous dites. »

Comme ni l'un ni l'autre ne faisait de commentaire, il ajouta, d'un ton qu'il s'efforçait de rendre négligent :

« Tout comme vous avez trouvé votre propre truc. »

Silence. Il enchaîna d'un ton dégagé :

« Je respecte le choix des astronautes. Je respecte le vôtre. » Et avant que les jeunes aient pu répliquer, il se mit à réciter précipitamment la liste des sujets que les astronautes devaient maîtriser avant de pouvoir participer à un vol dans l'espace : maths, analyse vectorielle, mécanique orbitale, ordinateurs, moteurs de fusées, propergols, systèmes numériques, radio, télé, et encore une dizaine de disciplines très trapues.

« A vous entendre, ce sont des génies, commenta Roger qui n'avait jamais rien compris à l'algèbre.

– Je vais te dire une chose drôle, Roger. Ce que je viens d'énumérer ne représente que les matières de base. Quand elles n'auront plus de secrets pour eux, ils s'attaqueront alors au plus dur. Tracer le plan des systèmes particuliers de leur vaisseau spatial. Les manuels, vingt et un à vingt-sept, forment une pile de cette hauteur. »

De la main, il indiqua une hauteur d'environ soixante centimètres.

« L'autre jour, j'ai vu deux de nos gars arriver au galop pour suivre un cours et comme ils cavalaient, inclinés, leurs têtes penchées vers la gauche, je me suis dit : « Nom d'un chien, ils feraient mieux de

« s'arrêter, sinon leurs connaissances vont leur « dégouliner par l'oreille! En ce moment, ils doi- « vent avoir le crâne truffé au maximum. On peut « les considérer comme les cerveaux les mieux « remplis du globe. » Il observa une pause avant de conclure : « Peut-être que seules les cloches sont assez solides pour se bourrer le crâne à ce point-là sans perdre les pédales. »

Les jeunes gens acquiescèrent d'un signe de tête et Roger lissa du plat de la main son luxueux pull-over en cachemire.

« Une autre tournée? » demanda Mott, mais plus personne ne voulant boire, la serveuse apporta le dîner, une délicieuse salade de fruits de mer avec du pain italien à l'ail et du thé glacé.

Pendant le repas, Millard déclara d'un ton circonspect :

« Tout à l'heure, tu as parlé de style de vie.

– Oui. J'ai dit que je respectais les styles de vie.

– J'ai un boulot, tu sais.

– Je ne savais pas. (Il enleva ses lunettes, frotta ses yeux fatigués.) J'en suis ravi, Millard. Dans quel domaine?

– Tu vois, c'est bizarre, répliqua Millard. Tu demandes : « Dans quel domaine? », comme si le boulot était plus important que le type qui le fait.

– La force de l'habitude, je suppose. »

Mais Millard n'allait pas laisser son père s'en tirer aussi facilement.

« Si je te disais que j'ai un boulot qui a l'air important, les ordinateurs, les moules en plastique, une branche de la mécanique, tu serais fier de pouvoir dire d'un petit ton dégagé au Country Club : « Mon fils Millard travaille dans les ordina- « teurs. » Eh bien, ton fils Millard travaille comme garçon de salle dans un hôpital pour enfants. Et Roger aussi.

– Un service public tout à fait remarquable, dit Mott.

– C'est bien notre avis, répliqua son fils d'un ton de défi.

– Dans la conjoncture actuelle, où est-ce...

– Où est-ce que ça peut mener? Nulle part, pour autant que je sache. C'est une façon de vivre pour le moment, et d'ailleurs à quoi peut mener quoi que ce soit, je n'en ai pas la moindre idée.

– Se laisser porter par la vague? fit Mott.

– Oui. »

Cette affirmation n'appelant aucun commentaire, Mott, au bout d'un moment, reprit d'un ton animé, comme s'il abordait un sujet tout à fait différent :

« Ta mère et moi avons très envie de maintenir le contact, Millard. Si ton travail te ramène un jour dans l'Est... ou si tu as des vacances... tu dois venir habiter à la maison. Toi aussi, Roger.

– Vous ne me recevrez pas à coups de fusil?

– Pourquoi dis-tu ça?

– Parce que si je rentrais dans l'Indiana, mon père me descendrait. Surtout si je débarquais avec votre fils.

– Il y a quatre mois, je t'aurais peut-être descendu. Mais maintenant...

– Qu'est-ce qui s'est passé? insista Roger.

– Mon travail avec les nouveaux astronautes. Je suis devenu leur chef, pourrait-on dire. Ils m'ont beaucoup touché. Ils m'ont fait comprendre que six hommes pouvaient être des êtres humains radicalement différents, bien que, comme vous le disiez tout à l'heure, ils aient tous l'air taillés sur le même modèle.

– Et alors?

– J'ai compris la diversité des facultés de l'homme, si tu veux, j'ai vu le problème sous un tout autre jour. Et j'ai eu envie de te le dire, Millard.

– Cette salade est fameuse, dit Millard.

– Vous aimeriez savoir ce qu'a dit mon père dans ces circonstances? demanda Roger.

– Absolument.

– Il s'occupe du champ de courses et se prend très au sérieux. Quand il a appris comment je vivais, il a explosé. M'a dit que si jamais je racontais ma vie à quelqu'un de là-bas, il me descendrait. Alors je lui ai demandé en riant : « Qui étaient les deux pre-« miers hommes avec qui j'ai couché, d'après toi? » Et il a failli s'évanouir quand je le lui ai dit, en citant les noms. « Deux de tes meilleurs drivers. » « Je les « tuerai! » Il a hurlé. Mais comme c'étaient des types importants au champ de courses, il ne les a pas tués. Mon père est toujours prêt à tuer tout le monde. Son père à lui était un membre important du Ku Klux Klan du temps où le Klan faisait la loi dans l'Etat.

– Comment des jeunes gens comme vous... (Mott était gêné d'avoir amorcé un tel cliché, mais il n'arrivait pas à trouver de circonlocutions.) Comment envisagez-vous l'avenir?

– Nous ne l'envisageons pas, dit Roger.

– Mais la mère de Millard et moi... nous comptons sur une occupation lucrative jusqu'à ce que j'aie atteint l'âge de soixante-cinq ans. Ensuite, la retraite forcée... donc un niveau de vie diminué. Des petits-enfants pour nous occuper. L'un de nous meurt... nous mourrons tous. Une progression logique, pourrait-on dire.

– Une progression statistique, dit Roger.

– Les statistiques commandent sûrement votre situation, à vous aussi. »

Les jeunes gens ne tenaient pas à évoquer le futur mais, durant tout le reste de cette première soirée, ils parlèrent librement de leur travail à l'hôpital et du genre d'emplois que les représentants de la faune des plages réussissaient à dénicher.

« La poste en engage beaucoup, dit Roger. S'ils réussissent leur examen de fonctionnaire. »

Stanley Mott passa deux journées fascinantes avec son fils, à discuter de sujets qu'il n'aurait jamais abordés auparavant. C'était un juste qui ne pouvait approuver aucune déviation, un juste représentant la norme mais, rendu plus compréhensif pour un monde en expansion où il jouait un rôle capital, il pouvait admettre les confuses motivations, si étrangères aux siennes, de ces deux jeunes gens.

« Est-ce que vous trouvez une satisfaction dans ce que vous faites? demanda Roger le dernier soir.

– Chaque jour est un recommencement, un défi à relever.

– Par exemple?

– Vous savez, je n'ai passé mon doctorat – dans une discipline totalement nouvelle – qu'à l'âge de quarante-quatre ans. Mécanique céleste. Voilà qui vous réveille un homme.

– Qu'est-ce que vous en faites, maintenant?

– La N.A.S.A. me délègue à une commission après l'autre. Où je peux mettre en application ce que j'ai appris.

– Par exemple? s'obstina Roger.

– Tu veux vraiment le savoir? Je veux dire, es-tu prêt à écouter pendant une heure?

– Essayons. »

Sur une grande feuille de papier, selon le graphisme délicat qu'il avait perfectionné à Georgia Tech, Mott traça un schéma du système solaire, inscrivant le nom du Soleil à gauche et celui de la Terre relativement près, sans nommer ce qu'il appela « les neuf autres planètes errantes. »

« Pouvez-vous me donner leurs noms? demanda-t-il, mais ni l'un ni l'autre n'en était capable. Il inscrivit donc à proximité du Soleil : Mercure,

Vénus, Terre, Mars, Jupiter, Saturne, Uranus, Neptune, Pluton.

– Ça ne fait pas neuf planètes, dit Roger. Vous venez de dire qu'il y en avait neuf en plus de la Terre.

– On peut considérer la collection d'astéroïdes comme une planète, répondit Mott. Une planète qui s'est fractionnée en fragments, pour une raison ou une autre. Ils se cachent entre Mars et Jupiter. »

Les jeunes gens ayant étudié le diagramme, Mott reprit :

« Je me suis lancé dans ce que j'appelle le « grand tour ». A une époque, on estimait que les jeunes Anglais de bonne famille n'avaient pas terminé leur éducation tant qu'ils n'avaient pas fait un grand tour de Paris, Genève et Rome, avec peut-être une petite étape dans ce pays barbare qu'était l'Allemagne. Quand le voyage sur la Lune sera devenu un chapitre de l'histoire, nous lancerons un vaisseau spatial qui décollera de Floride et passera devant toutes les autres planètes. Voilà ce que pourrait être son itinéraire. »

A traits de plume soigneux, sans jamais commettre une erreur ou repasser deux fois au même endroit, il dessina une courbe majestueuse, serpentant parmi les planètes et faisant des crochets inattendus. Lorsqu'il eut terminé son croquis, il déclara avec simplicité : « Si nous réussissons à entreprendre ce tour en 1970, il s'achèvera vers 1977, avec notre vaisseau dépassant Pluton pour continuer vers les étoiles lointaines de notre Galaxie. Il errera parmi ces étoiles durant quatre millions d'années, puis vers les lointaines galaxies, et au bout de deux mille milliards d'années, il atteindra peut-être un objectif important.

– Vous en parlez comme s'il était immortel.

– Il le sera. Pas d'atmosphère pour le gêner. Pas

d'humidité pour le rouiller. Pas de fuel pour encrasser les moteurs. Seulement ce voyage perpétuel.

– Comment saurez-vous s'il poursuit son voyage ? »

Mott indiqua l'unique lampe qui éclairait le cottage et répondit :

« Il sera muni d'un générateur d'électricité radioactif qui actionnera une radio dont nous capterons les messages... un dixième de la puissance de cette petite ampoule. Mais ces ondes franchiront les milliards de kilomètres qui nous séparent de Saturne comme si elle était à la porte d'à côté. Le message mettra quatre-vingt-dix minutes à nous parvenir, bien entendu, et lorsque le grand tour atteindra Pluton, à près de sept milliards de kilomètres, il lui faudra près de quatre heures... des impulsions électriques nous parvenant à la vitesse de la lumière, et quand le vaisseau atteindra les limites de notre Galaxie, ses messages mettront des milliers d'années à nous parvenir, mais ils nous parviendront. »

Les jeunes gens s'absorbèrent un instant dans leurs réflexions puis Millard demanda :

« Mais d'où le vaisseau spatial tiendra-t-il sa puissance pour poursuivre sa route?

– Il sera lancé avec une force de propulsion considérable du cap Canaveral, et dirigé avec une grande précision, de façon à ce que chaque fois qu'il rencontre une planète, il absorbe l'énergie produite par sa rotation autour du Soleil – un peu comme dans le jeu de la toupie, que les enfants font progresser à coups de fouet –, ce qui projettera le vaisseau vers la planète suivante.

– Vous pouvez le programmer de façon aussi exacte? demanda Roger.

– A la seconde, au kilomètre près, répondit Mott.

– C'est ce que vous faites quand vous n'êtes pas baby-sitter?...

– Oui. »

Sur une feuille de papier libre, il traça habilement un dessin de la planète Saturne, avec ses anneaux parallèles et ses dix satellites connus, et ce qu'il déclara ensuite aux deux jeunes gens les amena à lui parler d'eux-mêmes.

« Ma tâche, et je suis au bas de l'échelle dans l'équipe qui travaille à ce projet, consiste à amener notre vaisseau en direction de Saturne sur cette trajectoire un jour précis, disons en août 1981, au point précis où se trouvera la planète ce jour précis.

– Vous utilisez beaucoup le mot « précis », non?

– Si des données peuvent être connues, elles doivent être utilisées.

– Et vous savez où se trouvera Saturne?

– Kepler et Newton nous ont appris comment le savoir.

– Et d'une distance de milliards de kilomètres, vous allez piloter votre minuscule engin de façon à ce qu'il poursuive sa route au-delà des satellites et des années.

– C'est exactement ce que nous allons faire.

– Comment?

– Newton a déclaré un jour que s'il pouvait voir à de grandes distances, c'était parce qu'il se tenait sur les épaules des géants, des brillants savants comme Kepler qui l'avaient précédé. Nous pouvons résoudre les énigmes mécaniques du système solaire parce que de grands mathématiciens ont accompli avant nous le travail de base. Nous amènerons le vaisseau spatial ici et là, bon sang! Sans commettre la moindre erreur. »

Il parlait avec une telle résolution que ses auditeurs n'osèrent pas mettre en doute ses convictions. Après un long silence, Mott reprit la parole.

« Le grand tour exige une infinité de calculs, il faut prévoir à la minute, à la seconde près la position de chaque planète et de chaque satellite. Nous devons ensuite revenir à une période de deux semaines bien spécifiques, et au cours de chaque vingt-quatre heures, nous disposerons d'une fenêtre de lancement de quatre minutes neuf secondes exactement. Nous allons pénétrer les recoins les plus éloignés de l'univers, disposant, pour ce faire, de quatre minutes neuf secondes. »

Pas de commentaires, aussi enchaîna-t-il : « Le fait est que, pour calculer l'orbite d'une seule planète, Johannes Kepler a dû couvrir une pile de papiers haute comme ça d'équations mathématiques, dix années de travail acharné. Avec un bon ordinateur, nous pouvons obtenir le même résultat en sept secondes environ. Ce que je fais n'a rien à voir avec la Lune ou Saturne. Je bâtis pour des clowns qui essaieront de faire quelque chose au siècle prochain. Et il n'y aura jamais de fin. »

Il n'avait rien à ajouter, et les jeunes gens non plus. Ils étaient là tous les trois, à regarder les incroyables diagrammes, à écouter le bruit du ressac. Au bout d'un long moment, Roger prit la parole.

« Au dîner, hier soir, vous nous avez dit que vous et votre femme viviez dans une situation gouvernée par les statistiques. D'après les statistiques de longévité, vous vivrez jusqu'à l'âge de soixante-dix-neuf ans et, ensuite, kaput. J'ai refusé d'admettre que Millard et moi étions nous aussi soumis aux statistiques. Mais c'est pourtant vrai. »

Il était près de minuit, et maintenant Roger avait envie de parler.

« A dix-neuf ans, on est un jeune dieu. On peut maîtriser n'importe quelle lame déferlante. Les filles s'arrêtent pour vous regarder dans la rue, et les hommes aussi. Ce sont les années dorées. On peut abattre tous les obstacles. Les meilleures années, ce sont celles-là, entre vingt et trente-cinq ans. Tant d'occasions et dans tellement de domaines, qu'on en a la tête qui tourne. Des maisons au bord des plages partout. Des filles en décapotable. Des hommes richement payés. Le soleil de Californie. Vous ne pouvez pas imaginer à quel point ces années-là sont formidables. Aucune responsabilité – à part prier pour qu'une bombe nucléaire ne vienne pas tout foutre en l'air avant que vous n'ayez vraiment bien profité de la vie. D'après mes observations, les années commencent à peser vers quarante ans, et, à cinquante, on fait vraiment partie des statistiques. Je continuerai sans doute à avoir de la chance et à trouver quelqu'un avec qui partager une maison, ainsi que nos salaires. J'aurai un boulot stable, je suppose, et si j'ai toujours des besoins sexuels aussi intenses, j'aurai du mal à trouver des partenaires, parce que je sais que je ne serai jamais riche. Ce n'est pas dans ma nature. Mais je me débrouillerai. Et à soixante, tout comme vous, les années m'accableront et Dieu sait ce que je ferai. Mais je survivrai. Et si j'ai la chance d'avoir trouvé un type bien comme votre fils, nous vivrons sous un climat chaud et toucherons la Sécurité sociale. Notre problème deviendra identique au vôtre, monsieur Mott. Trouver un endroit où vivre, suffisamment à manger et avoir un enterrement correct quand nous mourrons. »

A la grande surprise de Stanley Mott, son fils intervint avec une passion contenue, d'un ton presque accusateur.

« Papa, regarde ce qui va arriver à tes demi-dieux d'astronautes. J'ai vu des tas de types de l'armée et de la marine qui ont pris leur retraite par ici en Californie et je peux te prédire avec certitude ce qui se passera. Tu as six hommes sous ton aile. Deux seront tués jeunes. Deux divorceront et épouseront des filles de vingt ans leurs cadettes. Un des autres laissera tomber le programme, entrera dans les affaires, et deviendra alcoolique. Et le dernier se livrera à une activité sans grande signification, puis ne fera plus grand-chose et passera son temps à montrer son album de souvenirs à ses voisins. Alors, pourquoi se donner tant de mal pour un si maigre résultat? »

Mott avait une réponse toute prête.

« Et sur les six, trois probablement marcheront sur la Lune. Voilà toute la différence. Rien, ni le temps, ni les rides, ni les cicatrices, ni les divorces, ni l'alcoolisme ne pourront effacer ça. Ils seront montés là-haut, et nous non. »

Le lendemain matin, avant de se rendre à la réunion du général Funkhauser, il dit à Millard :

« La porte sera toujours ouverte. Amène Roger. Tu es un type intelligent, Roger? Tu ne pourras pas te contenter éternellement de vivre sur les plages.

– C'est à voir », répliqua Roger.

Au printemps de 1964, Norman Grant était en excellente forme et son parti en plein chaos : aucun républicain dans l'Etat du Fremont ne désirait se présenter contre lui pour les primaires sénatoriales, mais il voyait bien qu'au niveau de la nation, son parti risquait d'être durement affaibli si une scission se produisait à propos de la candidature de Barry Goldwater en Arizona. Grant soutenait Goldwater et priait le Ciel que les obstinés libéraux de Rockefeller soudain illuminés mettent un terme à leurs actions subversives.

« Ils ne peuvent que nous nuire, déclara Grant à son adjoint de toujours, Finnerty, et je commence à croire qu'ils n'ont pas l'intention de faire marche arrière.

– Celui qui m'inquiète le plus, c'est Lyndon Johnson. Ce politicien texan est un dur. Il pourrait gagner haut la main si nous désignons Goldwater.

– Nous allons le désigner. Donnez aux électeurs un vrai choix, pas un reflet.

– Etes-vous content de ce cliché, sénateur?

– Il va nous permettre de gagner, si le groupe Rockefeller n'a pas notre peau.

– Votre problème, sénateur, c'est votre propre élection au Fremont. Je crois que nous avons des ennuis.

– Des ennuis? Nous n'avons aucun adversaire dans les primaires.

– Mais nous risquons d'être vulnérables en novembre. Ça pourrait être une grande année pour les démocrates. »

Ces propos semblaient raisonnables à Grant, mais il avait appris qu'un politicien tout comme un amiral devait aborder chaque bataille comme si elle était l'ultime.

« Si j'ai appris quoi que ce soit au Sénat, dit-il, c'est bien que Lyndon Johnson est un adversaire redoutable. »

Il commença donc en mai sa campagne à travers le Fremont et, avant la fin juin, il avait fait la tournée de toutes les villes les plus importantes. A la convention républicaine, il représentait une véritable forteresse pour Goldwater et un grave sujet d'irritation pour le groupe Rockefeller. Quand William Scranton de Pennsylvanie se présenta *in extremis*, poussé peut-être par Eisenhower, il le rejeta sans hésitation. Il passa la majorité de l'été à faire campagne pour Goldwater dans d'autres Etats, puis rentra précipitamment pour lutter contre un sénateur démocrate extrêmement puissant appartenant à la législature du Fremont.

Après quelques échanges, l'optimisme qu'il affichait au début s'avéra sans fondement. Son challenger en savait beaucoup plus long que lui sur les conditions qui prévalaient dans l'Etat et, durant une réunion stratégique avec Finnerty et ses adjoints locaux, l'Irlandais joua cartes sur table.

« Sénateur, si vous poursuivez ainsi, nous allons perdre, Goldwater est comme un albatros autour de votre cou. Cessez de le défendre.

– Barry Goldwater est mon candidat, un parfait honnête homme qui pourrait sauver ce pays.

– Regardez donc Hugh Scott en Pennsylvanie. Il affronte le même problème que vous. Il est assez malin pour ne jamais prononcer le nom de Goldwater. A l'écouter, on ne se douterait jamais qu'il s'agit d'une course à la présidence. Lisez-moi donc cette littérature : « Même si vous votez pour quelqu'un « d'autre, soutenez Hugh Scott, un grand Américain. » Est-ce que je peux faire imprimer quelques affiches pour vous, dans les quartiers chauds de Webster?

– Pas question. Barry Goldwater est mon candidat. Je coulerai ou nagerai avec lui.

– Comme je craignais cette réaction, j'ai restructuré les huit dernières semaines. Hanley vous descend en flammes sur les problèmes locaux et, d'après mes sondages, vous vous maintenez à peine à flot. Vous ne pouvez pas rivaliser avec lui dans les domaines où il est le plus fort, alors il faut l'attaquer dans ceux où vous l'emportez. Leadership national. Patriotisme. Programme spatial. Est-ce que vous pourriez obtenir de John Pope qu'il fasse campagne pour vous?

– La N.A.S.A. l'interdit. Formellement.

– C'est bien ce que je craignais. Nous allons donc ramener Penny Pope ici. Elle a déjà travaillé pour vous trois fois. C'est parfaitement légitime, et tout le monde dans l'Etat se rappellera qu'elle est la femme de John Pope.

– Glancey donnera-t-il l'autorisation? Pour une élection présidentielle et tout ça?

– Je me suis permis d'en discuter avec Glancey,

et lui et moi savons tous les deux que Goldwater va perdre mais, sans le préciser, il m'a laissé entendre qu'il serait heureux de vous revoir au Sénat. Penny est libre. »

Penny Pope se sentit fière de travailler à la réélection de Norman Grant, car elle avait suivi de près sa carrière depuis plus de douze ans et ne l'avait jamais surpris en délit de malhonnêteté.

« Il sort tout droit de l'arche de Noé. Il a un côté antédiluvien, c'est le Barry Goldwater du pauvre, mais il a un caractère d'airain. J'adore cet homme et je veux le voir réélu pour six ans. »

Finnerty lui demanda de se montrer en public avec le sénateur le plus souvent possible afin qu'il puisse la présenter comme « la fille courageuse de Notre Bel Etat qui apporte son soutien à Washington pendant que son courageux mari, un fils courageux de Notre Bel Etat, vole vers la Lune ». On ne fit jamais aucune allusion au fait que tout ce qu'avait piloté John Pope pour l'instant, c'était le simulateur de Cap Canaveral et un T-38 qu'on lui avait prêté. Mais lorsque Grant, à force d'intrigues, réussit à obtenir des ordres autorisant Pope à poser son T-38, avec Randy Claggett à l'arrière, à la nouvelle base aérienne de la N.A.S.A. près de Clay, Finnerty avait convoqué des photographes et dès que les deux astronautes eurent été montrés sanglés sur leurs sièges, Penny s'avança pour leur offrir des fleurs.

On lui confia également la tâche délicate d'expliquer à la presse pourquoi la femme et la fille du sénateur ne faisaient pas campagne pour lui cette année.

« Elinor Grant a souffert de terribles migraines qui l'ont fortement handicapée et Marcia, comme vous le savez, est très occupée par son rôle de préfète des études dans une université de l'Ouest. »

Lorsqu'un entreprenant journaliste prit l'avion pour la Californie afin d'aller inspecter l'université et son inexistante équipe de professeurs, son article parut dans plusieurs journaux de l'Est, mais aucun des principaux journaux du Fremont ou de l'ouest du Mississippi n'en fit état.

« On s'en est bien tirés, déclara Penny à Finnerty. Merci d'avoir muselé les chacals.

– Je n'ai pas menacé les journalistes, je les ai raisonnés, simplement. »

Il était néanmoins beaucoup plus difficile de ne pas ébruiter l'histoire d'Elinor Grant; Penny dut jurer qu'il ne s'agissait pas d'un problème d'alcoolisme aigu, comme l'avaient laissé entendre certains journaux de Washington pour expliquer son absence de la capitale, mais n'était pas disposée à se parjurer au-delà.

Mme Grant buvait, sans pour autant être alcoolique; son drame était que les petits hommes venus de l'espace menaçaient plus que jamais de prendre le pouvoir dans le pays et quand Penny alla la trouver pour essayer de la raisonner, elle la trouva aussi égarée que si elle avait pris de la drogue. La première question qu'elle posa à Elinor Grant fut la suivante :

« Quand avez-vous correspondu pour la première fois avec le docteur Strabismus?

– Il y a dix ans, ou même davantage.

– Mettons dix ans. Cela signifie que vous avez reçu cent vingt bulletins mensuels, disant tous la même chose. Ça ne vous paraît pas suspect?

– Le danger est très grand, madame Pope.

– Et durant toutes ces années, vous n'avez pas reçu moins de quarante télégrammes vous annonçant qu'à la dernière minute les petits hommes s'étaient abstenus. Ça ne devient pas monotone?

– Quand ils débarqueront vraiment, madame Pope, des aventurières dans votre genre auront exactement ce qu'elles méritent. » Comme Penny restait silencieuse, elle enchaîna : « Pourquoi êtes-vous venue ici afficher devant tout l'Etat votre aventure avec mon mari ?

– Je vous en prie, madame Grant, parlons de votre mari précisément. Il est au milieu d'une campagne très difficile. Il pourrait être battu, vous le savez. Et la nation a besoin de lui.

– Absolument, absolument. Norman est un véritable patriote et la nation a besoin de lui.

– Je suis venue vous supplier d'aider cet homme exceptionnel... d'oublier vos sentiments personnels. Votre père a beaucoup servi la démocratie...

– C'est vrai, madame Pope. Mon père était un saint, un aussi grand héros, à sa manière, que Norman.

– J'ai souvent entendu votre mari l'affirmer.

– Je ne veux pas nuire à la carrière politique de Norman. Je suis sûre que mon père ne le voudrait pas.

– Alors il faut accepter de recevoir les journalistes. C'est indispensable. Ils commencent à se livrer à de désagréables insinuations.

– Je ne pourrais pas recevoir des journalistes ! »

Revenant à la charge pendant plus d'une semaine, Penny Pope parvint à convaincre enfin cette femme apeurée.

« L'entrevue peut être brève, mais il faut éviter de dire des sottises, madame Grant. Vous devez répondre à leurs questions, mais je vous recommande ceci : ne semez pas la panique dans le pays. Le docteur Strabismus vous a accordé sa confiance en vous révélant l'arrivée prochaine des petits hommes. Mais je ne pense pas qu'il aimerait vous voir répandre la nouvelle.

– Vous avez parfaitement raison. Il a toujours dit qu'il alerterait le monde lorsque le moment serait venu.

– Il serait très mécontent, je suis sûre, si vous le devanciez sans sa permission.

– Je ne ferai jamais ça », promit-elle.

Aussi donc, un après-midi au début d'octobre, elle et Penny tinrent une des conférences de presse les plus soigneusement orchestrées de toute la campagne électorale. Elinor parla de l'héroïsme de son mari, de son intégrité politique, du rôle important qu'il jouait dans le programme spatial qui bientôt permettrait de planter le drapeau américain sur la Lune.

Une fois seulement, elle fut sur le point de passer outre en faisant allusion aux graves dangers qui pesaient sur l'Amérique, mais quand les journalistes l'ayant pressée de préciser sa pensée, Penny lança le mot « communisme », Mme Grant improvisa un petit discours sur ce thème. A un signal donné par Penny, le sénateur Grant apparut dans la pièce, embrassa sa femme devant les photographes de Tim Finnerty, et partit ensuite pour une réunion à Webster.

Plus tard, dans la journée, lorsque Finnerty demanda à Penny s'il ne serait pas opportun de faire venir des soldats qui brandiraient les haillons sanglants de l'héroïsme maritime, elle fut tentée de le déconseiller.

« Une guerre ne peut pas servir indéfiniment. Cette histoire du Vietnam commence à inquiéter les gens, en particulier les étudiants.

– Notre parti s'est servi de la guerre civile de l'élection de 1868 jusqu'en 1908. Voilà quarante ans que ça dure, et ils ont remporté victoire sur victoire. Norman Grant a été un authentique héros et le thème est loin d'être épuisé. »

Elle acquiesça à contrecœur mais, quand elle vit les trois anciens combattants dans leur uniforme, elle se rendit compte qu'à moins d'élargir les coutures l'effet allait être comique.

« D'accord, mon vieux, pour le côté historique. Mais trop étroit, c'est ridicule, ça fera rire les gens. » En fait, quand elle en eut terminé avec les trois hommes, ils avaient fière allure, et lorsqu'elle eut fignolé leurs discours pour les rendre plus pertinents, l'effet fut presque aussi percutant que durant la campagne charnière de 1946.

Durant les derniers jours, alors que les perspectives de réélection de Grant s'affirmaient, elle déclara aux vétérans :

« Vous avez aidé un grand homme à poursuivre entièrement une carrière au service de la nation. »

Si Finnerty du Massachusetts et Penzoss de l'Alabama étaient émus par cette remarque, elle vit que le directeur d'école Gawain Butler, un Noir de Detroit, restait de glace; ainsi ne fut-elle pas surprise lorsque celui-ci dit la veille de l'élection :

« Si le sénateur Grant est élu, j'aimerais le voir le plus tôt possible.

– Pourquoi ne pas rester quelques jours? Vous êtes l'homme d'Amérique auquel il est le plus redevable, docteur Butler. »

Deux jours après les élections, tandis que les républicains du Fremont essayaient d'analyser l'échec de leur candidat Goldwater tout en célébrant calmement la réélection de leur sénateur, Penny Pope conduisit Gawain Butler auprès du vainqueur. Après avoir allongé sa jambe artificielle et s'être installé confortablement, le grand Noir déclara :

« Vous pensez sûrement que je viens vous trouver au sujet d'un emploi éventuel, mais ce n'est pas le cas. Je me débrouille très bien, merci, et on parle même de me nommer inspecteur de l'enseignement, au Michigan ou en Californie.

– Félicitations, dit Grant chaleureusement.

– Oui, si vous vous êtes servi de moi pour être élu

au Sénat, je me suis servi de vous pour promouvoir ma carrière à Detroit. A entendre ma femme, et Dieu sait qu'elle parle beaucoup, on croirait que vous ne prenez pas la moindre décision sans me consulter.

– Votre femme a raison. Combien de fois vous ai-je téléphoné?

– Il ne s'agit pas de travail, et pourtant si, dans un sens, reprit Butler. Je parle de l'espace.

– L'espace. C'est-à-dire la Lune et tout ça?

– Exactement, acquiesça Butler avec calme. J'aimerais vous montrer quelques photos. »

Et de sa serviette en skaï, il sortit quatre clichés que lui avaient envoyés les relations publiques de la N.A.S.A. Sur le premier, on voyait sept beaux visages d'hommes : Glenn, Slayton, Schirra, et les quatre autres de la première équipe; Armstrong, Borman, Conrad et les six autres du groupe II; Aldrin, Cernan, Scott et onze autres du groupe III; Claggett, Pope, Jensen et les trois autres du groupe spécial.

« Voilà nos gars, dit Grant.

– Trente-six Américains de choc, dit Butler. A votre avis, combien cela vous coûte pour entraîner chacun de vos gars, comme vous les appelez?

– Nous n'avons pas de chiffres exacts, mais je suppose que cela doit tourner autour de trois millions de dollars... par tête. »

Du geste auquel il s'était exercé dans son bureau à Detroit, il indiqua négligemment le visage déterminé de John Pope.

« Ce garçon est de votre ville natale, n'est-ce pas, sénateur.

– Je n'ai rien eu à voir avec sa nomination.

– Mais il est de votre ville, et le gouvernement dépense trois millions de dollars pour assurer son éducation.

– En vue d'une tâche très spéciale.

– Une tâche noble, j'en conviens. Mais ces photos

ne vous paraissent-elles pas étranges? » Grant eut un haussement d'épaules et Gawain Butler précisa d'un ton sévère : « Pas un seul visage noir parmi eux. »

Le sénateur resta sans voix. Butler poursuivit :

« Nous autres Noirs représentons à peu près douze pour cent de la population nationale. Il devrait y avoir quatre des nôtres sur ces photos.

– Nous procédons à nos sélections avec la plus extrême minutie. Je suis sûr que si... »

Butler ne l'écoutait pas. De sa serviette, il sortit une autre photo prise dans la salle de contrôle qui témoignait clairement du zèle et de la compétence d'une centaine de spécialistes concentrés sur les problèmes de vie ou de mort posés par la circulation d'un vaisseau de l'espace à trois cents kilomètres d'altitude dans une obscurité et une apesanteur totales. Ces hommes aux cheveux courts, en bras de chemise pour la plupart, ne fumant pas, donnaient l'impression de jeunes professeurs sortis d'une école d'ingénierie.

« Proportionnellement, sénateur, nous devrions avoir douze ou treize visages noirs sur ce cliché. Nous n'en avons aucun.

– Je suis sûr...

– Notre nation a fait porter ses principaux efforts sur la conquête de l'espace. Cinq milliards de dollars par an, peut-être même six, m'a-t-on dit. Publicité, discours, des magazines entiers consacrés à ce programme, et pas un seul Noir n'y participe. Pourquoi sommes-nous toujours tenus à l'écart des grands problèmes nationaux? »

Le sénateur Grant ne pouvait ignorer la légitimité de cette question. Pourquoi, en effet, aucun Noir ne participait-il à cette grandiose entreprise à laquelle il avait consacré tant d'énergie? Il lui vint l'idée désagréable que Lyndon Johnson et Michael Glancey étaient des Sudistes manifestant ainsi leur héritage culturel. Mais cette pensée était injuste, car aucun sénateur ni aucun président n'avait œuvré davantage en faveur des Noirs que Johnson, et aucun sénateur du Sud n'avait engagé des secrétaires noires dans ses services plus vite que Mike Glancey.

Il se demanda si la commission de sélection des astronautes ne pouvait pas être soupçonnée de racisme, puis il songea à son président, Deke Slayton, un des hommes les plus énergiques et les plus intègres qu'il eût rencontrés et se dit : « Jamais Deke n'admettrait pareille idiotie. Si un Noir qualifié s'était présenté, il l'aurait engagé sur-le-champ. » Consultant un dossier dans le tiroir de son bureau, il pensa avec satisfaction : « D'ailleurs, il est du Wisconsin. Nous autres gens de l'Ouest, nous n'avons pas de préjugés raciaux. »

Il sonna une domestique et demanda si Mme Pope était dans la maison. Elle n'y était pas, mais la bonne ayant déclaré qu'elle se trouvait peut-être encore au quartier général, quelques minutes plus tard Finnerty amenait Mme Pope à la résidence Grant.

« Restez », dit le sénateur à Finnerty.

Lorsque les deux nouveaux venus furent assis, Grant, sur un signe de tête à Gawain Butler, lui demanda d'exposer sa requête.

« Ce n'est pas une requête personnelle, protesta Butler. Cela va beaucoup plus loin. »

Une fois de plus, il étala ses photographies.

« Comment expliquez-vous ça? » demanda Grant à ses assistants.

Mme Pope dut avouer :

« Le problème n'a jamais été évoqué.

– Là est le problème, dit Butler. Personne n'a jamais remarqué que l'une des plus grandes entreprises de la nation était blanche comme un lys. Tout le monde s'en fichait. »

Il prit dans sa serviette trois autres photos provenant de sources variées et non pas du service de relations publiques officiel. Les trois Blancs reconnurent instantanément les visages : c'étaient Jackie Robinson, champion de base-ball, Jim Brown, le fantastique arrière de football, et Oscar Roberston, le plus grand joueur de basket-ball peut-être de tous les temps.

« Si des Noirs peuvent exceller dans un domaine quelconque, pourquoi ne pourraient-ils pas faire leurs preuves dans l'espace? »

Le problème était si réel et mettait si directement en cause les responsables du programme que le sénateur Grant répondit en toute franchise :

« Gawain, vous m'attaquez là sur un point terriblement important. J'avais négligé cette question et je me propose de prendre des mesures immédiatement. Réunissez trois de vos meilleurs représentants. Je vais demander à Mme Pope de préparer des ordres de mission. Soyez lundi dans mon bureau à Washington. » Et, se tournant vers les autres: « Veillez à ce que le docteur Mott y soit également. »

Si Grant avait craint un instant de voir Mott bâcler l'entrevue en se réfugiant derrière de vagues excuses et des promesses faciles, c'est qu'il connaissait bien mal ce perspicace expert. Car, les quatre leaders noirs installés devant lui et après qu'ils eurent exposé avec pertinence leurs revendications, il prit la situation en main.

« J'ai fait partie de trois commissions de sélection et nous nous sommes efforcés désespérément de choisir des pilotes catholiques, des femmes pilotes et, en particulier, des pilotes noirs. Nous voulions montrer à des hommes de bonne volonté comme vous que nous n'étions pas ligotés par la religion, le sexe ou la couleur. Mais au moment décisif de passer d'une centaine de candidats à six, voici les conditions auxquelles chaque candidat élu devait souscrire. » Et il tendit des photocopies de documents de la commission.

- Licence de science ou diplôme d'ingénieur.
- Maîtrise de science ou d'ingénierie (conseillé)
- Vol d'entraînement militaire
- Ecole de pilotage d'essai
- Etudes universitaires
- Solides connaissances en mathématiques, physique, moteurs à combustion, calculs
- Vol de groupe en escadrille
- Expérience de pilotage d'essai sur deux douzaines au moins d'appareils.

« C'est très simple, messieurs. Trouvez-moi de jeunes Noirs soumis à un entraînement aussi rigoureux, et je serai à la tête du combat pour leur sélection.

– Pour les astronautes, peut-être, acquiesça le docteur Butler, tournant entre ses doigts le document, mais parmi les employés du centre de contrôle? Devons-nous être exclus de tout? »

Mott sortit une autre liste ronéotée fort longue, énumérant les qualifications exigées pour faire partie du centre de contrôle et l'incroyable éventail de connaissances techniques requises. Sur un vaste agrandissement d'une photo de la N.A.S.A. montrant l'équipe de contrôle au travail, il désigna les uns après les autres les hommes en chemise blanche, un demi-sourire aux lèvres, en donnant leurs noms et leurs titres universitaires : Tom Fallester, BS Cornel, LS Cal Tech, PhD M.I.T. Qualifié dans toutes les branches de l'ingénierie concernant les moteurs à combustion. A travaillé six ans au Lewis Center de Cleveland sur les fusées. Notre expert pour les vols d'alimentation en combustible et les réparations de moteur. »

Il poursuivit ainsi son énumération des hommes et des titres variés auxquels ils devaient leur sélection. Dans tout le groupe, il n'y en avait pas un dont on aurait pu dire : « Tarnoff, que voici, après de bonnes études secondaires, a passé un an dans un collège d'enseignement où il n'a pas révélé d'aptitudes spéciales dans un domaine particulier, mais c'est un garçon sympathique. » Tarnoff avait des connaissances approfondies dans quatre ou cinq domaines précis, au moins.

Stanley Mott était aussi désolé que ses quatre interlocuteurs noirs.

« Je n'entrevois pas de solution au problème, messieurs, dit-il

– Et les autres astronautes... doivent-ils subir un entraînement aussi intensif en pilotage d'essai et autres spécialités du genre ? demanda un professeur noir de Harvard.

– Chaque homme dans la capsule doit être capable de prendre l'opération en main, répondit Mott fermement.

– Mais plus bas dans la hiérarchie ? insista le professeur de Harvard. Les scientifiques ne montent jamais dans l'espace ?

– Si », répondit Mott et il agita la liste des qualifications exigées pour les hommes du centre de contrôle.

« Mais il leur faut être au moins aussi qualifiés que ces hommes-là. Il ne peut y avoir de place pour un Noir, champion de basket-ball sans bagage technique suffisant. »

Sur sa suggestion, les quatre hommes, accompagnés par lui et par Penny Pope, visitèrent cinq excellentes universités dont trois comprenant des écoles d'ingénierie. A la fin de cette journée révélatrice, Penny rédigea pour la commission du

Sénat dont elle faisait partie les conclusions suivantes :

> Nous n'avons pas réussi à trouver dans ces cinq universités un seul Noir poursuivant des études scientifiques approfondies le rendant susceptible de poser sa candidature à la sélection des astronautes. Non par manque d'intelligence ou d'aptitudes, les Noirs passant les tests les plus ardus souvent plus brillamment que leurs camarades blancs.
> Pour les sujets de cette génération, c'est dans les affaires que l'étudiant noir doué voit le moyen de sortir du ghetto et d'accéder à un haut salaire. Son regard n'est pas fixé sur les étoiles, mais sur le tableau d'avancement. A la fin de notre tournée, personne n'a déniché un seul jeune Noir susceptible d'être sélectionnable dans dix ans ou poursuivant des études lui permettant d'entrer dans l'équipe du centre de contrôle. D'une façon générale, ces étudiants se détournent des matières trop ardues.

Si le rapport précis de Penny Pope pouvait à la rigueur satisfaire le comité de protestataires noirs, le sénateur Grant ne s'en contenta pas car dès qu'il en eut reçu copie, il se mit à téléphoner furieusement et l'après-midi même, lui et le sénateur Glancey eurent une entrevue avec le docteur Mott et ses associés. Grant pris la parole en jurant, ce qu'il évitait en général.

« Nom de Dieu, je veux un astronaute noir. Peu importe que nous soyons obligés de placer la barre moins haut, je veux voir un astronaute noir dans notre équipe, et qu'on ne me dise pas que c'est impossible! »

Mott l'interrompit :

« A ce stade, justement, c'est impossible. Voulez-vous mettre en danger le programme tout entier?

– Le programme tout entier sera descendu en flammes ici même au Congrès si vous ne nous trouvez pas un astronaute noir. Croyez-vous que l'on puisse continuer à deshériter vingt-quatre millions de nos compatriotes? Les exclure d'un projet pour lequel nous dépensons des milliards de dollars payés par leurs impôts? Laissez-moi vous dire une chose, Mott, si jamais le public se tourne contre notre programme vous êtes flambé. Alors, la prochaine fois qu'une photographie sera prise du centre de contrôle, je veux voir au moins quatre visages noirs parmi les techniciens.

– Faisant quoi? demanda Mott, obstiné.

– Ce qu'ils feront, je m'en fiche. Ils peuvent même tricoter si ça leur chante, mais je veux qu'ils soient là. Vous n'êtes pas d'accord, sénateur Glancey? »

Il fut donc convenu qu'avant la fin de l'année suivante, il y aurait quatre Noirs dans la salle de contrôle; mais il fut impossible de les trouver, pour les raisons citées par les professeurs et les étudiants des cinq universités. Après des recherches plus poussées, Mott et son équipe finirent néanmoins par dénicher à la Wayne State University de Detroit un jeune étudiant exceptionnellement instruit qui avait un excellent contact avec les gens. Bien qu'il manquât d'expérience en calculs et en matière d'aviation, on lui confia le poste d'agent de liaison avec la presse, tâche dont il s'acquitta à merveille. D'autres recherches permirent d'en découvrir un autre en Alabama, un autre en Californie et un dans le Massachusetts, ayant fait de solides études scientifiques; ainsi sur les photos suivantes communiquées à la presse, la mer de visages blancs radieux était émaillée de façon plus réaliste. Le sénateur Grant prit une des photos, encercla de rouge les trois visages noirs, et l'envoya à son bon ami, le docteur Butler, du Detroit Public School System. « Cher Gawain, lui écrivait-il. Voilà votre souhait réalisé. Bien à vous. Norman. »

La mésaventure survenue à Scott Carpenter à bord de la capsule Mercury, qui le déposa à trois cent soixante kilomètres du point où le commandant John Pope l'attendait à bord de son *Tulagi*, rappela à la N.A.S.A. que la plus petite erreur de calcul ou de manœuvre risquait, à leur retour, de larguer les astronautes au fin fond d'une jungle d'Amérique centrale ou d'Amérique du Sud. Il devint donc obligatoire pour les futurs passagers de la capsule de s'entraîner à la survie dans ce genre de milieu. Certains s'entraînèrent à Costa Rica, d'autres au Salvador, mais les Six Piliers furent emmenés jusqu'en Amazonie.

Ils quittèrent Cap Canaveral à huit heures, atterrirent sur l'aéroport de Miami à huit heures quarante-cinq, prirent un avion direct de la Pan American pour Manaus, Brésil, où ils atterrirent à douze heures cinquante dans une ville propre et plaisante, à mille deux cents kilomètres de la côte.

Des officiers de la marine brésilienne les attendaient avec des canots, et, à quatorze heures, Pope et ses collègues naviguaient sur le plus grand fleuve du monde.

Les Américains n'en croyaient pas leurs yeux. Au cours de leurs vols à travers les Etats-Unis, l'Ohio, le Mississippi, le Missouri, le merveilleux Colorado, source d'un enchantement perpétuel, leur avaient donné une idée de ce que pouvait être un grand cours d'eau, mais rien ne les avait préparé à un véritable fleuve comme l'Amazone.

« Mais regardez-moi ça ! » s'exclama Claggett.

Le canot s'était écarté du bord et la rive opposée

était à peine visible. Les proportions de l'Amazone, vaste lac mouvant, dépassaient l'imagination.

« Messieurs, commença l'officier brésilien, le long de cette berge vous remarquerez une ligne décolorée, à six mètres de haut, qui court tout le long du fleuve. (Il s'interrompit pour annoncer aux astronautes qu'il avait fait ses études à West Point.) Que représente cette ligne, d'après vous? » On émit quelques vagues hypothèses. « C'est le niveau de crue l'été.

– Vous avez des falaises de ce côté-ci, dit Claggett en les montrant du doigt. De l'autre, l'inondation doit s'étendre sur des kilomètres.

– En effet, acquiesça le Brésilien. Et pourtant, reprit-il, nous ne sommes pas sur l'Amazone mais sur le Rio Negro, une rivière noir d'encre qui descend de la Colombie et du Venezuela. A quelques kilomètres d'ici, vous allez voir le Salomon, jaune vif comme ses mines! Vous n'en croirez pas vos yeux. »

Il lança le canot dans le courant, faisant remarquer aux hommes la teinte sombre de l'eau et, au bout d'un moment, ils aperçurent sur la droite un cours d'eau vraiment gigantesque aux eaux tumultueuses descendues des lointaines montagnes du Pérou et de l'Equateur qui allait se jeter dans le leur. A lui seul, il aurait formé le plus grand fleuve du monde; ajouté au Rio Negro, démesuré, il devenait l'Amazone.

« Regardez bien! » s'exclama le Brésilien.

De toute évidence, bien qu'il amenât des touristes admirer le miracle, il était aussi émerveillé que la première fois; du sud, en effet, venait le puissant Salomon, d'un jaune éclatant, et du nord le vaste Negro, aux flots menaçants et noirs; se rejoignant sans se mélanger sur près de trente kilomètres, les deux rivières majestueuses partageaient le même lit, séparées l'une de l'autre comme par un mur et leur masse liquide bicolore descendait vers l'océan. Même lorsque le canot coupait et recoupait la ligne de démarcation, les deux rivières préservaient leur individualité, chacune charriant les tonnes de déchets lui conférant sa couleur et poursuivant sa propre course.

Quand la nuit commença à tomber, les Américains furent témoins de deux spectacles qu'ils ne devaient jamais oublier. En amont, sur l'Amazone nouvellement formé, son drapeau sombre flottant dans la brise de la jungle, la proue pointée vers Manaus, voguait un navire de vingt mille tonneaux en provenance de Bremerhaven, Allemagne. A douze cents kilomètres de l'océan, il filait à toute vapeur, autant en sécurité sur ce fleuve énorme qu'en pleine mer.

« On est au beau milieu du Kansas, s'écria Claggett, et voilà qu'on tombe sur un paquebot! »

Des dauphins commencèrent alors à bondir hors de l'eau, bleus et argentés, folâtrant comme en plein Pacifique, accompagnant le bateau vers son havre du soir. Jaillissant devant l'étrave des canots, ils se retournaient en l'air pour regarder les astronautes avant de replonger dans les profondeurs de l'Amazone. Six d'entre eux les escortèrent jusqu'à Manaus et, devant leurs bonds sous les derniers rayons du soleil, Pope déclara à ses compagnons :

« C'est un bon présage! Altaïr m'a toujours porté chance!

– Je ne comprends pas, dit Cater.

– La constellation du Dauphin. Elle protège Altaïr. Vous verrez! On viendra à bout de l'Amazone! »

Les hommes passèrent la journée du lendemain à visiter Manaus, où le gouverneur de l'Etat était venu les accueillir. Les photographes de Tucker Thompson prirent de nombreuses photos des cérémonies, et le gouverneur déclara, par l'intermédiaire d'un interprète :

« Messieurs, nous avons une surprise pour vous. »

Prenant la tête du cortège de voitures, il les conduisit au centre de la ville où les barons du caoutchouc de l'Amazone à la fin du XIXe siècle avaient fait construire un véritable joyau d'architecture, un opéra vénitien de cristal et d'argent regorgeant de souvenirs de la grande époque où cette petite ville avait été une grande métropole.

« Caruso a chanté ici ainsi qu'Edouard de Reske et Adelina Patti. Nous avions des saisons magnifiques, avec des stars venues de l'Europe entière, qui remontaient notre fleuve sur des paquebots allemands. On m'a dit que Sarah Bernhardt avait joué *L'Aiglon* sur cette scène et que Helena Modjeska, elle aussi, est venue jouer ici. Nous étions l'Athènes de la jungle! »

Il fut convenu que les Six Piliers remonteraient en canot le Rio Solimões, la version portugaise du Salomon, sur quatre-vingt-dix kilomètres, emprunteraient un petit affluent sur quinze kilomètres et que, de là, des guides locaux les emmèneraient à huit kilomètres à l'intérieur de la jungle et les y laisseraient. Ils ne seraient munis que de couteaux, de tissus susceptibles de servir de moustiquaires et de trois radios émettrices mais non réceptrices. Si l'un d'entre eux se cassait une jambe, son sauvetage s'opérerait au bout de trois jours.

Leur guide était un *mestizo* – Indien noir-portugais-espagnol – qui demeura silencieux pendant tout le trajet jusqu'au lieu où il les laissa et d'où ils avaient peu de chance de se sortir eux-mêmes. Sans même dire au revoir, il tourna les talons pour refaire l'itinéraire tortueux qu'il avait emprunté à l'aller mais, à l'instant de partir, se retournant vers Pope, sur un clin d'œil et un signe de tête, il lui indiqua un palmier d'une espèce que John n'avait jamais vue.

« *Muy bueno, senor* », dit-il, et il disparut.

Les sept hommes se retrouvaient maintenant dangereusement seuls; ils étaient accompagnés, en effet, d'un homme des bois, un Canadien français, homme de ressources chargé de leur enseigner l'art délicat de la survie, prénommé Georges. Il leur déclara :

« Tout ce qui bouge, vous l'empoignez. Tout ce qui a l'air bon à manger, vous me le faites sentir. »

Ça n'était plus un jeu; sept hommes affamés et sans armes devaient se sustenter et se débrouiller pendant trois jours pleins et ressortir vivants.

Vers la fin de la première journée, il devint évident que le héros de l'expédition serait Harry Jensen, le ramasseur de coton de Caroline du Sud. Ce petit type coriace, en effet, dans son enfance s'était souvent aventuré dans les marécages du Little Pee Dee de son Etat natal, et il fourmillait d'idées ingénieuses. Il savait détourner un ruisseau pour isoler un poisson; il savait tendre des pièges pour attraper un animal; il en fabriqua un pour les oiseaux et un autre pour les singes; et il déclara que si quelqu'un repérait un python, il fallait l'appeler.

Il était drôle, obstiné, chanceux et si, le premier jour, il condamna ses compagnons à se coucher le ventre creux, le second jour, un iguane se prit dans un de ses pièges, mais, les autres n'ayant pas trouvé le moyen de faire du feu, ils durent se résigner à le manger cru.

Se rappelant l'indication donnée par le guide *mestizo*, Pope demanda aux autres quelles ressources pouvait bien offrir un palmier. Timothy Bell, qui avait eu droit à des notes de frais quand il travaillait à Allied Aviation et qui connaissait ainsi les meilleurs restaurants, déclara :

« Il existe un régal qui coûte très cher, le cœur de palmier. »

Pope et Jensen s'attaquèrent donc à l'arbre sans trop savoir où se trouvait le cœur ni à quoi il pouvait bien ressembler.

Le palmier défendit son secret avec acharnement et les deux hommes qui l'attaquaient avec leurs petits couteaux ruisselaient de sueur après. Lorsque Jensen, enfin, fit circuler les succulentes pousses tendres, les astronautes se jetèrent dessus goulûment.

« Avec une bonne sauce, ce serait fameux, déclara quelqu'un.

– Ce n'est pas mauvais non plus avec de l'iguane cru », reconnut Pope.

Les piqûres d'insectes, aggravées par une transpiration permanente, rendaient les fins d'après-midi et les nuits très éprouvantes. Hickory Lee, un sportif, goûtant sa sueur à la base de son pouce gauche, déclarait d'un air sombre :

« Nous perdons notre sel à un rythme dangereux. »

Se livrant à cette utile vérification, les autres confirmèrent les soupçons de Lee : leur transpiration devenait acide.

Ed Cater, commandant d'aviation, de Kosciusko, Mississippi, raconta aux autres une histoire qu'il avait lue d'aviateurs durant la seconde guerre mondiale, perdus dans la jungle de Guadalcanal.

« Deux graves dangers, les francs-tireurs japs et une blessure aux jambes. Une entaille au mollet sous ce climat, avec quatre-vingt-dix-neuf pour cent d'humidité, ne cicatrise jamais. On pourrit.

– Au bout de combien de temps? demanda Claggett.

– A peu près six mois.

– Parfait. On va survivre jusqu'à Noël. »

L'humour de Claggett n'irritait jamais ses compagnons. C'était un Texan fort en gueule, mais le meilleur pilote du groupe et le plus apte à surmonter n'importe quelle épreuve. Il reprit la parole, sérieusement :

« Supposons que nos radios tombent en panne, toutes les trois. Nous sommes ici en pleine jungle et nous n'en savons pas plus long que maintenant. Comment diable s'en sortir? »

Les astronautes se tournèrent instinctivement vers Georges, qui se déroba.

« C'est votre boulot, dit-il.

– Passons une heure à faire tranquillement le point de ce que nous savons, proposa Jensen.

– Ce que nous savons, c'est que nous sommes au Brésil », dit quelqu'un.

Georges refusa le prémisse :

« Si nous nous posons en catastrophe avec une capsule Gemini, nous ne saurons pas où nous sommes.

– Sauf que nous sommes en Amérique du Sud, non?

– D'accord. »

Jensen transforma l'entretien en une sorte de jeu des vingt questions, qu'il arbitrait. Ils ignoraient la proximité de l'Amazone, mais l'humidité ambiante et la touffeur de la jungle laissaient supposer l'existence d'une masse d'eau dans la région. Par ailleurs, ils savaient qu'ils disposaient d'eau potable et de cœurs de palmiers comestibles.

Ils en arrivèrent petit à petit à la conclusion qu'il était impératif, non pas de découvrir l'emplacement de cette masse d'eau, ni la direction à suivre pour s'en tirer mais d'envoyer des signaux visibles pour les avions qui les rechercheraient. S'ils ne pouvaient défricher un coin de jungle avec leurs vêtements, il leur était possible de fabriquer un drapeau clair qu'ils essaieraient de fixer au sommet d'un arbre.

« Et comment grimpe-t-on là-haut? demanda Bell.

– Facile, répliqua Jensen. Ou tu montes, ou tu crèves.

– Est-on sûrs que des avions de reconnaissance se lanceront à notre recherche? demanda Bell.

– Aussi sûr que du lever du soleil demain, dit Jensen. C'est la seule chose dont nous ne devons jamais douter. Leur radar leur dira à peu près où la capsule est tombée. L'Amérique ne nous laissera jamais pourrir ici. Ils lanceraient mille appareils s'il le fallait. »

Cater raconta l'histoire qu'il avait lue d'un pilote de la Navy abattu au large de Guadalcanal durant la second guerre mondiale sous le nez de l'artillerie côtière japonaise, et que les avions de l'Army Air Corps avaient sauvé après une journée entière de combat.

« C'est une histoire vraie? demanda Bell.

– Je crois que oui », répondit Cater.

Les trois jours écoulés, lorsque les radios guidèrent les équipes de secours vers l'endroit où attendaient les astronautes affamés, Cater déclara :

« Jensen, je ne sais si tu sais piloter ou non, mais si je dois être à bord d'un avion qui s'écrase dans la jungle, je te veux comme copilote. »

Suivit un moment de gêne, car les quatre autres astronautes avaient du jeune homme la même opinion que Cater, mais Jensen recourut vite à un gag favori des élèves pilotes commençant leur entraînement. Ecartant les jambes comme s'il manœuvrait le gouvernail, il empoigna à deux mains un manche à balai imaginaire et s'écria, l'air horrifié, en tournant la tête à droite :

« Monsieur, monsieur? Dans quel sens on tire sur ce truc pour monter? »

Quand les astronautes, rompus, arrivèrent à leur hôtel à Manaus, Cater s'écria :

« Seigneur dieu! C'est pas vrai! »

Pourtant, ça l'était. Sur un tabouret du bar était assise la frêle Cynthia Rhee, une lueur moqueuse dans ses yeux impudents; elle les avait suivis tout au long de la Floride et à travers la mer des Caraïbes jusqu'au confluent du Negro et du Solimões, où commençait l'Amazone.

« Il fallait bien que je vous voie à la sortie de la jungle, dit-elle avec son séduisant accent. Vous n'êtes pas beaux à voir! (Elle effleura la joue de Cater.) Toutes ces piqûres... Ça fait mal? (Elle le regardait droit dans les yeux pour poser cette question.)

– Au bout d'un certain nombre...

– Qui a assumé le rôle de chef pendant les moments difficiles? demanda-t-elle.

– Devinez, dit Cater en se laissant tomber sur un tabouret.

– Jensen, peut-être, de Caroline du Sud.

– Et pourquoi dites-vous ça?

– Parce qu'il connaît les terrains marécageux. Il y a beaucoup de marécages en Caroline du Sud.

– Vous ne perdez jamais le nord, vous, dit Cater et elle reporta son attention sur Claggett.

– Vous m'avez promis à Cocoa Beach de me parler de vos débuts, dit-elle.

– Le travail d'abord, répliqua Claggett en tendant la main vers une bière.

– Le travail le plus important que vous accomplirez, en dehors de vos vols, déclara-t-elle à tous les hommes, ce sera peut-être de me parler. Vous accomplissez une tâche capitale et vous ne tenez sûrement pas à la voir immortalisée dans les âneries colportées par ce type. »

Elle montra Tucker Thompson qui accourait pour défendre ses protégés contre la dangereuse asiate, comme il l'avait baptisée.

Malgré les efforts de Tucker, elle réussit à entraîner Claggett jusqu'à sa chambre où ils se livrèrent à des ébats amoureux si fougueux et variés que Randy finit par demander :

« Est-ce que le gouvernement japonais vous offre des cours supérieurs à vous autres jeunes femmes? »

Ils étaient allongés côte à côte, épuisés après un corps à corps particulièrement éprouvant.

« Je suis coréenne, dit-elle. Vous ne savez même pas où se trouve la Corée, je parie. »

Claggett sourit.

« C'est quelque part en Chine. Le Japon l'envahit tous les vingt ans.

– Pourquoi les Américains – même intelligents – sont-ils aussi ignorants en ce qui concerne le reste du monde?

– Le reste du monde, c'est cette jungle infestée de puces. »

Cette plaisanterie la mit en colère.

« Savez-vous que la Corée est partagée en deux, la Corée communiste et la Corée libre? »

Tirant les draps d'un coup sec sous son menton, elle fixa un regard noir sur son stupide Américain.

D'une voix monocorde comme celle d'un officier en salle de briefing, Claggett commença :

« Vous décollez à Fukuoka sur l'île de Kyushu. Un simple saut par-dessus le détroit de Corée jusqu'à Pusan. Ensuite, Taegu, Séoul, à l'ouest jusqu'à Inchon, puis Kaesong, et un vol difficile au nord-ouest jusqu'à Pyongwang, où attendent les batteries lourdes antiaériennes. Vous remontez ensuite le fleuve Yalu et le long de la côte est jusqu'à Hungman, et c'est l'enfer qui se déchaîne. Vous descendez ensuite à K-22 sur la mer du

Japon... où je me suis battu contre les Russes et les Chinois par un hiver particulièrement froid, en rêvant à une belle Jo-San coréenne dont j'étais tombé amoureux à Pusan. »

Cynthia Rhee demeura silencieuse. Le drap coincé sous le menton, elle considéra Claggett un long moment, puis se pencha vers lui pour l'embrasser.

« Excuse-moi. Je devrais savoir maintenant que je n'ai pas à poser de questions avant d'avoir fini mon enquête.

– Tu me passes une bière? »

Adroitement, elle décapsula la bouteille en la coinçant entre la tête du lit et le mur, écornant les deux.

« J'ai appris ça durant mes week-ends à Yale. Mais si tu es allé en Corée, tu dois savoir alors à quel point les Japonais nous méprisent. Je pourrais abattre à la mitrailleuse les Japonais du monde entier, bon sang!

– Mais c'est là-bas que tu as fait tes études.

– J'y suis née. Et mes parents étaient traités comme du bétail. Je brûle de montrer à ces Japonais...

– Ne livre donc pas tes combats dans mon lit. Détends-toi. »

Ils firent l'amour toute la nuit, parlant par intermittence de la Corée, de la N.A.S.A., de la jungle... Jamais encore Claggett n'avait rencontré de femme aussi ravissante et déterminée à la fois. Le programme spatial et l'équipe des astronautes semblaient n'avoir aucun secret pour elle.

« Si j'étais Deke Slayton... commença-t-elle.

– Tu connais Deke Slayton?

– C'est mon boulot de connaître tout le monde. Si donc j'étais Deke Slayton et organisais un vol Gemini, je te prendrais comme commandant de bord, et devine qui je prendrais comme pilote? Dans le siège de droite? »

Claggett crut qu'elle parlait de Jensen.

« Erreur. A terre, il est fantastique. Il serait sensationnel comme directeur d'un grand magasin comme Macy's. Mais là-haut, je voudrais John Pope. Pas très sympathique, mais vraiment... à la hauteur.

– Tu n'es pas très portée sur le genre boy-scout, pas vrai? »

Elle se mit à rire.

« Pope réussirait à ramener la capsule si tu perdais connaissance – et c'est ça qui compte. Ramener cette fichue capsule. En plein Pacifique... dans l'Atlantique, dans le désert. Mais la ramener! »

Comme ils sortaient de la chambre pour aller rejoindre les autres et effectuer le vol très court qui les ramènerait à Cap Canaveral – de la primitive jungle amazonienne au vaisseau lunaire en quatre heures! – Claggett demanda :

« C'est vrai, ce que prétend Thompson Bouche-Molle, que tu avais l'intention de coucher avec nous tous, dans le cadre de ton reportage?

– Randy, est-ce que je te demande : « Est-il vrai « que durant ton premier vol Gemini, tu t'es telle- « ment énervé que des pièces se sont détachées et « que tu as mouillé ton pantalon? » Les gens qui ont une certaine tendresse l'un pour l'autre ne devraient-ils pas se faire confiance?

– Alors, tu l'as dit?

– Non. Tu as mouillé ton pantalon?

– Oui. »

Et ils échangèrent un long baiser.

Personne en Amérique, pas même le haut commandement de la N.A.S.A., ne suivait plus assidûment les aventures spatiales du pays que le docteur Leopold Strabismus, président de l'Universal Space Associates et chancelier de l'université de l'espace et de l'aviation. Il sentait jusque dans la moelle de ses os que des changements radicaux s'opéraient dans le mode de vie américain, dont l'espace ne représentait qu'une toute petite partie. Il subodorait que l'actuelle vague pour l'espace allait se transformer en quelque chose de tout à fait inattendu pour cette mutation et il lui fallait être prêt.

Ses U.S.A. d'origine étaient florissants, avec plus de soixante mille citoyens angoissés versant de l'argent sur son compte et recevant en échange des explications de plus en plus élaborées sur les buts poursuivis par les petits hommes. Grâce aux augmentations du budget, Ramirez signa avec un imprimeur de Los Angeles un contrat pour sortir une lettre mensuelle sur beau papier, avec de temps à autre un diagramme en couleur expliquant comment les vaisseaux spatiaux venus de lointaines galaxies naviguaient parmi les planètes du système solaire; une édition populaire montrait même une coupe du vaisseau spatial. Strabismus dessina les plans et utilisa des lettres imprimées sur cellophane pour les titres.

« Les renouvellements d'abonnement ont augmenté de quarante et un pour cent depuis qu'on utilise la couleur », signala Ramirez au docteur Strabismus, mais celui-ci ne s'intéressait plus d'aussi près à sa première aventure; l'université connaissait un succès qui dépassait ses espérances. Il n'y avait toujours ni élèves ni corps enseignant, mais la délivrance de diplômes s'était multipliée par dix.

« La soif de connaissances est insatiable, déclara-t-il à Marcia, un soir au lit. As-tu remarqué que si quelqu'un est prêt à payer trois cent cinquante dollars pour une maîtrise, il en crachera tout aussi bien six cent cinquante pour un doctorat? »

Lui et Marcia se demandaient souvent ce que les acquéreurs pouvaient bien faire de leurs diplômes. Mais, tout comme son instinct lui avait dicté de préparer la brochure dont s'était servi la femme du sénateur Grant pour réfuter les arguments du docteur Mott lorsqu'il avait essayé de s'attaquer à U.S.A., il fit rédiger par son équipe un document rassurant sur l'université, pour répondre à des enquêtes lancées par certaines institutions dont les administrateurs commençaient à se demander si un enseignant donnant comme preuve de ses titres un diplôme de U.S.A. Los Angeles n'était pas un escroc.

Le texte était un pur chef-d'œuvre, faisant état de toute une équipe de professeurs dotés de prestigieux diplômes décernés dans le monde entier, y compris Witwatersrand à Johannesburg, et une liste de leurs publications récentes. Le docteur Strabismus en personne écrivit la bibliographie comprenant des articles sur la division des gènes, sur une nouvelle drogue synthétique qui remplacerait l'insuline dans le traitement du diabète, et une étude de procédés destinés à gagner du temps sur les chaînes de montage de la General Motors. Ses connaissances étaient tellement encyclopédiques qu'il lançait ces titres dans une phraséologie correcte sans consulter le moindre livre et, tout en dictant son texte, il songeait : « Si seulement j'avais le temps d'écrire cet article, dont on a tant besoin maintenant : *Théorie sur la pénétration dans l'atmosphère des corps célestes, avec application aux véhicules spatiaux et aux tectites d'Australie.* »

A un émiment professeur d'une université du Wisconsin venu enquêter sur les titres d'un postulant qui avait décroché un emploi en se servant de faux diplômes, Strabismus déclara franchement :

« Votre homme est un escroc. Licenciez-le. Son chèque était en bois.
– Comment réussissez-vous à vous en tirer, Strabismus?
– La Californie voit naître tellement d'églises et de collèges que l'Etat n'a plus l'énergie de nous surveiller, une fois que nous avons démarré. Nous sommes libres de faire ce que nous voulons, tant que nous ne volons pas les fonds de l'Etat. Nous payons notre taxe d'enregistrement et notre patente annuelle. Nous nous tenons à carreau sans tromper personne.
– Et cette liste d'enseignants?
– Qui en pâtit? Est-ce qu'elle bluffe des gens comme vous?
– Vous ne vous faites pas l'effet d'un criminel?
– Absolument pas. J'ai combattu le système toute ma vie et je pense avoir rendu de grands services. »
Il faisait preuve d'une telle franchise que le professeur du Wisconsin le trouva même sympathique et ils bavardèrent un long moment.
« Dites-moi, dans le Wisconsin, avez-vous l'impression qu'on commence à se détourner de la science?
– Tout à fait. Le flot d'argent injecté par le gouvernement fédéral dans les écoles scientifiques a provoqué pas mal de ressentiment parmi nous.
– Qu'est-ce que vous enseignez?
– Les sciences humaines. Et ça ne marche pas fort. J'enseigne la philosophie, principalement. »
Strabismus voulut savoir sa spécialité et, lorsque son visiteur lui répondit que c'était la nature de la vérité, le président de U.S.A. le surprit en débitant un flot de noms associés à ce sujet et en lui faisant un exposé précis sur bon nombre d'entre eux : Kant, Hobbes, Bradley, Brand Blanshard de Yale.
« Vous pensez que le mouvement antiscientifique

va continuer à se développer? demanda Strabismus.

– Je le crois. Chez mes étudiants, c'est évident.

– Dites-moi, vos jeunes sont-ils passionnés de tarots? De Yi-King? »

Le professeur eut une claquement de doigts.

« C'est bizarre que vous posiez cette question. Il y a un véritable engouement pour l'occultisme.

– L'astrologie?

– C'est la grande mode. (Le professeur du Wisconsin se caressa le menton, puis baissa les yeux.) C'est très déroutant, vraiment. Dans l'espace, nous connaissons nos plus grands triomphes scientifiques. Sur terre, nos jeunes se détournent totalement de la science.

– Est-ce en partie une manifestation de révolte juvénile? » s'enquit Strabismus.

A ce moment, il entendit son doyen des études à la porte. Comme elle pénétrait dans le hall, il l'appela et l'invita à se joindre à eux.

« Je vous présente le docteur Grant, mon doyen. »

Lui ayant fait part de leurs conclusions sur le conflit science-anti-science, il réitéra sa question.

« De toute évidence, déclara-t-elle, nombre de jeunes se révoltent contre la science, ou contre un ordre quelconque, uniquement pour faire flipper leurs parents.

– Pardon? fit le professeur.

– Les faire flipper. Les mettre mal à l'aise. Et plus encore, faire flipper leurs professeurs.

– Vous voulez dire que, si l'université se donne corps et âme à la science...

– Alors, au diable la science! »

Le succès du charlatanisme avait amené des changements subtils et plaisants chez les administrateurs de U.S.A. A force de bien manger le docteur Strabismus avait pris un certain enbonpoint. Sa barbe était plus soigneusement taillée et son visage arrondi semblait plus bienveillant. Il avait presque l'air d'un directeur d'université prospère dont l'équipe de football vient d'être invitée à jouer au Rose Bowl. Le joli visage de Marcia avait perdu sa perpétuelle expression boudeuse car elle n'en voulait plus à personne, et son corps avait perdu son côté replet de petite fille si bien que, pendant que le président s'empâtait, elle mincissait et devenait de plus en plus séduisante. Ainsi, lorsqu'elle proposa au professeur de dîner avec eux, ce dernier accepta avec empressement.

« Dites-moi, demanda-t-il en sirotant son vin, comment vous êtes-vous embarqués dans ce racket, tous les deux?

– Leopold vous a dit qui j'étais? répliqua-t-elle. La fille du sénateur Grant. J'en ai eu marre tout simplement de l'entendre débiter toutes ses foutaises patriotiques. »

Le professeur tiqua.

« Vous faites donc partie des révoltés?

– Ah! ça, oui! » Lorsqu'il lui demanda si elle avait terminé ses études, elle répondit : « Je suis allée presque au bout de ma première année d'université. Vous comprenez, j'en ai eu marre aussi de vos foutaises. A vous autres professeurs, je veux dire.

– D'après vous, quelle sera la prochaine grande manie? demanda Strabismus.

– Quelque chose d'antiscientifique, en tout cas.

– C'est moi qui ai le plus parlé jusqu'à présent. Maintenant, expliquez-nous votre point de vue. »

Le professeur de philosophie répondit que lorsqu'une démocratie réagissait vivement à une menace imaginaire extérieure, comme l'Amérique l'avait fait avec le Spoutnik russe, les intellectuels s'apercevaient rapidement de l'absurdité de ce réflexe et, par conséquent, s'y opposaient. Dans ce cas particulier, la situation était rendue encore plus complexe par l'inquiétude de la conscription parmi les étudiants, et par le fait, parmi les classes les plus défavorisées, que la nation dépensait des sommes fabuleuses pour la conquête de l'espace alors que tant de problèmes immédiats sollicitaient son attention.

« Les Noirs sont tout à fait opposés au programme spatial, vous savez. Ils en sont tenus à l'écart.

– Les Noirs sont tenus à l'écart de tout, répliqua Strabismus. Savez-vous que dans ma Universal Space Associates, un des mouvements les plus d'avant-garde qu'on ait jamais vus, je n'ai pas un seul Noir qui se soit engagé, pour autant que je sache. En revanche, beaucoup ont donné de leurs dollars pour avoir un diplôme. Ils s'imaginent que leur diplôme, encadré, fera toute la différence. »

Pendant qu'ils bavardaient, Marcia alluma la télévision et les nouvelles, diffusées à cet instant, vinrent contredire leurs propos : au cours d'une grande conférence de presse, les responsables de la N.A.S.A. présentaient les deux prochains héros qui allaient s'envoler dans le cadre du programme Gemini, et le plus jeune des deux, le copilote Randy Claggett, un Texan séduisant, un large sourire aux lèvres, expliquait que sa réussite était due en grande partie au soutien que lui avaient apporté Debbie Dee, sa ravissante épouse, et leurs trois beaux enfants.

« Un pas de plus en direction de la Lune, déclara le speaker tandis que la caméra zoomait sur Randy et Debbie Dee.

– L'espace continue à exercer pas mal de fascination sur le public, dit Strabismus. Et cela augmentera encore le jour où ils s'attaqueront vraiment à la Lune. Mais, croyez-moi, professeur, le désintérêt sera aussi foudroyant.

– Et vous voulez être le premier dans la course quand le prochain racket débutera?

– Exactement. La vente des diplômes rapporte des sommes coquettes, mais je doute qu'elle puisse financer notre grand immeuble. Il faut quelque chose de sensationnel, un mouvement important, dynamique. Tout ce que je sais, c'est que ce sera anti-science, anti-espace. Mais sous quelle forme?... Si seulement vous pouviez me le dire... »

Les cinq représentants des Six Piliers, fiers d'avoir choisi Claggett pour un vol dans l'espace, passaient leur temps dans les salles de contrôle à Cap Canaveral pour suivre sa progression. Le centre avait été rebaptisé Cap Kennedy en l'honneur du président assassiné, mais aucun des professionnels ne le désignait jamais sous ce nom; pour eux, il restait Cap Canaveral.

Ils s'étaient installés comme d'habitude lors de leurs séjours à l'est, au Bali Hai de Cocoa Beach. Lorsqu'ils eurent acquis la certitude que Claggett et son coéquipier allaient réussir leur vol, Ed Cater suggéra une grande virée au bar de la Dague pour fêter l'événement. Lui et Gloria fourniraient la bière et Hickory Lee les huîtres. Tous les astronautes, en particulier ceux qui venaient de l'intérieur des terres, étaient très portés sur les fruits de mer de Floride, dont ils pouvaient se gaver sans risquer de prendre du poids. Comme l'apprenaient Claggett et son partenaire, quelques grammes de trop dans la capsule Gemini amèneraient des problèmes supplémentaires, d'où leur phobie des gâteaux et des tartes. « On attendra la retraite pour s'empiffrer. »

Pour parcourir les trente kilomètres qui séparaient le centre spatial du motel, on pouvait suivre trois itinéraires : soit rester sur la A1A en longeant le littoral, soit prendre la route 3 médiane et gagner du temps, soit, encore, bifurquer à l'ouest jusqu'au continent et filer sur la US 1, une grande route à double voie bien entretenue. Ce dernier itinéraire, le plus long, était le plus rapide.

La General Motors avait offert à chaque astronaute une Corvette et les hommes adoraient ces voitures fuselées et rapides. Lee, Cater et Bell prirent chacun la A1A pour savourer le paysage du bord de mer. Pope et le jeune Harry Jensen, retardés par un entretien avec le docteur Mott, décidèrent de gagner la US 1 pour descendre vers le sud jusqu'à la ville de Cocoa et prendre à l'est la route 520 qui les amènerait à Cocoa Beach.

Cet après-midi-là, c'était la fête, tout marchait comme sur des roulettes, leur équipe était enfin dans l'espace et, par conséquent, bientôt chacun d'entre eux y serait également. Jensen, qui conduisait mieux que Pope, ouvrait le chemin dans sa Corvette grise et Pope, le suivant dans la vieille Mercury décapotable qu'il affectionnait, admirait la technique de Jensen qui, sans aucune prudence, était toujours prêt à déboîter à droite ou à gauche pour gagner des places dans le flot. Il se faisait l'effet d'un mitrailleur de queue à rouler ainsi dans le sillage de Harry Jensen.

Pope, jetant un coup d'œil au loin et repérant une grosse Buick venant dans la direction opposée, marmonna :

« Il ne sait pas conduire, celui-là. »

Comme la grosse voiture noire se rapprochait, il remarqua qu'elle faisait des embardées. Sa direction était-elle faussée? D'instinct, Pope serra sa droite au maximum et remarqua avec inquiétude que Jensen ne faisait pas de même.

Il poussa alors un hurlement en voyant la Buick couper la ligne médiane et percuter de plein fouet la Corvette de Jensen qu'elle projeta en travers de la route; Pope évita de justesse les deux véhicules imbriqués l'un dans l'autre. Seul son sens de l'anticipation l'avait sauvé.

Quand il eut réussi à se frayer un chemin dans la foule, il trouva le conducteur de la Buick indemne et fin soûl, Harry Jensen, lui, était à ce point défiguré qu'on le reconnaissait à peine à travers un masque de sang et de cervelle.

Se retenant à grand-peine pour ne pas tuer l'assassin, sans adresser la parole à qui que ce soit, Pope regagna sa Mercury et s'éloigna avant l'arrivée de la police, car il avait une tâche à remplir. Ecrasant l'accélérateur, il descendit la US 1, bifurqua à l'est sur la route 520, puis au sud sur la A1A, et arrivé au parking du Bali Hai, se gara dans un hurlement de freins.

Il n'entra pas en courant dans le hall mais, devant son visage blême, Cynthia Rhee comprit qu'il s'était passé une chose terrible et pensa aussitôt qu'il s'agissait du vol de Claggett.

« John, qu'y a-t-il? »

Comme il en était venu à la considérer comme un membre de leur équipe, il l'empoigna par le bras gauche et l'entraîna au bar à la recherche de Cater et de Lee. Quand il les vit, il leur fit signe de le rejoindre dans un coin et annonça sans ménagement :

« Harry Jensen vient d'être tué.

– Comment?

– Un soulographe l'a embouti sur la US 1. Il l'a massacré.

– Tu es sûr?

– Il y avait de la cervelle sur toute la largeur de la route.

– Oh! bon dieu! »

Les deux hommes, qui avaient invité les autres à cette petite fête, demeurèrent un instant silencieux, puis Cater demanda :

« Où est Tim Bell? Essaie de le trouver, Hickory. »
Quand Bell vint les rejoindre, pâle et consterné, Cater demanda :
« Quelqu'un sait où se trouve Inger?
– Je l'ai vue à la piscine, répondit Bell.
– On ne peut pas la prévenir là-bas, dit Cater.
– Je vais l'emmener à sa chambre », suggéra Cynthia.
Cater la retint d'une main ferme.
« Il vaut mieux pas. »
Les hommes savaient que Jensen et la jeune Coréenne avaient couché ensemble quand l'occasion s'en était présentée et ils soupçonnaient Inger de le savoir également.
Cater gagna la piscine et de sa voix douce et traînante du Sud déclara :
« Inger, on donne une soirée tout à l'heure et Harry a dit qu'il serait un peu en retard. Les filles sont en train de s'habiller... »
Lorsqu'elle arriva à sa chambre, elle trouva les trois astronautes qui l'attendaient, Pope, Bell, Hickory Lee. Ils se tenaient très droits et la détresse était visible dans leurs regards.
« Oh! mon Dieu! fit-elle dans un souffle.
– Sur la grand-route, dit Cater. Tué sur le coup.
– Oh! mon Dieu. »
Cater se dirigea vers le téléphone et appela Deke Slayton.
« Ici Ed Cater. L'astronaute Harry Jensen vient d'être tué dans un accident de voiture sur la US 1 entre le Cap et Cocoa Beach. Claggett là-haut ne doit pas être mis au courant. Appelez la police pour les vérifications. »
Miss Rhee avait prévenu les autres épouses qui arrivaient maintenant dans la chambre du motel, le visage grave, les lèvres serrées. Sandy Lee, la fille décidée du Tennessee, prit l'initiative et fit sortir les

hommes de la pièce. Avec autorité elle écarta les autres femmes qui incitaient Inger à s'étendre et déclara à celle-ci d'un ton brusque :

« Remue-toi, petite. »

Quand le téléphone se mit à sonner, elle répondit aux deux premiers appels, puis décrocha l'appareil. Elle ne laissa pas les autres allumer la télévision, mais commanda des consommations et suggéra à Inger d'avaler un whisky pur.

Durant toute cette longue nuit, les cinq femmes demeurèrent ensemble, à parler, à rire parfois en évoquant quelque épisode scandaleux dont l'une ou l'autre avait été victime, à pleurer la plupart du temps. Et au cours de la nuit, chacune d'entre elles appela le Texas pour avoir des nouvelles de ses enfants. Vers deux heures et demie, Inger déclara :

« Si elle veut venir, laissez-la entrer. »

Et Debby Dee trouva Cynthia Rhee dans un coin du bar de la Dague, en train de transcrire ses notes. Les hommes restèrent au bar, à boire, à l'exception de Pope et de Cater qui accompagnèrent la police à la morgue pour identifier le cadavre, mais ce fut une épreuve difficile, car Jensen n'avait plus de visage.

Lorsque Randy Claggett amerrit après son vol Gemini, la première chose qu'il apprit à bord du porte-avions qui l'avait repêché, ce fut que son bon copain Harry Jensen avait été tué par un chauffard ivre et, dès son retour à Canaveral, il se précipita au poste de police, exigeant de savoir qui était l'assassin. Il apprit que l'homme avait accumulé six citations à comparaître pour conduite en état d'ivresse et avait une fois provoqué un accident au cours duquel une femme avait perdu une jambe. On ne lui avait pas retiré son permis parce que son avocat avait plaidé qu'« il serait injuste pour ce jeune homme méritant de le priver de son outil de travail ». Il n'avait jamais fait de prison; il n'avait jamais été pénalisé; il continuait à conduire sa grosse Buick ivre mort, et tout le monde s'en fichait.

« Cinquante mille personnes tuées par an, déclara le chef de la police. Et nous avons de bonnes raisons de croire que la moitié le sont pour conduite en état d'ivresse.

– Et vous ne pouvez rien faire? hurla Claggett, fou de rage.

– Nous avons les mains liées par les fabricants d'automobiles, par les fabricants de whisky. Et les tribunaux nous insultent si nous bouclons les soulographes. Ce type-là, je l'ai arrêté trois fois. J'ai dit au juge que c'était un danger public. »

Randy étudia le dossier : « Melvin Starling, vingt-huit ans. Marié. Troisième arrestation : a renversé une femme alors qu'il conduisait en état d'ivresse. Quatrième arrestation : conduite en état d'ivresse. »

Il indiqua la dernière inscription.

« Cela remonte à trois semaines seulement.

– C'est l'Amérique qui est responsable », répliqua le policier en refermant le dossier et en le fourrant dans un tiroir.

Alors un miracle courant dans la vie militaire se produisit. Des officiers plus âgés – de l'armée, de la Navy, de l'Air Force, des marines – qui avaient perdu leurs femmes prirent l'avion pour Cap Canaveral afin de parler avec Inger Jensen et d'emmener ses deux enfants en pique-nique. Des officiers plus jeunes, encore célibataires, qui avaient servi avec Harry dans quelque base lointaine, venaient voir comment elle allait, et trois hommes qui avaient testé des avions avec lui à Edwards passèrent également la voir.

On aurait cru que des signaux s'étaient allumés dans tout l'establishment militaire : « Une de nos femmes reste veuve avec deux gosses. » Dans d'autres milieux, une femme avec deux turbulents enfants aux cheveux de lin aurait peut-être été sérieusement désavantagée si elle avait songé à se remarier, mais pour les militaires, une jeune femme ayant des enfants devenait particulièrement attrayante, comme si elle amenait avec elle un foyer déjà organisé. Ainsi, tels des globules blancs se ruant vers une blessure pour la purifier, des officiers célibataires ou veufs se portèrent volontaires pour venir protéger la veuve de Harry Jensen.

A l'étonnement des familles des cinq astronautes qui observèrent les prétendants, elle ne voulut d'aucun d'entre eux. Embarquant ses enfants dans un break d'occasion payé sur la prime d'assurance de Harry, elle entreprit de traverser le pays pour se rendre dans un petit collège de l'Oregon, où lui avait été proposé un emploi de bibliothécaire. Lorsque Debby Dee l'embrassa au moment de son départ, elle lui déclara :

« Tu es une idiote, Inger, mais bon sang, je t'adore. »

Et la jeune Suédoise répondit :

« C'est comme s'il était assis à côté de moi. Il le sera toujours. »

Quand le plus jeune fils de Stanley Mott, Christopher, fut arrêté pour avoir vendu de la marijuana à des élèves d'un collège de la banlieue de Washington, son père passa trois soirées, après des journées entières de réunions de la commission sur la Lune, à argumenter avec la police et les districts attorneys pour éviter à son fils d'être envoyé dans une maison de correction. L'après-midi du quatrième jour, pendant un débat animé sur l'éventualité de la présence à la surface de la Lune d'une épaisse couche de poussière risquant d'engloutir un véhicule spatial, il se pencha en avant, s'effondra sur la table et glissa de son fauteuil.

Lorsqu'on prévint Rachel Mott, elle fut persuadée qu'il avait été terrassé par une crise cardiaque, mais les médecins de la N.A.S.A., après avoir examiné son mari, lui affirmèrent qu'il était simplement épuisé.

« Même les génies doivent se reposer de temps à autre. Gardez-le au lit. Ne le laissez pas se ronger les sangs. »

Dès que la nouvelle de son malaise parvint aux Six Piliers, réduits maintenant à Cinq, chacun des astronautes écrivit personnellement à Mott, exprimant sa reconnaissance pour tout ce qu'il avait fait pour eux, depuis l'époque du comité de sélection jusqu'au soutien qu'il leur avait apporté au moment du vol de Claggett. Les cinq épouses écrivirent également à Mme Mott mais le plus surprenant, ce fut la visite de Cynthia Rhee dans la chambre du malade.

« Je suis venue pour deux raisons, docteur Mott. Pour exprimer l'espoir que vous guérissiez rapidement, car vous êtes un homme indispensable, et pour voir de mes yeux le prix que doit payer un homme de science pour son dévouement à la cause spatiale.

– Comment pouvez-vous vous permettre de passer tellement de temps sur une seule histoire?

– Je fournis un papier presque toutes les semaines. Les journaux qui règlent mes modestes notes de frais en sont largement dédommagés, croyez-moi.

– Cette semaine, je suis l'objet de votre article?

– Précisément. « Un chercheur surmené en route vers la Lune s'écroule de fatigue. » Tout le monde au Japon pourra visualiser la scène.

« Ingénieur, pas chercheur.

– Eh bien, voilà notre premier conflit. Comme votre statut d'ingénieur, moins prestigieux, vous a toujours légèrement irrité, maintenant que vous êtes devenu un véritable chercheur scientifique, vous refusez le titre. Par dépit intellectuel? »

Enveloppé dans sa robe de chambre, Mott ajusta ses lunettes et sourit.

« Vous avez peut-être raison, mais je suis un ingénieur et le serai toujours. (Il se mit à rire.) Savez-vous ce qu'un véritable ingénieur m'a dit lorsque je suis venu travailler pour l'ancienne N.A.C.A.? « Les chercheurs rêvent d'accomplir de « grandes choses, les ingénieurs les réalisent. »

Etrangement, nombreux étaient les hommes de tout calibre, et même les femmes, disposés à discuter librement avec la jeune journaliste coréenne. Elle avait près de trente ans, « passé l'âge des bêtises », avait-elle déclaré un jour à Rachel Mott, et tout en elle semblait la disqualifier pour la tâche ardue qu'elle avait entreprise : elle était trop menue pour se bagarrer avec la faune qui entourait les astronautes, trop jolie pour être prise au sérieux, sans compter son accent irrésistible. Jamais elle n'avait appris à maîtriser son caractère volcanique, mais elle avait une façon charmante de se mettre à la merci de ses auditeurs. C'était une femme authentique, sans faux-semblant, résolue à étudier à fond les graves sujets qu'elle avait choisi de traiter. Rien ne pouvait la faire dévier du chemin qu'elle s'était tracé, ni les injures, ni le mépris, ni un refus catégorique de répondre à ses questions indiscrètes. Comme elle l'avait déclaré un soir à Rachel au Bali Hai :

« D'immenses événements se préparent, supervisés par de petits hommes, et le monde doit être informé de tous les aspects de la question.

– J'aimerais énumérer les facteurs qui ont eu raison de votre santé, dit-elle en s'asseyant à côté du lit de Mott. La mort de Jensen. Je pense que vous étiez comme nous tous. Ce merveilleux garçon avec cette princesse de conte de fées qu'il avait comme épouse incarnait pour nous la jeunesse éternelle, la bravoure, la noblesse de caractère... (Elle s'interrompit un instant la gorge serrée.) Vous deviez voir en Jensen le fils que vous n'avez jamais eu.

– J'ai deux fils. »

Sans changer en quoi que ce soit de ton, elle enchaîna :

« Bien sûr, mais l'un d'eux est homosexuel en Californie et l'autre, vendeur de drogue à Washington. »

Mott ne tenta pas de protester. Confronté à ces deux problèmes difficiles, il avait fini par les accepter. Il demanda néanmoins :

« Est-il nécessaire de publier cela?

– De le publier, peut-être pas. De le savoir? Absolument. »

Se lançant dans une digression pour justifier son attitude :

« Avez-vous jamais étudié les céramiques de Corée? Les plus belles du monde, probablement. Nos potiers n'essaient jamais de faire un vase sans défaut, parfait à tous égards. Ils laissent l'argile suivre son évolution, accomplir sa destinée, si l'on veut. Et comment obtiennent-ils, pour finir, ce céladon inimitable? Ils ne se contentent pas d'appliquer la couleur. Ils vernissent le vase, en superposant des nuances très subtiles, six ou sept teintes différentes que vous ne verrez jamais. Un gris pâle, par exemple, suivi d'un vert, puis d'un brun léger pour finir avec un jaune pâle. Le moment venu d'appliquer le véritable jaune, il reposera sur une base vibrante qui lui permettra d'acquérir, pour les cinq siècles à venir, un céladon incomparable. Et c'est ainsi qu'on obtient une poterie qui danse, qui respire, qui vit son existence propre. Je travaille comme un potier coréen. Je peins par petites touches successives. Je dois savoir maintenant comment vous avez ressenti la mort de Jensen, et mille autres choses, afin que, dans mon livre, lorsque je vous présenterai comme chercheur scientifique... pardonnez-moi, comme ingénieur, les couches de peinture successives soient si généreuses que votre portrait restera vibrant pour les cinq siècles à venir.

– Vous voyez loin.

– Non, mais je suis très intuitive. Vous semblez parfois oublier que vous-même et vos glorieux jeunes gens êtes engagés dans une aventure qui passionnera le public pour au moins cinq cents ans. Vous n'êtes pas dans l'Amérique de 1965. Vous êtes dans un livre d'histoire de l'an 2465. Et si des gens scrupuleux comme moi ne relatent pas votre histoire avec précision, savez-vous comment les livres de 2465 vont la raconter? « Le 12 avril 1961, l'héroï-« que cosmonaute russe Youri Gagarine a été le « premier homme à pénétrer dans l'espace. Les « Américains ont suivi beaucoup plus tard. » Voilà à quoi se résumera la totalité de votre ambitieux programme si des écrivains comme moi n'enregistrent pas honnêtement votre histoire.

– Etes-vous obligée de parler de mes fils?

– Millard et Roger n'ont manifesté aucune réticence lorsque je les ai interviewés sur la plage de Malibu.

– Vous vous êtes donné tout ce mal?

– Et j'ai les dépositions de trois policiers importants en ce qui concerne Christopher. Je n'ai jamais eu beaucoup de sympathie pour vous, docteur Mott, avant de constater par moi-même à quel point vous aimez vos fils.

– Pourquoi vous étais-je si odieux?

– Parce que, dans le petit monde où je vis, je vous voyais toujours en compagnie de Tucker Thompson, une monture bien misérable pour une pierre précieuse.

– J'ai lu votre article dans les journaux allemands sur la mort de Jensen. Il ne différait guère de ce que Thompson a écrit pour son torchon, sauf que ses photos étaient meilleures.

– Attention, docteur Mott. Pour des articles courants, je peux écrire de véritables inepties comme les meilleurs spécialistes du genre. Pour payer le loyer. Mais je garderai le Q.I. minimum quand j'écrirai mon livre.

– Q.I.?

– Quotient d'Inepties. Nous essayons de le maintenir aussi bas qu'il est humainement possible.

– Alors c'est donc vrai, vous écrivez un livre?

– Tous les journalistes écrivent des livres. Le mien sera court, poétique j'espère, et je crois qu'il sera le seul à être encore lu au siècle prochain, parce que mes sous-couches auront été appliquées très minutieusement. »

En préambule aux questions lourdes de sens qu'elle allait lui poser, elle ajouta quelques propos, très révélateurs d'elle-même :

« Vous êtes-vous jamais rendu compte, docteur Mott, que pour trouver des céramiques d'une véritable beauté, celles qui chantent, il fallait aller en Corée? Le travail japonais est lourd, dénué d'inspiration, souvent très vulgaire. Parce qu'ils ne savent pas chanter. Nous autres Coréens, nous savons. »

Il reçut ensuite deux visites aussi surprenantes. Randy Claggett et John Pope, venus du Bali Hai, entrèrent à pas comptés dans la chambre du malade, rayonnants de fierté et portant un lourd paquet dans un grand sac en papier.

« Comment va, Doc? demanda Randy.

– Pas trop mal.

– Qu'est-ce qui s'est passé? Tout vous est tombé dessus d'un seul coup?

– On ne peut pas trouver meilleure explication. Que ce soit un avertissement pour vous autres, jeunes fauves. Tout le monde a une limite à ne pas dépasser.

– On est venu vous remonter le moral, docteur. Deke Slayton nous a prévenus hier et on a sauté dans un T-38 pour venir vous annoncer la bonne nouvelle.

– Je la lis sur vos visages. Vous pilotez le prochain Gemini?

– Non, le suivant. Mais ce sera un vol essentiellement scientifique, avec beaucoup d'exercices extravéhiculaires.

– L'homme assis dans le siège de droite est celui qui quitte la capsule et marche dans l'espace?

– C'est ça, acquiesça Claggett. Pope sort, et si sa sale tête me revient toujours, je le laisse rentrer.

– Et si elle ne vous plaît plus?

– On lui peindra le derrière en peinture fluorescente radioactive, et pendant les cent années à venir, les astronomes amateurs pourront le suivre sur orbite. »

Mott était aussi excité qu'eux par la perspective de ce vol, le premier dont l'équipage d'astronautes serait placé sous sa responsabilité. Il éclata de rire :

« Je parie que Tucker Thompson devient enragé!

– Ah! ça oui, fit Claggett. Ses photographes ont mitraillé Debby Dee et Penny comme des fous, dans l'espoir qu'on va se casser la gueule et qu'ils pourront exploiter leur héroïque chagrin comme il l'a fait pour Inger Jensen. Bon Dieu, vous avez vu ce qu'il a tiré de ça? »

Les trois hommes parlèrent d'Inger pendant un moment, et Mott apprit qu'elle était arrivée en

Oregon, où elle pourrait échapper à ses souvenirs de la N.A.S.A.

« Elle ne restera pas célibataire longtemps, dit Claggett. J'ai prévenu Debby Dee hier soir. Si cette Suédoise est encore là l'automne prochain, tu lui cèdes la place, mon petit chou. »

Pope intervint :

« Tucker nage en plein délire et vous feriez bien de sortir de votre lit le plus tôt possible pour le calmer, docteur Mott.

– Où est le problème? J'aurais cru qu'il était fou de joie, un voyage entier contrôlé par deux hommes émargeant à son budget.

– De ce côté-là, tout va bien. Hier soir, il a annoncé à tout le monde au Bali Hai : « Nous « allons montrer à *Life* comment on couvre un vol « spatial. » Mais ce qui le ravage, c'est que des six femmes disponibles – cinq, depuis qu'Inger est partie – il a droit pour son exclusivité à celles qu'il aime le moins. » Comptant sur ses doigts : « Il rêvait d'avoir Gloria Cater, la charmeuse du Mississippi. Ou Clunny Bell, la ravageuse. Ou celle que tout le monde adore, Sandy Lee la montagnarde. Il pourrait faire des merveilles avec n'importe laquelle d'entre elles. Mais à quoi a-t-il droit? A Debbie Dee, qui appelle les huiles de la N.A.S.A. « ces connards » et à Penny Pope, qui insiste pour rester à Washington, et n'a ni barrière blanche ni gosses. »

Claggett s'esclaffa.

« Je l'ai entendu dire à Cater hier soir : « Il faut « faire avec ce qu'on a. » Mais nous sommes venus accomplir une tout autre mission, Doc. (Il ouvrit le sac à provisions dont il sortit une pile de livres à la couverture criarde et déchirée.) Vous prenez l'espace trop au sérieux, Doc. C'est pour ça que vous êtes sur le flanc alors qu'on est en pleine forme. Le meilleur entraînement pour un astronaute ou pour quelqu'un comme vous qui travaille avec des astronautes, ce n'est pas tous ces calculs à la flan dont vous vous encombrez la cervelle, mais quelques bons vieux ouvrages de science-fiction comme ceux qui nous ont orientés là-dedans, Pope et moi.

– Je n'ai jamais perdu mon temps étant jeune à ces idioties », protesta Pope.

Mott fit remarquer que, de tous les ingénieurs qu'il avait connus, pratiquement aucun n'avait eu de goût pour la science-fiction, alors que presque tous les chercheurs scientifiques y prenaient plaisir.

« Comment expliquez-vous ça? demanda-t-il à ses visiteurs.

– Je pense que vous vous êtes toujours soucié des moyens techniques d'arriver à vos fins, suggéra Pope. Les savants, eux, se sont toujours projetés dans l'avenir et fixé d'autres buts ultérieurs à atteindre.

– Comment avez-vous été accroché, Randy? demanda Mott.

– Par ces merveilleuses couvertures, tellement sexy. Je me fichais pas mal de la science-fiction, mais j'espérais toujours que le gorille venu d'une autre planète allait arracher le reste de ses vêtements à la fille et s'en payer une tranche. Mois après mois, j'attendais le miracle mais il ne s'est jamais produit. Alors, au bout de six ans, j'ai fini par comprendre que je m'étais fait avoir; j'ai donc commencé à lire les histoires pour le contenu. Et elles tenaient bien le coup. »

Il avait apporté huit volumes, trois anthologies aux couvertures aguichantes, cinq romans dont les couvertures illustraient les aspects étranges de l'espace et, en les passant à Mott, il étala sur le lit les anthologies.

« Ça m'a toujours laissé perplexe. On parle des femmes comme du sexe faible. Mais avez-vous remarqué ces illustrations et les publicités des magazines? Les hommes sont toujours caparaçonnés des pieds à la tête pour être protégés du soleil, de la poussière, du froid, mais les femmes sont pratiquement nues. Regardez-moi ces astronautes! Chaque centimètre de peau mis à l'abri des radiations. Les femmes n'ont à peu près rien sur le dos! (Il posa une main sur les anthologies.) Quand je suis entré dans les marines, je me suis dit : « Ce sont « sûrement les officiers les plus intelligents du « monde. Ils lisent tous le *New York Times* du « dimanche », moi qui n'étais qu'un pauvre péquenot du Texas. Alors j'ai pensé que pour être à la hauteur, il fallait aussi que je me mette à la lecture du *Times*; mais je me suis aperçu qu'ils se bornaient à regarder les pages illustrées avec les filles à poil. Vous ne trouverez pas dans cinquante magazines de science-fiction la moitié de femmes nues qu'on voit dans un bon numéro du *Times* du dimanche.

– Alors, comment dois-je m'y prendre pour lire ces livres? demanda Mott. Il y a un ordre spécial?

– Absolument, je les ai numérotés. Respectez l'ordre indiqué pour bien vous mettre dans l'ambiance. Je vais vous lire le début à haute voix, pour que vous partiez d'un bon pied. »

De sa voix sonore de Texan, il commença à lire une histoire très prisée des fans de science-fiction. Intitulée *Pour servir l'homme*[1], elle racontait l'aventure de visiteurs au visage porcin débarqués mystérieusement sur la Terre, nantis de deux atouts d'une valeur inestimable; un procédé pour neutraliser toutes les armes et faisant ainsi régner une paix perpétuelle, et un ravitaillement en nourriture gratuite illimitée, éliminant ainsi la faim. Ils allaient également mettre en place de meilleurs systèmes de gouvernement et améliorer la nature humaine.

1. Cette nouvelle a paru dans Le Livre de Poche, *Histoires d'Envahisseurs* (Note de l'Editeur).

La Terre nage en pleine euphorie, à l'exception d'un soupçonneux expert en ordinateurs qui s'efforce de déchiffrer un manuel subtilisé par un des défenseurs de la Terre dans le vaisseau spatial. Jour après jour, tandis que le reste du monde applaudit les intrus porcins, l'expert s'échine à déchiffrer le code et après de nombreuses tentatives infructueuses, réussit à décoder le titre du manuel, *Pour servir l'homme.* Rassurés, les Terriens acceptent sans réserve leurs bienveillants visiteurs, se rendant compte qu'ils sont arrivés à un tournant dans l'histoire de l'humanité.

Mais, au moment où le héros de l'histoire monte avec ses associés dans le vaisseau spatial pour aller explorer la lointaine planète d'où sont venus les étrangers, l'expert en ordinateurs arrive en courant pour les mettre en garde :

« C'est un livre de cuisine! »

« Ah! formidable! » s'exclama Mott, et Claggett répliqua :

« Je pensais bien que cette histoire vous plairait.

– De qui est-elle? » demanda Mott.

Claggett répondit :

« D'un de mes auteurs favoris, Damon Knight. Il y a d'autres textes de lui dans les anthologies. »

Durant les jours qui suivirent, Mott fit connaissance avec cette littérature, à travers les morceaux choisis d'excellents auteurs comme Asimov, Bradbury et Lieber. Deux courtes nouvelles justifiaient la réputation de maîtres du genre acquise par leurs auteurs. La première, de Robert Heinlein, dépeignait un ivrogne fort en gueule buvant dans un bar louche à proximité d'un champ d'où un vaisseau spatial s'apprête à décoller. L'homme voit d'un mauvais œil cette expérience et, de façon générale, toute exploration de l'espace. La nouvelle a pour titre : *Colomb était un abruti.*

Le raseur continue à vaticiner, énumérant tous les écueils de l'aventure spatiale et l'inutilité de la poursuivre plus avant, et il ne se passe rien d'attrayant jusqu'aux deux paragraphes de la fin, étincelants. Le barman jette un verre en l'air et le regarde avec approbation flotter lentement vers le sol. Puis il déclare à ses clients que travailler dans une gravité d'un sixième a eu un effet miraculeux sur ses oignons qui le faisaient terriblement souffrir sur Terre. Le bar est situé sur la Lune.

Mott n'était pas insensible au talent de ces conteurs mais l'histoire qui l'impressionna le plus était celle d'Arthur C. Clarke, un Anglais vivant à Ceylan, qui enthousiasmait même les astronautes les plus réfractaires à la science-fiction. Le récit était très habilement construit. Un jésuite se livrant à une enquête interplanétaire vers l'an 2534 est fort intrigué par l'impact de la science sur sa religion. Il parvient enfin à proximité de la nébuleuse Phoenix, dont l'étoile centrale a explosé vers 3500 ans avant Jésus-Christ, devenant une puissante nova.

Evidemment, plusieurs planètes à proximité de l'étoile ont été consumées par le feu mais, aux lointains confins de l'ancien système planétaire de l'étoile – aussi loin que Pluton l'est de notre Soleil –, une petite planète a survécu à l'extinction. Toute vie à sa surface a été calcinée, comme la vie sur Terre le sera un jour, mais la structure rocheuse de la planète a survécu. Quand l'équipe d'exploration atteint sa surface, elle s'aperçoit que les gens qui ont vécu là des milliers d'années auparavant et ont prévu l'annihilation de leur société, ont laissé des archives décrivant la vie sur leur planète particulièrement accueillante. Au moyen de bandes enregistrées, de cartes et de diagrammes enfouis assez profondément pour les abriter du feu, ils expliquent à ceux qui, ils en ont la certitude, viendront un jour explorer leur patrie, la plénitude de l'existence qu'ils ont connue, les grandes cités radieuses, les connaissances accumulées, la qualité de la vie. Et l'image qu'ils donnent de leur société est si enviable que le jésuite se demande pourquoi Dieu, afin d'envoyer un signal à Sa planète Terre en l'an 4 avant notre ère pour annoncer la nativité de Bethléem, a sacrifié cette grande nova dont la civilisation était beaucoup plus avancée que celle de la Terre.

Mott ne fut jamais déçu car Claggett avait choisi les meilleurs morceaux. Il fut toutefois impressionné par les écrits d'un homme dont il n'avait jamais entendu parlé, Stanley G. Weinberg, auteur, durant les années 30, d'histoires qui avaient sorti la science-fiction du marécage des petits hommes verts et des femmes nues.

Il parlait de l'exploration imminente de Mars avec une grande subtilité, peuplant la planète de créatures confrontées à son climat inhospitalier. Ces récits dans la tradition de Pétrone et de Boccace donnèrent envie à Mott d'en savoir davantage sur leur auteur. Weinberg, selon une brève biographie, avait commencé à écrire, alors qu'il était déjà affligé d'un mal incurable, et n'avait eu que dix-huit mois pour transcrire ses visions.

Mott, le cœur serré, pensa à Harry Jensen, cet enfant des dieux entraîné avec tant de soin par la société à l'accomplissement d'une grande tâche et tué par l'une des pires manifestations de cette société. Il calcula les sommes investies dans la formation de Jensen depuis son entrée à l'université du Minnesota, les avions qu'il avait endommagés au cours de son entraînement de pilote, le coût de ses études à Edwards et les millions dépensés pour lui par la N.A.S.A. Mais la plus grande perte entraînée par sa disparition, c'était la N.A.S.A. qui la subissait, privée de sa participation au programme d'autant plus qu'Inger et lui symbolisaient un idéal. Il pouvait se conduire en enfant turbulent, ce Jensen, qui ne dédaignait pas de filer en douce pour aller passer un petit week-end avec Cynthia Rhee dans un motel de l'Oklahoma, mais c'était un homme irremplaçable.

Jenson mort, Millard en pleine errance en Californie, le vulnérable Chris aux mains de la police, il les aimait tous. Il aurait voulu les serrer sur son cœur. Mott, à travers ses larmes, se mit à prier pour tous les autres : « Seigneur, veillez sur Claggett et sur Pope, car ce sont des hommes de valeur. » Son rétablissement coïncida avec la fin de ses lectures.

Quand Claggett et Pope revinrent chercher les livres, il leur déclara :

« Très amusant, ce petit cours que vous m'avez fait suivre. Voulez-vous savoir mes impressions?

– Tir à volonté, dit Claggett, faisant la mitrailleuse. Feu!

– D'abord, l'aspect négatif. Certains de vos meilleurs écrivains s'expriment comme des fascistes. Vous le savez, je suppose.

– C'est ce qu'ont dit certains critiques, concéda Claggett.

– Et certains méprisent vraiment les femmes.

– Comme pas mal d'astronautes, dit Claggett. Et pas mal de toreros.

– Et ils méprisent le monde dans lequel ils sont forcés de vivre, cette terre imparfaite.

– Comme tout le monde, non?

– Tous, à l'exception de Weinberg. Vraiment Claggett, merci de me l'avoir signalé. Cet homme a quelque chose.

– J'étais sûr qu'il vous plairait. Moi, je le trouve trop sentimental. Mon type, ce serait plutôt, « Bang-Bang, atomisons la planète Oom ».

– J'allais dire précisément qu'ils sont tous extrêmement militaristes. Des vrais va-t-en guerre.

– Comme beaucoup de types très bien. Regardez le succès de la National Rifle Association.

– Et ils sont sans indulgence pour les malchanceux. Ils sont élitistes.

– Comme vous l'étiez, quand vous faisiez partie du comité de sélection.

– Mais le pire, c'est qu'ils sont violemment opposés à la démocratie. Ils opteraient pour la dictature d'un seul, un Hitler, un Mussolini ou un Staline, vaguement amélioré. Ou alors, en second, pour un roi bienveillant. Notre démocratie viendrait tout en bas de la liste.

– La science-fiction est populaire, répliqua Claggett, parce qu'un tas de gens commencent à penser dans ce sens.

– Dernier reproche, les romans en particulier, et nombre de nouvelles, ne sont guère plus que de bons westerns américains réécrits au goût du jour. A la place du cow-boy qui adore son cheval, il y a vous autres astronautes qui adorez vos engins spatiaux.

– Sans commentaire.

– Mais ces bouquins, ajouta Mott en les touchant du bout des doigts, ont beaucoup de qualités et je comprends pourquoi ils plaisent tant à des garçons comme vous, Claggett. Ils sont bien écrits, pleins de détails ingénieux, de perspectives intelligentes. Quand vous me les avez apportés, je m'attendais à pas mal de fatras juvénile. J'ai été surpris du contraire. Leurs auteurs ont tous quelque chose à dire... des idées nouvelles... des concepts originaux... Mais venons-en maintenant au cœur du problème.

– Oui, dit Claggett. Tout ce que vous venez de dire, je le sais depuis vingt ans.

– Ces hommes étaient des pionniers. A leur façon, ils voyaient plus loin que les ingénieurs de la N.A.C.A. à Langley. Je suis sidéré par leur sens de l'anticipation. Ils ont pratiquement prévu tout ce que nous faisons depuis ces six dernières années.

– Voilà pourquoi j'étais tellement excité par toutes ces chimères, dit Claggett. J'étais déjà loin dans l'espace, quand les professeurs s'endormaient à quinze mille mètres. Je suis monté à quinze mille mètres, et ce n'est même pas un début. La Lune? Rien du tout. Envoyez-moi sur Mars. C'est la première étape vraiment importante. Ces hommes pensaient pour moi.

– Tout de même, dans ce concert de louanges, rappelons-nous que ces hommes ne risquaient rien. Ils ne mettaient pas leur vie ou leur réputation en jeu. En ce qui nous concerne, nous devons expédier un engin spécifique pesant un nombre de kilos donné à une altitude donnée et le ramener avec toute sa télémétrie en état de marche. Nous devons vous ramener tous les deux avec votre télémétrie en ordre.

– Enfin, ces livres vous ont amusé, non? demanda Claggett.

– Beaucoup. Mais un peu comme des enfantillages.

– Dans le fond, n'est-ce pas l'état d'esprit que nous essayons de perpétuer? » demanda Claggett.

Lorsqu'il sourit, la brèche entre ses dents de devant le fit ressembler à un gamin ravi par un récit d'Edgar Rice Burroughs racontant les aventures d'une belle princesse de la planète Mars.

Gemini, le vol des Jumeaux, était un programme transitoire à mi-chemin entre les vols d'exploration d'un seul homme à bord de Mercury et les vols terminaux de trois hommes à bord d'Apollo. Il comportait cinq impératifs conditionnant les futurs vols vers la Lune : 1) prouver que deux hommes pouvaient survivre à des vols prolongés; 2) recueillir des renseignements sur les effets de l'apesanteur; 3) prouver la possibilité de la marche dans l'espace et l'exécution de taches opérationnelles précises; 4) démontrer qu'un vaisseau spatial pouvait en rejoindre un autre et s'y amarrer; et 5) que le retour de l'engin, une fois ces missions remplies, pouvait s'accomplir en un lieu désigné à l'avance.

Chacune de ces tâches s'était effectuée avec plus ou moins de succès lors des précédents vols Gemini, mais le vol prévu pour Pope et Claggett devait les combiner magistralement toutes les cinq. Il comporterait, par exemple, seize jours d'expérimentation à peu près constante. Le vaisseau spatial rechercherait pour s'y amarrer deux engins, cibles laissées sur orbite dans l'espace au cours de précédentes tentatives d'amarrage, Agena-A en orbite basse, Agena-B beaucoup plus haut et, l'amarrage réussi, la fusée d'Agena serait mise à feu pour tenter de parvenir à une altitude jusque-là jamais atteinte. John Pope passerait dix-sept heures à marcher dans l'espace et à se livrer à des réparations sur les deux Agena. Et Claggett se jurait de ramener son Gemini à moins d'un quart de mille du USS *Tulagi* mouillé à l'ouest d'Hawaii.

Cette expérience décisive avait une connotation essentielle pour les deux astronautes. Les six vols particulièrement spectaculaires d'un seul homme à bord du Mercury avaient été effectués jusqu'alors par des astronautes faisant partie à l'origine des Sept Sacro-Saints, tandis que les vols Gemini, avec deux hommes à bord, avaient été l'apanage du second groupe, doué d'un véritable charisme – Armstrong, Borman, Lovell, Young, assistés parfois de trois des Sept Sacro-Saints, Cooper, Schirra et Grissom. Ces tâches aventureuses avaient été accomplies par les anciens, et beaucoup pensaient qu'on devait continuer ainsi.

Mais le docteur Mott, avant de tomber malade,

avait insisté avec opiniâtreté pour que l'on accordât leur chance à des hommes des Six Piliers de réputation moins prestigieuse, ainsi qu'à quelques-uns du troisième groupe, tels que Buzz Aldrin et Mike Collins. Randy Claggett s'était fort bien comporté à la place de droite au cours d'un vol dont les résultats avaient été réduits à néant à la suite d'incidents mécaniques, et son rapport sur cette mission était devenu un classique :

> « Le commandant de bord et le pilote comptaient sept cents heures en simulateur et étaient aussi bien préparés que possible. Mais, à Allied Aviation à Los Angeles, les responsables de l'assemblage du réservoir de carburant ont joué de malchance. J'ai appris que M. Bassett, chargé du revêtement intérieur ininflammable, avait pris froid et n'était pas sur place lors de l'examen du revêtement. Son assistant, M. Krepke, était prêt à le remplacer, mais sa femme a été prise des douleurs de l'accouchement avec trois jours d'avance, et il est parti. *Son* assistant, M. Colvin, se trouvait à Seattle, en conférence chez Boeing; le travail incomba donc à M. Swinheart, chargé à l'origine du circuit électrique. Absorbé par le problème de la vérification du revêtement intérieur, qu'il a opéré à l'envers, il a oublié de vérifier le circuit électrique. *Son* assistant, M. Untermacher, était absent ce jour-là, son fils de onze ans jouant un match de championnat junior de base-ball, et le message n'a donc pas été transmis à son assistant, un M. Sullivan, que je n'ai pas vu.
> « Conséquences de ces malheureuses omissions, le revêtement du réservoir n'était pas en place et le circuit électrique n'a pas été soumis à l'examen final qui aurait permis même à un professeur de physique de collège de constater

que la manette de contrôle n'était pas opérationnelle. Pour toutes ces raisons, cette mission revenant à trois cents millions de dollars n'a pu être menée à bien, et c'est uniquement parce que le commandant de bord avait des couilles d'acier que l'équipage a pu amerrir sain et sauf dans le Pacifique. »

L'équipage de ce vol décisif avait été choisi avec le plus grand soin. Randy Claggett était un élément sûr, un pilote d'essai à toute épreuve capable de ramener sain et sauf un goéland aux ailes brisées et, de tout le groupe, c'était Pope qui avait le palmarès le plus remarquable. Silencieux de nature, il en faisait toujours deux fois plus qu'on ne lui en demandait et aurait été élu par tous ses camarades astronautes comme le copilote idéal, à supposer bien entendu qu'ils occupassent le siège de gauche. Si les Six Piliers pouvaient fournir un équipage ayant toutes les chances de réussir, c'était bien celui-là, et chacun se réjouit de ce choix, à l'exception de Tucker Thompson, qui n'avait pas encore réussi à décider sous quel angle il allait présenter les deux épouses à problème, Debbie Dee et Penny. Debby Dee avait déclaré qu'elle ne viendrait pas à Cocoa Beach manger ces saletés d'huîtres au Bali Hai, tandis que Penny avait expliqué qu'elle resterait à Washington et suivrait l'opération de son bureau sur l'écran de télévision.

Avant le lancement du vaisseau spatial, les deux astronautes devaient maîtriser une dernière technique en se soumettant à une expérience faisant appel à leur sagacité. On allait demander à Claggett et à Pope de se projeter dans des univers qui ne pouvaient être perçus qu'intellectuellement.

Le docteur Mott, chargé de cet entraînement,

emmena les deux hommes dans les vastes salines proches de la base d'Edwards et commença par un exercice simple en deux dimensions. Plaçant chaque homme dans une jeep, Pope devant et Claggett loin derrière et décalé par rapport à lui, il leur donna ses instructions par radio.

« Pope, maintenez le cap sans changer de direction ni d'allure. Roulez à soixante-quinze kilomètres à l'heure. Claggett, gardez les yeux tournés vers la gauche et surveillez la jeep de Pope jusqu'à ce que vous vous rendiez clairement compte de sa manœuvre. Accélérez alors à cent à l'heure et calculez une ligne droite qui vous conduise au point où vous êtes sûr de l'intercepter. »

Ils se livrèrent à cet exercice une douzaine de fois, jusqu'à ce que Claggett fût parvenu à calculer infailliblement la trajectoire séquante de celle de Pope. Il s'était transformé en ordinateur, fournissant à ses cellules grises les données nécessaires et en obtenant une réponse presque automatique.

Placé dans la jeep de queue, Pope mit plus de temps à se muer à son tour en ordinateur.

« Vous êtes tout à fait remarquables, leur déclara Mott. Vous avez acquis une parfaite synchronisation de l'œil et de la main pour voir, piloter et accélérer au pied. Vous avez tous les deux, dans les derniers essais, réussi la rencontre sur une ligne droite. Mais rien de ce que vous avez appris dans ces salines ne peut s'appliquer dans l'espace. Car l'altitude modifie tout ce que vous savez. Si vous essayez, en vous fiant à vos propres perceptions, d'amener votre Gemini au point de rencontre avec votre Agena, l'échec est garanti d'avance. Vous pouvez bénéficier d'une coïncidence et passer très près. Seulement, vous serez sur des orbites totalement différentes, vous allant dans un sens, Agena dans l'autre, et vous vous croiserez lentement et majestueusement, mais hors de portée. »

Il ramena les astronautes à Edwards et, sur un vaste tableau noir, dessina un diagramme qui débloqua magiquement la situation. C'était une parfaite démonstration de la façon dont un homme intelligent pouvait mettre à la portée d'un autre des faits complexes incompréhensibles sans leur projection graphique.

« Ce grand cercle, c'est la Terre. En voici le centre. Ce premier cercle bleu autour de la Terre est votre orbite initiale dans Gemini. Le cercle rouge au-delà est l'orbite d'Agena-A. Le cercle vert bien plus loin est l'orbite d'Agena-B. Maintenant, regardez. »

Du centre de la Terre, il traça des rayons, assez rapprochés, qui coupaient les quatre cercles : la surface de la Terre, l'orbite de Gemini, les deux orbites des Agena, et d'un trait appuyé, il souligna sur chaque cercle la distance entre les rayons.

« Le fait crucial à ne jamais oublier, c'est que plus vous vous éloignez de la Terre, plus votre véhicule se déplace lentement. Quand vous serez à quinze mille mètres dans ce cercle bleu, votre vitesse sera d'environ vingt-huit mille kilomètres à l'heure. Dans le cercle rouge, à trente mille mètres d'altitude, environ vingt-sept mille cinq cents kilomètres à l'heure. Et la Lune, qui est également un vaisseau spatial, loin en dehors du diagramme, a une vitesse orbitale de trois mille sept cents kilomètres à l'heure seulement. Rappelez-vous, si vous restez à basse altitude, vous allez plus vite. Mais également, si vous restez là, dans le cercle rouge plus près de la Terre, votre orbite est beaucoup plus courte. Ainsi donc si vous restez à basse altitude, vous gagnez sur deux tableaux, vitesse et distance parcourue. »

Il s'interrompit, récapitula ses explications, et reprit :

« Je veux que ce diagramme soit gravé dans votre

esprit. Parce que le succès du rendez-vous dépend de votre exacte assimilation des faits. »

Après en avoir analysé tous les aspects et s'être imaginé dans leur Gemini au-dessus de la Terre mais bien en dessous des deux véhicules cibles, Mott reprit son exposé. Aux points où le rayon de gauche coupait les trois cercles, il plaça trois petits aimants représentant les trois vaisseaux spatiaux et entama son exposé.

« Admettons que je suis Agena-B, tout là-haut, le docteur Stanhope est Agena-A au milieu et vous deux vous êtes Gemini en train de se rapprocher. Vous voulez effectuer la jonction avec moi, et nous voyageons tous à la vitesse de vingt-huit mille kilomètres à l'heure. Que feriez-vous normalement, Claggett?

– Je visualiserais la trajectoire, calculerais où se trouve le point d'intersection et grillerais alors mes moteurs pour y arriver.

– En d'autres termes, vous brûleriez votre carburant pour monter vers Agena?

– Evidemment.

– Erreur totale. Regardez le diagramme. Si vous montez, vous ralentissez en vous plaçant sur une orbite plus haute. Vous aboutirez fatalement très loin derrière votre cible et ensuite vous gaspillerez du carburant en essayant de la rattraper. En allant plus vite, vous allez en réalité plus lentement.

– Ça paraît insensé.

– Prenons un autre exemple. Vous vous trouvez sur la même orbite qu'Agena, mais en arrière. Comment la rattraper?

– Je n'ose pas vous donner une réponse logique.

– Pour la rattraper, vous ralentissez. Vous descendez sur une orbite plus basse, où vous acquérez une vitesse plus grande, et vous gagnez rapidement du terrain sur votre cible placée en orbite plus haute.

– Je n'arrive pas à y croire », dit Claggett.

Mais Pope, qui avait poursuivi ses études d'astronomie et de mécanique céleste, s'exclama :

« Au fait! Sur l'orbite plus basse, nous serions sur la circonférence d'un cercle beaucoup plus petit.

– Exact, dit Mott, et en avançant plus vite, pardessus le marché.

– Je vous fais confiance, dit Claggett. Mais bon dieu, comment vais-je m'accrocher à cette fichue casserole volante? Si je fonce, je manque le but à tous les coups. »

Mott tapa dans ses mains.

« Randy, vous avez compris la grande leçon! »

Et il traça d'autres diagrammes pour illustrer les mystérieuses relations de deux vaisseaux spatiaux filant dans l'espace sur des orbites proches mais différentes.

« Comment pourrai-je jamais trouver la bonne orbite? demanda Claggett.

– Vous ne pouvez pas, répondit Mott, même si vous y passiez un million d'années. Mais l'ordinateur, lui, la trouvera. »

La manœuvre suivante proposée par Mott à ses élèves était particulièrement compliquée.

« Randy, vous vous trouvez dans Gemini, là, en bas, et vous devez intercepter Agena là-haut. Ne visez pas la cible. Foncez tout droit. Allez plus vite pour aller plus lentement.

– Doc, je comprends cette partie-là. Mais qu'est-ce que je fais après, bon sang?

– Comme vous vous placez sur une orbite plus haute, votre vitesse va commencer à diminuer, et croyez-moi si vous voulez, mais si vous obéissez aux indications de votre ordinateur, vous amènerez votre Gemini juste derrière l'objectif. Et alors votre fils de douze ans serait capable d'amarrer les deux véhicules, car vous pourrez faire avancer Gemini à quatre cents mètres à l'heure plus vite qu'Agena, et effectuer la jonction en douceur. »

Claggett et Pope échangèrent un coup d'œil et le premier, un large sourire aux lèvres, déclara :

« Comme disait cette jolie fille dans *My Fair Lady* : « Je crois que j'ai pigé. »

– C'est le professeur qui disait ça, je crois bien, rectifia Mott. Et pour vous protéger, ajouta-t-il, nous programmons toujours la jonction de façon à ce qu'elle se produise sur la portion d'orbite éclairée par le Soleil.

– Trop aimable à vous, dit Claggett.

– Alors réfléchissez à toutes ces orbites ce soir. Gravez-vous les diagrammes dans la mémoire. Et répétez-vous bien : Pour aller plus vite, je dois aller moins vite. »

Le lendemain, il les fit monter de nouveau dans leurs jeeps et les emmena dans un coin éloigné des salines où il avait tracé trois pistes concentriques.

« Claggett, vous êtes à bord de Gemini sur la piste intérieure. Pope, vous êtes Agena-A, sur la suivante. Je serai Agena-B sur la dernière. Si nous démarrons tous du même rayon, Gemini dérivera loin en avant, Claggett doit donc démarrer derrière vous.

– Rappelez-vous, il y a une vitesse spécifique associée à chaque orbite. Vous, Claggett, sur l'orbite intérieure, devez conduire à quatre-vingt-quinze à l'heure. Pope à quatre-vingt-dix et moi à quatre-vingts. Quand je vous dirai par les écouteurs : « Foncez », accélérez à cent cinq, mais comme vous dériverez en direction de l'orbite de Pope, votre vitesse diminuera et sera très en dessous de celle de Pope, disons quatre-vingts. Et cela devrait vous amener en parfaite position, juste derrière lui, le but que nous recherchons, pas vrai ? »

Communiquant par radio, les trois jeeps démarrèrent et lorsqu'elles furent en position, Mott ordonna :

« Claggett, foncez, mais lorsque vous aurez acquis de la vitesse, essayez de filer droit sur Pope, comme nous l'avons déjà fait. »

Au cours de trois tentatives, utilisant le système qui aurait fonctionné sur terre, Claggett échoua misérablement, aussi au quatrième essai, Mott suggéra :

« Maintenant, essayez la méthode dont nous avons parlé. Foncez tout droit, prenez de la vitesse, et ensuite dérivez tranquillement jusqu'à l'orbite de Pope. »

Avec une précision extraordinaire, Claggett accéléra jusqu'à cent cinq kilomètres à l'heure, dériva, ralentit selon les instructions et, après une dernière mise au point, régla son allure sur celle de Pope avec un synchronisme impeccable.

« C'est faisable! » hurla-t-il dans l'interphone, et pendant trois heures, les jeeps, obéissant aux nouvelles règles, poursuivirent leur ballet, jusqu'à ce que Claggett aussi bien que Pope fussent capables d'opérer la jonction et l'amarrage soit en remontant sur une orbite plus lente, soit en descendant sur une plus rapide.

Pendant deux jours, les hommes répétèrent ces manœuvres, après quoi Mott les désarçonna en déclarant :

« Maintenant vous devez oublier tout ce que je vous ai appris, parce que dans l'espace vous n'êtes pas sur une surface plate où s'appliquent les règles ordinaires. Vous êtes dans un milieu où les problèmes ne sont pas résolus à vue. Les Russes ont essayé cinq fois d'opérer une jonction et ont toujours échoué et pourtant, sur les clichés qu'ils nous ont montrés, leurs engins étaient très proches les uns des autres. Placés sur des orbites différentes, ils auraient aussi bien pu être séparés par dix mille kilomètres et ils n'avaient aucune chance de se rencontrer. Aujourd'hui, quand nous nous retrouverons sur les cercles, Claggett devra imaginer non pas qu'il roule sur une saline plate pour retrouver Pope, mais qu'il suit une diagonale ascendante, et vous ne devez pas vous fier à vos yeux pour évaluer avec certitude votre position.

– A quoi dois-je me fier? demanda Claggett.

– A l'ordinateur. Je serai votre ordinateur, et vous parlerai par les écouteurs. »

Et lorsque Claggett fut assis dans sa jeep, les écouteurs aux oreilles, la voix métallique de Mott, lui donnant des instructions, lui parvint et la jonction devint une tache si facile qu'elle prenait l'allure d'une grisante aventure en neuf ou dix dimensions.

A la fin de trois autres jours d'entraînement de ses deux astronautes, Mott-l'Ordinateur déclara avec une certaine fierté :

« Vous réussirez tous les deux une jonction parfaite. »

Mais Randy qui faisait corps avec sa machine soit au volant d'une auto soit aux commandes d'un avion estimait que certaines données vitales lui échappaient encore.

« Doc, supposons qu'avec tout ce que je sais, l'ordinateur de vol tombe en panne.

– Vous en avez un de secours.

– Et supposons qu'il tombe en panne aussi. Je me retrouve là, le cul à l'air au milieu de l'espace. Est-ce que je peux, avec ma seule intelligence, visualiser la trajectoire et opérer la jonction?

– Pas même en un million d'années.

– Nom de Dieu! On a intérêt à ce que ces ordinateurs fonctionnent!

– Pas de problème, car les ordinateurs jumelés de Houston peuvent vous envoyer les paramètres nécessaires.

– Et si ça n'est pas mon jour de chance et que la radio tombe en panne elle aussi? »

Mott réfléchit un moment, traçant des diagrammes dans l'espace avec son doigt.

« Vous connaissant, Randy, vous feriez une tentative infructueuse, puis une autre, puis une autre. Et quand vous vous rendriez compte que tout est voué à l'échec, vous rugiriez : « Ah! merde! » et vous partiriez à la dérive dans l'espace... pour y tourner éternellement... à jamais. »

Ce fut alors seulement que les deux astronautes prirent vraiment conscience de la délicate symbiose homme-machine-ordinateur qui leur permettrait de mener à bien ce vol et cette jonction.

Les astronautes furent réveillés à quatre heures quinze du matin le mardi dans les quartiers d'isolement où des précautions supplémentaires avaient été prises pour leur éviter la contagion d'un rhume ou d'une rougeole, car tout contact avec un microbe aurait entraîné l'annulation du vol de seize jours. En pantalon et T-shirt, ils prirent un petit déjeuner soigneusement calculé pour produire un minimum d'urine et de matières fécales.

Lorsque, le moment venu, ils s'habillèrent, avec le concours d'assistants, et s'introduisirent dans les ingénieux sous-vêtements conçus pour recueillir l'urine et les selles, Claggett examina l'espèce de préservatif qui coiffait son pénis, ce qui lui rappela l'histoire de Winston Churchill sauvant l'honneur des Alliés lors de la conférence de Téhéran avec Staline.

> « Staline, voulant complexer les Américains, déclara subrepticement à Roosevelt : " Ce dont nous avons le plus besoin pour soutenir le moral de nos combattants, ce sont des préser-

vatifs. Nous n'en avons pas du tout. " Toujours grandiose, Roosevelt lui répliqua : " Nous allons vous en envoyer cinq cent mille. Quelle taille? " Sans ciller, Staline répondit : " Quarante centimètres. Notre taille standard. "
« Roosevelt confia à Churchill ce soir-là que Staline se payait leur tête, mais le bon vieux Churchill ne se démonta pas pour autant. " Fabriquez-les et envoyez-les. Mais estampillez chacune d'elles : *Texas medium.* "

Claggett déclara à son habilleur que pour sa poche à urine, mon « bac à vidange » comme il l'appelait, il allait prendre une *Texas super,* et l'habilleur répliqua :

« Fais ça, mon gars, et pendant tout le vol, tu vas nager dans le pipi. »

A l'aube, on aida les deux astronautes, revêtus de leurs scaphandres, à grimper à bord de la camionnette blanche qui attendait et qui démarra sans bruit, défilant devant les curieux venus assister au lancement, pour traverser ensuite les marécages infestés d'alligators, et gagner l'île côtière où la majestueuse fusée Titan était dressée, avec au sommet la minuscule capsule, presque invisible.

La tour s'élevait à trente-cinq mètres dans les airs et paraissait énorme sous les premiers rayons du soleil, mais aux yeux des spectateurs en attente – ils étaient deux cent milles –, le dernier étage, moins de de six mètres de haut sur trois de large, apparut dérisoire. Ainsi donc une fois lancé, quatre-vingt-deux pour cent du véhicule entier se désintégrerait et s'engloutirait dans la mer.

Les deux hommes et leurs assistants opéraient avec un extrême souci de précision en raison de la particularité du vol envisagé : comme ils voulaient opérer le rendez-vous avec deux Agena placées depuis longtemps sur deux orbites différentes, les spécialistes en trajectoires, comme le docteur Mott, avaient dû calculer à la seconde près l'instant de la mise à feu à Canaveral de façon à ce que la capsule Gemini atteigne l'altitude précise (cent quatre-vingt-cinq kilomètres à la verticale) à la vitesse précise (vingt-huit mille kilomètres à l'heure) et à un moment précis (quatre-vingt-cinq minutes seize secondes après le décollage.) En outre, la position relative de la deuxième Agena devait être intégrée aux données, et cela fait, on découvrit que Claggett et Pope disposaient d'une fenêtre de neuf secondes seulement pour décoller et si jamais la mise à feu dépassait ce délai, les astronautes devraient attendre onze jours pour recommencer.

En fait, au dernier briefing, le docteur Mott, armé de ses diagrammes et de son ordinateur, avait déclaré :

« Dans les conditions optimales, nous disposons d'une fenêtre de deux secondes exactement sur les neuf prévues. Si nous manquons ces deux-là, le départ est encore possible mais avec un gaspillage important de carburant pour rectifier le tir. »

Si l'on se rappelait les interminables délais lors des premiers vols, la déception et le découragement des hommes bouclés dans leur capsule au sommet d'une gigantesque fusée pendant des heures d'affilée et les ajournements de départ répétés, les chances de faire décoller cette fusée-là – dans un intervalle de deux secondes – paraissaient bien minces.

Un ascenseur emmena les hommes au sommet de la tour de lancement le long de la paroi étincelante de la fusée et sur la passerelle qui donnait accès à la capsule, et les interminables heures passées dans des simulateurs se révélèrent alors bénéfiques, car si les deux hommes avaient vu pour la première fois la cellule dont ils allaient rester prisonniers seize jours durant, allongés côte à côte, peut-être auraient-ils paniqué; et si un homme n'était qu'une seule fois effleuré par la claustrophobie, il ne serait plus bon à rien. L'espace était si exigu que les astronautes engoncés dans leur volumineuse tenue blanche d'Esquimaux se trouvaient pressés l'un contre l'autre, sur leurs étroites couchettes.

Claggett, en tant que commandant de bord, se glissa le premier par l'écoutille, s'installa sur le plan incliné dont le matériau à la fois moelleux et robuste avait été modelé de façon à s'adapter parfaitement à son corps, puis fit signe à Pope de s'installer dans le siège de droite, et lorsqu'ils eurent réussi à caser leurs coudes, leurs genoux et leurs hanches, les deux hommes occupaient un espace nettement inférieur à la surface d'un étroit lit à une place et beaucoup plus court, en outre, car de la tête et des pieds ils touchaient les parois internes de la capsule. Des hommes avaient été mis en condition pour s'adapter à un milieu spécifique pour une mission spécifique afin de répondre à une question spécifique : deux hommes sains pouvaient-ils survivre et travailler dans de telles conditions pendant seize jours?

Le panneau d'écoutille fut fermé et les boulons serrés. Les deux hommes s'efforcèrent d'adopter la position la meilleure. La voix calme de leur camarade astronaute Mike Collins, superviseur du vol, commença le compte à rebours. La fenêtre de deux secondes approchait.

« Mise à feu opérée. Décollage amorcé », annonça Collins d'une voix ferme.

Au sommet de l'énorme fusée, les deux hommes dans leur capsule n'avaient rien ressenti tant était progressive l'augmentation de puissance des moteurs avec leurs cent quatre-vingt-quinze mille kilos de poussée.

« Aussi doux qu'un baiser de bébé », signala Claggett.

Et, tandis que la force de propulsion des moteurs ne cessait de croître, les astronautes comprirent enfin qu'ils étaient en route pour l'espace.

Le premier étage de la fusée s'éteignit et pendant quelques secondes angoissantes – des heures, sembla-t-il –, la fusée continua à monter en silence, puis le deuxième et puissant étage se déclencha avec une poussée formidable de cinquante mille kilos et cette force agissant sur les sept tonnes du combiné Gemini-Titan produisit un brusque impact de sept G, et Pope fut plaqué sur sa couchette.

« Sayonara! » s'écria Claggett dans le micro et tout le monde dans la salle de contrôle comprit que c'était une formule d'adieu, élégamment appropriée, que Cynthia Rhee lui avait apprise.

« Houston! intervint Pope. Nous avons du roulis.

– Nous le voyons, Gemini », répondit le superviseur.

La tradition voulait qu'une fois les astronautes enfermés dans leur minuscule habitacle, à des centaines de kilomètres dans le néant et après avoir parcouru des milliers de kilomètres sur leur orbite, une seule personne au sol fût autorisée à communiquer avec eux pour éviter une erreur dans les instructions ou une cacophonie de voix, et ce correspondant devait être un autre astronaute, de préférence ayant déjà volé. Chaque vol était de façon générale contrôlé par quatre superviseurs, se relayant, et il était également de tradition que le superviseur conservât un ton uni, une cadence régulière, une sorte de timbre impersonnel de standardiste afin qu'aucune émotion ne se propageât à travers les vastes étendues de l'espace.

« Quel degré de roulis? demanda posément le superviseur.

– Vibration prononcée », précisa Pope.

Rien ne pouvait être fait pour atténuer les soubresauts à vous rompre les os de la gigantesque machine; on aurait dit qu'un joueur d'accordéon géant agitait la fusée Titan et sa capsule Gemini.

Et c'était là encore une des anomalies de la N.A.S.A. Malgré les recherches des meilleurs cerveaux du monde, personne n'était encore parvenu à neutraliser le roulis ou même à déterminer ses causes exactes. Les violentes secousses étaient apparues au cours du premier vol Gemini et avaient continué jusqu'au dixième. Et une fois de plus, les hommes à bord de la capsule ne pouvaient que se cramponner et espérer l'arrêt du phénomène qui, effectivement, se produisit au bout d'un moment.

« Préparez vous à l'arrêt des moteurs », dit le superviseur.

Il était le dernier maillon d'une fabuleuse chaîne d'humains et d'appareils à travers le monde. Au centre de contrôle de Houston, des centaines de techniciens chevronnés notaient chaque phase du vol à l'aide de leurs ordinateurs et de leurs cartes. A des stations de radio en Australie, en Espagne, à Madagascar et dans toute l'Amérique, d'autres étaient à l'écoute de signaux qui leur apprenaient la poursuite normale du vol, et sur tous les océans, des navires veillaient silencieusement.

En outre, dans les quartiers généraux de chacune des trois cent dix-neuf compagnies privées qui avaient fourni des pièces pour ce vol, des hommes attendaient d'être alertés afin de pouvoir fournir immédiatement une analyse au cas où l'une de leurs pièces cesserait de fonctionner et, en un certains sens, c'étaient eux les plus qualifiés, car ils avaient fabriqué ces pièces dont ils connaissaient les moindres détails.

Et enfin, dans chacun des nombreux simulateurs à Houston ou Canaveral ou ailleurs en Amérique, des hommes guettaient la moindre anomalie de fonctionnement éventuelle à bord de la capsule. Au premier signal, ils sauteraient dans leurs appareils et leur fourniraient les données permettant de reproduire les incidents survenus dans le vaisseau spatial.

Lorsque Ferdinand Magellan explorait les océans de la Terre, lui et ses hommes naviguaient seuls sur leur frêle embarcation, coupés pendant des années de leurs partisans en Espagne, mais lorsque Claggett et Pope s'élevèrent pour explorer les océans de l'espace, ils pouvaient à tout moment faire appel à environ quatre cent mille assistants, et, parfois, il était difficile de dire qui se livrait à cette exploration, Claggett ou ceux qui, comme Mott au sol, lui fournissaient renseignements et directives.

Lorsque le roulis cessa, aussi mystérieusement qu'il avait commencé, les moteurs furent coupés et le moment vint pour Claggett de déclencher l'explosion destinée à séparer la fusée Titan de la capsule; et, après avoir contacté Houston, il effectua l'opération à la seconde exacte dictée par l'ordinateur de contrôle. Il y eut une violente déflagration, suivie d'un arrachement et d'un brusque changement d'accélération, après quoi la petite capsule se mit à flotter en toute sérénité sur une orbite presque circulaire, à deux cent soixante-quatre kilomètres au-dessus de la surface de la Terre. Quelque part en avant se trouvait la première cible, Agena-A.

Une des plus curieuses expériences de l'humanité au cours de récentes décennies commençait maintenant. Agena-A était rivée à sa propre orbite, qu'elle avait suivie aveuglément, depuis plus d'un an, et il incombait à Gemini de se placer sur cette orbite, dans le sillage de la cible, de la rattraper lentement puis d'insérer le nez de Gemini dans la queue d'Agena-A et de l'y bloquer, le tout à une vitesse de vingt-neuf mille kilomètres à l'heure. La tâche semblait difficile, mais l'était rendue incommensurablement plus parce qu'il fallait tenir compte d'une dimension supplémentaire.

A 00, 02, 21, 36 du vol (jours-heures-minutes-secondes), Claggett informa Houston :

« Je le vois, ce petit salopard. »

Et Mike Collins, au centre de contrôle, déclara d'un ton posé :

« Nous vous situons à vingt kilomètres en dessous et trente-cinq en avant. »

Ce à quoi Pope répliqua :

« Notre ordinateur dit exactement la même chose. »

Calmement, comme s'il avait accompli cet exploit une centaine de fois, et c'était en un sens le cas, Randy se livra à une série de manœuvres d'une extrême délicatesse, qui fit peu à peu monter son vaisseau spatial à vingt-neuf mille kilomètres à l'heure, jusqu'à l'orbite suivie par Agena-A. Progressivement, il rapprocha son massif Gemini de la cible.

« Houston, déclara Pope d'un ton triomphant. Vous vous rendez compte. A 02, 22, 07 du vol, nous avons opéré une jonction parfaite.

– Procédez à l'amarrage », dit le superviseur.

Et le miracle de l'espace s'accomplit. A ces vitesses inconnues sur terre la Gemini, d'un poids de près de quatre tonnes, gagnait centimètre par centimètre sur l'Agena, pesant huit cents kilos. Puis, avec la délicatesse d'un chirurgien opérant à cœur ouvert, Claggett amena les deux véhicules au contact et opéra un verrouillage réussi. Le secret était simple; si les deux engins volaient à la même vitesse de base, il était aussi facile d'opérer la jonction que de faire entrer une voiture dans un garage, car la vitesse relative pouvait être maintenue à trois ou quatre kilomètres à l'heure près.

Les deux éléments se joignirent et se séparèrent à

trois reprises pour prouver la facilité de la manœuvre, puis Claggett déclara à Houston :

« Je veux que le siège droit procède à la jonction la prochaine fois. »

Et du centre de contrôle un nouveau superviseur, cette fois encore un astronaute, acquiesça :

« Roger. »

Pope, le cœur battant un peu plus vite comme en témoignait le moniteur à Houston, amena la capsule en position, puis la fit avancer et réussit un parfait rendez-vous. Le chemin vers la Lune était ouvert; des hommes pouvaient emmener deux ou trois véhicules dans l'espace et provoquer leur rencontre, si leurs ordinateurs pouvaient les mettre sur la bonne orbite au bon moment.

Pour ce vol prolongé, les astronautes avaient convenu de régler leurs montres sur Houston, heure locale, et à la fin de cette première et longue journée après la parfaite réussite des opérations successives, les deux hommes s'endormirent. Leur vaisseau se maintenait à moins de trois kilomètres d'Agena, mais inlassablement ils gravitaient autour de la Terre, effectuant un tour complet d'une journée de vingt-quatre heures, lever du soleil – coucher du soleil – lever du soleil, toutes les heures vingt-six minutes.

Etendus côte à côte, plongés dans un sommeil agité, ils devinrent véritablement des jumeaux. Si l'un se retournait, l'autre se retournait également, car ni l'un ni l'autre ne voulait souffler son haleine dans le visage de son voisin. Il leur fallait prévoir chacun de leurs gestes de façon à ne pas se gêner mutuellement, et même lorsque l'un d'eux devait se soulager, il le faisait avec son visage à moins de trente centimètres de celui de son compagnon. Et il en serait ainsi durant seize jours.

Au troisième jour, les jumeaux s'étaient relativement bien adaptés à l'exiguïté de leur habitat. Tout ce qui était mobile avait trouvé un coin de rangement et les deux hommes remerciaient souvent le génie qui avait inventé le velcro, aux millions de doigts, qui leur permettait de fixer plumes, compas et manuels en n'importe quel point de la paroi intérieure tapissée de ce tissu miracle. La capsule évoquait une pièce dans la maison de poupée d'un enfant particulièrement désordonné.

La gravité zéro ne leur posait aucun problème, sinon qu'ils devaient se montrer prudents en mangeant, s'ils voulaient éviter d'être environnés d'un ballet flottant de miettes. Les liquides, s'ils en renversaient, formaient de ravissantes gouttelettes, ou des globules de la taille du poing. Mais dès les premiers jours, ils commencèrent à mieux comprendre ce que le docteur Feldman leur avait dit : « L'aspect le plus dangereux de l'apesanteur, en particulier dans une capsule Gemini, c'est l'impossibilité d'utiliser ses jambes. Si vous les laissez immobiles trop longtemps, vos muscles vont tellement fondre qu'ils seront trop faibles pour vous porter lorsque vous tenterez de marcher après l'amerrissage. » Pour éviter cette atrophie, il avait conçu des extenseurs adaptables aux pieds et permettant des tractions énergiques et l'entretien d'une musculature normale.

Car les astronautes volaient étendus sur le dos, jour après jour, la hauteur sous plafond étant insuffisante, compte tenu des couchettes et de leur harnachement, pour leur permettre de se déplacer debout. Mais ils pouvaient s'extirper de leurs volumineuses combinaisons, avec beaucoup de difficulté, exercice qui leur prenait une quarantaine de minutes, si bien qu'ils pouvaient naviguer en tenue légère, dans un confort relatif. Il était intéressant pour chacun d'eux de voir l'autre émerger de sa combinaison et la ranger péniblement sous sa couchette.

« Salut, Chrysalide! »

C'est ainsi que Claggett salua Pope après un tel exercice, et celui-ci se mit à rire et répliqua :

« Je pensais à ces pauvres crabes verts de Chesapeake. Penny et moi nous en gavions quand j'étais à Annapolis. Ces malheureuses bestioles se donnaient un mal fou, comme nous, pour sortir de leurs carapaces et dès qu'ils avaient enfin réussi, un cuisinier quelconque les balançait dans la friture...

– Comment ça marche, entre toi et Penny, avec toi à Houston et elle à Washington?

– Nous sommes une famille de la Navy. Des tas de gens très bien vivent comme nous.

– C'est une fille formidable, pas de doute. La première fois qu'elle a habité avec nous sur les îles Solomons, je l'ai trouvée un peu distante.

– C'est aussi l'impression qu'elle me fait, quelquefois. Son travail est terriblement absorbant, tu sais.

– Elle a de la classe, oui. Elle a une sacrée classe. Un de ces jours, elle sera quelqu'un.

– Elle est déjà quelqu'un. Randy, est-ce que tu as eu des nouvelles d'Inger Jensen?

– Deux gosses. Une pension de l'armée. Qu'est-ce que tu veux savoir d'autre?

– Debbie Dee était veuve depuis combien de temps quand tu l'as épousée?

– Six mois, huit mois.

– J'espère qu'Inger trouvera un type dans ton genre.

– Voilà bien une fille par qui j'aurais aimé être trouvé. Mais je ne pense pas que j'étais une telle aubaine pour Debbie. A bien des égards, je suis un minable. »

Pope ne demanda pas à quels égards, car il lui arrivait souvent d'avoir de lui-même cette même opinion.

Le moment approchait, au sixième jour, où Pope

allait se livrer à certains essais. Il devait endosser une combinaison spéciale, fixer à son dos un matériel encombrant, sortir de la capsule et récupérer sur le flanc d'Agena-A un dosimètre qui y avait été assujetti un an plus tôt pour mesurer les radiations accumulées par les hommes voyageant dans l'espace. Tout en circulant, il serait rattaché au vaisseau mère par un cordon ombilical qui lui fournirait de l'oxygène et il porterait une petite trousse à outils lui permettant de travailler sur Agena.

Aidé de Claggett, il lui fallut plus d'une heure pour endosser la combinaison et quinze minutes de plus, non prévues, pour parvenir à ouvrir la porte de l'écoutille, mais, auparavant, Randy dut également endosser une combinaison spatiale, car une fois l'écoutille ouverte, elle le resterait et la capsule ne pourrait donc fournir aucun oxygène. Les deux hommes se trouveraient dans l'espace, avec cette différence que Randy demeurerait à l'intérieur de la capsule.

Cette partie préliminaire de l'exercice exigea beaucoup plus de temps et d'énergie que Pope ne l'avait calculé, car dans les simulateurs sur Terre, tout s'était passé plus facilement, et pour une raison bien simple : dans le simulateur régnait une pression de un G et il suffisait de s'accouder à un obstacle pour retrouver sa stabilité. Mais en apesanteur, le moindre choc contre une paroi vous expédiait à la dérive à travers l'habitacle et, pour mettre fin à ce flottement, il fallait se cramponner à un point fixe. Voilà pourquoi les astronautes de retour de l'espace recommandaient lors du debriefing : « Davantage de prises pour les mains et pour les pieds. »

Les deux astronautes furent enfin équipés et l'écoutille ouverte. Au-dehors attendait l'espace illimité, ce milieu sans couleurs, sans poids, sans forme dans lequel l'univers existe avec toutes ses étoiles, ses galaxies et ses objets célestes innombrables encore inconnus de l'homme. Hésitant sur le seuil du sas, Pope se sentait comme un enfant sur le point de quitter le sein si rassurant de sa mère, pour pénétrer dans un monde qui promet d'être infiniment plus exaltant.

A l'est, tandis qu'il calculait sa position, encore que ce terme ne signifiât pas grand-chose, flamboyait l'incroyable Soleil, gaspillant son énergie à un rythme qui devait le conduire à sa perte d'ici cinq ou six milliards d'années, malheureux astre condamné. Il se trouvait à la lisière entre le Capricorne et le Verseau, masquant ainsi Altaïr, l'étoile porte-bonheur de Pope, et sa brillante compagne Véga. Vers l'ouest, ou à l'opposé du Soleil, s'étendait la nuit sombre piquetée de glorieuses constellations hivernales : Orion, le Lion et, veillant sur ce vol, les Gémeaux. Aucun explorateur spatial n'en savait plus sur les étoiles que Pope, et sur le point de s'avancer parmi elles, il les accueillit comme si elles avaient été de tout temps ses conseillères et il éprouva une joie tranquille à l'idée de contempler ces constellations australes que son premier professeur, Anderssen de l'Etat du Fremont, n'avait jamais eu la chance de voir.

« Je saluerai pour lui Achernar et Miaplacidus. »

Le plus impressionnant, c'était la planète Terre en dessous, ses traits bien reconnaissables en plein jour, mais à peine distincte lorsque sa rotation l'entraînait dans l'obscurité. Comme elle avait paru énorme à certains moments, et comme elle paraissait petite maintenant que Pope la considérait à si grande distance.

« Hé! Randy. C'est vraiment une planète!

– Saute, trouillard. »

Et il se retrouva dans l'espace.

Il se mit à progresser, bras et jambes légèrement écartés, comme un parachutiste en train de tomber, mais il ne tombait pas, échappant à toute pesanteur; ou plutôt, comme il se l'était répété tant de fois : tout objet dans l'univers s'accompagne d'une certaine gravité; même la tasse de thé de ma femme obéit à cette loi et agit sur la Galaxie d'Andromède, mais son action est infime. Bien entendu, la masse de la Terre, à trois cents kilomètres de distance seulement, continuait à exercer une attraction puissante mais si délicatement compensée par la force centrifuge qu'engendrait la vitesse de la capsule que Pope échappait effectivement à la pesanteur.

Il avait eu pleinement conscience en commençant son E.V.A. (Activité Extra-Véhiculaire) de la fatigue qu'il ressentait déjà, aussi progressait-il avec précaution vers Agena, pensant trouver le temps de se reposer lorsqu'il aurait rejoint le monstre, mais en l'atteignant il se trouva confronté à un problème totalement nouveau. Il n'y avait pas la moindre prise à laquelle se tenir et lorsqu'il essaya de s'arrimer à l'énorme cible lisse et glissante, il ne put que flotter à proximité, se meurtrissant les coudes et les genoux dans ses vains efforts pour s'accrocher.

Au bout d'une demi-heure, il transpirait si abondamment que son masque commença à s'embuer; il ralentit donc ses gestes mais se rappela qu'il était censé détacher le dosimètre de l'Agena pour le ramener sur Terre, aussi se déplaça-t-il gauchement le long de la coque jusqu'à ce qu'il eût atteint les trois boulons qui maintenaient l'appareil en place. Un nouvel aléa l'attendait. Ayant sorti de sa trousse une clef à molette spéciale, il l'ajusta au boulon, et constata aussitôt qu'à la moindre pesée sur la poignée de métal, au lieu de desserrer le boulon, c'était lui, privé de point d'appui, qui se mettait à pivoter. La tâche qui semblait si simple devenait irréalisable.

Vainement, il s'efforça pendant vingt minutes d'accomplir sa mission. Des larmes de frustration lui brouillaient la vue, son bonheur de marcher dans l'espace s'effilochait; pire encore, il se sentait dangereusement affaibli et la simple prudence l'incitait à rejoindre la capsule avant que l'épuisement fasse de lui une masse inerte que Claggett ne parviendrait peut-être pas à manœuvrer.

« Je reviens, dit-il à son compagnon.

– Tu es programmé pour trente-quatre minutes de plus.

– Je reviens sinon tu seras obligé de venir me chercher. »

Lorsqu'il atteignit l'écoutille de la capsule, il éprouvait une telle fatigue qu'il resta près d'une demi-heure au-dehors avant de se hisser à l'intérieur.

« Ça n'a rien d'une partie de plaisir cette gymnastique, déclara-t-il après avoir ôté son casque dans la capsule repressurisée.

– Tu auras plus de chance la prochaine fois », répondit Claggett.

En tant que commandant de bord, il refusait d'accepter la défaite sur un point quelconque, mais il savait également que Pope était allé à la limite de ses forces.

Pour la prochaine sortie dans l'espace, il inventa une distraction amusante. Quand les astronautes avaient accumulé un sac de déchets, y compris des sacs pleins d'urine, ils s'en débarrassaient par un ingénieux système de sas, et durant cette opération, un matin – heure de Houston, car sur cette orbite, le matin revenait toutes les heures vingt-six minutes – une partie des excréments avait souillé la fenêtre de Claggett et il s'en plaignait avec une telle insistance que Pope, sans plus réfléchir, lui déclara :

« Je vais aller nettoyer ça. »

C'était précisément ce qu'avait espéré Claggett.

Cette fois, la sortie dans l'espace fut parfaitement réussie, car seule Gemini était en cause, et comme l'engin était le dernier de toute une série, modifié par McDonnell, il comportait environ seize prises supplémentaires pour les mains et pour les pieds. Ainsi Pope pouvait se caler aisément, équilibrer la poussée en retour de ses mouvements, et effectuer un effort de rotation sans lui-même se mettre à tournoyer. En gagnant l'autre côté du véhicule, il put également nettoyer le hublot de Claggett.

Ce soir-là, les deux hommes discutèrent longuement avec Houston des moyens à utiliser éventuellement pour récupérer le dosimètre. Le superviseur déclara d'un ton calme :

« Le docteur Feldman tient énormément à ce que vous le rameniez. Nous avons grand besoin de renseignements sur l'accumulation des radiations dans l'espace. »

Et Pope répliqua :

« Donnez-nous des instructions. »

Trois astronautes se hâtèrent donc de gagner une profonde piscine à Huntsville et après avoir endossé des combinaisons et s'être lestés de poids à la ceinture, ils plongèrent pour travailler sous l'eau, en état d'apesanteur, sur une copie d'Agena. Ils suggérèrent ensuite à Pope de coincer son pied gauche dans une cannelure dont la présence lui avait échappé, et d'attaquer les boulons sous un angle différent en adoptant une position plus favorable qui lui fut décrite en détail. « Nous pensons que cela vous permettra d'exercer un mouvement de rotation. » Il s'endormit, lorsque vint le moment qu'ils étaient convenus d'appeler le soir, après avoir juré à Claggett :

« Je vais les desserrer, ces sacrés boulons, même si je dois me servir de mes dents. »

Mais Claggett avait une meilleure idée.

« Je crois bien qu'on a une petite burette d'huile rangée quelque part et je veux que tu sortes une heure à l'avance pour aller les lubrifier. »

Le lendemain matin, les deux hommes se harnachèrent très lentement, pour éviter de transpirer, ouvrirent l'écoutille en économisant leurs efforts, et Pope, le souffle ralenti, sortit de la capsule en ne portant que la minuscule burette d'huile et alla graisser avec soin les boulons avant de regagner la capsule. Il n'essaya pas de grimper à l'intérieur, mais se tint simplement accroché au bord, tandis qu'il filait dans l'espace au-dessus de l'Afrique et de l'Australie, s'adressant au passage aux observateurs à l'écoute.

« Ça y est, je me sens en pleine forme », affirma-t-il à Claggett et lorsque celui-ci lui tendit la trousse à outils, ce fut avec une sorte d'enthousiasme qu'il se dirigea vers l'Agena. Chevauchant l'énorme engin selon les conseils des techniciens de Houston, il constata qu'en prenant appui sur un pied, un genou et un coude et en se penchant en avant, il était en mesure de fournir un effort efficace. Et en effet, cette fois, lorsqu'il entreprit de desserrer les boulons lubrifiés, ce furent eux qui tournèrent et non pas lui.

« *Semper fidelis* », lança-t-il à Claggett en dégageant le dosimètre qu'il glissa avec soin dans un sac attaché à sa ceinture, mais, durant l'opération, un des boulons tomba... en fait, il ne tomba pas, en l'absence de toute gravité, mais échappant aux mains de Pope, il s'écarta de l'Agena, et partit en dérivant tel un minuscule satellite, à deux cent quarante kilomètres au-dessus de la surface de la Terre.

Six jours s'étaient maintenant écoulés et les trois suivants se passèrent sans incident à accomplir des tâches définies par les experts au sol, en particulier les chercheurs de la N.A.S.A. Cette série d'opérations exigeait une extrême minutie et un chronométrage parfaitement synchrone. Les données à recueillir étaient diverses :

...... étudier les effets de la gravité zéro sur les neurospores pour voir si des séjours prolongés dans l'espace entraînent des troubles génétiques.
... prendre cent quarante-neuf clichés de différentes régions de la Terre avec la caméra Maurer.
... prendre trente-six clichés du contrejour, cette vague nébulosité apparente face au Soleil dans certaines conditions.
... étudier les points d'équilibre L-4 et L-5 du système Terre-Lune pour déterminer si des nuages d'une matière particulière s'y sont amassés comme l'a prédit Lagrange en 1772.
... vérifier la polarisation UHF-VHT et ses effets sur les transmissions radio à travers l'atmosphère.
... accumuler des données sur la croissance des œufs de grenouille dans l'espace.
... bio-essais sur les fluides corporels, ce qui signifiait qu'il fallait uriner dans un sac spécial. (Mais cette étude ne put aboutir, car Claggett creva son sac deux fois. Les médecins étaient convaincus qu'il l'avait fait exprès.)

Le dixième jour, ils se levèrent tôt, rangèrent tous les éléments mobiles de leur équipement, fixant les stylos et les tasses aux murs à l'aide de velcro, en prévision du choc violent qu'ils allaient bientôt encaisser. Vérifiant auprès de Houston, ils se firent confirmer qu'Agena-B, munie d'une importante réserve de carburant et de moteurs puissants, se trouvait à environ trente kilomètres derrière eux;

ils accélérèrent donc brusquement afin de se retrouver en retrait, et dès qu'ils eurent atteint une orbite plus élevée, l'Agena, au-dessous d'eux, commença à progresser devant eux. Lorsqu'elle eut pris une certaine avance, ils ralentirent pour accroître leur vitesse relative et, parvenus droit sur la cible, effectuèrent une jonction si parfaite qu'ils ne perçurent pas la moindre secousse.

« Houston, nous sommes parés pour la mise à feu.

– Tout est go », répondit un contrôleur du centre.

Et sur ce vote de confiance, Claggett lança le moteur principal de l'Agena, auquel les jumeaux faisaient face; une fantastique explosion s'ensuivit, qui se prolongea vingt-neuf secondes. Un déluge de feu et de fragments volant en tous sens engloutit la capsule et les astronautes se sentirent culbutés par les effets des six G soudain libérés. Sa vitesse accrue de sept cent cinquante kilomètres à l'heure, le système entier, s'éloignant encore de la Terre, monta en flèche jusqu'à une orbite située douze cents kilomètres plus haut que tout point jamais atteint par l'homme.

« Nom d'un chien! s'écria Claggett dans le micro. Houston, le *scenic railway* est enfoncé! »

Et alors que le monde entier était à l'écoute, il ajouta une réflexion du plus fâcheux effet :

« Si le bon Dieu jouait au golf et réussissait une approche pareille avec un niblick, Il sauterait de joie sur son nuage! »

Des milliers d'auditeurs croyants estimèrent qu'il avait proféré un blasphème et la N.A.S.A. passa des heures et des journées entières à nier que telle eut été son intention. « Dieu n'est pas un joueur de golf », conclut avec sévérité un journal.

Pope fit montre de plus de réserve et ses propos enthousiastes furent bientôt retransmis sur le réseau mondial de communications pour être simultanément entendus dans toutes les contrées du globe qu'il saluait au passage.

« Que la Terre est belle vue d'ici! Au-delà de la courbure, la ligne de démarcation entre le jour et la nuit est d'une netteté parfaite. Oh! Oh! Voilà l'Afrique, dessinée exactement comme sur les cartes. Les océans sont bleus et voici l'Asie qui apparaît. Oh! la chaîne de l'Himalaya! Vous n'imaginez pas la splendeur de notre Terre! »

Ce furent ses photographies, plus de deux cents prises à cette haute altitude, qui les premières montrèrent aux habitants de la Terre à quoi ressemblait leur planète, en révélèrent les harmonieuses couleurs, leur en firent comprendre le caractère unique. Et à l'apogée de leur vol, alors qu'Agena se plaçait en vibrant sur son orbite permanente, Claggett cria à la Terre entière :

« On voudrait tourner ainsi à jamais. »

Les jumeaux amerrirent dans l'océan Pacifique à sept cent vingt mètres du *Tulagi*, où ils avaient reçu l'ordre d'amerrir seize jours auparavant, et après avoir parcouru onze millions de kilomètres. Au debriefing, les hommes n'eurent que deux griefs à formuler. Pope : « Claggett avait emporté de la *country music* sur ses cassettes et je ne veux plus jamais de ma vie entendre ces nasillements à pleurer! » Claggett : « John avait soi-disant emmené du Bach et du Bartok et je ne veux plus jamais entendre de cette musique spaghetti. »

Le vol Claggett-Pope avait été si réussi dans tous les détails, à l'exception de la collecte des échantillons d'urine, qu'on laissa le programme Gemini se terminer discrètement. Il avait magnifiquement rempli son but et les 1 147 300 000 dollars qu'il avait coûté n'avaient pas été dépensés en vain, car

Gemini avait apporté la preuve que des hommes pouvaient fort bien survivre en G zéro s'ils faisaient fonctionner leurs jambes, qu'ils pouvaient emmener deux énormes engins dans l'espace et les assembler aussi aisément que des pièces de puzzle, qu'ils pouvaient marcher dans l'espace et y accomplir des tâches à condition de disposer, tel Archimède, d'un point d'appui, et qu'un voyage sur la Lune n'était qu'un prolongement du vol évoqué par Claggett dans son apostrophe : « On voudrait tourner ainsi à jamais! »

Une véritable manne commença alors à pleuvoir sur les jumeaux. Ils prirent la parole devant le Congrès lors d'une session extraordinaire, eurent droit à de gigantesques défilés dans les rues, furent envoyés dans sept pays étrangers comme ambassadeurs et victorieux compétiteurs de Gagarine et de ses collègues cosmonautes, se virent offrir des automobiles et proposer de juteuses opérations immobilières. Mais, surtout, ayant prouvé leurs aptitudes professionnelles, ils purent obtenir à volonté des T-38 pour leurs déplacements et, à bord de ces jets fuselés et rapides, ils sillonnèrent le pays, multipliant les suggestions d'ordre pratique pour le programme Apollo qui allait bientôt les emmener sur la Lune.

Le mot grec est *hubris*, le thème central des grands tragédiens. Il désigne l'orgueil et l'insolence qui irritent les dieux et les incitent à frapper les hommes lorsqu'ils sont au faîte de leur succès. *Hubris* avait envahi le programme de la N.A.S.A. et dans l'après-midi du 27 janvier 1967, alors que trois astronautes se livraient à un exercice de routine dans leur capsule au sommet d'une fusée Saturne à Canaveral, une étincelle jaillit d'un fil électrique mal isolé dans l'oxygène pur de la cabine et les hommes furent carbonisés.

Les survivants des Six Piliers se trouvaient au

Bali Hai lorsque survint cette tragédie et dès que la nouvelle se fut répandue dans la communauté, les familles se regroupèrent automatiquement. Penny Pope fut amenée au Cap dans un avion de la N.A.S.A. et les dix jeunes gens, assis dans le bar de la Dague – les Claggett, les Lee, les Bell, les Cater, les Pope –, s'absorbèrent dans leurs réflexions sur l'inexorable mouvement dont ils faisaient partie intégrante, tandis que dans un coin Rhee Soon-Ka prenait des notes, à l'abri des regards. Depuis longtemps déjà, elle s'était attendue à ce genre de drame; Eschyle moderne, elle était familiarisée avec l'*hubris*.

VII

LA LUNE

LES quatre familles tant impliquées dans le programme spatial américain ne se retrouvèrent toutes qu'en une seule occasion, au Longhorn Motel, dans une banlieue poussiéreuse de Houston, Texas, ce mémorable mois de juillet 1969 où les astronautes mirent enfin le pied sur la Lune.

Les hommes, bien entendu, s'étaient déjà rencontrés au cours des années précédentes, mais jamais tous ensemble. Le sénateur Grant avait connu le jeune John Pope dans sa ville natale et l'avait aidé à entrer à Annapolis; il avait souvent consulté Stanley Mott, parfois même pour des problèmes personnels; et il lui était arrivé à deux reprises de convoquer Kolff à Washington afin de savoir comment cela se passait en Alabama. Mais il ne les avait jamais vus tous les trois en même temps.

Les femmes ne se connaissaient pas toutes non plus, pas même Penny Pope, comme on aurait pu s'y attendre. Elle avait certainement rencontré l'épouse du sénateur, puisqu'elles étaient toutes deux originaires de la même ville, et elle avait souvent eu l'occasion de voir Rachel Mott, mais elle n'était jamais allée en Alabama pour faire la connaissance de Liesl Kolff, qui elle-même n'était jamais montée à Washington. En fait, la seule épouse que connût Liesl Kolff était Rachel Mott, qu'elle aimait comme une sœur cadette.

Les familles auraient dû se retrouver quelques jours plus tôt, à Cap Canaveral, pour le lancement d'Apollo 11; naturellement, les quatre hommes étaient venus à titre officiel, mais deux des femmes, Elinor Grant et Liesl Kolff, avaient préféré rester chez elles. Après sept années de séparation forcée pendant lesquelles Stanley Mott et Dieter Kolff s'étaient entièrement consacrés à leurs problèmes, les retrouvailles furent très émouvantes. Oubliant ses vieux préjugés contre les vols habités, Dieter se précipita vers celui qui l'avait sauvé.

« Stanley, l'heure de ton triomphe a sonné! »

Mott, serrant l'ingénieur contre lui, répondit :

« Ce triomphe, c'est le tien, mon vieux! Le jour où je t'ai trouvé en Allemagne, tu as déclaré : « J'enverrai une fusée sur la Lune. » Eh bien, dans quelques heures, nous allons y être, ta fusée avec mes gars dedans. »

L'amertume réapparut, et Dieter dit :

« Ce n'est pas ma fusée. On ne s'en servira pas. Tu as choisi l'autre solution, la mauvaise. »

Désireux de ne pas rouvrir une vieille blessure, Mott s'empressa de demander :

« Où est Liesl? et Dieter lui répondit :

– Elle a eu peur de venir. »

Cela faisait des années que Liesl Kolff voulait enfin voir les installations où son mari passait tant de temps, mais elle éprouvait une certaine appréhension à l'idée de participer aux festivités qui devaient marquer le lancement en Floride.

« Je ne serais pas à ma place. Toutes ces belles dames avec leurs belles robes. »

Et maintenant qu'elle avait l'occasion de visiter Houston, le cœur de l'activité spatiale, elle hésitait encore. Elle aurait préféré Boston, où son fils Magnus s'était vu engager pour l'été par Arthur

Fiedler et le Boston Symphony Pops avec l'espoir, s'il était reçu aux auditions, de tenir le pupitre de second trompette pendant la saison d'hiver de 1970 et les saisons suivantes. Devant le dilemme de sa mère, Magnus l'avait appelée de Boston pour lui dire :

« Va au Texas, maman. Tu pourras me voir quand tu veux pendant les dix prochaines années. Je suis bien décidé à être permanent. »

Le soir où les astronautes étaient censés se poser sur la Lune, il lui faudrait affronter l'épreuve majeure : la partie de solo du Concerto pour trompette en ré majeur de Stradella.

« Je t'en prie, maman, va à Houston avec papa. »

Elle accepta; elle apprécia beaucoup le Longhorn Motel, ainsi que le respect dont son mari était l'objet.

Le sénateur Grant avait reçu du président Nixon l'ordre de se trouver en Floride au moment du lancement, puis au Texas pour l'atterrissage, et ce pour une excellente raison. Le porte-parole de la Maison Blanche n'avait pas mâché ses mots :

« Cela fait des années que ces foutus démocrates essaient de nous voler la vedette. Kennedy, Johnson, Glancey. Vous êtes le numéro un républicain du programme, Norman, « et le président veut que l'on vous voie partout. » Il avait ajouté : « Cela va être une grosse affaire, avec les journaux, la télévision. Emmenez votre femme avec vous. »

Grant n'avait pas réussi à persuader Elinor de l'accompagner en Floride; elle avait insisté pour rester chez elle, et avait une bonne raison d'agir ainsi : le lundi précédent le lancement, elle avait reçu du docteur Strabismus un télégramme urgent qui l'informait, elle et une poignée d'autres souscripteurs à soixante-douze dollars, de la façon dont les choses allaient se passer.

« Ne soyez pas alarmée si le vacillant gouvernement américain essaie de placer un homme sur la Lune. Cette manœuvre a été orchestrée par les Visiteurs qui ont infiltré la N.A.S.A. il y a sept ans, comme je vous l'apprenais à l'époque. Des savants américains ordinaires n'auraient jamais pu résoudre les terribles problèmes posés par le tir d'une fusée lunaire. Les Visiteurs, eux, le peuvent.

« Les Visiteurs qui nous servent d'informateurs nous assurent que des colonies parfaitement sûres ont été établies par leurs soins sur la face cachée de la Lune, à l'abri de nos télescopes, et l'assistance souhaitée sera apportée à nos hommes lorsqu'ils se poseront. Cela permettra à cette tentative d'être couronnée de succès, parce que les Visiteurs désirent que nous soyons préoccupés par la Lune pendant qu'ils parachèveront leur prise du pouvoir à Washington. Ce sont des jours critiques, mais ne vous laissez pas abuser par l'atterrissage sur la Lune. L'événement vraiment important, ce sera le nouveau pouvoir mis en place à Washington, Londres, Rome et Tokyo. »

Elinor s'était dit que le meilleur service qu'elle pouvait rendre à son pays était de rester à Clay pour coopérer avec les Visiteurs; c'est ainsi qu'elle manqua le moment de joie intense du départ, auquel assistèrent plus d'un million de personnes qui avaient envahi les routes de Floride. Mais elle fut bien forcée d'écouter, lorsqu'on l'appela de la Maison Blanche pour la presser d'assister aux festivités qui devaient marquer l'atterrissage sur la Lune. Elle appela à Los Angeles le bureau central de l'U.S.A. et demanda au docteur Strabismus si elle pouvait, d'après lui, se permettre de quitter son foyer à la veille de la prise du pouvoir par les Visiteurs; il lui répondit qu'il n'y avait pas de problème, et qu'ils l'avaient assuré que tout se passerait dans le calme. Elle put alors rejoindre son mari au Longhorn Motel.

Rachel Mott s'occupait toujours des femmes des astronautes, mais le projecteur allait maintenant être braqué sur les familles des héros, et elle aurait le temps d'être avec son mari; de plus, elle avait besoin de ces semi-vacances. Elle avait passé de longues heures en compagnie de son fils, Christopher, à qui le chaud soleil de Floride semblait faire le plus grand bien. Il avait été renvoyé de l'université du Maryland pour ses notes lamentables mais elle était persuadée que l'influence stabilisatrice de la vie familiale lui permettrait de reprendre ses études. Elle voulait qu'il l'accompagnât à Houston, mais il avait préféré rester en Floride, afin de participer à la marche pour le Vietnam organisée à Miami.

Lorsque Penny Pope eut raccompagné les sénateurs à Washington après le lancement d'Apollo 11, le rigide Mike Glancey la prit à part.

« C'est du plus grand secret, mais le président Nixon insiste pour qu'Elinor Grant assiste aux cérémonies de Houston. Elle est complètement cinglée et l'on compte sur vous pour qu'elle ne se montre pas trop. » Penny protesta qu'elle n'était pas bonne d'enfants, mais Glancey répliqua : « Maintenant, vous l'êtes. Cela ferait un raffut terrible si les journaux européens apprenaient qu'un membre important de la commission spatiale a pour femme une timbrée qui divulgue des secrets d'Etat aux petits hommes verts. »

La mission de Penny consistait à tenir Mme Grant à l'écart jusqu'à ce que la mission réussisse ou que les petits hommes verts prennent le pouvoir.

En ce jour mémorable, la température extérieure

frisait les 35°; il était onze heures et demie quand les quatre couples s'installèrent pour déjeuner dans une partie réservée du restaurant du Longhorn. Deux postes de télévision avaient été installés à la demande du sénateur Grant pour que ses hôtes et lui-même pussent écouter simultanément Walter Cronkite et John Chancellor; après deux tournées de cocktails, que refusèrent John Pope et Liesl Kolff, le déjeuner euphorique débuta par de grandes assiettes d'huîtres de Louisiane. Là encore, Liesl refusa d'en prendre car elle savait, depuis son séjour à El Paso, qu'on ne pouvait manger des huîtres en toute sécurité que pendant les mois en *r*.

Liesl Kolff était, à plus d'un égard, le personnage le plus intéressant du groupe, car son sens paysan de la destinée lui avait permis de ne pas changer malgré des expériences variées. Petite fille, elle était destinée à être grosse, et elle l'était effectivement. Cette bonbonne d'une cinquantaine d'années se composait de trois globes assez informes : une tête massive avec de grosses joues, un torse très puissant que dissimulait mal une robe à fleurs bon marché et un impressionnant postérieur rebondi. Elle portait des lunettes dont les montures épaisses accentuaient encore plus la plénitude de son visage; on lui avait souvent dit que des montures fines lui iraient mieux, et elle en avait essayé, mais elle était si maladroite qu'elle les avait brisées à deux reprises, pour finir par s'en débarrasser.

« C'est bien un truc des docteurs pour vous prendre votre argent. »

Elle avoua à Magnus qu'elle s'était sentie bien mieux avec les montures fines : « Mais je ne suis pas coquette. Les autres lunettes, on peut sauter dessus, elles sont incassables. »

« J'ai cru comprendre que vous ne vouliez pas

venir, dit le sénateur Grant tandis qu'ils attendaient le poulet en salade.

– C'est exact, dit Liesl.

– Mais c'est le triomphe de votre mari.

– Il en a déjà connu beaucoup. Aujourd'hui, c'est également le premier triomphe de mon fils.

– Comment ça?

– Ce soir, il joue le Concerto pour trompette de Stradella avec le Boston Symphony.

– Quel âge a-t-il?

– Vingt-deux ans.

– N'est-ce pas merveilleux? Elinor, le fils de Mme Kolff n'a que vingt-deux ans et il joue déjà dans un grand orchestre! »

Elinor sourit d'un air indulgent, sans faire le moindre commentaire. Elle se sentait bien loin de cette assemblée, confrontée à des problèmes dont ils n'avaient pas la moindre idée; de plus, elle savait que le sénateur avait une arrière-pensée lorsqu'il chantait les louanges d'un jeune homme ou d'une jeune fille : c'était une façon de lui reprocher d'avoir permis à leur fille, Marcia, de se comporter « de manière aussi pitoyable », ainsi qu'il le disait toujours. Elle pensait quant à elle que Marcia avait brillamment réussi, en étant aussi jeune doyen d'une grande université. Elle hocha doucement la tête en direction de Mme Kolff comme pour lui dire : « Je suis heureuse que vous ayez pu trouver quelque satisfaction dans ce pays. Il semble que vous en ayez vraiment besoin. »

Quoique distante, Mme Grant jetait de temps à autre un coup d'œil en direction de Mme Pope, pour voir si l'effrontée trahirait d'une manière ou d'une autre le fait qu'elle couchât avec le sénateur, mais l'autre jouait parfaitement son jeu. Mme Grant en voulait à son mari d'avoir eu l'impudence de faire venir cette femme à Houston, et elle se sentait un peu triste pour le commandant Pope, qui lui faisait l'effet d'un jeune homme très décent, rien d'étonnant puisqu'il était le fils du docteur Pope, le pharmacien. Penny Pope, elle ne l'oublierait jamais, était issue d'une des familles les plus pauvres de Clay, une famille tout à fait banale, de sorte que son immoralité n'avait rien de surprenant.

Au moment du poulet, les chaînes de télévision entrèrent en effervescence; les astronautes préparaient leur dangereuse descente vers la Lune et les convives se désintéressèrent de leur repas, à l'exception de Mme Kolff, qui avait très faim car elle n'avait pas pris d'huîtres; puis on se mit à évoquer le miracle qu'il y avait à capter des signaux de télévision émis à plus de trois cent quatre-vingt-cinq mille kilomètres.

« Ils pourraient aussi bien parcourir trois cent quatre-vingt-cinq millions de kilomètres, dit Kolff. Un signal électrique peut se transmettre à l'infini, aussi longtemps qu'il n'est pas intercepté par une montagne ou une planète. »

Le sénateur Grant émit des doutes; posant sa fourchette, Kolff demanda :

« Vous savez la puissance qu'il faut pour envoyer un message radio de la Lune à la Terre? »

Tout le monde émit des hypothèses extravagantes, à l'exception de Mott et de Pope, tandis qu'il entreprenait de dévisser une applique, dont l'ampoule de 60 watts paraissait bien pâle à côté des écrans de télévision. « Le vingtième de cette ampoule suffirait largement. »

Son affirmation fut âprement discutée, et Kolff dut demander au docteur Mott d'intervenir en sa faveur.

« Oui, un de ces jours, nous enverrons un message radio vers Saturne, à plus d'un milliard et demi de kilomètres. Et il nous renverra des messages avec une dépense d'énergie inférieure à celle de cette lampe. Kolff vous l'a bien dit, un signal peut continuer à l'infini tant qu'il n'est pas intercepté par une montagne ou quoi que ce soit.

– Ce que nous voyons de la Lune est instantané? demanda Grant.

– Pas du tout, dit Mott. Quand Pope parle au passager de la capsule, trois cent quatre-vingt-cinq mille kilomètres les séparent. Comme une impulsion électrique circule à la vitesse de la lumière, il faut 1,3 seconde pour que la voix de Pope arrive sur la Lune. Quand Mike Collins lui répond, il faut encore 1,3 seconde pour que sa voix parvienne à nous.

– Et si nous allons un jour sur Mars, comme on nous le répète tout le temps, quel délai faudra-t-il compter?

– Je ne me souviens pas de la distance exacte de Mars...

– Un peu plus de trois cent vingt millions de kilomètres. »

L'interrompant, Mott s'inclina vers lui.

« Il faudra dix-huit minutes aller, et dix-huit minutes retour.

– Est-ce que nous pouvons envoyer des hommes sur Mars? » demanda Grant à Mott.

Kolff intervint : « Bien sûr! Je pourrais construire une fusée qui emmènerait un homme sur Mars. L'année prochaine. »

Grant savait que quatre cent cinquante mille Américains participaient, à un titre ou à un autre, au vol de ce jour, et il n'aimait pas entendre l'Allemand dire qu'*il* pouvait aller sur Mars; il faudrait pour cela un demi-million d'hommes et plus de vingt milliards de dollars supplémentaires.

Ces calculs n'étaient rien à côté de ce qui se passait en cet instant sur la Lune; les astronautes Armstrong et Aldrin se préparaient à se séparer du vaisseau Apollo proprement dit pour descendre vers la surface de l'astre mort.

« Je n'arrive toujours pas à y croire », dit Grant.

Avec ses cinquante-cinq ans, c'était un bel homme mûr, au visage grave et aux cheveux grisonnants et un sérieux qu'on n'acquiert qu'après de longues années de service passées à Washington. Il avait été très proche du programme spatial, mais on lui avait toujours demandé de consacrer d'importantes sommes d'argent à des projets qu'il ne comprenait pas vraiment, et il se trouvait maintenant confronté à un instant de triomphe qui lui restait incompréhensible, quand Dieter lui disait que d'autres hommes se poseraient bientôt sur Mars. Il était presque aussi déconcerté que sa femme, à une exception près : ses folies lui coûtaient quelques milliers de dollars, alors que les siennes à lui se chiffraient par milliards.

Sept des huit convives se préparaient à manger quand Liesl Kolff demanda au garçon de lui apporter une seconde portion de salade.

« Vous pouvez prendre la mienne, dit généreusement Elinor Grant, je n'y ai pas touché. »

Il était deux heures de l'après-midi heure locale en ce 20 juillet 1969, quand la table fut débarrassée et qu'on apporta des bouteilles de bière dans un seau à glace. Dieter Kolff décapsula deux bouteilles et en tendit une à sa femme, qui refusa.

« Les Américains ne savent pas faire la bière, elle est trop douce et pas assez forte. » Grant appela le garçon pour qu'il trouve de la bière allemande.

« La mexicaine n'est pas mauvaise, dit Liesl. La philippine aussi. Même la danoise. »

Le motel avait de la Tuborg, qui lui alla.

Penny Pope, appelant le bureau du sénateur Glancey à Washington, s'interrompait souvent pour informer ses compagnons.

« Tout marche formidablement bien. C'est peut-être pour dans moins d'une heure. »

La tension montait. Grant ne cessait de jouer avec une bouteille vide en regardant alternativement les deux écrans de télévision. Les images étaient excellentes.

« Bon Dieu, c'est du bon boulot. Regardez ça. »

Quand le module entama sa descente, la véritable approche de la Lune après des années de dur labeur, Penny Pope alla rejoindre son mari, qui comprenait mieux que quiconque la grandeur du moment, et elle lui prit la main. Mme Kolff fit de même avec son mari, et elle se souvint de toutes ces années où son optimisme avait poussé les hommes de Peenemünde à continuer à travailler à leur grand rêve. Mme Mott aurait également voulu se rapprocher de son mari, mais elle ne le put pas; Mme Grant la tenait par la main et l'assurait à voix basse que ce qui se déroulait sur les écrans de télévision, qu'elle refusait d'ailleurs de regarder, n'était rien à côté de ce qui allait se passer dans le monde entier.

« Vous n'en avez pas la moindre idée, ma chère, mais je suis certaine que les hommes comme votre mari, qui connaissent tant de choses, seront très utiles lorsque cela arrivera.

– Qu'est-ce qui arrivera?

– Vous verrez. »

Mott se tenait debout à côté de la chaise du sénateur Grant, et il buvait négligemment une bière qui tiédissait.

« C'est presque insoutenable! J'ai aidé à établir les trajectoires, et je les vois maintenant, là, devant mes yeux. C'est vraiment extraordinaire! Ces hommes vont atterrir exactement où nous l'avions décidé il y a trois ans.

– C'est un grand jour pour l'Amérique », dit Grant, et devant ses yeux défila le souvenir des jours les plus importants de son existence : la flotte japonaise attaquant à l'aube pour détruire MacArthur; Gawain Butler se débattant contre les requins; le matin où le sénateur Taft le conduisit au Sénat pour sa prise de fonction, après que l'autre sénateur de l'Etat eut été appelé par la mort; l'assassinat de John Kennedy, un homme qu'il n'avait jamais beaucoup aimé, un dilettante inoffensif; le triomphe de Richard Nixon sur Hubert Humphrey, ce clown qui n'avait vraiment pas l'étoffe d'un président; et puis, le visage du bon vieux Mike Glancey de Red River, un démocrate, mais en qui on pouvait avoir confiance, pas du tout le genre de Lyndon Johnson, dont le mandat avait été si lamentable.

« Ce pays connaît souvent de grands moments », dit Grant en étreignant la main de Mott.

Le silence emplissait l'après-midi. Même les télévisions semblaient se taire par respect pour l'instant capital, imminent à présent, puis vinrent les nouvelles qui rassurèrent le monde. « Houston. Ici base de la Tranquillité. Eagle s'est posé. » Chacun demeura silencieux pendant une ou deux secondes, puis on vit briller des larmes dans les yeux de Grant et de Mott; alors, à la surprise générale, Dieter Kolff se mit à bondir sur place comme un dément et à hurler, d'abord en allemand, puis en anglais :

« Ça y est, c'est fait!

– Oh! mon Dieu, murmura Grant, les risques que nous avons pris. » Il tendit la main vers l'un des postes et, ne s'adressant à personne en particulier : « Vous vous rendez compte des risques que nous avons pris? Le monde entier nous regarde! »

John Pope lança le signal des festivités en embrassant Penny qui avait les larmes aux yeux et se tourna pour embrasser le sénateur Grant, dont elle avait pu souvent admirer la force de caractère.

Il allait encore s'écouler six heures et demie avant que les astronautes ne quittent le module pour fouler le sol lunaire; tout le monde attendait le moment historique. La table fut une nouvelle fois débarrassée et on apporta des rafraîchissements, dont trois bouteilles de Tuborg pour Liesl Kolff. Penny Pope passa de nombreux coups de téléphone, et le sénateur lui disait à chaque fois :

« Mettez-les sur le compte de la commission. C'est un jour historique. »

Un des appels fut pour Skycrest, Colorado, où Millard Mott et son ami Roger tenaient une boutique de diététique qui n'aurait pu les faire vivre, si les deux jeunes gens n'avaient eu beaucoup de courage et une belle collection de disques classiques. Ils étaient enthousiasmés par le tir lunaire et Roger dit aux parents de Millard :

« Vous ne pouvez pas savoir à quel point il est fier de vous. C'est un vrai fan! »

Penny contacta Magnus Kolff à Boston à l'instant où il allait entrer en scène, et il dit à ses parents qu'il était devenu une célébrité parce que les autres musiciens savaient que son père avait aidé à construire la fusée.

« Quand le concierge m'a appelé au téléphone, il a dit très fort « centre spatial de Houston » pour que tout le monde entende. Je suis si heureux pour toi, papa. » Il parlait en anglais, et ses parents en allemand.

Mme Grant ne donna qu'un seul coup de fil, pour joindre le docteur Strabismus qui lui dit :

« Tout est calme. Notre colonie de la face cachée de la Lune est prête à intervenir. Ils veilleront au succès de nos hommes. »

John Pope appela fréquemment le centre de contrôle des missions de Houston, où l'excitation était à son comble; c'était un triomphe pour tant d'hommes, et l'un d'eux lui dit :

« Dites à cette vieille crapule de Stanley Mott

qu'il était dans le coup quand il a patronné le rendez-vous orbital. »

Pope lui fit la commission, puis Mott demanda à Penny d'essayer de joindre la base de la N.A.S.A. située à Langley, en Virginie. Elle lui passa la communication. Il discuta avec les ingénieurs qui l'avaient initié au monde de l'espace, et les remercia.

Grant reçut une douzaine de coups de fil, dont l'un du président Nixon, mais pas un seul de sa propre fille, à Los Angeles. Quand il se fut un peu calmé, il demanda aux Kolff :

« Comment votre fils a-t-il fait pour apprendre la trompette... si jeune? »

Liesl s'empressa de répondre :

« En Amérique, vous voulez que les gens apprennent. Mme Mott nous a appris l'anglais, à El Paso, gratis. Quand nous sommes arrivés à Huntsville, le premier jour, ils ont distribué des instruments de musique. Quel âge avait Magnus? Quatre ans, peut-être. Il en a choisi un.

– Nous avons eu des problèmes, dit Dieter. Il a fallu prendre une grande décision, le jour où il a décidé de jouer pour s'amuser avec l'orchestre du club de football. J'ai mis les choses au clair. « On ne « s'amuse pas avec Beethoven. » J'ai cru qu'il allait pleurer.

– Comment avez-vous pu lui faire entendre raison? intervint Rachel Mott.

– On lui a dit une première fois, il n'écoutait pas, dit Liesl. Il s'est mis à hurler. Alors, il n'y a pas eu de troisième fois. Avec un marteau, on a cassé sa trompette. »

Dieter éclata de rire.

« Elle appartenait à l'école. Il a fallu la rembourser. Magnus avait tellement honte, il a dit qu'un camion était passé dessus.

– On lui en a acheté une meilleure et il a pu se

joindre à notre petit orchestre. Après, ce fut l'université de l'Alabama. Puis Munich, pendant un temps. Et maintenant, Boston, pour toute la vie peut-être.

– Vous devez être très fiers, dit Rachel.

– Oh! oui, nous le sommes », dit Liesl.

Grant se tourna vers les Mott.

« Vous n'avez pas eu de problèmes avec votre fils?

– Avec les deux, vous voulez dire, fit Rachel. Et pas qu'un peu.

– Comment cela? »

Si Stanley Mott hésitait à parler des histoires de famille, il n'en allait pas de même pour sa femme; malgré ses quarante-neuf ans et son air un peu collet monté très Nouvelle-Angleterre, elle dit :

« C'est un autre mode de vie, je crois. Notre fils aîné ne semble pas apprécier les femmes. Il vit avec un jeune homme de son âge, à Skycrest, Colorado. Ils tiennent une boutique de produits diététiques. » Et avant même que quelqu'un ait pu dire quoi que ce soit, elle poursuivit : « Nous avons fait la paix avec Millard. C'est un très gentil garçon, qui deviendra un homme très bien.

– Il a vingt-six ans, dit Mott.

– Pour moi, c'est toujours un petit garçon, dit Rachel, et son mari ajouta :

– C'est un choc terrible quand vous vous rendez compte que votre fils, enfin, qu'il... » Il s'interrompit, puis ajouta très vite : « Nous lui avons prêté de l'argent pour le lancement de sa boutique et je suis très fier du résultat. Tout le monde l'apprécie à Skycrest.

– Les problèmes du cadet, Christopher, sont plus graves, dit Rachel. Il a été arrêté pour avoir vendu de la marijuana.

– De la drogue? fit Liesl.

– Oui. Dites-moi, fit alors Rachel, qui semblait

quêter l'assentiment de ses interlocuteurs, comment faites-vous pour que vos enfants n'aient pas de problèmes dans une société aussi permissive?

– Il y a une énorme différence, dit le sénateur Grant, qui regardait la télévision. Quand j'étais enfant, à Clay, les éléments de la société étaient tous solidaires. Les policiers étaient bienveillants. Le professeur d'enseignement religieux voulait que nous nous tenions bien. L'entraîneur de l'équipe de football était un homme admirable. Je me souviens du jour où je m'étais aventuré dans une académie de billard pour voir à quelles infamies on pouvait bien s'y livrer, deux des gros bras de la ville m'ont pris à part et m'ont dit : « Norman, un jour, tu « deviendras un monsieur. Tu vas épouser la fille « du juge, ou quelque chose dans ce goût-là. Tu n'es « pas fait pour traîner dans les salles de jeux. Il « vaut mieux que tu sortes. »

– Ce n'est plus comme ça, aujourd'hui, dit Rachel Mott. En ce moment même, notre fils est à Miami en train de scander « ho, ho, ho! Hô Chi Minh! »

Le sénateur Grant se détourna de la télévision.

« Il fait quoi?

– Ce sont vraiment des gosses, ils croient que c'est amusant de mettre les adultes en colère.

– Mais qu'est-ce que c'est que cette histoire d'Hô Chi Minh? Ne me dites pas que votre fils...

– Ils veulent que la guerre du Vietnam se termine. Ils demandent notre départ.

– Cela relève de la politique gouvernementale. Ce n'est pas à des gosses d'en décider, dit sèchement Grant.

– Christopher n'est plus un gamin. Il a dix-neuf ans. Et il a peur de partir. »

Grant se leva.

« Toute ma génération s'est portée volontaire lorsque nous avons dû affronter un ennemi bien plus terrible que celui-là. Qu'est-ce que vous en pensez, Mott?

– On est venu me chercher », dit-il évasivement. Il n'avait pas envie d'avouer ce soir qu'il n'avait jamais porté l'uniforme.

« Et vous, Pope, vous étiez volontaire, n'est-ce pas?

– Je jouais au football. Je faisais encore mes études.

– Mais au moment de la Corée?

– Je portais déjà l'uniforme, mais j'ai participé à pas mal de combats aériens.

– Et vous, Kolff, vous vous êtes certainement engagé dans l'armée allemande?

– Je me suis battu sur le front russe, dit Dieter, qui n'avait pas envie d'expliquer qu'il avait fallu quatre inspecteurs pour le retrouver dans la campagne du Sud de l'Allemagne, avant que l'armée ne parvienne à lui faire endosser l'uniforme.

– En période de crise, dit Grant, les hommes se rassemblent derrière leur patrie.

– Millard dit que ce n'est pas une crise. Dans sa dernière lettre, il écrivait que tout, d'après lui, est truqué.

– Truqué! grogna Grant. Alors que le Congrès des Etats-Unis...

– Son principal argument, dit Rachel, c'est que le Congrès n'a pas eu le courage de déclarer la guerre. Millard dit que c'est un jeu politique, une manière de déguiser la réalité.

– Votre Millard ferait bien de faire attention à lui, madame Mott.

– Il dit que c'est un truc pour que les enfants des pauvres aillent défendre les privilèges des riches sans troubler l'ordre des choses.

– On croirait entendre un communiste.

– Il dit que la plupart des jeunes pensent comme

lui au Colorado. Deux de ses amis se sont enfuis au Canada pour échapper à la conscription.

– Enfuis? L'Amérique n'est pas une prison. Ils sont partis au Canada parce qu'ils sont lâches. Le président Nixon et le Congrès ont établi des plans, auxquels tout citoyen doit se conformer. »

Peu désireux de voir se poursuivre cette conversation, Stanley Mott demanda :

« A une époque où les mœurs changent à toute allure, que peuvent faire des parents pour préserver la stabilité de leurs enfants?

– Parfois, dit Liesl Kolff, il faut prendre un marteau et casser leur trompette. »

Il s'était écoulé un peu plus de six heures depuis l'instant où Eagle s'était posé sur la Lune; les deux astronautes en avaient profité pour se reposer et être au maximum de leur forme lorsqu'ils devraient, tels des bébés kangourous, quitter la poche maternelle et partir seuls à l'aventure. Pendant cet intervalle, les experts avaient félicité la N.A.S.A. d'avoir adopté la manière la plus simple et la plus sûre d'approcher la Lune, le rendez-vous en orbite lunaire, plutôt que le tir direct depuis la Terre, avec toutes les structures massives que cela aurait impliqué, ou encore le rendez-vous en orbite terrestre, avec son surcroît de complexité. Le spécialiste scientifique d'ABC-TV avait déclaré :

> « Le véritable génie de cette expédition est l'homme qui a forcé la N.A.S.A. à réévaluer les procédures, à reconsidérer les difficultés inhérentes aux autres méthodes, ainsi que les vertus de cette méthode-ci. Nous ne connaissons pas le nom de cet homme. Il s'agit probablement d'une commission mais, même dans les commissions, il y a toujours un homme qui a le courage d'engager ses compagnons sur la voie de l'action, avant de défendre sa position

contre vents et marées. Profitons des instants qui nous séparent de la sortie de nos astronautes pour saluer le génie de l'organisation dont la décision leur a permis d'aller aussi loin dans des conditions de sécurité aussi exceptionnelles. »

« Mott, on parle de vous! s'écria le sénateur Grant.

– De moi et d'une douzaine d'autres.

– Vous avez eu du mal à l'emporter? »

Mott se préparait à expliquer avec grandiloquence comment cela s'était passé, mais il posa par hasard les yeux sur Dieter Kolff, un de ceux à qui il avait dû s'opposer avec tant de vigueur, et comprit deux choses : Kolff était très abattu en cet instant glorieux, et il serait vraiment peu généreux d'insister sur sa défaite.

Il était près de vingt-deux heures, lorsque se produisit un véritable miracle. L'un des astronautes du module posé sur la Lune déclencha une caméra de télévision filmant les mouvements de son compagnon transmis en direct. Le monde allait pouvoir assister à l'instant même où il se déroulait – plus, bien entendu, la 1,3 seconde nécessaire à la transmission – à un événement capital dans l'histoire de l'humanité. C'était un peu comme si des caméras avaient été installées sur la *Santa Maria* pour filmer le débarquement de Christophe Colomb, ou sous le pommier célèbre, à l'instant où Newton conçut sa théorie de la gravitation, ou parmi le brasier de Moscou, en 1812, à la seconde où Napoléon prit la décision de battre en retraite. Le monde entier allait participer à la naissance d'une ère nouvelle, celle de l'exploration de l'espace!

La porte du module s'ouvrit. Une silhouette blanche et gauche descendit à reculons la petite échelle, atteignit l'ultime barreau, puis éprouva le sol de son pied botté. Confiant, l'homme, abandonnant la garantie de l'échelle, fit un pas sur la Lune. La poussière de l'astre ne l'enveloppa pas, comme certains l'avaient prédit, et les granules ne prirent pas feu, comme d'autres le pensaient.

Une voix retentit à la radio, si lointaine et si proche à la fois, qu'on aurait pu la croire venue d'un studio voisin : « C'est un petit pas pour un homme, mais un bond de géant pour l'humanité. » Par la suite, la N.A.S.A. allait reprendre cette phrase et lui donner sa version définitive : « Un petit pas pour un homme, un bond de géant pour l'humanité. »

Sept des huit personnes présentes dans la salle du motel applaudirent avec frénésie et les hommes embrassèrent leur épouse, fous de joie. Malgré sa tristesse apparente, c'était, pour Dieter Kolff, une extraordinaire victoire, car sa fusée s'était comportée exactement comme il l'avait prédit. Pour le sénateur Grant, c'était le triomphe d'une planification soigneuse et d'un commandement sans faille. Pour Stanley Mott, le succès de son long combat avec la N.A.S.A. pour faire adopter le principe du rendez-vous en orbite lunaire, et pour les Pope, c'était une double victoire : le travail de John lors du vol Gemini 13 avait rapproché le jour où le voyage vers la Lune serait enfin possible, et l'intérêt incessant porté par Penny à la commission avait permis à cet énorme projet de se concrétiser. Elle avait aidé à contrôler une dépense de vingt-trois milliards de dollars.

« On leur a montré, aux Russes, de quoi on était capables! exultait Grant.

– Ils ont fait preuve d'une telle efficacité », dit Pope, empli d'admiration pour les astronautes.

Puis chacun voulut savoir qui étaient vraiment Armstrong et Aldrin. Liesl Kolff dit :

« Je me demande ce que pense Michael Collins, tout seul dans sa cabine.

– Il fait son boulot, c'est tout, dit Pope. Si j'avais été choisi pour cette mission, je n'aurais pensé qu'à mon boulot.

– Il ne se sent pas trop seul?

– Ecoutez, j'ai passé seize jours à ça de mon commandant, dit-il en écartant les mains d'une vingtaine de centimètres, et j'aurais bien aimé un peu de solitude.

– Regardez-les! s'écria Grant. Regardez, des Américains sur la Lune! »

Il y eut plusieurs toasts et des congratulations générales; après quoi, Elinor Grant, amusée par la vanité de ces sept inconscients, s'excusa et alla se coucher. Liesl Kolff en était à sa sixième Tuborg, et elle se retira à son tour d'un pas incertain. Rachel Mott comprit que les hommes allaient fêter longtemps cette victoire et préféra regagner sa chambre, mais Penny Pope, qui avait le sentiment d'avoir participé à la grande aventure, resta avec eux, jeta les bouteilles vides dans une corbeille et commanda des sandwiches et des bretzels.

Quand l'émotion fut retombée, les quatre hommes purent écouter, confortablement installés, l'épatant reportage d'un correspondant en Espagne :

> « C'est en début de soirée que l'atterrissage sur la Lune a été annoncé à la nation espagnole; peu après, le père Tomás Uruzippe, un savant jésuite de quelque notoriété, a parlé à la radio pour assurer aux Espagnols que le pape avait été mis au courant de l'évolution de la situation, qu'il avait accordé sa bénédiction à l'expédition sur la Lune, et que la marche sur la Lune ne transgressait en rien l'enseignement biblique. Je cite à présent les derniers mots de l'homélie adressée à la nation par le père

Uruzippe : “ Je répète que le Saint-Père a été parfaitement informé par le gouvernement américain du projet d'envoyer des hommes sur la Lune et que Sa Sainteté n'a pas eu la moindre raison de protester. Je vous assure à nouveau que rien ne va à l'encontre du message de la Bible. »

« Je trouve cela assez réconfortant », dit le sénateur Grant, puis il vit l'un des astronautes sautiller sur le sol lunaire et dit quelque chose qui se révéla extrêmement gênant pour deux de ses auditeurs : « Oui, on a montré aux Russes ce dont on était capables. Maintenant, on peut passer à autre chose. »

A une heure du matin, John Pope dut regagner le centre de contrôle des missions afin d'y assurer son travail de communication, et Penny partit avec lui. Le sénateur Grant se retira à son tour au bout de quelques instants. Mott et Kolff restèrent seuls avec les deux téléviseurs.

Kolff (avec une réelle anxiété) : Tu l'as entendu? « On a montré aux Russes de quoi on était capables. Maintenant, on peut passer à autre chose. »

Mott : Un peu de lassitude, c'est tout. Il a travaillé dur pour remporter la victoire.

Kolff : Tout est fini ce soir, Stanley. Et c'est de ta faute.

Mott : Ne cherche pas à me culpabiliser. Ça ne prend pas. Pense plutôt à toutes ces festivités.

Kolff : Le grand cirque va bientôt s'achever. Les ours savants vont rentrer chez eux. Nous n'aurons plus qu'à éteindre les projecteurs.

Mott : Nous retirer, tu veux dire? Il y a encore huit ou neuf tirs de prévu.

Kolff : Il n'y aura plus le feu sacré. Je suis très inquiet, tu sais. Maintenant que nous avons donné une leçon aux Russes, les comptables vont se ramener.

Mott : Peut-être qu'une société ne peut en absorber davantage en une fois. Peut-être qu'il faut reprendre son souffle.

Kolff : Une partie de la société a le droit de s'arrêter. Le sénateur Grant a achevé son travail. Il est épuisé. Cela ne m'étonne pas outre mesure. « Maintenant, on peut passer à des choses plus importantes. »

Mott : Attends, il ne l'a pas dit comme ça.

Kolff : Il le pensait, en tout cas. Il faut ramener les hommes sur la Terre. Résoudre les problèmes ici-bas.

Mott : Tu sais ce que mon fils m'a écrit dans sa dernière lettre? « La science, dans notre société, se dévoie, elle patronne de grands leurres. »

Kolff : Et quels sont ces leurres?

Mott : Les tirs lunaires, ce que tu appelles « le grand cirque ».

Kolff : J'ai soixante-deux ans. Dans deux ans, je serai obligé de prendre ma retraite. Et cela me brise le cœur de savoir que je vais laisser tout le monde aussi à plat.

Mott : C'est complètement idiot. Je ne suis pas à plat. Je pense déjà aux tirs vers Mars, à l'exploration de Jupiter et de Saturne.

Kolff : Les choses dont tu parles sont bien mesquines. Cela ne devrait pas se passer ainsi, à ce stade de l'évolution intellectuelle de l'humanité. Les gens comme toi et moi devraient déborder d'idées.

Mott : C'est ce que je fais. Tu es au courant des découvertes de Penzias et de Wilson? Ils travaillent chez Bell.

Kolff : Bien entendu. Et c'est ce qui me gêne ce soir. On devrait construire en s'appuyant sur ce genre de découvertes.

Mott : C'est ce que je fais. S'ils ont vu juste, et si ce qu'ils entendent est l'écho du Big Bang, là où tout a commencé, nous pouvons envisager de mettre sur pied une théorie logique de l'univers.

Kolff : Il faudrait pour cela attaquer sur tous les fronts. Il nous faut des instruments dans le ciel pendant que nous travaillons sur les données ici-bas. Nous vivons une époque de découvertes fabuleuses, Stanley, et cette fichue Lune n'a rien à voir là-dedans.

Mott : C'est une première étape, une étape passionnante.

Kolff : Tu ne veux pas reconnaître la folie de tes décisions?

Mott : Non.

Kolff : Pense à ce qui va se passer. Quand ces hommes redescendront de la Lune, nous les traiterons comme des dieux.

Mott : Ce serait normal. Ce sont les Christophe Colomb du XXe siècle.

Kolff : Et ensuite, on oubliera tout, on passera à des choses plus importantes.

Mott : Un peu de culte des héros n'a jamais fait de mal à un programme à long terme.

Kolff : C'est là que tu as commis ta première erreur. Quand tu as envoyé des hommes au lieu de machines.

Mott : Non! Glancey avait raison. Les Américains comprennent les hommes. Ils ne peuvent pas s'identifier à tes machines. Et sans identification émotionnelle, nous n'avons rien.

Kolff : Mes machines auraient étonné le monde entier.

Mott (en se tournant vers la télévision) : En tout cas, j'ai réussi. Tu as vu l'enthousiasme général.

Kolff : Et cela va déboucher sur quoi? Un programme vraiment valable?

Mott : Tu les as entendus. Même en Espagne, ils sont enthousiastes.

Kolff : Que nous restera-t-il, demain matin? Le

pouvoir de déposer des hommes inutiles sur une Lune inutile. Pendant que les Russes travaillent d'arrache-pied sur des projets réalistes.

Mott : Pas si vite! Tu ne crois pas qu'au Kremlin, on se ronge les ongles de colère? Et à Paris, qui s'intéressera encore à Youri Gagarine quand Neil Armstrong descendra les Champs-Elysées?

Kolff : C'est de l'exhibitionnisme.

Mott : Je te garantis que l'exhibitionnisme a son rôle à jouer... entre nations. Je vais te confier un secret. Washington m'a demandé d'être prêt à organiser une tournée des astronautes dans seize grands pays, dès qu'ils auront fini leur quarantaine. Voilà sur quoi débouche ton cirque.

Kolff : Et le côté noble de l'affaire... on le laisse à l'écart.

Mott : Et c'est quoi, ton côté noble?

Kolff : Nous vivons au sein d'un univers. C'est dans sa structure que nous vivons notre petite vie. Les nations naissent et meurent en accord avec ses propres limites. Nous n'en savons presque rien, et il est de notre devoir de le connaître.

Mott : On n'en saura peut-être jamais rien.

Il était maintenant quatre heures du matin; les deux hommes étaient épuisés après cette journée si riche en événements, mais ni l'un ni l'autre ne voulait mettre un terme à cette discussion couvrant les précédentes dernières années de leur vie et leurs espérances du futur. Et ce fut Dieter Kolff, héritier des Allemands du Raketenflugplatz de Berlin qui avaient été les premiers à envisager sérieusement l'envoi de grandes machines vers les étoiles, mais aussi des Prussiens de Pennemünde qui avaient effectué les premières tentatives, oui, ce fut Dieter Kolff qui présenta la vision la plus nette de l'avenir. Mais, avant qu'il ait pu développer ses théories, il fut interrompu par deux silhouettes traversant le bar du Longhorn sans même le voir.

C'étaient celles de Cynthia Rhee, qui revenait de la réception donnée au centre de contrôle des missions, accompagnée d'Ed Carter, dont l'épouse Gloria avait préféré rester au quartier général. Ils formaient un couple étonnant, elle avec l'une de ces exquises robes coréennes toutes droites, et lui en bermuda et tee-shirt bleus; à l'instant où ils auraient dû se séparer pour regagner chacun leur chambre, il la prit soudain dans ses bras et la souleva de terre pour l'embrasser ardemment dans le cou. Lorsqu'il l'eut reposée, elle le prit par la main et ils se dirigèrent tous deux vers la chambre de Cynthia Rhee.

Kolff : Les problèmes qui se posent à tes astronautes sont les plus simples qui soient... et à nous, on nous laisse tout l'univers.

Mott : Je ne peux pas m'empêcher de penser à Harry Jensen quand je vois l'un de ces hommes. Tu ne l'as pas connu, Dieter, c'était un jeune dieu scandinave, comme dans les sagas.

Kolff : Je me sens si triste en cet instant de fête. La plupart des choses dont nous rêvions à Pennemünde se défont avec une telle inséquence... *(Il tenta de prononcer à nouveau le mot* « inconséquence », *se trompa et s'interrompit.)* Ça ne te gêne pas si je parle allemand? Tu peux poursuivre en anglais, mais je voudrais m'exprimer avec le plus d'exactitude possible.

Mott : Vas-y.

Kolff : A tout moment de l'histoire de la pensée, il se passe des choses qu'il faut servir. Qui se sent responsable? Pas les gouvernements, en tout cas, mais l'ensemble des connaissances humaines. Copernic l'a bien compris, de même que Harvey, quand il a découvert le principe de la circulation sanguine. Les Russes aussi l'ont compris, bien avant nous, et c'est pour cela qu'ils sont arrivés les premiers sur la Lune. *(Mott leva les sourcils.)* Oui, dans notre triomphe, nous avons oublié qu'ils ont été les premiers à réussir, à atterrir, à ramasser des échantillons, à prendre des photos de la face cachée.

Mott : N'exagère rien! La Russie ressemble à l'Espagne du Nouveau Monde, et nous à l'Angleterre. L'Espagne est peut-être arrivée la première, mais c'est l'Angleterre qui a fait les choses les plus importantes.

Kolff : Tu trouves que l'Amérique du Sud n'est pas importante?

Mott : Pas vraiment, non.

Kolff : Nous sommes plutôt vindicatifs ce soir, non?

Mott : Je le suis, en tout cas. Mon équipe s'est attelée à une tâche extrêmement difficile. Nous avons choisi la méthode qui convenait, et nous avons réussi. Si tu veux faire quelque chose de différent, trouve ta propre méthode. Mais ne viens pas critiquer la mienne, parce qu'elle s'est révélée parfaite en ce qui me concernait. Redemandons de la bière.

Kolff : Je suis heureux de voir que tu es capable d'émotion. Moi non. Pas quand la cause n'est pas sincère.

Mott : Que devrions-nous faire, d'après toi?

Kolff : C'est très simple, Stanley. Annuler les autres missions Apollo. Licencier tous les astronautes. Réunir les cent astrophysiciens les plus brillants, leur accorder un budget minimal et leur dire de se mettre au boulot.

Mott : Quel boulot?

Kolff : L'étude de l'univers. Si nous travaillons sérieusement pendant les cent prochaines années, nous pourrons résoudre toutes les grandes énigmes.

Mott : Du genre?

Kolff : L'origine de l'univers. L'histoire de la vie.

Le rôle spécifique du Soleil et de ses planètes. Les origines de la vie humaine. Et même ce qui adviendra au cours de la prochaine ère glaciaire. Tu sais que lorsqu'elle se produira, dans quinze ou vingt mille ans, les glaces recouvriront New York. Quand elles fondront, les océans engloutiront la Floride. C'est à ce genre de choses que nous devrions nous intéresser.

Mott (avec une certaine irritation) : Dieter, est-ce que tu as déjà vu mon bureau? Que crois-tu que je vois toutes les fois que je lève les yeux vers le mur? Une extraordinaire photographie de la galaxie NGC-4565... à vingt millions d'années-lumière. C'est là que je vis en imagination. C'est là que je veux aller un jour... en esprit.

Kolff : Dans ce cas, pourquoi perds-tu ton temps avec la Lune?

Mott : Parce que le sénateur Glancey m'a appris que je n'irai jamais où je le désire si je n'emmène pas les contribuables avec moi. Nous ne faisons qu'un pas à la fois, et la Lune est notre premier grand pas.

Kolff : Et peut-être le dernier. Nous avons peut-être brûlé toutes nos cartouches ce soir. Nous allons peut-être devoir passer le flambeau à quelqu'un d'autre.

Mott : Et à qui donc?

Kolff : Au Japon, à la Russie, à l'Allemagne.

Mott : En sont-ils capables?

Kolff : Les peuples savent se rendre capables. *(Il y eut un silence de plusieurs minutes.)* Ce soir, je suis inquiet et amer. Je vois que ma nation d'adoption a choisi la mauvaise direction et je vais bientôt devoir abandonner la bataille. Bonsoir, Stanley, jouis de la futilité de ton triomphe.

Une semaine plus tard, alors que l'enthousiasme n'était pas encore retombé dans le monde, ce fut le tour de Mott d'être inquiet. Le courrier qu'on lui réexpédiait de Washington contenait une lettre postée d'Alberta, au Canada :

> « Roger et moi avons décidé de fermer notre boutique de Skycrest et de trouver refuge au Canada. Nous ne pouvons accepter de participer à une guerre si injuste, menée selon des principes si corrompus. Nous aurions pu nous inscrire à l'université du Colorado et échapper ainsi à la conscription, mais nous ne pouvons pas écarter aussi facilement le danger et voir les jeunes moins riches que nous faire la sale besogne à notre place. J'espère que mon geste ne jettera pas le discrédit sur toi, à un moment où tu as le droit de savourer ton triomphe.
>
> MILLARD. »

VIII

EN TEMPS RÉEL

LE retrait de la course à l'espace prédit par Dieter Kolff eut lieu bien plus vite qu'il ne l'aurait cru lui-même, avec une sévérité bien plus grande. Le budget annuel de la N.A.S.A. passa de cinq à quatre, puis à trois milliards de dollars; des experts furent mis à pied dans toutes sortes de domaines; et l'on parla même de fermer quelques-uns des centres de recherches proprement dit.

Plus surprenant encore, les vols lunaires devinrent la routine et, la plupart du temps, le grand public ne savait même pas qu'une mission était en cours, et les gens étaient mécontents que l'on dépense tant d'argent à « rapporter des roches lunaires quand on en a déjà tant ».

L'astronaute Randy Claggett, originaire de la Texas A & M, détendait l'atmosphère en racontant une anecdote sur son *alma mater* :

> « Il paraît que le département de géologie de la Texas Aggie est furieux parce que l'université du Texas a eu la possibilité d'étudier des roches lunaires, et lui non. Un savant de la N.A.S.A. qui en avait marre d'entendre ces lamentations, s'est rendu dans une étable, a

ramassé une poignée de cailloux qu'il a donnés à analyser aux chercheurs de l'Aggie. Silence total pendant sept mois, puis un rapport soigneusement dactylographié : " Nous sommes incapables d'expliquer nombre d'aspects de ces roches, mais une chose est certaine : des vaches se promènent sur la Lune. " »

Randy racontait également, avec l'accent traînant du Texas, la visite effectuée par deux astronautes dans une communauté de l'Iowa, semblable à celle fondée dans l'Illinois par Wilbur Glenn Voliva, l'apôtre de la Terre plate. Ce petit groupe soutenait les espérances de tous ceux qui, aux Etats-Unis, mais aussi en Europe, souhaitaient retrouver la vie simple de l'an 1300. Quand Randy présenta au chef de la communauté une série de splendides photographies en couleurs sur lesquelles on voyait la Terre ronde comme une orange, avec des océans bleus maintenus par la force de gravité, le patriarche étudia longuement les documents, puis déclara :

« On pourrait être déçu par une telle image, si l'on n'était un observateur attentif. »

Randy pressa alors son interlocuteur, qui grommela :

« Je n'ai jamais dit que ce n'était pas un cercle. »

Cinq jours plus tard, la communauté de l'Iowa faisait circuler un article très docte expliquant pourquoi, vue d'une certaine distance, la Terre pouvait avoir un air quelque peu arrondi : « C'est une question de parallaxe. »

Lorsqu'il s'envola vers la Lune, Randy fit preuve d'une certaine espièglerie en truffant ses rapports sur le train spatial Apollo de termes que les journalistes eurent du mal à saisir. Lorsqu'il connut des difficultés passagères, il dit à Houston : « On a eu les foies pendant un moment. » Quand des miettes de nourriture déshydratée restèrent en suspension dans la cabine, il déclara : « Ça devient un peu craspec. » Une autre fois, il dit qu'ils étaient « dans la tasse noire »; mais c'est lorsqu'il dit que le problème du carburant commençait à « le pomper sérieusement » que Houston dut lui demander de parler un anglais correct.

Il était en orbite pendant que ses deux compagnons exploraient la surface de la Lune, quand il annonça au monde entier : « On dirait que le général Sherman a brouté le terrain avec ses charançons »; puis il irrita un certain nombre de patriotes en s'écriant : « On devrait envoyer une expédition sur la face cachée de la Lune, trouver le plus haut sommet et le baptiser Von-Braun, parce que c'est grâce à lui qu'on est là. »

Son côté direct fit que, la mission achevée, les journalistes s'intéressèrent davantage à lui, qui était resté dans la capsule, qu'aux deux hommes qui avaient effectivement marché sur la Lune. Et quand on lui demanda ce qu'il avait ressenti pendant qu'il tournait, seul, autour de la Lune, il répondit en toute franchise : « C'était vraiment la chiasse. » Capable de reconnaître une figure populaire quand elle en tenait une, la N.A.S.A. lui confia différentes tournées de propagande et son visage devint célèbre : celui d'un cow-boy plein de malice, avec un trou étonnant entre les dents de devant, et un goût prononcé pour les déclarations fracassantes, comme le jour où il déclara devant son auditoire de Denver : « Voler dans une capsule spatiale, ce n'est pas plus dangereux que de rouler sur la nationale 85 un samedi soir, quand les poivrots de Colorado Springs sont au volant. » Statistiquement parlant, il avait raison.

Il savait aussi se montrer très incisif lorsque les circonstances l'exigeaient, et l'une de ses histoires fit les délices de la communauté scientifique de Boulder : « Il y avait un super-géologue à l'université de Stanford, un type qui faisait autorité en matière de tremblements de terre. Il avait prédit que toute la partie de la Californie située à l'ouest de la faille de San Andreas disparaîtrait dans le Pacifique le 6 juin 1966 – c'est-à-dire le 6.6.66 –, et quand il se réveilla ce matin-là, il s'aperçut que toute la partie ouest était encore debout, mais que c'était la partie est qui s'était écroulée. Quand il relut ses calculs, il dit : « Bon dieu, je me suis « trompé dans les signes. »

Il dit à ces mêmes chercheurs : « On est maintenant en pleine spéculation et les experts de toutes les disciplines nous bombardent de leurs théories. Eh bien, je peux vous dire que la plupart ont un taux de réussite de cent pour cent : c'est ce qui arrive quand on ne fait qu'une seule expérience. » Il y eut un instant de silence, puis une partie des spectateurs se mit à rire et, bientôt, toute l'assemblée applaudit frénétiquement : elle avait apprécié ce postulat selon lequel le chercheur qui n'étudie qu'une seule relation de cause à effet obtiendra immanquablement cent pour cent de réussite. En fait, un savant de Boulder était récemment tombé dans ce piège : désireux d'expliquer l'effet des taches solaires, il avait émis l'hypothèse qu'elles influaient sur le comportement des ceintures de Van Allen récemment découvertes, ce qui était exact si l'on n'étudiait que les données de l'année 1968.

Claggett était une source d'informations très sûre lorsqu'il rencontrait à titre privé les experts techniques d'entreprises privées, et les présidents de trois sociétés lui avaient demandé de travailler pour eux :

« Le programme spatial bat de l'aile, colonel Claggett. Vous devez vous en rendre compte. Nous allons explorer des domaines tout à fait passionnants, et nous serions fiers de vous avoir chez nous. »

Il répondait toujours :

« Je suis un marine, je ne m'adapterais jamais. »

Mais lorsque Debby Dee et lui se retrouvèrent seuls avec John et Penny Pope, ils discutèrent sérieusement de l'avenir de leur étrange profession.

« Penny, comment vois-tu les choses? demanda Claggett, un soir qu'ils se trouvaient au bar de la Dague.

– Retrait sur toute la ligne.

– Combien de missions Apollo le Congrès va-t-il encore soutenir, d'après toi?

– Au début, le budget nous couvrait jusqu'à Apollo 20. Je suis certaine qu'ils vont en supprimer deux. Ils pourraient même tout arrêter après Apollo 17.

– Tu crois que ce pourrait être la dernière?

– Oui.

– Bon dieu, j'aurais pu prendre le commandement de la 18. Je t'aurais emmené avec moi, John, comme pour le vol Gemini.

– Ce que je sais, dit Penny, c'est que les prochains vols doivent comporter des scientifiques. Le public insiste sur ce point. Si tu voyais les protestations qui arrivent tous les jours au bureau.

– Dans ce cas, le scientifique et moi, on ira sur la Lune. John continuera à se balader en l'air.

– Tu accepterais? demanda Penny à son mari.

– Tu sais bien que j'irais à pied si cela pouvait me rapprocher de la Lune.

– Selon une rumeur, dit Penny, Apollo 18 pourrait être soutenu par le Congrès si vous vous posiez sur la face cachée de la Lune.

– Ne dis jamais cela! l'interrompit son mari, irrité. Tout le monde emploie cette expression, *la face cachée de la Lune.* Il faudrait peut-être cesser de voir les objets du système solaire d'un point de vue purement terrestre. Et puis, cette face n'est ni cachée ni invisible, puisque les Russes et nous-mêmes l'avons photographiée.

– Comment faut-il dire, alors? *La face sombre?*

– Non plus! Elle est aussi ensoleillée que la face que nous voyons, même si elle n'est jamais tournée vers nous pour nous permettre de le vérifier. C'est *l'autre face,* c'est tout.

– A Washington, tout le monde dit *la face cachée.*

– Eh bien, ils se trompent. Ça leur arrive souvent, d'ailleurs.

– Quoi qu'il en soit, si vous arriviez à poser Apollo 18 sur ce que nous nous obstinons, à Washington, à appeler *la face cachée,* vous bénéficieriez d'un immense soutien de la part de la communauté scientifique... sans parler du grand public.

– Ce n'est pas une mauvaise idée! » s'écria Claggett en débouchant une autre bouteille de bière. Mais Pope établissait déjà un diagramme à l'aide de deux coupes, une grande et une petite.

« Il y a un hic. Pendant toutes les autres missions, nous étions en contact radio permanent. Canaveral est ici, sur Terre. Tes hommes, Randy, étaient là, sur la Lune. Avec des télescopes assez puissants, j'aurais pu vous voir. Mais – il insista tellement sur ce mot que Randy en posa sa bière – quand nous poserons Apollo 18 sur l'autre face de la Lune, celle que ma femme s'obstine, je ne sais pourquoi, à appeler la face cachée, voilà ce qui se passera. »

Il établit un site lunaire à l'aide d'un morceau de cellophane, et la communication en ligne droite devenait impossible.

« Les ondes radio en provenance de ce site ne peuvent traverser la Lune, c'est une chose certaine. Nous savons qu'elles voyagent en ligne droite, elles ne peuvent donc faire le tour de la Lune. Randy, si toi et ton scientifique, vous vous posez là, et si vous y restez, mettons, quatre ou cinq jours, ce qui est maintenant possible... pendant la descente, le boulot, la remontée, si vous avez des problèmes, vous n'aurez aucun contact avec la Terre, aucun soutien de la part de la N.A.S.A. »

Claggett rappela alors aux deux femmes le remarquable travail effectué par la N.A.S.A. lorsque la mission Apollo 13 avait été mise en péril à la suite d'un court-circuit dans un réservoir d'oxygène.

« Les astronautes ne sont revenus vivants que grâce aux ordinateurs au sol et à la compétence de l'équipe de la N.A.S.A., assistée par les hommes des constructeurs. Il y a eu une extraordinaire synchronisation de talents. Sans liaison radio, les trois types y passaient.

– Ce qui m'excite dans une mission sur l'autre face... commença Pope, mais Penny l'interrompit :

– Tu ne peux pas passer quatre ou cinq jours critiques sans la moindre communication.

– Nous pouvons avoir un moyen de communication. C'est là que cela devient génial. Debby Dee, peux-tu me passer deux oranges? »

Lorsqu'il les eut soigneusement placées en orbite autour de la Lune, il expliqua :

« Un des satellites restera en contact permanent avec ma capsule, avec Claggett, à la surface de la Lune, et avec Houston. Ce n'est pas beau, ça?

– Est-ce que c'est réalisable? demanda Penny.

– C'est déjà fait sur Terre, avec les satellites de communication. Avec ces satellites en orbite lunaire... il nous en faudra peut-être trois pour assurer une couverture constante...

– Mais comment vas-tu placer tes trois oranges sur la bonne orbite? demanda Penny.

– On les emmène dans les bagages. Quand l'ordinateur donne le signal, on les largue l'une après l'autre, et elles restent bien en place, comme trois braves petites oranges.

– Tu crois que tu pourrais vendre ton idée au Congrès? demanda Claggett.

– Le Congrès dit que ce sera terminé après Apollo 17, dit Penny, mais Norman Grant pourrait s'intéresser à ce genre d'idée... une sorte de chant du cygne... John Pope, un petit gars du pays... Randy, je crois que tu peux tenter le coup.

– C'est comme si ça y était. » Il but quelques gorgées de bière et dit : « Tu sais pourquoi j'aimerais faire un dernier voyage avec ton ignoble mari? Parce que la capsule Apollo est assez grande : on pourrait s'amuser un peu. Il y a de la place pour circuler. Et quand on va aux chiottes, on n'est pas à vingt centimètres de la figure du copain. On a un petit coin rien que pour ça. Tu ne peux pas savoir ce que cela nous paraîtrait raffiné à côté des Gemini. »

Tucker Thompson était soucieux. Les Quint, qui s'occupaient du motel Bali Hai, l'avaient prévenu que les journalistes de *Life,* qui avaient l'exclusivité de tous les autres astronautes, n'avaient pas cessé de fureter et de poser des questions sur Randy Claggett, Debby Dee et la journaliste coréenne, Mlle Rhee, ce qui ne laissait présager rien de bon.

« Qu'est-ce qu'ils cherchent, à votre avis?

– Eh bien, dit M. Quint, tout le monde sait à Cocoa Beach que Claggett a fricoté quelque temps avec cette dame. *Life* a dû être mis au courant. Je pense qu'ils aimeraient bien lancer un petit scandale qui vous discréditerait.

– Mais pourquoi Claggett? Est-ce qu'elle... enfin... est-ce qu'elle s'est montrée... entreprenante? » Les

Quint se regardèrent d'un air perplexe, et il ajouta : « En passant d'un lit à l'autre, par exemple?

– Elle a étudié le terrain. »

Mme Quint intervint pour dire :

« Je l'aime bien, c'est une brave fille.

– Elle a trente-cinq ans et je l'étranglerais volontiers de mes propres mains.

– Quand une jolie fille paie régulièrement sa note, ne fait pas de scandale au bar et attire les clients par son amabilité, dit Mme Quint, je peux presque tout lui pardonner.

– Mais pas de traîner autour de mes garçons.

– Tucker, demanda Mme Quint, quel âge ont vos garçons, comme vous dites? »

Il sortit de sa poche le carton sur lequel sa secrétaire avait noté d'une écriture minuscule les grandes lignes de chacun des Six Piliers.

« Ils ont tous une bonne trentaine d'années.

– Ou la quarantaine, dit Mme Quint. J'ai lu un article sur John Pope. On dit que c'est l'intellectuel du groupe. Il a quarante-quatre ans.

– Est-ce que Miss Corée a tourné autour de Pope?

– Le robuste John? Non, pendant que les autres sont en haut avec elle, il va faire du jogging. Notre nourriture leur a fait prendre quelques livres, mais Pope a tout reperdu. Vous savez ce que Claggett a dit de lui? « Avec une bouée et une chandelle « romaine dans le cul, il vous enverrait Apollo dans « la Lune. »

– Claggett est une grande gueule, dit Thompson agacé.

– Ça, il est le premier à le reconnaître.

– Qu'est-ce qu'on peut faire pour éviter le scandale? » demanda Thompson. Les Quint hésitant, il les prévint :

« Vous savez, vous pourriez y perdre beaucoup, vous aussi, si les choses tournaient mal.

– Un bon scandale n'a jamais fait de mal à un bar. Tiens, ce que j'aimerais, c'est qu'un truand de Miami vienne descendre quatre types d'un gang adverse. Ça attirerait du monde pendant au moins dix ans.

– La N.A.S.A. pourrait vous laisser tomber, Quint. Plus d'astronautes, plus de curieux.

– Je n'aimerais mieux pas, dit Quint.

– Dans ce cas, trouvez le moyen de mettre un frein aux activités de Mme Nid d'Hirondelles. »

Lui aussi avait pris l'habitude de donner des surnoms à son adversaire, dans le style « Mme Fu Manchu », « la Femme-Dragon » ou « le Péril Jaune ».

« Ce n'est pas le genre de femme qu'on commande facilement », dit M. Quint.

Son épouse se tourna brusquement vers lui comme s'il venait de dire quelque chose d'extraordinaire.

« Vous feriez mieux de la mettre à la porte », suggéra Tucker.

Les Quint ne trouvèrent pas de solution mais Tucker, oui, en expédiant Claggett et Debby Dee en tournée à l'étranger, chaperonnés par un journaliste de *Folks* et un fonctionnaire du département d'Etat, qui envoya à Washington une série de messages enthousiastes :

> « Vous recommande envoyer les Claggett dans tous les pays du monde. Il blague avec les rois et les premiers ministres. Elle sourit et visite les hôpitaux. Ont mis au point un petit numéro où il est un astronaute texan qui a passé onze mois sur la Lune et qui retrouve sa femme enceinte. Très grivois, très amusant. »

Cynthia Rhee resta au Bali Hai; lorsque Timothy Bell partit pour Canaveral où il devait passer quelques heures en simulateur, elle s'empressa de l'accompagner pour savoir ce que l'on pouvait ressentir à être le seul civil au milieu d'un groupe de militaires.

« Doucement! s'écria-t-il, furieux. Je ne suis pas un citoyen de deuxième classe. Ne me posez pas ce genre de questions.

– Vous m'avez déjà fourni la réponse, Tim.

– N'oubliez jamais que le premier homme à avoir marché sur la Lune était un civil. Neil Armstrong n'avait rien à voir avec l'armée, c'était un pilote d'essai civil, tout comme moi. Claggett sera peut-être le premier de notre groupe à aller sur la Lune. Je serai probablement le second.

– Le bruit court, en tout cas.

– Vous êtes au courant de l'histoire qu'il y a eu entre Aldrin et Armstrong quand il a fallu décider lequel des deux serait le premier à sortir de la capsule? Aldrin a poussé des hurlements quand la N.A.S.A. a jugé que ce serait meilleur si un civil posait le pied en premier. Buzz a dit qu'il dénigrait tout le côté militaire de l'affaire. Pour lui, ce sont tous des brutes assoiffées de sang.

– C'est pourquoi je vous ai posé cette question, Tim. Je voulais vous entendre parler du fond du cœur. Les réponses toutes faites pour conférences de presse ne m'intéressent pas. »

Il était si agité qu'il quitta le lit et arpenta la chambre du motel, nu. Puis il grimpa sur le lit et la saisit par les épaules.

« Bien sûr, il m'arrive de constater des différences. Ils constituent une sorte de club où je ne pourrai jamais entrer. Le fait que je gagnais bien plus d'argent qu'eux en tant que pilote civil, ça aussi, ça les énerve.

– Est-ce que vous remarquez une quelconque différence au niveau de... euh... de la compétence?

– Je pourrais tous les enfoncer. » Il hésita. « Tous

sauf John Pope. Vous savez certainement qu'il est le meilleur.

– La N.A.S.A. dit que c'est Claggett.

– C'est également votre avis, n'est-ce pas?

– Je n'ai pas les moyens d'en juger. Je pensais que le jeune Jensen était le meilleur du groupe.

– Il n'était pas aussi solide que Pope, ni aussi inspiré que Claggett.

– Et vous, Tim, où vous situez-vous?

– J'effectuerai deux vols. Sensationnels. Et je deviendrai président d'une société de construction aéronautique.

– Allied Aviation?...

– C'est vous qui le dites, pas moi.

– C'est là votre ambition, Tim?

– C'est la voie normale. Quand j'en aurai fini avec la N.A.S.A... Un instant. Dites plutôt, quand la N.A.S.A. en aura fini avec moi. J'ai fait des études si complexes qu'il n'y a même pas quarante types au monde comme moi. Frank Borman, John Pope, une poignée de Russes. J'ai tout appris. J'ai six ou sept doctorats. Il m'aurait fallu un Q.I. de 31 pour ne pas maîtriser cet univers de connaissances. Je voudrais en faire un usage constructif.

– Et Cluny, qu'est-ce qu'elle devient là-dedans?

– Elle a trois merveilleux enfants. Elle s'adapte à tout. Essais en vol, N.A.S.A., affaires – quoi que je fasse, elle me suit. Elle serait sensationnelle dans le rôle de femme de président de société.

– Est-ce que vous l'aimez? »

Timothy Bell réfléchit longuement, pas aux faits mais à la façon de les présenter.

« J'étais en troisième année à l'université de l'Arkansas. C'était le printemps. J'avais des horaires de laboratoires épuisants parce que je suivais tous les cours. Il était six heures moins le quart et je sortais du labo, un peu vaseux, quand j'ai vu cette fille dans sa robe blanc et bleu pâle, comme celles que portaient les filles du Sud avant la guerre de Sécession. J'ai reçu un choc. Je n'ai pas pu bouger quand elle est passée devant moi, et puis, je lui ai couru après et elle m'a dit qu'elle s'appelait Cluny. J'ai aussitôt laissé tomber mes trois matières de laboratoire. Un peu plus tard, elle m'a dit : « Tim, il faut faire les choses dans l'ordre. Com-« mence par passer tes examens. » C'est ce que j'ai fait et nous nous sommes mariés cet été-là. Aujourd'hui, quand je repense à elle, je la vois toujours dans sa robe blanc et bleu pâle.

– C'est toujours la petite fille que vous aviez connue?

– Oui, et elle le sera à tout jamais. »

A Washington, Penny Pope se démenait comme un beau diable pour trouver l'argent nécessaire à une dernière mission Apollo; elle jouissait du soutien total de la N.A.S.A., qui lui avait adjoint le docteur Stanley Mott pour l'aider à emporter la décision. Mais des sénateurs très réfléchis, comme Proxmire, du Wisconsin, ne virent pas l'intérêt d'explorer une nouvelle fois un terrain parfaitement connu, et les démarches tombèrent à l'eau. La Maison Blanche était encore plus hostile à un vol Apollo 18 car les scientifiques de la N.A.S.A. étaient incapables de dire quel nouveau type de découvertes on pourrait faire; de sorte que le docteur Mott se retira de l'affaire et abandonna la mission à Penny.

Lorsqu'elle lui rapporta son échec, la commission ne manifesta aucune sympathie à son égard, jusqu'au sénateur Glancey, un vieil homme fatigué, qui lui dit :

« Je crois que nous avons rempli notre mission. Elle a été très honorable, n'en demandons pas plus. » Penny persista et présenta une nouvelle idée qui reçut le soutien d'un certain nombre de sénateurs et l'attention respectueuse de tous :

> « Il serait pusillanime de notre part de mettre un terme à ces expéditions sans voir l'autre face de la Lune. Le travail ne sera qu'à moitié fait si nous nous contentons d'explorer la face visible, la plus facile. Nous pouvons aller sur l'autre face, établir des comparaisons et poser ainsi les bases des recherches à venir. Je pense qu'il est de notre devoir d'achever notre œuvre. »

Le sénateur Grant lui fit remarquer qu'une telle expédition devrait se dérouler sans contact radio avec la Terre, et que ce simple détail condamnait sa proposition. Mais Penny empruntant deux carafes réitéra la démonstration de son mari :

> « Vous avez parfaitement raison, monsieur le sénateur, il est impossible d'établir une liaison radio en ligne directe avec l'autre face de la Lune. Nous avons tous en mémoire le vol circumlunaire de Frank Borman et le dramatique silence radio qui s'ensuivit. Mais voici ce que nous pouvons faire. Nous emportons trois satellites avec nous et quand nous sommes en orbite lunaire... ce sont ces trois verres... nous les larguons là, là et là. Ils relaieront les messages radio, tout comme le Comsat relaie des messages d'une partie de la Terre à l'autre. »

L'un des sénateurs demanda :

« Puisqu'il vous faut trois stations radio autour de la Lune, est-ce que cela signifie que vous allez nous demander un Apollo supplémentaire? »

Elle s'excusa :

« Pardonnez-moi, monsieur le sénateur, je ne me

suis pas bien fait comprendre. Les satellites dont je parle seront à peine plus gros qu'un ballon de volley.

– D'accord, mais où les mettrez-vous si la soute est déjà bondée?

– Ce n'est pas un problème, dans le module lunaire.

– Et comment les larguerez-vous?

– Grâce à un boulon explosif qui ouvrira un panneau. Les satellites seront éjectés à la réception d'un signal donné.

– Mais comment des objets aussi petits pourront-ils disposer d'un moyen de propulsion?

– Ils n'en auront pas besoin. Leur vitesse de propulsion sera la même que celle du train Apollo d'où ils seront lancés.

– Madame Pope, comment êtes-vous au courant de tous ces détails?

– C'est mon travail, c'est tout, dit-elle en souriant. Souvenez-vous que je travaille dans cette commission depuis 1949. »

Le sénateur lui demanda alors :

« Vous êtes républicaine ou démocrate? Je veux dire, comment avez-vous fait pour passer au travers de tous les changements politiques?

– En m'accrochant.

– Et ce dont vous venez de parler, vous croyez que ça marchera?

– J'en suis certaine.

– Et qui s'en occupera?

– Les cerveaux les plus brillants de ce pays. »

Aux réunions suivantes, elle amena devant la commission plusieurs scientifiques enthousiastes qui expliquèrent qu'ils commençaient tout juste à comprendre la Lune et sa position dans le système solaire.

« Est-ce que cela ne sera pas toujours le cas? demanda l'un des partisans du sénateur Proxmire.

Est-ce que vous n'allez pas revenir sans cesse pour quémander une autre expédition? Cela n'aura donc pas de fin?

– Non, monsieur, parce que la conquête du savoir ne s'achèvera jamais.

– Dans ce cas, pourquoi devrions-nous...

– Parce que nous autres, Terriens, sommes dans la même situation que l'Europe en 1491. On connaissait la moitié du globe – l'Europe et l'Asie – mais on ignorait tout de l'autre moitié, les Amériques. Il aurait été lâche et dangereux de s'en tenir là, alors que les richesses des Amériques...

– Il n'y a pas de richesses sur la Lune, nous le savons tous.

– Intellectuellement parlant, c'est une mine d'or. Et nous ne faisons qu'en commencer l'exploitation. »

Le scientifique, astrophysicien à l'université de Chicago, demanda à un assistant de présenter à la commission un globe d'une quarantaine de centimètres de diamètre, très différent de ce qu'ils avaient pu voir jusque-là. La construction de ce globe n'avait pu se réaliser qu'au cours des toutes dernières années :

> « J'ai travaillé là-dessus avec Denoyer-Geppert, de Chicago. Vous voyez ici la Lune, avec ses deux hémisphères. Je puis vous assurer qu'il y aurait d'énormes retombées intellectuelles si vous autorisiez une mission à se poser sur la face inexplorée. Voyons à présent la zone qui présente le plus d'intérêt.
>
> « Nous avons ici la mer de Moscou, à 30° nord de l'équateur lunaire. Sur l'équateur, un cratère fascinant, Mendeleïev. Plus bas, ce beau cratère de taille moyenne, Tsiolkovski, et ici, comme troisième sommet du triangle, Gagarine... »

« Ce ne sont que des noms russes! s'écria un sénateur.

– La question est là! intervint Penny, nous avons beaucoup à faire pour les rattraper. »

Ce n'était pas tout à fait vrai, mais cet argument pouvait toucher les sénateurs. Dès 1961, les Américains avaient lancé coup sur coup quatre sondes Ranger : sur l'une, le système de commande s'était détraqué; sur une autre, le système de télévision avait lâché; quant aux deux dernières elles avaient totalement échoué puisqu'elles n'avaient même pas réussi à quitter leur orbite terrestre.

Pendant ce temps, les Russes envoyaient des sondes Luna derrière la Lune et la photographiaient de manière assez détaillée, la première fois en 1959, puis en 1965 et à nouveau en 1966. Les premiers à voir à quoi ressemblait l'autre face de la Lune, ils s'étaient octroyé le droit d'en baptiser les différents sites.

Les photographies prises par les Russes étaient toutefois assez médiocres et leur objectif assez imprécis; ce furent donc, un peu plus tard, les sondes américaines qui effectuèrent le véritable travail de cartographie photographique de l'autre face. C'est pour cela que le globe du professeur de Chicago présentait des noms russes sur des photographies américaines. Son travail était excellent, mais le retard américain faisait que l'autre face de la Lune serait russe à tout jamais.

> « Nous autres, scientifiques, pensons qu'une mission Apollo 18 qui se poserait dans le triangle Mendeleïev, Tsiolkovski, Gagarine... (« C'est qui, ce Tsiolkovski? » demanda un sénateur, et l'homme de Chicago répondit : « Notre père à tous. Il a établi dès 1883 les principes scientifiques du vol spatial. ») Si nous nous posions

dans ce triangle, nous pourrions faire des miracles. »

Penny convoqua quinze scientifiques qui déclarèrent qu'un vol Apollo 18 vers l'autre face de la Lune n'était pas seulement intéressant, mais obligatoire; peu à peu, les sénateurs furent d'accord avec elle pour dire qu'il était imprudent de n'effectuer qu'à demi une telle exploration de l'univers. Au nom de la N.A.S.A., le docteur Mott les assura qu'Apollo 18 ne coûterait pas plus cher que ses prédécesseurs.

« Moins, même, parce que les instruments que nous utiliserons sont déjà au point.

– A combien reviendraient les trois satellites destinés à la transmission radio?

– A environ dix millions de dollars chacun. Ils doivent être parfaits, bien sûr. »

Un raz de marée d'enthousiasme submergea la communauté scientifique et, chacun se montrant favorable à un tir vers l'autre face, le Congrès fut obligé de s'intéresser sérieusement à ce que Penny Pope, conseillère auprès de la commission sénatoriale, appelait « notre magnifique adieu à la Lune ». L'ultime expédition fut autorisée en avril 1971; dans tout le pays, quelque huit milliers d'hommes et de femmes travaillèrent à raviver des plans en sommeil. A Houston, Deke Slayton informa la presse du fait qu'Apollo 18 serait piloté par l'un des trios les plus intéressants de toute l'histoire de l'astronautique : « Commandant de bord, Randy Claggett, des marines. Pilote du module de commande, John Pope, officier de marine. Pilote du module lunaire, docteur Paul Linley, professeur de géologie à l'université du Nouveau-Mexique et détenteur d'une licence de pilote civil. Diplômé des université de DePaul et de l'Indiana, docteur de l'université de Purdue, le docteur Linley est notre premier astronaute noir. »

La N.A.S.A. s'appuya sur les dix-sept mille gros plans pris par les sondes lunaires pour établir une carte à grande échelle du triangle Mendeleïev-Gagarine, permettant ainsi aux techniciens de construire de petites maquettes en papier mâché que les trois astronautes emportèrent avec eux et étudièrent jusqu'à ce que cette partie de la Lune leur fût aussi familière que leur chambre à coucher. Dracula, le responsable de la simulation, demanda à ses photographes et à ses éclairagistes de filmer la zone que les astronautes apercevraient de leur vaisseau; il intégra ses documents à son simulateur d'atterrissage et encouragea les hommes à répéter inlassablement leur arrivée dans cette région désertique.

Un certain dispositif technologique permit à Dracula ses simulations saisissantes : quand un appareil de qualité avait pris une photo très nette d'un terrain vallonné, ou même légèrement bosselé, un ordinateur pouvait regarder la photographie et imaginer comment *un second* appareil *aurait pu* photographier la même scène s'il avait été stéréoscopiquement disposé par rapport au premier. Quand les deux clichés étaient développés et placés côte à côte dans un viseur stéréoscopique presque identique à ceux qui avaient agrémenté les soirées des années 1890, les traits saillants de la surface apparaissaient et l'on pouvait voir le relief des roches, des cratères et des failles.

« Regardez ce qui se passe quand on fait un film selon cette méthode », dit Dracula à ses assistants auxquels il jeta un regard mauvais.

Sans prévenir les astronautes, il intégra ses films stéréoscopiques dans le simulateur d'atterrissage, juste avant que Claggett et Linley n'y pénètrent pour répéter encore une fois leur arrivée sur la Lune. Soudain, alors qu'ils s'approchaient du cratère Gagarine, Ils découvrirent, non pas une photographie de roches, mais un sol véritable avec son chaos rocheux et ses immenses dépressions. C'était très troublant.

Claggett et Pope apprécièrent tout de suite Paul Linley. Plus jeune qu'eux et légèrement plus petit, il était mince et très bien bâti. Il s'était fait remarquer dans le club sportif de DePaul en jouant contre des garçons d'au moins une tête et demie de plus que lui. Le fait qu'il fût noir lui avait valu des expériences plutôt désagréables alors qu'il travaillait comme géologue dans les champs pétrolifères du Texas, mais son évidente bonne volonté à se mêler à tous ne tarda pas à prouver son intégrité. Pendant les séjours organisés par la N.A.S.A. dans les déserts de l'Arizona, destinés à familiariser les astronautes avec la probable surface lunaire, il avait fait preuve de plus d'endurance que ses compagnons. Enfin, la N.A.S.A. possédait un astronaute noir, et tout le monde était fier de lui.

Il lui fallait, malgré tout, apprendre énormément de choses sur le module lunaire, et ses études le tenaient éveillé jusqu'à plus de onze heures du soir. Il était marié, avec trois enfants, mais sa femme comprit que ses obligations étaient trop intenses pour qu'il pût continuer à avoir une vie de famille; elle resta alors à Houston avec les enfants pendant qu'il sillonnait les Etats-Unis d'un simulateur à l'autre : à Houston, pour l'atterrissage, à Canaveral, pour le décollage; au M.I.T., pour le maniement des ordinateurs. Il écrivit à sa femme : « Je passe tant de temps dans les simulateurs d'Allied Aviation que je ne saurai plus reconnaître la réalité quand je la verrai. Mais je saurai toujours reconnaître ton jambon fumé aux haricots, et je donnerais cher pour en avoir maintenant. »

Pour Claggett et Pope, à qui incombait l'écrasante responsabilité de ce vol unique, les derniers mois de 1971 et toute l'année 1972 constituèrent une période d'intense concentration. Jour après jour, ils analysèrent le terrain au sud de la mer de Moscou, relevant des éléments aussi petits que des courts de tennis et traçant des cartes routières que Pope pourrait consulter pendant que Claggett et Linley se déplaceraient à la surface de la Lune; peu à peu, sous la conduite de dix-neuf spécialistes de la Lune appartenant à la N.A.S.A. et à quatorze grandes universités, ils définirent avec exactitude le site d'atterrissage du module.

« Vous avez déjà un nom pour votre appareil? » demanda Mott.

Claggett montra Pope du doigt.

« Il sera seul à s'en occuper quand nous serons sur la Lune. C'est son enfant à lui.

– *Altaïr* », dit Pope sans la moindre hésitation. C'était Altaïr, depuis cette nuit d'octobre 1944 où des jumelles d'emprunt lui avaient permis de découvrir cette étoile parfaite. C'était Altaïr dont il suivait la course dans le ciel de Corée. C'était Altaïr pendant la période passée au planétarium de l'Etat du Fremont. L'étoile et lui ne faisaient qu'un, et il allait maintenant piloter *Altaïr* parmi les étoiles.

Les gens de la N.A.S.A. furent très étonnés lorsqu'ils demandèrent à Claggett le nom qu'ils avaient choisi pour le module lunaire.

« *Luna,* dit-il. Les Russes sont arrivés en premier avec leur Luna, rendons-leur hommage. »

Ce choix radical suscita de nombreuses protestations, mais Mott et les autres spécialistes de la N.A.S.A. s'aperçurent que Claggett était inébranlable :

« Je lui confie ma foutue vie, je peux bien l'appeler comme je veux. »

Pope le soutint, mais il donna une autre explication aux hommes de la N.A.S.A. :

« Luna, c'est le nom de la Lune, en latin. Ce n'est pas la peine de parler des Russes.

– Ça me va, dit Claggett. Il n'y a que nous à savoir la vérité, et les autres, on s'en fout. »

Rachel Mott découvrit dans Virgile une citation tout à fait appropriée, « Dans le silence amical de la Lune », et Claggett dit que c'était exactement ce à quoi il pensait. La presse fut bientôt au courant des détails : « Apollo 18 se composera du module de commande *Altaïr* et du module lunaire *Luna*; il se posera début 1973 sur un site proche du cratère Gagarine. Les trois hommes de la mission sont Claggett, Pope et Linley. »

Les astronautes choisis étudiaient dix-huit heures par jour.

Dès qu'ils venaient se relaxer au bar de la Dague, les astronautes demandaient à Paul Linley de faire un petit numéro qui réjouissait les consommateurs et déclenchait même les applaudissements des journalistes. S'avançant entre les tables, il se présentait comme le chef de claque de l'Albuquerque Technological Institution et expliquait, dans un vocabulaire particulièrement choisi, comment la tension raciale était née dans ce bon vieux A.T.I., où les onze joueurs de basket étaient noirs et les douze responsables de la claque, blancs :

> « Problème résolu par notre président, Lucullus Beauregard, originaire de Caroline du Sud, vieux renard qui eut l'idée de me placer dans la claque et de faire entrer dans l'équipe de basket son propre neveu, Robert E. Lee Beauregard. »

Il faisait ensuite une démonstration de la façon dont Robert E. Lee, 1,78 mètre, se défendait contre Kareem Jabbar, 2,18 mètres, mais il en venait très vite à son propre rôle de chef de claque, avant d'engager tous les consommateurs à l'aider à épeler le cri de guerre de l'Albuquerque Technological Institution.

Il commençait par « Donnez-moi un A », et tout le monde hurlait « *A* », « Donnez-moi un L. »

Il perdait toute maîtrise de lui-même en abordant *Technological* et confondait les K et les Q. Tout à coup, il s'arrêtait pour avertir ses auditeurs : « Le président Beauregard m'a bien prévenu que je devais l'épeler correctement au moins une fois sur quatre, et quand je lui ai demandé pourquoi, il m'a dit : « Parce que ma faculté n'y parvient pas non « plus, et je veux qu'ils y arrivent. » Quand il se lançait dans *Institution*, il se transformait doucement en un vieil homme chenu, dont la voix faible disait « Donnez-moi un bon vieux T », avant de tomber à terre, sortir une perruque blanche et la plaquer sur son crâne en murmurant d'une voix mourante : « Allez, donnez-moi le dernier N. »

Puis il se relevait, épuisé, et soupirait : « La « prochaine fois, je serai chef de claque à Yale. »

La chaîne C.B.S. voulait filmer son numéro, mais Tucker Thompson s'empressa de s'y opposer :

« Vous ne voyez pas les sous-entendus racistes ? »

Et Linley lui dit, très sérieusement :

« Je me suis souvent posé la question. »

Le docteur Mott fut le premier à remarquer que le commandant Pope abattait plus de travail que nécessaire. Quand il vit John penché sur son bureau à onze heures et demie du soir, il lui demanda :

« Qu'est-ce qui se passe ? » et il vit que Pope avait inscrit sur de petits morceaux de papier résistants au feu des procédures qu'il pourrait appliquer dans toutes les situations urgentes.

« Elles sont déjà dans les manuels, dit Mott.

– Je veux qu'elles soient là, dit Pope en se tapant le front.

– Vous ne pouvez pas vous charger avec tous ces détails.

– C'est pourquoi je les mets noir sur blanc.

– Ils y sont déjà.

– Pas tant que je ne l'aurai pas fait moi-même. »

Mott demanda au docteur Feldman s'il avait remarqué la tension de Pope, et Feldman lui dit :

« Il est toujours tendu comme une flèche.

– Est-ce bien nécessaire?

– Il le croit, et c'est ce qui importe.

– Dans ce cas, je... »

Feldman l'interrompit :

« Dans toute mission, il y a un moment où ce sont les décisions de l'homme qui font la différence. Ces petites papiers sont un peu comme des heures supplémentaires passées au simulateur. Laissez-les-lui. »

Mott observa toutefois une certaine irritabilité chez Pope et, en arrivant à Houston, il proposa que Pope quitte quelque temps Canaveral pour récupérer un peu. La sagesse de cette recommandation était si évidente que la N.A.S.A. demanda à John de se joindre à Timothy Bell qui, à Los Angeles, devait effectuer un travail d'inspection pour le compte d'Allied Aviation. « Plutôt que de voler sur un T-38, nous vous suggérons de prendre un vol commercial et de vous reposer un peu. » Reconnaissant enfin que l'épuisement le guettait, Pope proposa de prendre la voiture au lieu de l'avion, et de traverser tout le pays en compagnie de Penny. La N.A.S.A. accepta.

Quand Pope annonça au Bali Hai ce que Penny et lui avaient l'intention de faire, Tim Bell demanda à les accompagner, mais John hésita :

« Trois pour une lune de miel, ça ne marche jamais.

– Je viendrai avec Cluny.

– Tu crois qu'elle voudrait perdre tant de temps? » Et avec la finesse d'esprit qui caractérisait toutes ses actions, Pope ajouta :

« Souviens-toi que la Mercury est une décapotable.

– Quand il pleut, tu mets la capote, non? »

Bell se montra si persuasif que Pope lui dit de téléphoner à Cluny pour voir si cela l'intéressait; Bell lui fit une description idyllique du voyage, mais elle eut le bon goût de refuser, tout d'abord. Penchant la tête d'un côté, puis de l'autre, comme pour imaginer ce qui se passerait, elle dit :

« Je suis sûre que je ne m'amuserai pas », avant d'ajouter, devant la déception de son mari : « Mais vas-y, toi.

– C'est un peu comme une lune de miel pour les Pope. Ils ne m'emmèneront pas tout seul.

– Comment iras-tu à Los Angeles si tu ne pars pas avec eux?

– Je prendrai un T-38 un peu plus tard.

– Seul? »

Elle avait une peur intuitive de cet avion fragile qui avait déjà tué deux astronautes, et elle ne put dissimuler son appréhension.

« J'aime bien cet avion, dit Bell, qui savait que cet appareil était un véritable plaisir lorsqu'on le pilotait en douceur.

– Non, je partirai en voiture avec toi », dit-elle, et son mari ajouta, pour être juste :

« Tu sais que les Pope ont une décapotable.

– Ça sera formidable. »

C'est ainsi que le voyage fut arrangé; lorsque Penny fut mise au courant des détails avant même d'arriver de Washington pour se joindre au safari, elle demanda au téléphone :

« John, tu es sûr que tu veux l'emmener avec nous sur un parcours aussi long?

– Les Bell sont amusants. C'est un vrai boute-en-train.

– Je sais, mais je me demande si elle saura s'adapter à la voiture.

Cluny n'était pas du genre à s'adapter à la Mercury décapotable ni à toute autre voiture, d'ailleurs. Quand la capote était baissée, elle insistait pour s'installer à l'avant afin de ne pas avoir trop de vent dans les cheveux; mais quand elle était en place, ce qui n'était pas rare en fin d'après-midi, elle voulait qu'une vitre soit entrouverte pour pouvoir respirer, en se plaignant tout de même d'avoir du vent dans les cheveux.

Les choses avaient mal commencé dès le premier jour : les Pope voulurent quitter Canaveral à quatre heures du matin, comme d'habitude, mais la mauvaise grâce de Cluny à se lever les obligea à ne partir qu'à neuf heures, heure à laquelle John aurait déjà pu parcourir près de cinq cents kilomètres.

Elle exigea de s'arrêter pour déjeuner et, peu avant six heures du soir, se lamenta :

« Si on ne trouve pas un motel tout de suite, on risque bien de ne jamais en trouver.

– Tu n'as jamais couché en voiture? demanda Penny.

– Sûrement pas!

– Essaie une fois, cela te plaira beaucoup. »

Cluny, à juste titre, prit cela pour une pique, mais elle ne s'en plaignit pas à son mari; celui-ci comprit toutefois qu'elle serait bientôt insupportable et préféra se ranger à son avis et demander à trouver un motel.

« Il est très exactement dix-sept heures trente, dit John à Cluny, et nous pouvons encore rouler pendant quatre heures.

– Oui, et il n'y aura pas de motel quand on s'arrêtera.

– On trouvera bien quelque chose. »

Cette dernière phrase la terrorisa, car elle se voyait déjà en train de déambuler dans une ville sordide de l'Alabama avant de coucher dans une pension répugnante ou un hôtel impossible.

« Je veux trouver un endroit tant qu'il fait jour », insista-t-elle.

Au grand désespoir de John Pope, mais aussi à la grande surprise de sa femme, ils dénichèrent un motel très propre, très moderne, qui satisfaisait pleinement les besoins de Cluny. Il était dix-sept heures trente-trois et ils avaient parcouru un peu plus de cinq cents kilomètres, alors que les Pope avaient l'habitude de couvrir en une journée au moins le double.

Ils firent un dîner sans grande originalité; Penny Pope semblait devoir s'étrangler à chaque bouchée. Quand tout le monde alla se coucher, elle avertit les Bell :

« Demain, départ à quatre heures précises. »

Ils acceptèrent mais, le lendemain matin, il fut impossible à Cluny de se lever, de prendre une douche, de s'habiller, de se maquiller et de se coiffer avant sept heures et demie; puis elle refusa de prendre la route l'estomac vide. La voiture ne démarra qu'à huit heures et quart. John Pope était livide.

C'est à la suite de l'incident de la carte routière qu'il commença à envisager un moyen d'échapper à la catastrophe. Lorsqu'ils traversaient le continent, Penny et lui aimaient bien prendre des petites routes pour visiter des endroits dont ils avaient souvent entendu parler mais qu'ils n'avaient jamais vus. Le fait qu'ils fussent pressés ne changeait jamais rien à cela.

Ils se trouvaient encore à l'ouest de l'Alabama,

alors qu'ils auraient déjà dû quitter le Mississippi, lorsque Penny voulut voir Mobile et sa baie, qui avaient joué un si grand rôle pendant la guerre de 1812 et la guerre de Sécession. Normalement, la carte sur les genoux, elle lui aurait indiqué avec précision toutes les petites routes de campagne : « Prends à gauche à la patte d'oie. Il doit y avoir un « chemin qui suit le fleuve. » Et lorsqu'il lui arrivait de se tromper, elle proposait tout de suite une solution de rechange : « Prends la prochaine à « droite, elle doit retomber sur la nationale 10 à un « moment ou à un autre. »

Ce jour-là, la capote était baissée et Cluny Bell avait pris place à côté de John Pope, dont la Mercury fonçait sur des routes secondaires. Elle s'occupa de la carte routière, et ce fut une catastrophe. Le vent l'empêchait de tenir la carte à plat et, lorsque John lui montra comment la plier, elle ne sut plus distinguer l'ouest de l'est et le nord du sud. A un moment, il lui demanda de lui indiquer très rapidement s'il fallait tourner à gauche ou à droite au prochain croisement, et elle dit d'une voix geignarde :

« Comment pourrais-je le savoir?

– C'est indiqué sur la carte », fit-il sèchement.

Comme elle était incapable de savoir, même approximativement, où ils se trouvaient, il lui arracha la carte, la consulta cinq secondes et écrasa son doigt dessus.

« On est là. C'est pourtant clair, non? »

Elle faillit éclater en sanglots, et se retint de justesse.

Voilà qui est étrange, se dit Penny, assise à l'arrière. La civilisation américaine est fondée sur l'automobile et tout jeune homme sait qu'il en aura une un jour pour parcourir de très longues distances. Parallèlement, toute jeune fille devrait s'attendre à passer une bonne partie de ses loisirs en voiture, à la recherche de petits coins sympathiques. On ne lui demande pas de savoir conduire – ce qui est le cas de Cluny – mais on s'attend à ce qu'elle sache lire une carte routière pendant que son mari conduit; si elle n'en est pas capable, ou si elle tarde trop, les problèmes surgiront immanquablement. On pourrait croire que les universités où étudient les jeunes filles les plus brillantes, celles qui épouseront un jour les jeunes hommes les plus brillants dont les Cadillac sillonneront le continent, leur apprendront d'une manière ou d'une autre à lire une carte. Eh bien, non. On apprend à ces filles une centaine de choses inutiles, mais on ne leur dit rien de la seule chose qui risque de provoquer des frictions.

« Tu ne trouves pas le croisement avec la nationale 65? demanda John d'un air plaintif.

– La carte indique le nord, fit Cluny, et nous allons vers le sud. » Il comprit alors qu'elle était incapable de comprendre le mode d'emploi d'une carte, de distinguer sans boussole l'est de l'ouest, d'extrapoler une information ou de calculer des distances. L'intrégralité des Etats-Unis gisait sur les genoux de Cluny, et elle était incapable d'en déchiffrer le moindre élément.

« Tu ferais mieux de passer la carte à Penny, dit John d'un air de compassion.

– Je n'ai jamais demandé à la prendre.

– Si nous roulons quelques heures après le coucher du soleil, dit John à ses passagers, nous atteindrons probablement le Mississippi.

– Je crois que nous devrions commencer à penser à trouver un bon motel », dit Cluny.

C'était reparti. Penny soutenait la position de son mari mais Cluny était si angoissée qu'ils durent céder. Ils firent halte à dix-sept heures vingt-trois, quand ils auraient pu parcourir cinq cents kilomètres de plus; et, malgré l'affirmation de Pope au dîner : « Nous partirons demain à quatre heures, sinon, nous n'atteindrons jamais la Californie », ils ne quittèrent le motel qu'à sept heures cinquante-deux.

Mais, le pire, Cluny profita de ce qu'ils s'étaient arrêtés pour déjeuner, pour trouver un coiffeur; avant même que quelqu'un eût pu faire quoi que ce soit, elle était partie se faire donner un coup de peigne pour réapparaître cinquante minutes plus tard. A dix-sept heures trente, quand elle demanda une fois de plus à trouver un bon motel, ils lui cédèrent.

Selon son habitude pendant ce genre de voyages, John Pope s'éveilla à trois heures et demie du matin et fit les exercices isométriques qui le gardaient en forme; Penny se réveilla également. Elle demeura silencieuse pendant quelques minutes, puis elle lui dit à voix basse :

« Ce voyage est une catastrophe. Et ça empire d'heure en heure.

– Je n'ai jamais frappé une femme... »

Il n'acheva pas sa phrase. Il alluma la lumière, vit les vêtements à terre et l'aiguille de son chronomètre sur le point d'indiquer quatre heures. Il se tourna vers Penny.

Ce fut elle qui commença :

« Tu ne crois pas que ce serait une bonne idée si...

– C'est la seule chose raisonnable à faire. »

En un éclair, ils furent habillés.

« Tu as combien d'argent? demanda John.

– En travelers, j'ai...

– En liquide. »

Ils purent réunir 143 dollars et 55 *cents*, sur lesquels ils prélevèrent 20 dollars pour acheter de l'essence avant de trouver une pompe qui accepterait leurs travelers.

Ils prirent les 123,55 dollars, les placèrent dans

une enveloppe à en-tête du motel et inscrivirent dessus « Bell, chambre 117 ». Ils avaient l'intention de la glisser sous la porte, mais John pensa au dernier moment qu'il manquait une phrase d'explication. Il prit un morceau de papier et écrivit :

« Chers Tim et Cluny,
Visiblement, cela ne va pas marcher. Voilà tout le liquide dont nous disposons. Cela vous suffira pour rejoindre les installations de la N.A.S.A. les plus proches. Rendez-vous à Allied Aviation.

Amitiés,
Penny et John. »

Dès qu'ils furent sur la nationale 10, en direction de la Louisiane, John au volant, et Penny la carte étalée sur les genoux, ils se mirent à chanter à tue-tête :

« Apporte-moi mon Arc d'or brûlant :
« Apporte-moi les Flèches de mon désir :
« Apporte-moi ma Lance : ô nuages, ouvrez-
[vous!
« Amène-moi mon Char de flammes! »

Aucun des deux astronautes ne fit jamais la moindre allusion à cet incident. Tim Bell comprit que son camarade Pope, placé devant un problème, avait réagi comme on l'exigeait de lui, honnêtement et sans la moindre hésitation. Dans des circonstances semblables, Tim aurait probablement agi de la même façon. A Allied Aviation, les deux hommes travaillèrent ensemble avec efficacité et n'aperçurent qu'une ou deux fois Penny Pope en train d'effectuer des inspections pour le compte de la commission sénatoriale. Les deux couples ne dînaient pas ensemble, mais ils étaient toujours courtois lorsqu'ils se rencontraient à l'hôtel choisi par Allied Aviation.

Ils ne purent éviter le déjeuner d'adieu en compagnie du général Funkhauser, qui avait la responsabilité des relations Allied Aviation-N.A.S.A., un marché d'une bagatelle de deux milliards de dollars. Il se montra très expansif lors de ce déjeuner organisé dans la salle de réception de sa société.

« Voici des abalones, dit-il avec un fort accent. En Allemagne, je ne savais même pas que ça existait. Et voici du canard de l'Oregon. Ça non plus, je ne connaissais pas. Il leur fit des confidences sur un instrument révolutionnaire pouvant rouler sur la Lune. « Une gravité six fois moindre nous permet de faire des merveilles. C'est mieux qu'une automobile et plus léger qu'une voiture d'enfant. Hermann Oberth nous disait souvent : « Votre imagination « doit être toujours en éveil dans une gravité six « fois moindre. »

Il y eut un instant de gêne lorsqu'il demanda aux astronautes comment ils comptaient revenir à Cap Canaveral, mais Pope dit avec une certaine brusquerie :

« Penny et moi, nous prenons la voiture.

– Vous pouvez donc passer tant de temps loin de Washington? » demanda Funkhauser. Il s'était montré particulièrement aimable envers Mme Pope, préparant ainsi le jour où sa commission souhaiterait étudier de plus près les contrats passés entre Allied Aviation et la N.A.S.A. Ils étaient honnêtes, c'était certain, mais également très favorables à sa société; s'ils devaient être remis en cause par le Sénat, c'était à lui qu'il reviendrait de les défendre, puisque les sénateurs écoutent habituellement les généraux.

– Et vous? demanda Funkhauser aux Bell.

– Je vais demander à votre secrétaire de nous

faire parvenir un ordre de transport de la N.A.S.A. Nous prendrons un vol commercial.

– Vous ne pouvez partir d'ici sur un vol commercial, grommela Funkhauser. Mme Bell et vous prendrez mon jet. »

Et tout s'arrangea ainsi.

Lors du retour dans la décapotable – jamais moins de onze cents kilomètres par jour –, les Pope discutèrent de la façon dont ils s'étaient conduits envers les Bell; John en éprouvait une certaine gêne, mais sa femme refusait de se sentir coupable.

« Nous ne faisons pas si souvent de longs parcours ensemble. Ç'aurait été de la folie de gâcher ces deux-là.

– Mais je vais peut-être devoir voler avec Tim un de ces jours.

– Il pensera surtout au courage que tu as manifesté dans cette situation.

– Et moi, je m'intéresserai davantage à lui, pour l'avoir aussi mal traité.

– John! Arrête de te culpabiliser! Toi et moi, nous faisons du bon boulot pour ce pays. Nous en faisons plus que tous les autres couples que je connais. Nous avons le droit de nous lever à quatre heures et de rouler jusqu'à dix heures du soir si ça nous chante. »

Ils avaient toujours préféré rouler en direction de l'est; dès la tombée du jour, ils pouvaient voir les étoiles se lever au-dessus de l'horizon et tendre vers l'apex. C'était impressionnant de voir les étoiles du ciel d'été s'avancer vers eux en ordre d'apparat : Véga, Deneb, Altaïr.

« C'est vraiment bizarre, dit-il à Penny alors qu'ils s'engageaient dans les Rocheuses, les cartes conseillent toujours aux débutants d'identifier ces trois étoiles les unes par rapport aux autres. Je n'arrive jamais à trouver Vega. Il me faut d'abord trouver les quatre petites étoiles situées plus au nord. La Tête du Dragon. C'est uniquement quand je vois ce quadrilatère que je sais où je me trouve. »

Elle n'arrivait même pas à le voir.

Le Capricorne apparut, puis le grand carré de Pégase, et John voulut rouler toute la nuit pour voir les étoiles monter vers lui, ainsi qu'il l'avait déjà fait dans les plaines du Fremont, sur les champs de bataille de Corée ou dans les collines de Boulder.

« Si nous roulons encore un peu, nous verrons les constellations les plus brillantes, dit-il à Penny.

– Pourquoi pas? »

Capella, les Pléiades et le Taureau n'apparaîtraient pas avant trois heures, et John proposa de quitter la route pour dormir un peu dans un coin tranquille. Ils trouvèrent une prairie bordée de hauts sommets où ils passèrent la nuit, enroulés dans leur manteau, John à l'avant et Penny à l'arrière.

Ils n'eurent pas de mal à se réveiller; quand ils reprirent la route vers trois heures du matin, Orion, les Gémeaux et le Chien se préparaient à les saluer. Mais bientôt, la nuit pâlit et les Rocheuses cédèrent la place à de grandes étendues désertes. Les étoiles s'éteignirent dans le ciel. John dit :

« Si l'on poussait jusqu'au Fremont? »

Ils y arrivèrent, épuisés, en fin d'après-midi.

Le docteur Pope se hâta de quitter le drugstore et les Hardesty vinrent célébrer cette occasion, mais John et Penny étaient trop fatigués pour participer vraiment. Ils se couchèrent tôt; à quatre heures, la décapotable franchissait le Missouri en direction de l'est. Comme ils foulaient à nouveau le chemin des étoiles du matin, Penny entrevit ce que pouvait éprouver un aviateur ou un astronaute.

« Tu voles vers les étoiles, n'est-ce pas?

– Parfois, je m'éloigne d'elles, mais c'est toujours par rapport à elles que je me déplace. » Et, pour la première fois, elle comprit ce que les anciens Assyriens, les hommes de Stonehenge et Albert Einstein avaient compris : que l'homme et tous ses actes forment avec la Terre, son Soleil et sa Galaxie, un réseau complexe et solitaire, insaisissable même par l'esprit.

John Pope travaillait à Cap Canaveral sur un ordinateur destiné à fonctionner pendant le prochain vol, et Penny organisait à Washington une réunion de la commission sur l'espace, le jour même où Tim Bell s'écrasa en T-38 sur un pylone de Cincinnati; il s'était arrêté pour faire le plein après avoir rendu visite à des constructeurs de Wichita. Son appareil explosa et l'incendie fut si violent qu'on ne retrouva pratiquement rien du cadavre.

L'information fut transmise au Q.G. de la N.A.S.A. à Houston, avant d'être répercutée vers Cap Canaveral et la commission sur l'espace de Washington, de sorte que John et Penny apprirent la triste nouvelle pratiquement au même instant. Chacun pouvait imaginer ce que l'autre ressentait, mais Penny ne savait pas que les autorités locales avaient demandé à John de se précipiter à Cocoa Beach pour mettre Cluny au courant de la mort de son mari.

« Je ne crois pas pouvoir le faire, dit John.

– Ce ne peut être personne d'autre », dit l'administrateur.

A la N.A.S.A., c'était obligatoirement un astronaute qui devait prévenir l'épouse dans ce genre de circonstances. Il n'était pas question de passer par un prêtre, un journaliste, une vedette de télévision au bord des larmes ou un quelconque employé de l'administration. Un astronaute était mort en service, et c'était à un autre astronaute qu'il incombait de porter la terrible nouvelle.

On demanda à des policiers de l'escorter jusqu'à la villa des Bell avant même qu'un flash d'informations pût alerter la veuve, mais, en entendant le hurlement des sirènes, John passa en tête dans sa Mercury, fit signe aux hommes et leur cria :

« Coupez cela quand nous arriverons à Cocoa Beach.

– O.K. », dit l'un des policiers, et c'est en silence qu'ils pénétrèrent dans la petite ville; les personnes averties savaient déjà qu'un malheur était arrivé, et les femmes se ruèrent sur le téléphone pour s'assurer qu'il ne s'agissait pas de leur mari.

Pope demanda à l'escorte de le laisser seul quand il fut tout proche de l'avenue où se dressait la villa des Bell, puis il se gara à quelque distance de la maison. Il quitta la décapotable et marcha lentement vers la porte d'entrée en se répétant : « Courage, mon vieux. »

Il frappa à la porte et entendit des bruits à l'intérieur – des enfants qui jouaient, des pas dans l'entrée. Il voulut alors s'enfuir, mais se reprit en disant à voix basse : « Ne te dégonfle pas. »

La porte s'ouvrit. Des bigoudis dans les cheveux, un tablier à la taille, Cluny adressa un regard plein de désespoir à Pope, puis lui dit :

« C'est Tim?

– Oui, Cluny. »

Pendant un interminable moment, elle resta pétrifiée, le visage inexpressif. Puis elle s'effondra lentement, comme privée de tous les muscles de son corps. Pope la retint et elle demeura quelques secondes dans ses bras.

« Maman! Maman! Qu'est-ce qu'il y a? » demanda un enfant.

John sentit que les forces lui revenaient, et il la vit rejoindre ses trois enfants. Elle voulut leur parler, mais les mots ne vinrent pas, et elle se tourna vers Pope, l'air pitoyable. Pope appela les enfants. Quand elle les vit s'éloigner, comme si c'était à tout jamais, elle se rendit compte de l'épreuve qui s'abattait sur eux et poussa un long cri perçant.

A cet instant, Tucker Thompson entra dans la pièce et prit les choses en main avec une délicatesse et une maîtrise de soi qui étonnèrent Pope. Calmement, il assura Cluny que tout serait fait selon ses directives; il l'aida à s'asseoir sur un canapé et lui demanda si elle désirait un peu de cognac. Il s'occupa ensuite des enfants et leur parla avec franchise :

« Votre père ne reviendra pas. Vous devrez prendre grand soin de votre mère. »

Puis il les fit asseoir à côté de Cluny.

« Pope, lança-t-il à John, il faut la faire sortir d'ici avant que les journalistes ne soient mis au courant. Votre femme est ici?

– Non, mais Debby Dee habite tout près.

– Allez chez elle. Ne courez surtout pas. Dites à Deb de tout préparer, je vous rejoindrai avec Cluny dans cinq minutes. » John s'en alla et Tucker rassembla les affaires des enfants.

Penny vint en avion, ainsi que tous les autres couples. Ce fut un enterrement très austère; les quatre jeunes astronautes avaient revêtu leur uniforme militaire et portaient leurs décorations. Le général Funkhauser rendit hommage au meilleur pilote d'essai d'Allied Aviation, et des délégués de la N.A.S.A. vinrent saluer la dépouille de leur astronaute. Tucker Thompson énerva une partie des journalistes en les empêchant de s'approcher de Cluny et des enfants, mais il ne leur interdit pas de faire leur travail, insistant pour que même les photographes de *Folks* opèrent à distance, ce qui fut assez facile, étant donné qu'il leur avait fourni de puissants téléobjectifs japonais.

Les funérailles achevées, le contrat de la villa

résilié et la carcasse du T-38 dégagée du terrain de Cincinnati, le miracle, qui avait sauvé Inger Jensen à la mort de son mari, se produisit à nouveau pour Cluny Bell. Des pilotes d'essai divorcés et des militaires veufs commencèrent à passer par Houston pour voir comment allaient les trois enfants de Tim Bell. C'est après l'une de ces visites que Debby Dee Claggett eut une longue conversation avec Cluny :

« Remarie-toi. Ne fais pas comme Inger, ne passe pas ton temps dans les livres, tu vaux mieux que cela. »

Cluny était vulnérable, seule et très belle, et il importait peu qu'elle fût étourdie et qu'elle ne sût pas lire une carte routière ou un relevé de banque. Ses enfants et elle-même avaient besoin d'aide, une aide immédiate. Il ne s'était pas écoulé six mois depuis la visite de Debby Dee, qu'elle demandait à un major de l'armée de l'air de l'épouser. La famille alla habiter Edwards; elle y avait connu beaucoup de gens à l'époque où son mari testait des avions, et son nouveau mari allait faire la même chose pendant les quatre prochaines années.

Stanley Mott travaillait chez Boeing, à Seattle, quand il reçut l'instruction de se rendre immédiatement à Miami, où Mme Mott l'attendait à l'aérogare. Il s'empressa de la rejoindre et la trouva en compagnie d'un homme d'une cinquantaine d'années.

« Bonjour, Mott. Je suis Harry Conable, avocat.

– Qu'est-ce qui se passe?

– C'est votre fils, Christopher. Il a été arrêté avec des individus peu recommandables. Ils avaient près d'une tonne de marijuana.

– Bon sang! »

Depuis des années, Mott voyait son fils cadet

s'enfoncer toujours un peu plus, accumulant les incidents, au lycée ou pendant les quelques mois passés à l'université. Pris individuellement, chacun de ses gestes ne relevait pas de la criminalité, mais l'ensemble indiquait que le jeune homme était profondément désorienté et que de gros ennuis le guettaient. Pendant quatre pitoyables mois, il s'était acoquiné avec un groupe de néo-nazis du Maryland et s'était fait photographier en tunique blanche, en train de brûler une croix sur la pelouse d'une résidence juive proche de l'université; il avait ensuitre disparu dans le désert de l'Arizona, où il avait subi un entraînement paramilitaire destiné à faire de lui un mercenaire qui se battrait contre les nouveaux gouvernements noirs d'Afrique.

Chris avait réussi, pendant toute cette période de rébellion contre ses parents et leur société, à éviter tout heurt violent avec la police; mais à présent, une condamnation à la prison pesait sur lui, comme l'expliqua Conable :

« L'importance de l'opération ne peut être ignorée. Le gouvernement pense que la marijuana introduite en Floride arrivait par vedette du Mexique. De toute façon, elle parvenait jusqu'à Miami, probablement grâce à votre fils et à ses deux complices. Elle se trouve maintenant dans un entrepôt fédéral.

– C'est considéré comme une drogue? Je veux dire, en Floride?

– Oh! oui. »

Mott prit ses bagages sur le tapis roulant et se dirigea calmement vers la voiture de Conable, en écoutant attentivement l'avocat lui expliquer la façon dont il aborderait le procès :

« Je ne peux pas conseiller à votre fils de plaider coupable, même si je suis certain qu'il l'est.

– Pourquoi cela? dit Mott. S'il a vraiment commis ce délit...

– A cause de sa jeunesse relative. Mme Mott m'a dit qu'il n'avait que vingt et un ans.

– Vingt-deux, rectifia Mott.

– Je crois que nous pourrions dire qu'il s'est laissé entraîner par deux personnes plus âgées.

– C'est vraiment le cas? » demanda Mott.

M. Conable était au volant, les yeux fixés sur l'horizon.

« Votre fils constitue un cas très difficile, docteur Mott. S'il continue comme ça, ce sera un criminel dans deux ans.

– Seigneur!

– A bien y réfléchir, il vaudrait peut-être mieux qu'il aille en prison dès aujourd'hui. Pour une durée assez brève, bien entendu. Cela pourrait lui flanquer une bonne frousse. » Les Mott ne dirent rien, et il ajouta : « Toutefois, j'ai une opinion assez médiocre des prisons de Floride, et je crois qu'il y aurait tout intérêt à ne pas l'y envoyer du tout. »

Le lendemain matin, il les emmena voir Christopher au parloir de la prison. Les Mott avaient imaginé que leur fils aurait un poste dans une bonne université, qu'il aurait de la tenue, une certaine allure, et ils baissèrent la tête, Chris ne voulait en rien se repentir. « La marie-jeanne n'est pas une drogue. Ce pays est complètement réac. » Il ne voulut pas faire la moindre concession ou coopérer à sa propre défense. Stanley Mott aurait voulu le secouer, Rachel Mott le serrer dans ses bras – mais il les rejeta tous deux en découvrant la colère dans le regard de son père, l'amour dans les yeux de sa mère.

Témoin de son tempérament récalcitrant, le juge écouta patiemment la plaidoirie de Conable, puis condamna le jeune homme à six mois de prison.

Les Mott louèrent une voiture et regagnèrent le Bali Hai de Cocoa Beach, où ils cherchèrent une certaine consolation auprès de leurs amis de la

N.A.S.A. M. et Mme Quint dirent qu'ils connaissaient pas mal de familles honorables de Floride dont le fils était comme Christopher :

« Et on ne peut absolument rien faire pour eux. »

Ils parlèrent d'amis dont le fils avait commencé à voler des voitures à l'âge de neuf ans. Il ne pouvait pas s'en empêcher. Les parents avaient essayé d'en discuter avec lui, puis ç'avait été le tour des juges.

« Un jour, à six heures du matin, il est arrivé dans ce motel, il a volé la voiture d'un client du Wisconsin puis il est parti sur l'autoroute à près de cent quatre-vingts kilomètres à l'heure. Il s'est tué au volant. Et vous savez, dit Mme Quint, personne n'a pleuré la mort de ce gosse, pas même ses parents. On n'était content que d'une chose, c'est qu'il n'ait tué personne avec lui. »

Les Mott se cachaient au Bali Hai et tentaient de comprendre ce qui était arrivé à Christopher, quand la N.A.S.A. appela de Washington à propos d'une mission qui allait déterminer les grandes lignes du travail du docteur Mott pendant les dernières années qu'il passerait à l'agence : « Nous voudrions que vous vous familiarisiez avec le projet Mars et que vous deveniez notre contact avec les médias. » Mott était ravi car c'était là un grand pas vers sa passion de toujours, les galaxies extérieures. Depuis quelques années, les chercheurs de la N.A.S.A. s'efforçaient de photographier cette planète, et aucune mission ne suscitait autant d'émotion chez les astrophysiciens. Dès l'antiquité assyrienne, la planète rouge avait fasciné les astronomes, et Mott se souvenait de la façon dont, tout jeune encore, il avait littéralement dévoré l'ouvrage remarquable écrit en 1906 par Percival Lowell, *Mars et ses canaux*.

« Tu sais que le professeur Lowell est le frère

d'Amy, la femme qui écrivait des poésies et fumait le cigare? » lui avait dit sa mère quand elle l'avait trouvé en train de lire ce livre ardu pour son âge.

Mott n'était pas un petit prodige; tout comme ses astronautes, il avait mûri lentement mais avec constance. Pourtant, en voyant les cartes compliquées de ce que Lowell appelait les « canaux », il avait commencé à trouver le propos absurde. Plus tard, quand il apprit que Lowell avait mal traduit le mot *canali* de l'astronome italien Schiaparelli (utilisé par ce dernier pour désigner des *chenaux*, creusés par des rivières ou des crues occasionnelles), et que le seul mot de *canaux* lui avait suggéré l'image de travaux effectués par des êtres intelligents, il compris que Lowell délirait complètement.

Il demanda néanmoins au bibliothécaire de Newton d'emprunter à la bibliothèque de Harvard le dernier livre de Lowell, *Mars, berceau de la vie*, et c'est sans aucune illusion qu'il vit l'auteur construire un monde fantastique d'oasis, de cités et de canaux longs de plusieurs milliers de kilomètres qui permettaient l'écoulement de l'eau venue des calottes glaciaires. Il décida alors, en s'appuyant sur les autres textes qu'il avait pu lire, que Mars était probablement inhabitée; quand il put observer la planète rouge dans un télescope de Harvard, il fut heureux de constater que sa première impression était la bonne. Mars était une planète morte. Quand ses copains d'école lui offrirent un exemplaire des romans d'Edgar Rice Burroughs évoquant la merveilleuse princesse des cités martiennes, il leur répondit : « Non, merci. »

A l'hôpital, il s'était amusé en constatant que près de la moitié des romans de science-fiction apportés par Claggett traitaient de missions vers Mars, les plus dignes d'intérêt étant celles relatées par Jules Verne et Arthur C. Clarke. La plupart des livres décrivaient les êtres vivants sur Mars, même les chefs-d'œuvre poétiques de Stanley G. Weinbaum, mais les photographies prises par Mariner 4 lui avaient révélé un terrain sinistre, désolé, et il en avait conclu que les écrivains s'étaient abandonnés aux douces rêveries de l'enfance.

Il fut enthousiasmé lorsque le haut commandement de la N.A.S.A. lui dit : « Mariner 4 a fait du très bon travail, mais elle a frôlé la planète et n'a pris que quelques clichés au hasard. Mariner 9 sera satellisée. Elle photographiera toute la planète dans le moindre détail. » Quand il se rendit au pas de tir de Canaveral et vit la fumée, mince et puissante, et le petit vaisseau spatial perché au sommet, il s'émerveilla de l'habileté de ses collègues à construire un appareil susceptible de transmettre des photographies à une si grande distance. Selon la position occupée par Mars et la Terre sur leur orbite respective, cette distance pouvait varier entre cinquante-quatre et quatre cents millions de kilomètres. Dans le cas présent, elle serait de cent vingt millions de kilomètres.

C'est par une chaude matinée de la fin du mois de mai que la fusée fut lancée et que la sonde Mariner emprunta au-dessus de l'Atlantique une trajectoire qui la conduirait, au bout de cent soixante-huit jours, vers Mars. Lorsqu'elle disparut dans le ciel, laissant une traînée flamboyante, Mott se dit : Nos astronautes se laissent aller lorsqu'ils prétendent que la prochaine mission Apollo les emmènera sur Mars. Je me demande s'ils ont fait des calculs précis. Pour aller sur Mars, le vaisseau devrait être plus gros, mais le problème n'est pas là. Dans l'espace, un objet de cinquante tonnes se déplace à la même vitesse qu'un autre de cinquante grammes. Mais l'aller-retour plus le temps passé en exploration prendrait bien trois ans, en l'état actuel des choses, et je me demande si trois hommes pourraient survivre avec de la viande déshydratée, sans aucun exercice physique.

Mariner fonçait, seule, vers la planète, et il avait plus de cinq mois pour se familiariser avec le système permettant aux photos de revenir sur Terre. Dès qu'il fut arrivé au Jet Propulsion Laboratory de Pasadena, il comprit qu'il lui faudrait désapprendre bien des choses qu'il croyait savoir. Marvin Templatе, sorcier barbu de vingt-trois ans, devint son initiateur

> « Chassez de votre esprit les mots *appareil-photo* et *photographie,* ils apportent de la confusion dans le raisonnement. Nous parlons ici d'*analyseur* et d'*image.* L'*analyseur* n'a pas grand rapport avec l'appareil-photo. C'est un appareil qui étudie un sujet en le fractionnant en petits carrés appelés *pixels,* abréviation de *picture cells,* ou de *picture elements,* c'est-à-dire d' " éléments de l'image ". Grâce à son œil magique, l'analyseur détecte la valeur relative de chaque pixel, du noir absolu au blanc absolu.
>
> « Il peut différencier 256 valeurs, de 000 pour le noir absolu, à 255 pour le blanc absolu. Comment l'analyseur s'y prend-il pour nous transmettre cette appréciation? En utilisant le langage binaire des ordinateurs. Chaque " mot " se compose de 8 bits, des 0 ou des 1. Si un pixel se voit attribuer la valeur 227, par exemple, nous recevrons le signal 11100011.
>
> « A la vitesse maximale, l'analyseur peut transmettre 44 800 bits par seconde. Pendant toute la durée du vol, il transmettra 350 milliards de bits d'informations au rythme moyen de 29 900 bits à la seconde, de jour comme de nuit. »

Mott avait appris beaucoup de choses sur les ordinateurs au Cal Tech; il était donc prêt à accepter les chiffres de Template, mais il désirait voir un exemplaire de l'analyseur susceptible d'effectuer de tels miracles. Quand il en eut un dans les mains, il eut du mal à croire qu'un instrument aussi petit et d'apparence aussi insignifiante pouvait faire tant de choses. On aurait dit, en modèle réduit, la tourelle d'un bateau de guerre, un œil protubérant, un engrenage, de nombreux fils de connexion – l'ensemble pouvant être activé par radio à plus de cent vingt millions de kilomètres de distance. Ce n'est que lorsqu'il eut démonté et remonté la maquette grandeur nature de l'analyseur, qu'il commença à comprendre vraiment ce qui allait se passer.

Ce qui le passionna, c'est ce qui arrivait aux flots d'informations quand ils aboutissaient en Californie. Il passa presque tout son temps à recevoir des données émises par d'autres vaisseaux spatiaux et à traduire en images les octets (c'est-à-dire les groupes de 8 bits), toujours sous le contrôle méticuleux de Marvin Template. Un jour, Mott lui dit, admiratif :

« Des types de votre gabarit, il n'y en a pas beaucoup.

– C'est exactement ce que nous faisons ici, dit Template, amusé, des « gabarits » de 832 pixels sur 700. Ces 582 400 pixels nous aident à construire nos images. »

Une batterie de machines ultra-sophistiquées lui permit de montrer comment il pouvait réaliser des miracles :

> « Pour chaque octet venu de Mars, la machine donne au pixel la nuance correspondante. Regardez! L'image se forme sous nos yeux comme une fleur qui éclôt! »

Le processus, lent et mystérieux, était absolument merveilleux : d'une feuille blanche surgissait une image, comme si quelque maître faisait naître un chef-d'œuvre sous son pinceau. Mais ce qui étonna le plus Mott, c'est ce que Template pouvait faire, l'image achevée :

« C'est maintenant que cela devient vraiment intéressant! L'image est terminée, mais si nous nous apercevons que l'analyseur n'a utilisé que très rarement les valeurs sombres allant de 000 à 048 ou les valeurs claires allant de 241 à 255, nous pouvons lui demander d'ignorer ces nuances marginales et de redistribuer les 193 nuances utiles sur la gamme des 256 valeurs. Elles seront ainsi plus précises.
« Mais ce n'est qu'un début. Avec les données apurées stockées dans le système, nous pouvons jouer au jeu des suppositions. Que se passerait-il si l'analyseur " tirait " d'un côté et assombrissait toutes les valeurs supérieures à 55? Nous pourrions demander à l'ordinateur de les corriger et nous obtiendrions ainsi un meilleur résultat.
« Et si l'analyseur ajoutait à chaque fois trois degrés de luminosité? Nous pourrions là aussi demander à l'ordinateur d'effectuer une correction. Si la partie gauche de l'image transmise par l'analyseur est toujours sombre, nous demandons à l'ordinateur de n'éclairer que cette frange. Et surtout, que se passera-t-il si nous ne sommes intéressés que par la partie centrale de l'image, 40 pixels sur 40, par exemple? Nous pouvons faire en sorte que l'ordinateur retienne ces valeurs, ignore toutes les autres, et distribue les 1 600 petits carrés sur toute l'étendue du spectre, de 000 à 255. Nous

aurons alors un gros plan qui montrera vraiment quelque chose. »

Familiarisé avec cet étonnant appareil, Mott passa des heures devant la console réceptrice, jouant au démiurge avec les données adressées par les différents satellites; il progressa énormément au jeu des suppositions, supprimant les pixels inutiles, intensifiant les autres, et reconstituant toutes les portions de l'univers que l'analyseur avait pu étudier.

Il venait de se persuader qu'il avait enfin compris ce qui se passerait sur Mars, quand les hommes du J.P.L. lui rappelèrent une expression qu'il avait souvent entendue, mais jamais vraiment comprise : « On ne peut pas jouer au jeu des suppositions quand on opère en temps réel. » Il leur demanda ce qu'ils entendaient par *temps réel,* et ils le lui expliquèrent :

> « Nous recevons des données de Mars sous deux formes. Le temps réel, c'est lorsqu'elles nous parviennent directement, dès que l'analyseur les collecte. Mais il se peut aussi que l'analyseur engrange tellement d'informations qu'il ne peut les adresser toutes instantanément. Il les met sur bande et c'est plus tard que nous demandons à la bande de décharger ce qu'elle a accumulé. C'est ce que l'on appelle opérer en différé. Le gros problème consiste à répartir les différentes opérations. »

Mott crut déceler une erreur dans cette explication :

« Si un message venu de Mars met dix-huit minutes et quarante secondes pour nous atteindre, nous ne pouvons jamais opérer en temps réel.

– Faux. Opérer en temps réel signifie que vous

traitez les données dès qu'elles vous parviennent. On ne vous demande pas d'anticiper ce qui va arriver. Si nous allons un jour sur Saturne, il faudra quelque quatre-vingt-dix minutes pour recevoir les données, mais si nous nous mettons tout de suite au travail, ce sera toujours du temps réel. »

C'est exactement comme la vie humaine, se dit Mott, alors que Mariner ne cessait de se rapprocher de Mars. Un homme passe sa jeunesse à accumuler des milliards d'informations, et il en est certaines qu'il doit traiter en temps réel, et d'autres qu'il stocke dans son ordinateur afin de les étudier plus tard. L'équilibre de la vie consiste à traiter en temps réel les données qui ne peuvent être différées, puis à ressortir les données les plus intéressantes pendant les périodes de réflexion, lorsqu'il s'agit de prendre des décisions à long terme. Avec l'âge, nous ressortons de grands segments d'expérience, et nous en tirons les leçons que notre ordinateur personnel est capable d'élaborer.

Cette comparaison était si étonnante, si parfaite, qu'il faillit éclater en sanglots. Qu'avait-il pu advenir à Christopher? N'avait-il pas su accumuler les données? Ou bien, était-il incapable de les rappeler et de les organiser lorsque cela se révélait nécessaire?

Dans son chagrin, il ne put s'empêcher de comparer Chris à son autre fils, Millard, celui qui s'était enfui au Canada. Des données très confuses s'étaient abattues en masse sur Millard, mais bon sang! il les avait organisées et en avait conclu : « Je suis comme ci, comme ci et comme ça », avant de se prendre en main aussi bien que son père. Il repensa alors à Chris; il était assis, les yeux baissés quand Templaté, ayant sensiblement l'âge de ses enfants et pourtant déjà détenteur de grandes connaissances, lui demanda :

« Ça ne va pas, docteur Mott? »

Il aurait voulu crier sa douleur :

« Si vous saviez ce que je souffre! », mais il se contenta de secouer la tête, et Template lui dit :

« Venez, je voudrais vous montrer autre chose... c'est vraiment extraordinaire. »

Et il conduisit Mott vers une autre machine :

> « Celle-ci fonctionne avec un analyseur très spécial, puisqu'il nous adresse trois indications de valeur différentes pour chaque pixel. Cela signifie qu'il nous envoie, pour un image complète, 13 977 600 bits en 5,2 minutes environ.
>
> « Il nous adresse une image colorée, mais nous ne sommes pas très sûrs des couleurs. Nous disons alors qu'un des ensembles de données représente la partie rouge du spectre, qu'un autre représente la jaune, et le troisième, la verte. Nous pourrions utiliser trois autres couleurs, mais celles-ci donnent d'excellents résultats. Il suffit ensuite d'imprimer les trois images colorées sur la même feuille, et voilà le résultat! »

Il montra à Mott une étonnante photographie de la Terre, captée par l'analyseur avant d'être corrigée par Template. Elle était si majestueuse, perdue dans l'espace infini, qu'on ne pouvait la regarder sans éprouver un profond respect pour cette planète. Il se souvint alors de l'anecdote rapportée par Claggett, à propos des partisans de la Terre plate. « On pourrait être déçu par une telle image, si l'on n'était un observateur attentif. »

Template dit :

« Les couleurs que nous sélectionnons ne sont pas arbitraires. Nous observons les objets au télescope pour en connaître la coloration. Grâce au spectroscope, nous établissons une définition objective. » Il hésita, puis se mit à rire : « Mais en fin de compte, nous équilibrons les trois ensembles de valeurs et, comme je vous l'ai dit, voilà le résultat. »

Mariner 9 atteignit Mars le 13 novembre 1972. Les hommes de la N.A.S.A. furent étonnés par les photographies qui leur parvinrent, où l'on ne voyait absolument rien. Une formidable tempête de poussière à l'échelle planétaire obscurcissait tout. Le frêle vaisseau spatial avait parcouru des dizaines de millions de kilomètres pour être vaincu par des tempêtes d'une violence absolument inimaginable. Pendant près de deux mois, Mariner surveilla attentivement la planète sans rien apporter d'intéressant; ce n'est que vers la mi-janvier que la poussière se stabilisa et que l'on put enfin penser que cette mission allait donner des résultats.

« Demain, dit Mott aux journalistes, mais ceux-ci lui firent remarquer qu'il disait cela tous les jours. Cette fois-ci, Mars va se montrer coopérant. Il va rappeler ses nuages de poussière. »

Et le lendemain, les hommes virent avec émerveillement les données arriver par milliers et les lignes de pixels prendre les nuances correspondantes.

Des volcans apparurent, trois fois plus élevés que le plus haut sommet terrestre, ainsi que d'immenses canyons, à côté desquels le grand canyon du Colarado ressemblait à une rigole creusée dans le sol. La face grêlée témoignait de la façon dont les fragments d'astéroïdes avaient bombardé la surface, et la beauté sinistre, cruelle, des vastes plaines venait renforcer les doutes de Mott quant à la présence récente d'êtres intelligents, capables de cultiver des légumes ou d'élever du bétail.

Les images qui surgissaient des pixels étaient terribles et magnifiques à la fois; avec elles, la planète Mars semblait pénétrer tout entière dans le laboratoire : les douces rêveries de l'Italien Schiaparelli, avec ses *canali*, et de l'Américain Lowell, avec ses canaux, s'évanouissaient comme la rosée au soleil du matin. Des dizaines d'ouvrages consacrés aux rois martiens et à leurs combats fabuleux allaient pouvoir être remisés et céder la place à des cartes détaillées de la surface du globe ou à des études géologiques des strates qui le composent. La vieille planète Mars était morte, mais une nouvelle planète, bien plus splendide, naissait aujourd'hui.

L'effet sur Mott aurait été imprévisible. Il avait accepté sans difficulté l'exploration de la Lune par l'homme, parce que son long apprentissage spéculatif à Langley l'avait préparé à cette réalité; les autres événements survenus dans les années 1960 ne l'avaient pas plus surpris, puisqu'il y avait travaillé dès les années 1950. A quelques semaines près, il aurait été le premier à mettre un satellite en orbite; tout le reste n'avait été qu'une conséquence logique. « Naturellement, nos hommes iront sur la Lune », avait-il dit Rachel Mott quelques années auparavant, de sorte qu'il ne fut pas bouleversé quand cela advint. Après tout, la Lune n'était qu'à quelques centaines de milliers de kilomètres de la Terre.

Mais voyager vers Mars, à plus de cent vingt millions de kilomètres de distance, en pénétrer les secrets à l'aide d'un analyseur, puis peut-être aller sur Saturne, encore plus éloigné d'un milliard et demi de kilomètres, en voir la surface et les nombreuses lunes, était pour Mott un exploit émerveillant. L'homme frappait à la porte de l'infini, et il avait eu l'honneur de participer à ce projet grandiose.

La déception causée par ses fils, la mort des deux astronautes avec qui il avait travaillé, tout cela ne pouvait ternir l'expoit que constituaient l'envoi vers Mars d'un petit messager et la réception en retour d'un flot d'informations passionnantes. Il revenait du J.P.L. et regagnait son motel, quand il regarda les étoiles et les sentit infiniment plus proches; c'était à présent de véritables entités, des torches incandescentes dispersées dans la Galaxie – tout comme notre Soleil, certaines avaient peut-être des planètes, et sur ces milliards de planètes roulant dans l'espace, il en était peut-être une ou deux, mais pourquoi pas un ou deux millions, qui abritaient des êtres intelligents.

« Eh, vous là-bas, cria-t-il aux étoiles, nous avons fait le premier pas! »

Le docteur Strabismus devait souvent se rappeler, par la suite, l'instant où il avait clairement entrevu le chemin qui s'ouvrait devant lui, et il en parlait de cette manière simpliste, voire primaire, qu'il avait entrepris de cultiver dès 1976 :

> « Un jour qu'il faisait brouillard, en décembre 1972, je rentrais chez moi après avoir visité les malades. La route était longue et poussiéreuse, alors j'ai mis la radio et j'ai entendu cette voix qui venait à moi. C'était la voix de Dieu, qui parlait par la bouche d'un ministre de Georgie, et elle parlait de la révélation et du salut, et j'ai su qu'elle me parlait personnellement. »

Ce que Leopold Strabismus, président de l'université de l'espace et de l'aviation, avait entendu ce matin-là n'était autre que l'émission régulière d'un pasteur qui parlait à une vitesse étonnante pendant le temps qui lui était imparti, et qui en profita pour solliciter des fonds à quatre reprises; cet homme était si efficace, si convaincant dans sa sincérité, que Strabismus tomba sous le charme. Les semaines suivantes, il rechercha les services religieux diffusés à la radio, étudia les pasteurs charismatiques de la télévision, et parcourut même de longues distances pour entendre et voir les meilleurs évangélistes de Los Angeles.

Il prenait place tout à l'arrière de leurs églises improvisées en se disant tout bas : « Avec une bonne gestion, ce type pourrait se payer un temple. » Et il imaginait la stratégie pour atteindre cet objectif. Mais ce qui l'impressionnait le plus était la loyauté fanatique de ces congrégations, ces gens avaient besoin d'un chef et d'un directeur de conscience, ils donnaient leur argent, mais surtout leur affection, à leur ministres. Strabismus comprit alors que la réunion de ces deux forces – le pasteur et le troupeau – représentait, dans la vie américaine, un pouvoir naissant qu'il avait jusqu'à présent ignoré.

Il savait, bien sûr, que les religions établies, comme le catholicisme et le méthodisme, exerçaient un pouvoir au sein du système américain, comme les rabbins intégristes de la religion de sa mère assuraient la direction morale des juifs de New York. Mais il ne s'était pas rendu compte qu'il existait, parallèlement aux grandes religions, tout un substrat de croyances d'arrière-boutique, bien plus puissantes que leurs aînées.

Il dirait par la suite à ses fidèles que sa conversion s'était produite sur une route poussiéreuse de San Bernardino; en réalité, cela s'était passé dans un temple du quartier de Watts, à Los Angeles. Après plusieurs semaines passées à visiter les recoins les plus obscurs de la religion californienne, il avait eu envie d'en connaître les allées les mieux éclairées, et cette quête lui avait permis de découvrir toutes sortes de temples, de basiliques et de panthéons bâtis par des prêtres particulièrement aptes à récolter la dîme auprès de leurs congrégations. La majesté de tous ces temples l'avait frappé, mais celui du quartier de Watts retint particulièrement son attention.

Il était administré par un Noir grand et mince,

très séduisant, qui se faisait appeler l'Esprit Tout-Puissant et qui prêchait vêtu d'une longue tunique d'hermine pour laquelle s'étaient cotisées les dames de sa congrégation. Orateur puissant, spécialiste du Livre de Daniel et de l'Apocalypse, il suscita l'attention, pour ne pas dire l'affection, de Leopold par la plainte lancée contre lui par le gouvernement.

L'affaire concernait deux institutrices noires qui prétendaient avoir été escroquées par l'Esprit Tout-Puissant; Strabismus trouva leur argument particulièrement intéressant. Assis dans le prétoire, il les écouta attentivement :

> « Notre mère a soixante-dix-neuf ans et souffre d'arthrite. Elle marche très difficilement et a beaucoup de mal à passer ses vêtements. L'Esprit Tout-Puissant lui a dit qu'il la guérirait. Elle lui a donné tout son argent, et il lui a expliqué par écrit tout ce qu'elle devait faire pour être sauvée. « Allez à la gare routière
> « Greyhound de Los Angeles. Prenez jusqu'à
> « Long Beach un car portant un numéro pair.
> « Entrez dans la gare et buvez de l'eau à trois
> « fontaines, en disant à chaque fois le Notre-
> « Père. Revenez par un car portant un numéro
> « impair. Allez vous coucher. Priez avant de
> « vous endormir. Le lendemain matin, vous
> « serez guérie. »

Strabismus dit à Marcia Grant, qui l'avait accompagné au tribunal :

« Est-ce qu'ils peuvent le coincer parce qu'il a mis les instructions par écrit? et elle lui répondit :

– En tout cas, c'est drôlement fort. »

Le juge voulut connaître le comportement du ministre dans ce cas bien précis, la somme exacte demandée à la mère des institutrices et jusqu'à quel point la vieille femme avait obéi à ses prescriptions. Heureux de voir qu'il ne s'agissait que d'une banale escroquerie, Strabismus entendit les avocats de la défense, un Blanc et un Noir, appeler Mme Carter à la barre.

« Est-ce que vous avez suivi les instructions que vous a données l'Esprit Tout-Puissant?

– Oui, monsieur.

– Vous avez pris le car pour Long Beach.

– Oui, monsieur, avec un numéro pair.

– Vous avez bu à trois fontaines différentes.

– Oui, monsieur.

– Vous avez ensuite pris un car pour revenir à Los Angeles.

– Oui, monsieur, avec un numéro impair.

– Et ensuite, que s'est-il passé?

– Quand je me suis réveillée le lendemain matin, je pouvais marcher, exactement comme il me l'avait dit. »

Elle tendit alors la main vers l'Esprit Tout-Puissant qui, vêtu de sa tunique d'hermine, était assis au banc des accusés. Les partisans du ministre poussèrent des cris de joie, que le président du tribunal ne put réprimer. L'Esprit Tout-Puissant se leva, étendit les bras et prononça d'une voix puissante :

« Je leur pardonne, car ils ne savent pas ce qu'ils font.

– Ça, c'est un procès », dit Strabismus en raccompagnant Marcia à leur université.

Il y revint souvent les jours suivants, et Marcia comprit qu'il avait été très ému par cette scène.

Avec ses quarante-sept ans, ses cent trente kilos, sa barbe et sa voix profonde, il se voyait parfaitement en tunique, en train d'expliquer à des ouailles l'orientation et la signification de leur vie. En hermine? Non, c'était réservé aux Noirs, qui savaient faire preuve, dans les manifestations les plus effrénées, d'une autorité dont peu de Blancs étaient capables. En rouge, peut-être? Non, il n'y avait rien de mieux que le noir. A moins que... Dans une église épiscopale, à l'enterrement d'un ami de Marcia, il avait vu un ministre assez âgé portant une tunique de laine merveilleusement coupée : elle n'était ni noire ni brune, plutôt d'une sorte de gris roux.

« Comment appelle-t-on cette couleur? demanda-t-il à Marcia.

– Dans les catalogues, je crois qu'on dit fauve.

– C'est très impressionnant. »

Oui, il se voyait très bien dans une tunique fauve.

Il était si inquiet sur le présent et l'avenir – si indécis, plutôt –, qu'en arrivant à l'université, il demanda à Elizondo Ramirez de lui faire le point des diverses opérations de l'U.S.A. et le Mexicain lui présenta toutes sortes de chiffres :

> « L'Universal Space Associates se maintient. Les souscriptions normales sont toujours aussi nombreuses. Les dons sont en retrait parce que vous ne vous déplacez plus beaucoup, mais nous faisons toujours dans les cent quatre-vingt-cinq mille dollars par an. Nous pourrions progresser si nous nous y mettions sérieusement. De mon côté, docteur Strabismus, je peux intensifier le secteur correspondance. Mais pour les dons spéciaux, vous êtes le seul à pouvoir faire quelque chose.
>
> « En ce qui concerne l'université proprement dite, nous allons plafonner. Nous nous en tirons très bien avec les doctorats au nouveau tarif de sept cent cinquante dollars, mais c'est très moyen pour les maîtrises à quatre cents dollars. J'ai étudié divers tarifs, et je crois que quatre cents dollars, c'est le mieux.
>
> « Je n'avais pas prévu les excellentes affaires

> que nous avons faites en vendant des copies des diplômes décernés par l'U.C.L.A., la Southern Cal et Stanford. La meilleure de toutes, c'est l'université de Californie, à Berkeley. Il suffit de les imprimer, de les remplir et de les vendre, sans accorder le moindre titre ou quoi que ce soit d'autre. »

Ramirez ne se considérait pas comme un faussaire. Il se prenait plutôt pour un imprimeur imaginatif, ce qui était inexact, puisqu'il ne travaillait pas personnellement à l'imprimerie. Il savait où le travail pouvait être effectué, c'est tout. Il s'était rendu compte que bon nombre de praticiens, des dentistes et des docteurs, aimaient bien accrocher à leur mur un ou deux diplômes supplémentaires, et il avait mis la main sur un excellent imprimeur capable de copier pratiquement n'importe quoi. Ensemble, ils s'étaient procurés quatre diplômes décernés par les meilleures universités de la région; il suffisait alors de demander à une personne ayant une belle écriture d'inscrire le nom des récipiendaires sur les copies. Les diplômes se vendaient vingt-cinq dollars pièce – trente pour Stanford – et partaient au rythme de deux cents par an environ, ce qui, selon les dires de Ramirez, « faisait un peu d'argent de poche ».

Son génie se manifesta au cours d'une opération dont Strabismus ignora tout jusqu'au jour où l'argent rentra dans les caisses; modeste, Ramirez expliqua que l'idée lui en était venue par le plus grand des hasards :

> « J'aime le basket, surtout à l'U.C.L.A., avec les grandes équipes où joue John Wooden. Un soir, j'ai lu dans le journal que ses diplômes ne lui permettaient pas d'être élu, et je me suis dit : « Pourquoi ne suit-il pas des cours à l'U.S.A.? »

Avant la fin de l'année, nous avions deux cents des meilleurs athlètes universitaires inscrits à des cours spéciaux, de l'Oregon au Nouveau-Mexique. On ne les a jamais vus, et ils ne nous ont jamais vus. Leurs entraîneurs nous envoyaient les papiers et nous les signions. Mais il y a une chose dont je suis persuadé, Strabismus, c'est que si nous pouvions réunir sur notre campus la moitié de ces gars, nous n'aurions plus le moindre problème. »

Ces diverses opérations, conclut Ramirez, rapportaient dans les deux cent vingt-cinq mille dollars par an, « et avec un local convenable, on pourrait faire encore mieux ».

Il est intéressant de noter que les principaux intéressés ne cherchaient pas à gagner de l'argent pour leur propre compte. Les bulletins ou l'université ne servirent jamais à enrichir Strabismus, Marcia ou Ramirez. Ils vivaient simplement, conduisaient des voitures modestes, évitaient les dépenses excessives et prenaient habituellement leurs repas dans des restaurants très moyens. Chaque année, ils mettaient de côté soixante pour cent de leurs revenus, pour le jour où il leur faudrait frapper un grand coup, et les critiques les plus sévères ne pouvaient leur reprocher la moindre cupidité personnelle. Elizondo avait plutôt un air à travailler dans une boutique minable, et il était difficile d'imaginer que Marcia Grant pût être la fille d'un sénateur des Etats-Unis.

Dès qu'Elizondo eut disparu avec ses dossiers, Strabismus exposa le problème auquel il se trouvait confronté :

« Marcia, j'ai beaucoup réfléchi. Il faut que tu te fasses avorter. »

A trente-trois ans, ses chances d'avoir un enfant seraient minces si elle se défaisait de celui-ci; et puis, elle aimait Leopold, tout en sachant que c'était un escroc de haut vol. Pendant cinq terribles semaines, elle avait repoussé l'idée de l'avortement, avançant des arguments qu'il repoussait systématiquement.

« Marcia, j'ai le sentiment qu'il va se passer quelque chose de capital. Nous ne pouvons être entravés par un enfant illégitime.

– Rien ne t'empêche de m'épouser.

– Voyons, Marcia, tu sais bien que nous ne sommes pas du genre à nous marier. Notre mission est d'un tout autre ordre.

– Un foyer et des enfants, cela n'a rien d'extraordinaire. Des millions de gens en ont.

– Ce n'est pas pour nous, Marcia. Notre vie doit être simplifiée, organisée, pour le jour où il se passera de grandes choses. »

Il insista tellement, en s'appuyant sur des principes qu'il ne pouvait expliquer ou elle, comprendre, qu'elle consentit à se faire avorter. Il l'assura que c'était une opération bénigne, dépourvue de tout risque, et la conduisit au domicile d'un homme connu dans la communauté sous le nom du docteur Himmelright; elle découvrit en lui l'un des êtres les plus méprisables qu'elle eût jamais rencontrés. Ce n'était pas sa sinistre profession qui lui déplaisait, mais ses manières.

Himmelright était né en Angleterre, et l'université où il avait étudié était des plus incertaines. Des diplômes étaient accrochés au mur, mais elle en vit deux qui sortaient tout droit des mains d'Elizondo Ramirez. Il parlait avec un accent d'Oxford assez agréable et ses affaires étaient visiblement florissantes, puisque ce fut lui-même qui fixa à Leopold l'heure du rendez-vous.

Il s'efforça de mettre Marcia à l'aise.

« C'est un acte opératoire tout à fait insignifiant, vous savez. Nous appelons cela « décrocher l'oiseau du nid ». Il rit de sa plaisanterie et montra à Marcia comme elle devait s'allonger. « En fait, dit-il sur le ton de la confidence professionnelle, nous enlevons le pot-au-feu mais nous laissons la marmite. » Cela le fit rire pendant près d'une minute.

Tout en fouillant dans ses instruments, il dit :

« Quand on pense à la surpopulation qui sévit en Afrique, vous agissez avec beaucoup de sagesse, madame Strabismus. En Asie, c'est encore pire. Sur quatre enfants qui naissent dans le monde, il y a un Chinois. L'autre jour, une femme est arrivée chez moi en larmes. Elle voulait que je l'opère sans plus attendre. C'était son quatrième enfant, et elle ne voulait pas d'un petit Chinois! »

Lorsqu'il se tourna vers Marcia, il souriait d'une manière si hideuse qu'elle sauta à bas de la banquette avant même qu'il ne la touchât et sortit en courant de la maison.

Strabismus était parti se calmer les nerfs devant une tasse de café, et il mit plusieurs heures à la retrouver. Elle errait sans but aux alentours de l'université, et refusa tout d'abord de monter dans sa voiture. Lorsqu'elle accepta enfin, elle ne pleura pas et ne lui fit pas de scène mais, les mains croisées sur le ventre, elle dit seulement :

« C'est Noël, je vais rentrer chez moi.

– A Clay? Mais c'est impossible.

– Je veux rentrer.

– Vu d'ici, c'est possible, oui. Mais pense à ce que l'on dira à Clay. Pense surtout à ton père. »

Elle vit sa mère trompée, son père plein de morgue, et elle comprit que Strabismus avait raison. Ne pouvant rentrer au pays, elle le laissa la ramener chez le docteur Himmelright qui, cette fois-ci, garda ses plaisanteries pour lui.

Assis au bord de la Tennessee River, au sud de Huntsville, en Alabama, Stanley Mott s'efforçait de comprendre le sens de l'univers. Les bras et les jambes parfaitement immobiles, il luttait pour ne pas bouger, ne fût-ce que les paupières, et savoir ce qu'était un corps parfaitement au repos. Il y parvint en fin de compte; il était aussi immobile que possible et, sans l'inévitable fonctionnement des mécanismes du cœur ou de la respiration, on aurait pu le croire mort.

Voilà, j'ai réussi, se dit-il, et il s'efforça de garder cette posture une dizaine de minutes, sans penser à rien. Puis son cerveau se manifesta, lui rappelant les données mémorisées au Cal Tech :

> « En cet instant précis, je suis assis sur une portion de Terre, à 34° 30′ N, ce qui signifie que je tourne d'ouest en est à la vitesse approximative de 1 385 kilomètres à l'heure. A l'équateur, cette vitesse serait de 1 675 kilomètres à l'heure à cause du renflement. Dans le même temps, ma Terre parcourt son orbite solaire à la vitesse de 107 278 kilomètres à l'heure, et mon Soleil l'entraîne, ainsi que les autres planètes, vers Véga à près de 50 000 kilomètres à l'heure.
> Notre Soleil et Vega se meuvent dans la Galaxie à la vitesse extraordinaire de 1 126 500 kilomètres à l'heure, et la Galaxie effectue une rotation à plus de 900 000 kilomètres à l'heure.
> Mais ce n'est pas tout. Notre Galaxie se déplace par rapport aux autres galaxies dont la vitesse dans l'univers dépasse largement les 1 600 000 kilomètres à l'heure.
> De sorte que, installé ici, parfaitement immobile, je me déplace dans six directions différen-

tes à la vitesse de... (il eut du mal à additionner mentalement tous ces chiffres) quatre millions de kilomètres à l'heure environ. Je ne peux donc être immobile, puisque je me déplace sans cesse à des vitesses dépassant l'entendement. Et tout cela se passe en temps réel. »

Il réfléchit un instant, pour conclure :

« Peut-être l'univers lui-même fonce-t-il vers quelque destination inconnue, à une vitesse à peine concevable, afin de laisser la place libre à un univers meilleur qui nous supplantera, tandis que nous nous précipitons vers de nouvelles aventures. »

Lorsqu'il se releva et sentit ses membres se déplacer de quelques centimètres, il se dit : « Comme notre parcours est dérisoire! Quelques centimètres, rien de plus, alors que l'univers parcourt quatre millions de kilomètres. Mais ce qui importe, c'est notre lent cheminement vers la compréhension et la maîtrise. » Il regagna sa voiture et calcula qu'il faisait du 3,7 kilomètres à l'heure, ce qui était totalement insignifiant à côté des vitesses qu'il venait d'évoquer. « Et pourtant, nous n'avons jamais fait mieux pendant des millions d'années, et nous en sommes tout de même là! »

Claggett, Pope et Linley n'étaient plus qu'à trois semaines du lancement. Le terrain lunaire au sud de la mer de Moscou était gravé dans leur esprit, et la procédure de mise en orbite des trois satellites radio parfaitement mémorisée. C'est alors qu'un incident faillit mettre en péril toute la mission. Pope fut le premier à être mis au courant.

Un soir, au Bali Hai, où ils séjournaient pendant

qu'ils travaillaient sur les simulateurs de Canaveral, Claggett lui dit :

« Mon vieux Johnny, Debby Dee et moi, nous allons divorcer. Je vais épouser la Coréenne.

– Répète un peu. Tu vas faire quoi?

– Tout est arrangé. Deb est au courant. Cynthia aussi.

– Et la N.A.S.A.? Tu le leur as dit?

– Ça ne regarde pas la N.A.S.A.

– Oh! si. Ils ont mis des millions de dollars dans ce vol. Des milliards.

– Et alors, que sont quelques milliards de dollars? Je te parle d'une affaire personnelle, intime, quoi.

– Cela n'a rien d'intime, Randy. S'ils l'apprennent, ils t'enlèveront la mission, c'est certain.

– Et alors? On a des doublures, non? Ils peuvent me remplacer par Lee.

– Impossible. »

Pope ne mit pas la N.A.S.A. au courant de la catastrophe imminente, même si Claggett le crut un instant :

« Bon sang, c'est vraiment le Père la Vertu! On croirait toujours qu'il fait le catéchisme. »

Ce fut Tucker Thompson qui eut vent de ce scandale domestique; au Bali Hai, les Quint lui avaient raconté que Debby Dee était arrivée de Houston, qu'elle avait trouvé Claggett au lit avec Cynthia Rhee et qu'elle avait fait une scène épouvantable. Sans prendre la peine de se lever, Claggett avait dit à sa femme :

« Je crois que c'est fini entre nous. »

Thompson pouvait, mieux que quiconque, imaginer la catastrophe qui s'abattrait sur chacun des participants. Il alla trouver Claggett.

« Randy, vous ne pouvez pas faire ça.

– C'est déjà fait.

– Le public américain ne vous le pardonnera pas, mon magazine non plus.

– Je m'en fous, de votre magazine. Je ne dirai pas que je me fous du public américain parce qu'il m'a fait des fleurs, mais je suis sûr que cela ne l'intéresse pas du tout.

– Randy, vous ne savez plus ce que vous dites.

– Deb n'aura pas de mal à se trouver un nouveau mari.

– Ce n'est pas le problème, mon gars. »

Il était en sueur. Pour lui, Apollo 18 constituait le point culminant, l'aboutissement des efforts menés par *Folks*, avec ses deux astronautes à bord et ce géologue noir pour ajouter du piment aux photographies. Il montrerait Claggett en train de fouler l'autre face de la Lune, Pope maître des instruments de contrôle, Debby Dee attendant au Texas, et cette merveilleuse femme noire, Doris Linley, appuyée à la clôture de son jardin pour attendre loyalement le retour de son mari. Dire que tout cela pouvait s'écrouler du jour au lendemain, sans parler des gorges chaudes du *Time* et de *Newsweek*. Incapable de convaincre Claggett de la gravité de sa décision, il se précipita dans la chambre de Pope :

« John, nous courons à la catastrophe. Vraiment, je ne... »

Il s'écroula sur une chaise, la tête dans les mains.

« Randy peut être terriblement têtu, vous savez.

– Tout de même, de la part d'un astronaute! Le public américain n'acceptera pas qu'il abandonne une bonne épouse américaine pour les beaux yeux de Mme « Nid d'Hirondelles ».

– D'après ce que Claggett m'a dit, tout serait réglé. Même Debby Dee serait d'accord.

– Rien n'est réglé! Croyez-moi, quand Glancey et Grant vont débarquer ici, Randy Claggett n'aura qu'à bien se tenir.

– Il n'est pas du genre à céder, vous savez. »

Mais quand les deux sénateurs arrivèrent au Bali Hai, flanqués du docteur Mott, les discussions prirent un tour différent. Au lieu de le supplier, les trois hommes en vinrent tout de suite au vif du sujet :

Grant : Vous mettez en péril quatorze années de travail, jeune homme, et ça, nous ne pouvons le permettre.

Glancey : Tout ça parce que vous craquez devant la première Japonaise venue.

Grant : Vous semblez oublier que le public américain a misé sur vous son argent et son intérêt. Vous n'êtes pas seulement Randy Claggett. Vous avez un rôle à jouer.

Mott (plus doucement) : Une grande partie de l'avenir de la N.A.S.A. repose sur vos épaules, Randy.

Glancey : Un geste insensé de votre part, Claggett, et toute la structure risque de s'effondrer. Vous laissez tomber votre femme pour une Japonaise...

Grant : Il s'agit de savoir ce qu'est un astronaute. Nous avons mis quatorze ans à imposer l'image idéale de l'astronaute... celle de sa femme... et le divorce n'a pas sa place dans le tableau.

Glancey : Le divorce pourrait détruire cette image, et cela, nous ne pouvons le permettre.

Grant : Un astronaute, cela signifie quelque chose pour le public américain. Sur ce point, Tucker Thompson pourrait vous mettre au courant de vos responsabilités.

Mott : Randy, est-ce que je dois vraiment vous rappeler à quel point nous avons lutté pour imposer cette mission ?

Glancey : Toutes les difficultés que nous avons eues à convaincre Proxmire ?

Mott (très persuasif) : Si tout s'arrêtait maintenant... Bon dieu, je suis à vos côtés depuis près de dix ans. Ce sera votre apothéose, notre apothéose. Pour vous et Pope.

Claggett : Je ne vois vraiment pas en quoi je mets la mission en danger.

Grant : Vous êtes bien le seul.

Claggett : Laissez-moi terminer, Hickory Lee est déjà allé sur la Lune. Il peut prendre ma place sans problème. Et si vous croyez que ma décision...

Mott : On ne peut pas modifier l'équipage à trois semaines du lancement.

Claggett : Trois semaines? Vous avez bien modifié celui d'Apollo 13 trois jours avant.

Glancey : On a vu ce que cela a donné. Nous ne pouvons plus nous permettre le moindre incident.

Grant : C'est très simple, Claggett, le programme spatial américain ne peut accepter un divorce.

Claggett : C'est pourtant ce qui va se passer.

Ce premier entretien fut pour Mott et pour Grant plus ardu, moins productif que prévu. Quand les trois négociateurs comprirent à quel point leur interlocuteur était difficile à manier, ils modifièrent leur stratégie. Ils abordèrent la journaliste coréenne dans sa chambre, ce qui se révéla tout aussi désastreux :

Grant : Ma petite...

Cynthia : J'ai trente-sept ans.

Grant : Vous savez certainement que vous pouvez être expulsée.

Glancey : Vous savez ce qu'est la turpitude?

Cynthia : Une roche volcanique, peut-être?

Glancey : L'heure n'est pas à la plaisanterie!

Grant : Vous avez menti pour votre visa. Vous pouvez être expulsée.

Cynthia : Cela prendrait des mois. D'ici là, je serai déjà l'épouse d'un héros de l'Amérique.

Grant : Vous serez en prison, oui.

Mott : Mademoiselle Rhee, les sénateurs sont très sérieux. Vous mettez en péril un projet sur lequel nous travaillons depuis des années.

Cynthia : C'est un noble projet. J'y ai également travaillé.

Glancey : Que voulez-vous dire?

Mott : Elle écrit un livre.

Cynthia : Il y a de grandes chances pour qu'on le considère comme le seul récit authentique de cette aventure.

Mott : Il faut que je vous explique... Cette femme est un écrivain célèbre au Japon... en Europe. Elle est très respectée.

Grant : Pourquoi aurions-nous besoin d'une étrangère pour écrire sur nos astronautes?

Cynthia : Parce que vous ne permettez pas à vos propres écrivains de le faire.

Grant : Et le magazine *Life*? Et Tucker Thompson? Et toutes ces centaines de journalistes?

La Coréenne éclata de rire et la fin de son interrogatoire partit à vau-l'eau. Il était clair que l'on ne pouvait la faire céder par la menace, mais peut-être était-il possible de raisonner :

Mott : Accepterez-vous, pour le bien de cette mission, de partir pour le Japon?

Cynthia : Franchement, vous ne trouvez pas cela un peu ridicule? Les journalistes vont venir du monde entier pour assister à ce lancement. Et moi, je devrais m'en aller?

Mott : J'ai votre billet d'avion. Si vous voulez bien m'accompagner jusqu'à New York, vous pourrez prendre ensuite le vol Pan Am pour Tokyo. Ou T.W.A., si vous préférez.

Cynthia : Je préfère la Pan Am.

Grant : Merci, mon Dieu.

Cynthia : Mais cela n'a aucune importance, puisque je n'ai pas l'intention de prendre l'avion.

Mott : Je vous en prie, pour le succès de cette mission.

Cynthia : Non.

Les trois hommes n'aboutirent à rien, si ce n'est au bouleversement du programme d'entraînement. Ils regagnèrent leur chambre du Bali Hai et se couchèrent; le lendemain matin, ils se rendirent en voiture jusqu'à l'aire de lancement et demandèrent aux officiels de la N.A.S.A. de convoquer les trois astronautes :

Grant : Un problème grave menace votre mission.

Claggett : Laissez-moi parler. On en a déjà discuté tous les trois.

Pope : Linley et moi, nous ne voyons pas où est le problème.

Linley : C'est vrai.

Grant : Eh bien, le peuple américain...

Claggett : Je crois qu'il n'en a rien à foutre.

Grant : Jeune homme, est-ce que vous avez une idée des problèmes qui nous ont assaillis, au Sénat, quand l'équipage d'Apollo 10 a voulu appeler son vaisseau Charlie Brown et Snoopy?

Glancey : J'ai reçu des protestations émanant de centaines de contribuables : « Nous ne voulons pas que des impôts prélevés sur de l'argent honnêtement gagné servent à financer des pitreries bonnes pour les gosses. »

Grant : Est-ce que vous vous rendez compte de ce qui va nous tomber dessus quand *Time* et *Newsweek,* pour ne pas parler du *New York Times,* iront raconter partout qu'un des hommes chargés du vol a abandonné sa femme pour une Japonaise?

Claggett (en criant) : Vous ne pourriez pas être précis, non? Elle est coréenne!

Glancey : Cela ne change rien.

Mott : Cela risque d'être catastrophique, Randy. Pour ce vol. Et pour les vols ultérieurs.

Claggett : Il n'y en a plus de prévu.

Glancey : Vous ne voulez pas nous aider?

Claggett : Pour ce que vous me demandez, non.

Curieusement, ce fut Grant, héritier de toute la rigueur de la marine, qui trouva les arguments auxquels les trois astronautes ne furent pas insensibles. Il les leur présenta d'un ton conciliant, presque paternaliste :

Grant : Vous savez, ce n'est pas nous qui avons eu l'idée de ce vol. Glancey et moi, nous y étions opposés. Je me suis même battu contre lui. C'est vous qui le vouliez. C'est votre femme, Pope, qui a su nous convaincre. Glancey, moi, les autres, nous avons alors tout fait pour vous. La face cachée de la Lune. L'aboutissement des expériences scientifiques. Vous nous avez convaincus. Ne nous laissez pas tomber, à présent. Ce ne serait vraiment pas honnête de votre part.

Claggett (après un long silence) : Qu'est-ce que vous voulez?

Grant : C'est très délicat. Mais vous êtes le seul à pouvoir le faire. Mott, dites-lui.

Mott : Nous voudrions que vous disiez à Mlle Rhee de m'accompagner à New York avant de prendre le vol Pan Am pour le Japon... ou pour la Corée, si elle préfère.

Claggett : Elle n'acceptera jamais.

Mott : Pas si c'est vous qui le lui demandez.

Claggett : Je ne peux pas faire ça.

Il y eut un grand silence dans la pièce. Les six hommes – trois jeunes et trois plus âgés, mais tous aussi expérimentés, que ce soit dans les antichambres du Sénat ou les confins de l'espace – réfléchirent longuement à un problème étonnamment complexe. Finalement, ce fut Pope, le rigoureux, qui dit :

« Tout bien considéré, Randy, je crois qu'ils ont raison. »

Personne ne sut jamais ce qui se dit entre Claggett et Cynthia dans la chambre du Bali Hai; mais ce matin-là, à onze heures, un jet de l'armée de l'air décolla de la base de Patrick, à quelques kilomètres de Cocoa Beach, avec à son bord deux sénateurs des Etats-Unis, un membre important de la N.A.S.A. et une journaliste coréenne. Il se posa à l'aéroport Kennedy, à New York, et une voiture du ministère des Affaires étrangères conduisit les passagers jusqu'à un appareil de la B.O.A.C. qui attendait en bout de piste. Les avions de la Pan Am ou de T.W.A. ne décollaient, en effet, que le soir.

Mlle Rhee monta à bord tandis que là-bas, à Cap Canaveral, les trois astronautes reprenaient leur entraînement en simulateurs.

Bien entendu, quand l'avion de la B.O.A.C. fit escale à Londres, Cynthia s'empressa de prendre un vol pour Montréal, d'où elle pénétra discrètement aux Etats-Unis par un chemin de terre au sud de Sherbrooke. Elle se hâta de regagner la Floride, passa une combinaison grise, mit une casquette de marin grec et se faufila parmi la foule qui se massait sur la route longeant le cap Canaveral. C'est de là qu'elle vit Apollo 18 emporter deux de ses astronautes, Claggett et Pope, vers la face cachée de la Lune.

Quand le fantastique engin, dernier de sa race, s'éleva majestueusement dans le ciel, elle circula parmi les spectateurs, afin de noter soigneusement leur origine et leurs réactions en cet instant historique. Il était important, croyait-elle, que leur comportement fût enregistré en temps réel.

IX

LA FACE CACHÉE DE LA LUNE

Lorsqu'il fut décidé, en 1961, de lancer les Apollo de Cap Canaveral, les ingénieurs et les scientifiques américains se trouvèrent confrontés à un formidable problème. Le véhicule serait si massif, avec ses cent dix mètres de long – le tiers de la tour Eiffel –, et il pèserait si lourd – près de trois mille tonnes – qu'il serait intransportable, si on le montait en un seul endroit, à Denver par exemple. Il faudrait donc le construire en six endroits différents et procéder au montage final à Canaveral.

A l'origine, on avait envisagé de procéder au montage en plein air, sur le site de lancement. Mais une analyse superficielle de cette proposition suffit à en déceler les inconvénients. Le docteur Mott était de ceux qui avaient rédigé le rapport défavorable :

> « Nous devons nous souvenir qu'Apollo parviendra au Cap en six parties et qu'il faudra encore effectuer des milliers de mises en étanchéité. Un seul orage se révélerait désastreux; pendant les cinq mois que durerait le montage, la météo locale estime que nous devrions affronter quelque seize chutes de pluie de diverses importances. De plus, les vents sont incessants; une vitesse de soixante-dix à quatre-

vingts kilomètres à l'heure est courante, et les ouragans à plus de deux cents à l'heure ne sont pas rares. Les plus infimes parties seraient arrachées. Un montage sous abri est donc obligatoire.

Nous avouons que le déplacement des deux mille huit cent cinquante tonnes de l'ensemble Apollo constitue un autre problème, auquel il conviendrait de s'atteler immédiatement. »

Le problème numéro un fut résolu de façon très élégante. Au bord d'un canal par lequel les péniches pourraient apporter les pièces détachées fut construit un énorme cube blanc, sorte de pyramide des temps modernes, dressée au-dessus des marais de Floride. Perdu dans le paysage, symbole de l'ère de l'espace, ce cube devint le gigantesque bâtiment où allaient être assemblés les complexes Apollo. La face est du cube comportait des portes de plusieurs dizaines de mètres de haut; le volume de travail intérieur frisait les trois millions sept cent mille mètres cubes. C'était à bien des égards le plus fabuleux bâtiment du monde, et il avait été construit en un temps record.

Là, six machines extrêmement complexes se rencontreraient pour la première fois; et c'est seulement lorsque toutes les parties seraient reliées entre elles, lorsque chaque boulon et chaque fil s'adapteraient à la pièce correspondante, que l'on pourrait enfin parler de fusée. Un technicien avait estimé à vingt-deux mille le nombre des soudures qu'il faudrait effectuer, contrôler et approuver pour que le montage d'Apollo 18 fût terminé.

Les constructeurs de cette machine géante œuvraient dans six régions différentes, et trente mille documents fort complexes étaient nécessaires à leur coordination. L'énorme premier étage était construit en Louisiane par Boeing; le puissant deuxième étage, en Californie par North American; le troisième étage abritant le moteur chargé de propulser le vaisseau vers la Lune sortait des usines Douglas, également en Californie. Et l'unité d'instruments, si importante et si complexe, était fabriquée par I.B.M. en Alabama.

Il en alla de même pour le vaisseau qui abriterait les astronautes. Le module de service et de commande était construit à Downey, en Californie, par une branche indépendante de North American, puis séparé en deux parties intimement unies : le module de commande, où vivraient les hommes, et le module de service, qui assurait la propulsion. Pour les astronautes, ces deux modules ne formaient qu'un tout, le C.S.M. (*Command Service Module*), et ils passèrent des jours entiers dans son simulateur, car c'était de lui qu'ils dépendraient. Le module lunaire, ou L.M. (*Lunar Module*), dans lequel deux des hommes se poseraient sur la Lune avant de rejoindre le C.S.M. en orbite, était fabriqué par Grunman à Long Island.

C'était une manière plutôt curieuse que de construire ainsi l'une des plus étonnantes machines jamais conçues par l'homme, et nul n'aurait pu dire si l'ensemble allait fonctionner tant que les six parties – sept, en réalité – n'auraient pas été assemblées dans le V.A.B. (c'était le nom donné au gigantesque cube). Comme Randy Claggett, tournant en orbite pendant que ses compagnons marchaient sur la Lune, l'avait déclaré : « J'attends que ça se passe dans une machine dont les quatre millions de pièces détachées ont toutes été fournies par les constructeurs ayant proposé les tarifs les moins élevés. »

Comment la N.A.S.A. parvint-elle à transporter jusqu'au Cap toutes ces pièces détachées? L'unité d'instruments fut placée sur une péniche qui suivit la Tennessee River jusqu'à l'Ohio, avant de descendre le Mississippi et de contourner la pointe sud de la Floride pour atteindre Canaveral. Le premier étage emprunta le même itinéraire à partir de La Nouvelle-Orléans. La Californie livra ses parties de deux manières différentes : sur un bateau qui emprunta le canal de Panama et dans un énorme Boeing Stratocruiser modifié, dont la carlingue pouvait transporter tout le troisième étage.

En fait, la N.A.S.A. consacrait aux transports une flottille de cinq vaisseaux, un Stratocruiser et d'innombrables T-38.

Le lancement de l'Apollo 18 de Claggett fut programmé pour le 23 avril 1973; dès que la date fut connue, Randy attira la sympathie des journalistes en déclarant tout de go :

« C'est une date formidable, celle de l'anniversaire de Shakespeare. S'il vivait de nos jours, il écrirait sûrement une pièce là-dessus. « Il faut « que vos murmures favorables emplissent mes « voiles... »

– C'est la dernière scène de *la Tempête*, n'est-ce pas?

– Exact.

– Comment savez-vous cela?

– On nous apprenait des choses, à la Texas A & M. » Et, sur l'inspiration du moment, il évoqua pour les journalistes un vieux professeur qui enseignait la littérature aux étudiants de première année : « Un jour, il nous dit : « Peu importe que « vous vous souveniez d'autre chose, mais je vous « en prie, chaque année rappelez-vous que le « 23 avril est le jour de la naissance de l'une des « âmes les plus nobles que cette Terre ait jamais « portées, et rendez-lui hommage. » C'est alors qu'un petit con...

– N'écrivez pas cela! s'écria Tucker Thompson.

– C'est alors qu'un petit malin fit remarquer : « Je croyais que tout le monde savait que le vérita-

« ble auteur des pièces était Sir Francis Bacon. » Le vieil homme n'a pas sourcillé, il s'est contenté de répondre : « Alors, pour l'amour de Dieu, célébrez « l'anniversaire de Bacon, mais une fois au moins « dans votre petite vie, rendez hommage à quel- « qu'un de plus grand que vous. » Il nous a ensuite emmenés dans un bar et nous a invités à boire de la bière blonde, la préférée de Shakespeare. »

Les six parties devaient arriver au V.A.B. quatre mois avant le lancement, et ce fut un spectacle formidable que de voir, en pleine période de Noël, les péniches remonter le canal et les avions géants décharger leur précieuse cargaison. Des équipes d'ingénieurs envoyés par chaque constructeur arrivaient à Canaveral pour vérifier le bon fonctionnement du matériel; trois mois durant, les différentes unités furent réunies avec minutie.

En février, le sénateur Grant et Penny Pope, véritable factotum de la commission, visitèrent le V.A.B. afin de réunir des chiffres qu'ils pourraient présenter aux membres du Sénat chargés du budget; pour la dernière fois du programme Apollo, ils purent voir le travail complexe qui s'effectuait au sein du cube de béton. Grant n'était pas fâché que le programme s'arrêtât enfin. Il avait eu son utilité, celle de rappeler à la Russie et au reste du monde que l'Amérique savait encore se battre, mais les dernières missions, il en était parfaitement conscient, n'avaient été que des redites. Cependant, cette mission d'adieu vers l'autre face de la Lune allait être très remarquée : « On va faire une sortie en fanfare. » Puis il remit à la presse une déclaration contenant les statistiques réunies par Mme Pope :

> « Notre nation n'a pas failli lorsqu'il s'est agi de monter cette formidable entreprise destinée à damer le pion aux Russes et, lorsque nous

observons cette vaste construction, nous voyons l'effort d'imagination dont une nation libre est capable lorsqu'elle se sent aiguillonnée. Coût du terrain, 64 000 hectares, 72 millions de dollars. Coût de ce magnifique bâtiment où nous nous trouvons actuellement, 89 millions de dollars. Coût de l'équipement intérieur, 63 millions de dollars.

« Admirez ce super-tracteur qui emportera Apollo 18 vers le site de lancement, il coûte 11 millions de dollars, et nous devons en avoir un deuxième en cas de panne. 800 millions de dollars ont été consacrés aux seules installations au sol. 26 500 personnes travaillent ici. Les experts chargés de surveiller le lancement sont au nombre de 500, et il y en a 1 500 autres à Houston. »

La déclaration évoquait ensuite les systèmes de soutien disséminés aux Etats-Unis ou dans le monde, et s'appuyait pour ce faire sur les estimations des responsables locaux :

« Nombre de navires-radio dispersés dans le monde, 4. Nombre d'avions de communication en vol au cours de la mission Apollo, 5. Nombre de stations au sol dans divers pays étrangers, 13. Nombre de navires cibles en position sur divers océans, 7. Nombre total d'hommes et de femmes impliqués d'une manière ou d'une autre dans cette mission, 450 000. Nombre total d'hommes qui se poseront sur la Lune, 2.

« L'importance des dépenses, néanmoins, n'empêche pas le sénateur de se réjouir des résultats de cet effort national. Il est tout particulièrement fier du profil des astronautes qui rempliront cette ultime mission. Il a toujours connu le capitaine John Pope, de la marine des Etats-Unis, et a toujours pensé que c'était l'un des jeunes hommes les plus brillants de cette nation. Le commandant d'Apollo 18, le colonel des marines Claggett, a déjà volé à trois reprises avec le succès que l'on sait. Mais il est tout particulièrement fier de ce que le troisième membre de l'équipage soit le neveu d'un homme aux côtés duquel il a eu l'honneur de servir pendant la bataille du golfe de Leyte, le docteur Gawain Butler, inspecteur des écoles du Mesa County, en Californie. Premier astronaute noir, le docteur Paul Linley occupe une place d'honneur dans ce programme. »

Le paragraphe final résumait sa pensée; Mme Pope le pressa d'en adoucir le ton, mais il s'y refusa en lui rappelant :

« Vous êtes loyale envers votre mari, ce qui est tout à fait normal, mais je dois me montrer loyal envers la nation tout entière. »

> « Il convient aujourd'hui que les Etats-Unis abandonnent cette aventure extrêmement coûteuse; amplement justifiée en 1957 quand les Spoutnik ont envahi notre ciel, elle s'est changée depuis en un vulgaire exhibitionnisme. Nous sommes allés sur la Lune. Avec cette téméraire expédition, nous en explorerons la face cachée. Mais le temps est venu de nous consacrer aux problèmes qui, ici-bas, sont tout aussi urgents. »

Vers la mi-février, les experts travaillant dans le V.A.B. firent savoir que tout était au point; le temps était donc venu de procéder à une opération extrêmement délicate, et suscitant à chaque fois l'enthousiasme des foules de visiteurs autorisés à admirer à distance raisonnable. Les portes gigantesques du V.A.B. – cent trente-neuf mètres de haut – s'ouvrirent pour révéler, dressée dans la pénombre, une merveille resplendissante, massive à la base, mais dont la flèche délicate culminait à quelque cent dix mètres du sol. La simplicité des formes extérieures et leur surface sans aucune aspérité contrastaient avec l'étonnante complexité interne, de sorte que les spectateurs se mettaient souvent à applaudir à l'instant de la révélation.

Ils pouvaient voir, par-delà les vastes portes, que l'Apollo avait été monté par rapport à une grande tour de lancement; les deux structures reposaient sur une lourde base de métal, elle-même maintenue au-dessus du sol par des pilliers. C'est alors que le super-tracteur, dont chacune des quatre parties aurait déjà constitué un tracteur de taille imposante, quitta lentement sa place de parking pour pénétrer à l'intérieur du bâtiment d'assemblage. Il se rangea sous le vaisseau spatial, actionna ses monte-charge hydrauliques et prit ainsi la responsabilité de l'ensemble, Apollo plus tour de lancement.

Le personnel lui-même se mit à pousser des acclamations, mais restait un problème extrêmement délicat à résoudre. Le tracteur, le lanceur et la tour de lancement pesaient à eux tous huit mille quatre cents tonnes; comment une telle masse allait-elle franchir cinq kilomètres du terrain spongieux de la Floride?

> « Ce que nous avons fait est très simple. Nous avons contacté la meilleure entreprise de travaux publics du monde et ils nous ont dit :
> « Ce n'est pas compliqué. Vous construisez une
> « route plus large qu'une autoroute à huit
> « voies. Vous faites une tranchée de trois
> « mètres de profondeur. Vous disposez au fond
> « de gros rochers, puis vous recouvrez de deux

« bons mètres d'agrégat et de vingt centimè-
« tres de graviers. Ce que ça va coûter? Nous
« pouvons vous faire ça pour vingt millions de
« dollars. »

Très doucement, le tracteur massif et sa précieuse cargaison quittèrent le V.A.B. pour rejoindre la route; chacun des quatre tracteurs supportait plus de deux mille tonnes, et les roues s'enfonçaient dans le revêtement pour avancer, centimètre après centimètre.

Une équipe de quinze hommes était chargée de le faire progresser à quinze cents mètres à l'heure environ mais, lorsqu'il apparut dans la lumière de février, pareil à quelque majestueux dinosaure, les spectateurs ne purent, une fois de plus, réprimer leur enthousiasme.

Avec lenteur, dans le crissement des chenilles mordant les graviers importés d'Alabama, le tracteur transportait sur son dos la fusée blanche, nichée dans la tour de lancement encore plus grande qu'elle qui l'assisterait jusqu'à l'ultime seconde.

Avec des précautions infinies, comme s'il portait le petit Moïse entre les roseaux, le super-tracteur prit la direction du complexe 39, d'où le lancement devait avoir lieu. Il passait en majesté dans les rayons du soleil de Floride, et trois hommes le contemplèrent avec un intérêt tout particulier car ils allaient prendre place dans la capsule juchée au sommet et conduire cette merveille de l'autre côté de la Lune.

Fasciné par la taille véritable du géant, John Pope dit à voix basse :

« C'est un privilège que d'être associé à une telle entreprise. Et Claggett lui rappela :

– C'est toi qui lui as trouvé son nom, mon vieux. Le voilà, ton *Altaïr.* »

Ce serait leur abri, leur responsabilité, le plus

noble oiseau de sa race, et c'est pleins d'amour qu'ils le regardèrent passer lentement devant eux.

« Ce n'est pas se traîner au sol qui l'intéresse, dit Randy, c'est voler à quarante mille kilomètres à l'heure! »

L'importance de la couche supérieure de graviers se révéla vraiment lorsque, après avoir parcouru près de cinq kilomètres, le transporteur dut prendre un virage très doux en direction du nord; avec le revêtement classique de béton ou de macadam d'abord envisagé, la route aurait été déchiquetée par les chenilles. Le formidable moment de torsion pulvérisa les graviers, mais l'insecte de métal poursuivit sa progression sans encombre.

Au moment de pénétrer sur le pas de tir A, d'où la fusée serait mise à feu, le super-tracteur se trouva face à une rampe de cinq degrés. Un ensemble très complexe d'ordinateurs, de pistons, de systèmes hydrauliques et d'instruments de contrôle entra en action afin d'abaisser la partie avant et surélever la partie arrière pour que la plate-forme demeurât absolument horizontale.

L'ascension terminée, le transporteur conduisit fusée et tour de lancement vers l'emplacement qui leur était réservé, les déposa doucement sur le sol, puis se retira sans hâte, pareil aux crapauds qui, dans les contes de fées, viennent de sauver une princesse. Son travail effectué, il retraversa les marais de Floride; il n'aurait plus jamais l'occasion de sortir un Apollo de son berceau.

Si l'on compte les Australiens, les Malgaches, les Espagnols et les habitants des îles de Guam, Antigua et de l'Ascension travaillant dans les diverses stations, quatre cent cinquante mille personnes se trouvaient, chacune à son degré, responsables du succès d'Apollo 18. Parmi elles, un petit gars du

Colorado, originaire du village de Buckingham. Astronome depuis son neuvième anniversaire, quand son oncle lui avait offert des jumelles japonaises et l'*Atlas des étoiles,* il avait obtenu une bourse pour étudier à l'Institut d'enseignement agricole de Fort Collins dont il était ressorti avec tous les honneurs.

Il s'appelait Sam Cottage et ses parents, originaires des colonies allemandes des rives de la Volga, s'étaient demandé avec inquiétude à quoi le diplôme d'astronomie de leur fils pourrait bien lui servir, mais il les étonna en trouvant rapidement du travail au Centre d'études solaires de Boulder où, dans l'air pur des Rocheuses, il étudiait le Soleil. Quatre fois par jour, il avait la responsabilité de braquer sur l'astre son télescope de quarante centimètres de diamètre équipé d'un filtre spécial et d'un disque obscurcissant, afin de voir si une éruption s'était produite sur la face visible du Soleil ou sur son périmètre, une éruption qui projetterait de la matière à plusieurs centaines de milliers de kilomètres. Ensuite, il utilisait une lentille plus petite et un oculaire soigneusement noirci pour déceler les moindres taches apparues à la surface du Soleil. Il devait s'intéresser tout particulièrement aux régions où des éruptions majeures pouvaient produire, ce que les astronomes appellent des *événements protoniques.*

Le gouvernement des Etats-Unis jugea bon de maintenir Sam Cottage à ce poste parce que l'on commençait à vraiment comprendre l'importance des taches solaires : elles donnaient naissance aux aurores boréales, qui interrompaient parfois les communications radio; elles semblaient perturber le champ magnétique terrestre; et, surtout, elles avaient la capacité de provoquer des éruptions au cours desquelles étaient émises des radiations si puissantes qu'elles pouvaient tuer un être humain privé de toute protection. C'était pour cette raison que le docteur Feldman, spécialiste du rayonnement auprès de la N.A.S.A., avait tant insisté pour que Claggett et Pope récupèrent le dosimètre placé sur le flanc de l'Agena-A à l'occasion de leur mission Gemini : « Il fallait que l'on sache l'importance du rayonnement à la fin d'un vol de longue durée. »

Les astronomes devaient être consultés avant l'établissement de l'emploi du temps d'un vol, parce qu'ils étaient les seuls à pouvoir dire si la date choisie était favorable par rapport au cycle d'activité des taches solaires. Les taches étaient soigneusement répertoriées depuis 1843, époque à laquelle les astronomes s'étaient rendu compte qu'elles variaient à l'intérieur d'un cycle de onze années, et les cycles étaient numérotés; ainsi, Apollo 18 décollerait pendant la phase décroissante du cycle 20. Ce cycle avait débuté assez bas en 1964 pour atteindre, en 1970, un point culminant inférieur à la moyenne; il se trouvait à présent en plein déclin mais, ainsi que le bureau de Cottage le fit savoir à la N.A.S.A. :

> « Même au cours des dernières phases d'un cycle, il y a toujours la possibilité de voir brusquement apparaître un événement protonique qui pourrait vous contraindre à annuler une mission avant le décollage, ou à la raccourcir si elle a déjà débuté. Toutefois, le cycle 20 s'est révélé bien moins violent que le cycle 19, qui avait produit une importante concentration de taches en 1957. Nous pensons que vous pouvez lancer la mission Apollo 18 avec une confortable marge de sécurité, mais continuerons à procéder à une observation attentive du comportement du Soleil. »

Ainsi, le jeune Sam Cottage rédigeait tous les jours quatre rapports sur l'activité à la surface du Soleil; en fin d'après-midi, il participait à la rédaction d'une note adressée aux observateurs du monde entier.

En dehors de son travail, Cottage poursuivait des études supérieures sous la direction d'un homme qui en savait plus long sur le Soleil que quiconque sur la planète : il s'appelait Jack Eddy et travaillait au sommet d'une colline des environs de Boulder, dans une unité de recherches dépendant d'un consortium d'universités américaines. Un des supérieurs de Cottage lui avait donné le conseil suivant : « Vous ne progresserez pas beaucoup dans ce domaine avec un seul diplôme en poche. Vous êtes intelligent, passez votre maîtrise, puis votre doctorat. » Il s'était donc inscrit en maîtrise à l'université du Colorado. Il était frappé par la puissance d'imagination de son professeur, qui avait reconstitué l'histoire du Soleil au cours des trois derniers millénaires. Un jour, Sam dit à une fille du Wyoming avec qui il sortait :

> « Eddy est fantastique. Il a lu toutes les études faites sur le Soleil depuis que l'écriture existe, et il s'est même intéressé aux anneaux annuels des arbres. A la fin du siècle dernier, un certain Maunder a déclaré que les taches solaires avaient pratiquement disparu pendant près de soixante-dix ans vers la fin du XVIIe siècle. On s'est moqué de lui, mais Eddy a prouvé qu'il avait raison. Il a fait un froid terrible pendant toute cette période. Les glaciers avançaient dans les vallées. « Le minimum de Maunder était une chose bien réelle. Je suppose que nous connaîtrons d'autres minimums au cours des siècles à venir, mais ce qui m'intéresse

actuellement c'est d'arriver à prédire ce qui se passera d'une année sur l'autre, et je n'aboutis pas à grand-chose. »

Il avait un certain goût pour les mathématiques et, sous la direction d'Eddy, il avait accumulé des montagnes de données qu'il passait en ordinateur, découvrant ainsi, pour lui seul, que l'activité solaire était équilibrée et qu'un minimum d'énergie à tel moment était compensé par un maximum un peu plus tard. Il était convaincu que le cycle important était de vingt-deux ans, et non pas de onze; pendant la première période, le caractère magnétique des régions où se produisaient les taches solaires suivait un certain schéma, et ce schéma était inversé pendant la seconde période. Il était également très impressionné par des recherches effectuées en Allemagne, selon lesquelles il pourrait exister un cycle supérieur de quatre-vingt-huit années. De toute façon, et quelle que fût la théorie adoptée, ses statistiques prouvaient que le cycle 20 était totalement aberrant et que l'équilibre ne serait rétabli que si un événement protonique majeur apparaissait au cours de la phase finale.

Chaque jour, observant le visage impassible du Soleil, il essayait d'imaginer ce qui pourrait bien s'y dérouler, mais toujours en vain; furieux, il allait retrouver ses piles de données, persuadé qu'elles dissimulaient des informations qu'il ne savait pas leur arracher.

Très énervé, il téléphona au docteur Eddy, mais on ne pouvait pas le déranger, il se consacrait à des recherches personnelles à Kit Peak, en Arizona. Et Sam resta seul avec ses données. Une nuit, il quitta son travail, prit le chemin du dortoir de sa petite amie du Wyoming et la tira du lit en envoyant des cailloux dans ses fenêtres :

« Que j'utilise un cycle de onze ans, de vingt-deux

ans ou de quatre-vingt-huit ans, j'arrive toujours à la conclusion qu'un événement majeur va se produire.

– Pourquoi ne le signales-tu pas?

– Parce que personne ne me croirait. Je n'ai rien de plus solide à leur proposer que des théories.

– Demande son avis à Eddy.

– Tu parles, il est en Arizona. Je l'ai appelé à deux reprises, mais il fait des recherches sur le terrain.

– Cela peut bien attendre son retour, non?

– Attendre? Tu sais en quoi consiste un véritable événement majeur? C'est l'explosion d'une région de la surface du Soleil cinquante fois plus vaste que la surface totale de la Terre. En trente minutes, elle projette des masses de matières à près de deux cent cinquante mille kilomètres. En moins d'une heure, elle émet assez d'énergie pour répondre aux besoins en électricité des Etats-Unis pendant cent millions d'années. C'est titanesque.

– C'est dangereux? demanda la jeune fille.

– Notre atmosphère nous protège. Mais il y a un réel danger si on se trouve en avion à très haute altitude.

– Et pour des astronautes, comme ceux d'Apollo 18, par exemple?

– C'est mortel. »

C'est pour cette raison que Sam Cottage étudia avec une attention extrême le comportement du Soleil pendant la deuxième quinzaine de mars; mais il ne se passa rien d'exceptionnel, et Sam termina le mois par une note rassurante :

> « Activité solaire faible au cours des dernières vingt-quatre heures. Petites éruptions localisées. Infime perturbation du champ magnétique. L'activité générale devrait rester faible. Faible possibilité d'événements majeurs. Pour-

rait toutefois augmenter si la nouvelle région 396 se confondait avec les régions voisines. »

Deux commissions avaient été formées. La première se composait de scientifiques chargés de déterminer les instruments qu'Apollo 18 emporterait sur la Lune pour y collecter des données permettant d'expliquer la genèse de ce satellite, et peut-être même de l'univers. Les discussions débutèrent ainsi :

« Au cours des précédentes explorations, les astronautes ont pu disposer leurs instruments, diriger les antennes vers la Terre et s'attendre à ce que les signaux radio transmettent directement les données aux stations australiennes, espagnoles ou américaines. Les stations réceptrices ont capté chaque jour neuf millions de bits d'information. Nous connaissons désormais la Lune aussi bien que l'Etat du Rhode Island.

« Cette fois-ci, nous n'avons pas de contact direct avec l'autre face. Tout dépendra des deux ou trois satellites mis en orbite autour de la Lune. S'ils ne fonctionnent pas, nous ne recevrons rien. Ce qui revient à dire que toute la mission Apollo 18 sera un échec. »

La N.A.S.A. convoqua des experts en communication, qui déclarèrent que les trois satellites envisagés seraient au moins aussi fiables que les autres dispositifs; forte de leur certitude, la commission prit une décision pleine de sagesse :

« Les expériences effectuées au cours des précédents vols Apollo ayant donné des résultats bien supérieurs à ce que nous escomptions, et les instruments ayant fonctionné quatre fois plus longtemps que prévu, il est essentiel que nous recevions le même type d'informations de l'autre face de la Lune. Nous recommandons donc d'utiliser à nouveau les instruments suivants :

« Un détecteur à ion suprathermique, afin de mesurer la masse et l'énergie des gaz, à la surface de la Lune ou à proximité.

« Un spectromètre à vent solaire, afin de mesurer le flux et l'énergie des particules atomiques émises par le Soleil. Cette expérience est capitale.

« Un magnétomètre destiné à mesurer les fluctuations du champ magnétique lunaire.

« Un sismographe passif, pour mesurer les vibrations lunaires, indépendamment de leur origine. »

Ils définirent ensuite une série d'expériences destinées à la face méconnue de la Lune. L'utilisation, par exemple, d'un dispositif émettant des impulsions radio vers l'intérieur de la Lune pour détecter l'eau ou la glace sous la surface. Mais aussi une expérience passionnante, pouvant mettre un terme à un débat très agité : les mascons sont-ils des météores enfouis, d'où l'origine froide de la Lune, ou s'agit-il de coulées de lave submergées, confirmant l'hypothèse d'une origine chaude? Dix ans plus tôt, le mot *mascon* n'existait pas; abréviation des mots anglais *mass concentration* (concentration de masse), il désignait les points étranges, quoique d'aspect ordinaire, où la force de gravité était en sensible augmentation. Il était clair que des objets anormalement lourds gisaient sous la surface de la Lune, et ils reçurent le nom de *mascon*. Les scientifiques voulaient être renseignés sur les mascons de la face cachée.

Le docteur Mott faisait partie de la seconde commission, dont la mission était peut-être encore plus intéressante, puisqu'elle devait choisir le site où se poseraient Claggett et Linley. Il était impératif que le site sélectionné présentât une grande variété de roches et de bonnes possibilités d'observation. Les deux astronautes assistèrent aux réunions de la commission parce qu'ils devaient se familiariser avec la région à explorer; c'est en étudiant les cartes établies d'après les données fournies par les Russes en 1959, puis par les Américains dans les années 1960, qu'ils se rendirent vraiment compte que tous les sites qu'ils pourraient explorer portaient un nom russe. Claggett demanda :

« Vous voulez dire que quand on se balade dans l'envers du décor, tous le panneaux sont écrits en russe? » Les membres de la commission hochant la tête, il ajouta : « Je comprends maintenant pourquoi le sénateur Grant voulait tant remonter le courant. »

L'atterrissage d'un vaisseau spatial sur la Lune présentait quelques problèmes inhabituels, comme les astrophysiciens l'expliquèrent :

> « Vous vous trouverez soumis aux mêmes contraintes que les précédents Apollo. Vous devez faire descendre votre module dans un couloir très étroit. Si le Soleil est au-dessous de 7°, la zone d'atterrissage sera dans l'obscurité et vous ne pourrez même pas distinguer les blocs rocheux les plus gros. Si le Soleil est au-dessus de 25°, l'atterrissage est pratiquement impossible parce que vous n'avez plus d'ombres, vous ne pouvez donc plus être certains de ce qu'il y a devant vous.
>
> « L'angle idéal se situe entre 12° et 16°, où le Soleil fait office de projecteur et vous indique tous les dangers.

« Bien entendu, si vous arrivez trop tard sur le site choisi, avec un Soleil trop haut dans le ciel et trop lumineux, vous pouvez toujours accélérer pour gagner le site de remplacement. Vous retrouverez alors l'angle idéal, entre 12° et 16°. »

Quand Paul Linley entendit parler de ces limites fort étroites, semblables à celles du retour sur Terre, il dit :

« Au départ, nous devons parcourir 384 380 kilomètres en très exactement 70 heures, 37 minutes et 45 secondes, et nous devons nous poser à côté du cratère Gagarine.

– Sans prendre la moindre minute de retard, dit Claggett, sinon ce foutu Soleil sera trop haut dans le ciel. »

C'est à cet instant que Linley comprit comment un problème d'ombres et de lumière, dans une vallée éloignée de l'autre face de la Lune, pouvait déterminer le moment où Apollo 18 devait, quatre jours plus tôt, s'élever dans le ciel de Cap Canaveral.

« Nous montons dans une machine qui pèse 2 857 680 kilogrammes, écrivit-il à sa femme, et nous mettons à feu des moteurs qui produisent une poussée de 3 400 tonnes, mais nous sommes limités par des minutes ou des secondes. Le vol spatial est une science exacte. »

La N.A.S.A. fut très satisfaite des rapports des deux commissions; à présent, tout le monde le comprenait, Apollo 18 apporterait de nombreuses satisfactions et marquerait une date importante dans l'histoire de l'astronautique. Mais quand on se rendit compte que ce serait probablement l'ultime vol Apollo, les ingénieurs arrivèrent de toute l'Amérique pour voir la fusée se dresser sur le complexe 39, au bord de l'océan.

Deux autocars pleins d'ingénieurs descendirent en une traite de Langley Field – dix-neuf heures de route – et les hommes purent voir l'objet splendide qu'ils avaient imaginé quelques années auparavant. Dieter Kolff reçut du gouvernement l'ordre de descendre en avion jusqu'à Canaveral, mais il préféra s'y rendre en voiture; il organisa depuis Huntsville une expédition composée d'anciens de Peenemünde, et les neuf hommes roulèrent treize heures d'affilée pour voir la merveille qu'ils avaient construite.

« Regardez-la bien, dit Kolff, avec elle, nous aurons lancé quatorze Saturne-Apollo, et nous n'aurons pas subi le moindre échec. Nous sommes allés sur la Lune et nous aurions pu aller sur Saturne! »

Il resta à Cap Canaveral pour surveiller les touches finales apportées à son chef-d'œuvre, le dernier d'une grandiose série; et parfois, en ôtant la poussière sur le géant – geste familier à tous les ingénieurs –, il regrettait qu'aucun des pères de cette formidable machine n'eût jamais eu l'occasion de chevaucher sa création. « Une poignée d'Américains qui n'étaient même pas nés, alors que nous travaillions déjà. Ils peuvent voler, et pas nous. » Il souhaita que ce dernier vol fût parfait et qu'il rehaussât la gloire de von Braun.

Un soir qu'il dînait seul au Bali Hai, une Orientale portant un ensemble gris lui demanda si elle pouvait s'asseoir à sa table; il s'étonna de son audace, mais elle approcha une chaise et se présenta sous le nom de Rhee Soon-Ka, de l'*Asahi Shimbun*, de Tokyo :

« Pourrais-je poser quelques questions à un respectable savant allemand? »

Dieter était flatté. Ils parlèrent pendant des heures, car elle avait le don de deviner les sujets qu'un homme de sa trempe aimerait aborder en une période aussi cruciale.

« Quel type d'homme était von Braun? demanda-t-elle.

– Il n'a jamais trahi ceux qui travaillaient pour lui.

– Et ceux pour qui il travaillait?

– C'est grâce à von Braun que nous sommes tous arrivés sains et saufs à Huntsville.

– Quand la fusée partira, en avril, à quoi penserez-vous au moment où elle s'élèvera dans le ciel? »

Elle consacra près d'une heure à cette question : les choses qui pouvaient tourner mal, comme cela s'était souvent passé avec les A-4, à Peenemünde; les émotions que l'on pouvait éprouver en atteignant un but recherché depuis longtemps; ses sentiments envers les camarades qui avaient rejoint les Russes en 1945; le coût relatif d'une A-4 et d'une Saturne V.

Elle prit peu de notes, car elle savait qu'elle se servirait très peu de ce que lui dirait Kolff, mais elle avait besoin de son opinion pour étayer ses propres écrits. Le jour n'était pas loin de poindre quand elle lui demanda, ainsi que le font souvent les bons journalistes :

« Y a-t-il une chose que vous aimeriez me dire et que je ne vous ai pas demandée? »

Et il répondit :

« Est-ce que vous comprenez que tout est faux? Qu'ils ont pris la mauvaise direction? »

Elle répliqua :

« Je l'ai toujours su. C'est de l'exhibitionnisme, des petits garçons qui se montrent, rien de plus. »

Ils discutèrent de cela pendant quelque temps, puis Kolff lui demanda :

« Que voyez-vous en eux ? A leur façon de vivre et de mourir ? »

C'était maintenant son tour de vouloir parler, après cette nuit enrichissante, et elle dit :

« Ils sont si petits. Herr Kolff, avez-vous remarqué à quel point ces hommes merveilleux sont petits ?

– Il le faut bien, pour entrer dans les capsules.

– Mais les autres héros de l'Amérique sont si grands, si forts. » Elle s'arrêta de parler et pianota quelques secondes sur la table. « J'ai une théorie : les nations qui choisissent leurs héros parmi les géants sont irrémédiablement condamnées. Prenez les cavaliers prussiens. Les gardes suisses du Vatican. Les gladiateurs de la Rome antique. Et les ridicules lutteurs de sumo que nous avons au Japon.

– Je n'ai pas beaucoup de considération pour les géants, dit Kolff.

– En Amérique, vous avez des joueurs de football monstrueux, des basketteurs démesurés. » Elle commençait à s'exalter. « J'étais à l'aéroport d'Atlanta quand une équipe de basket a débarqué, les Celtics de Boston, je crois. J'ai dû regarder en l'air pour les voir. De vraies montagnes de muscles. » Elle eut un petit rire nerveux. « C'est lamentable, le Japon et les Etats-Unis ne s'intéressent qu'au poids pour se choisir des héros. Nos deux pays sont condamnés. »

Elle poursuivit sur ce sujet, l'abordant sous des angles différents, puis elle conclut :

« Je crois que l'Europe sera épargnée, parce qu'elle recrute ses héros parmi des hommes de petite taille, tout à fait ordinaires, des coureurs cyclistes, par exemple. Ils sont assez intelligents pour se méfier de Goliath et des Philistins. Seule la normalité les intéresse, et je crois bien que c'est pour cette raison que je me passionne tant pour les astronautes. Ils sont si petits, si ordinaires, et pourtant si braves. »

Kolff n'avait jamais vu les choses sous cet angle; il s'était contenté d'entériner la décision gouvernementale de ne choisir que des hommes de taille normale, mais cette idée ne lui déplaisait pas : en fait, il n'avait jamais pu trouver de mérite à un individu, uniquement parce qu'il mesurait deux mètre dix ou pesait cent trente kilos.

Ils ne dirent rien pendant quelques instants, épuisés par cette longue nuit sans sommeil, puis Kolff dit avec un soupir :

« Quand on est jeune, on s'imagine que toutes les discussions seront comme celles-ci, le jour où, avec l'âge, on aura atteint un poste de responsabilité. En réalité, nous gaspillons notre temps en banalités. Je vous remercie pour ces quelques heures.

– C'est moi qui vous remercie. »

Le 3 avril 1973, Sam Cottage travaillait au télescope de Boulder quand il aperçut, sur la frange occidentale du Soleil, à 10° au-dessus de l'équateur, une nouvelle série de taches qu'il s'empressa de noter : « Région 419, forme de fer à cheval. Luminosité inférieure à la moyenne. » Cette évaluation fut transmise à de nombreuses stations dispersées dans le monde.

Une fois de plus, il se demanda en établissant son rapport : « Est-ce que c'est la bonne? », mais l'allure modeste de la région 419 l'obligea à répondre par la négative.

Le 4 avril, l'ensemble de taches s'était rapproché de la circonférence; elles allaient bientôt passer sur la face invisible du Soleil, et Sam voulait savoir avec certitude combien de jours s'écouleraient avant qu'elles ne réapparaissent sur la frange occidentale.

Ses calculs auraient surpris plus d'un spécialiste persuadé de bien connaître le Soleil.

Comme toutes les autres étoiles visibles, le Soleil est à l'état gazeux et non solide, de sorte qu'il tourne sur son axe à des vitesses très différentes. C'est un peu comme si, sur Terre, l'équateur avait une journée de 22 heures, les Etats-Unis de 24 et le Groenland de 27.

A l'équateur solaire, la révolution s'effectue en 26,7 jours, mais il faut 32,1 jours pour un point proche du pôle. La région 419 se trouve juste au nord de l'équateur; sa révolution dure 27,6 jours, ce qui signifie qu'elle allait disparaître pendant près de deux semaines.

Le 5 avril, Cottage entrevit pour la dernière fois la région 419; la visibilité était minime, mais il crut y déceler des variations substantielles par rapport à ce qu'il avait observé précédemment. Après avoir rédigé son rapport de routine, il alla trouver le directeur du centre et dit :

« Je viens de voir la région 419 à la périphérie et je crois qu'elle est devenue plus active.

– Bon sang, grogna le directeur, on ne va rien voir pendant quinze jours. Et cela risque de faire très mal quand elle réapparaîtra à l'est.

– On ne peut qu'émettre des suppositions. »

Le directeur du centre semblait nerveux.

« Nous ne serons plus aussi impuissants dans une vingtaine d'années. Nous aurons des sondes qui étudieront simultanément toutes les faces du Soleil. » Il se leva, consulta plusieurs photographies, puis secoua la tête. « Cottage, le Soleil est l'objet de l'univers qui a le plus d'importance pour nous. Il y a des milliards et des milliards d'étoiles, et nous ne savons pratiquement rien de la seule qui soit assez près de nous. »

Il arpenta son bureau pendant quelques minutes, puis s'arrêta brutalement et lança :

« Vous voulez que je publie une mise en garde, c'est ça?

– Je suis très inquiet.

– Mais vous avez des preuves tangibles. » Et fournissant la réponse à sa propre question : « Pas la moindre. Qu'est-ce que c'est que ce cycle de quatre-vingt-huit années dont vous avez fait état l'autre jour? »

Cottage exposa sa théorie, tout en se rendant compte à quel point elle était vague. Intéressé par les années de déclin du cycle 20, le directeur aurait voulu trouver quelque argument dans les propos du jeune homme, mais il n'y parvint pas.

« Sam, êtes-vous d'accord pour dire que rien ne justifie une mise en garde?

– Oui.

– Dans ce cas, il n'y en aura pas. »

Neuf jours avant le lancement, les trois astronautes furent mis en quarantaine par crainte des germes infectieux, de la grippe et de la rougeole notamment, et ils passèrent une grande partie de leur temps dans les simulateurs. Méthodique à l'extrême, Pope ne cessait de manipuler les pages sur lesquelles il avait rédigé ses notes; de format 8 × 12 cm, faites d'un papier français ininflammable de très haute qualité, elles répertoriaient quatre-vingt-seize procédures d'urgence relatives à tous les incidents qu'il aurait à régler. Bien qu'il les sût par cœur, il battait son paquet de fiches, comme s'il s'agissait de cartes à jouer, et coupait au hasard avant de passer en revue les gestes qu'il devrait effectuer en cas d'accident. La première fiche lui rappelait l'altitude et le kilométrage parcouru par la fusée à chaque moment crucial des deux premières heures :

APOLLO 18
SÉQUENCE DE LANCEMENT

Temps HMS	*Evénement*	*Altitude*	*Vitesse* en km/h	*Marge* en km
00 00 00	Mise à feu	55,7 m	1 470	0,0
00 02 40	Largage du 1er étage	13,2 km	2 894	4,35
00 08 56	Largage du 2e étage	179,4 km	24 970	1 429
00 08 57	Mise à feu du moteur du 3e étage	178,8 km	24 931	1 429
00 11 24	Arrêt du moteur du 3e étage	188 km	25 960	1 792
01 26 28	Décision d'aller sur la Lune	192,4 km	28 053	3 215
01 35 08	Remise à feu du 3e étage	198,2 km	28 037	5 603
01 40 50	Arrêt du moteur du 3e étage	322,6 km	35 020	4 192

A ce moment, *Altaïr* devra encore parcourir 380 190 kilomètres avant la mise à feu destinée à le placer en orbite lunaire. Cela prendra 60 heures, 36 minutes et 7 secondes, ou encore 60,61 heures. Nous démarrerons à la vitesse de 35 020 kilomètres à l'heure, pour descendre progressivement jusqu'à 2 250 kilomètres à l'heure. Ce qui nous donnera – il manipula alors la petite règle à calcul circulaire qu'il avait achetée au Japon – une vitesse horaire moyenne de 6 273 kilomètres.

Quand Claggett vit à quoi Pope était occupé, il lui demanda :

« Tu te proposes de remplacer l'ordinateur? »

Et Pope lui répondit :

« S'il le faut. »

Randy dit alors :

« Dans ce cas, ne perds pas tes bouts de papier. »

Le 20 avril, soit trois jours avant le lancement, la région 419 réapparut assez timidement sur la frange orientale du Soleil. Cottage l'observa avec le plus vif intérêt, sans rien remarquer de particulier; pourtant, quand il eut prévenu le directeur du centre que la région était à nouveau visible, trois experts se ruèrent sur le télescope pour comparer leurs opinions.

« Il y a beaucoup de régions plus actives que celle-là, dit l'un d'eux.

– D'accord, fit le directeur, mais est-ce que vous avez la preuve d'une modification importante?

– Pas la moindre, dit Cottage. Si vous comparez les photographies d'il y a quinze jours, vous verrez qu'elle est moins active aujourd'hui.

– Tant mieux. Dieu sait ce qui aurait pu se passer pendant ce temps-là. »

Quand les astronautes allèrent se coucher, le soir du 22 avril, la quantité d'informations qui leur avait été communiquée était telle que seuls des hommes jeunes, en parfaite condition physique, pouvaient espérer l'assimiler et l'utiliser. Claggett, dont ce serait le quatrième vol, dit aux membres de la N.A.S.A. qui dînaient avec lui :

« En données brutes, si l'on accorde l'indice 1 à Gemini, mon vol Apollo avait la valeur 2,3, mais cette mission-ci va être de l'ordre de 3,3. C'est terriblement complexe. »

On les réveilla pour le petit déjeuner à quatre heures du matin; Deke Slayton et cinq autres membres importants de la N.A.S.A., furent étonnés quand Claggett leva son verre de jus d'orange et déclara : « A William Shakespeare, dont nous allons célébrer l'anniversaire avec éclat. » Slayton les aida à s'habiller et les accompagna jusqu'au complexe 39, où une vingtaine de projecteurs balayaient la fusée et près d'un million de spectateurs s'étaient rassemblés en ces dernières heures de la nuit, pour assister au départ du formidable engin vers des régions doublement mystérieuses.

Au grand désespoir de la N.A.S.A., l'expression *expédition vers la face cachée de la Lune* était employée désormais par tout le monde, et plus de trois mille journalistes s'étaient entassés sur les gradins de l'autre côté des lagons de protection, à plus de huit kilomètres. Des caméras automatiques disposées dans les bunkers environnants fourniraient des témoignages parfaits de ce moment historique.

L'ascenseur emmena les astronautes à quelque cent trois mètres du sol; ils franchirent une passerelle jusqu'à la salle blanche et pénétrèrent presque aussitôt dans la cabine. Sans la moindre cérémonie, Claggett s'installa dans le siège de gauche; pendant qu'il ajustait sa combinaison, le docteur Linley attendit son tour et assura à Deke Slayton, qui l'avait choisi pour ce vol, qu'il lui rapporterait des échantillons de roche permettant de résoudre en partie l'énigme de la structure de la Lune, et peut-être même de son origine. Puis il prit place dans le siège de droite, et Pope s'installa dans le siège du milieu.

Quand les hommes furent bien en place, le dos plaqué au moulage du siège, le moment critique du compte à rebours arriva. A l'abri d'un bunker, Dieter Kolff regardait droit devant lui en se répétant que sa dernière fusée Saturn s'élèverait comme prévu. A 00 :00 :00, il vit une grande traînée de feu et sentit le sol trembler; plus de cent mille litres d'eau à la seconde furent projetés sur les flammes, et soixante-cinq mille litres supplémentaires servirent à protéger l'enveloppe de la fusée. Elle s'éleva doucement dans un véritable déluge.

A l'intérieur de la capsule, les trois astronautes sentirent à peine l'instant du décollage; Linley, dont c'était le premier vol, dit :

« Selon les instruments, nous sommes partis. »

Plongé dans ses check-lists, Pope lui tapota le bras et hocha la tête.

Dès que l'on sut qu'Apollo 18 volait normalement, le contrôle assuré par Cap Canaveral, où tous les ingénieurs avaient rempli leur mission, passa à Houston; au centre de contrôle des missions, des centaines d'experts étaient prêts à entrer dans le système informations et instructions.

Houston : Tous les systèmes sont go[1].

Apollo : Prêts pour le largage.

En moins de trois minutes, l'énorme premier étage avait rempli son rôle d'élever à près de treize kilomètres la charge totale de deux mille huit cent cinquante tonnes. Désormais inutile, il constituait un poids mort dont il fallait se débarrasser avant la mise à feu du deuxième étage. Claggett vit les commutateurs automatiques – il en avait plus de six cents sous les yeux – larguer le premier étage, qui tomba dans l'Atlantique à quelques kilomètres des côtes. Pope constata avec satisfaction que la séquence d'événements était, jusqu'à présent, parfaitement respectée.

Apollo 18 était tout à fait stable; les premiers instants du vol se passèrent très bien et la gravité n'était que d'un gramme et demi. Quand Claggett procéda à la mise à feu des cinq puissants moteurs du deuxième étage, la fusée passa brutalement de

1. *Etre go :* être paré. *Donner ou avoir le go :* donner ou avoir le feu vert.

treize à quelque cent quatre-vingts kilomètres d'altitude, et sa vitesse atteignit les vingt-cinq mille kilomètres à l'heure.

Houston se mit alors à les abreuver en données; toutes les suggestions étaient faites par une équipe de trois CapCom[1], et il avait été prévu que Hickory Lee et Ed Cater assurent le maximum de communications. Lee prit la parole :

Houston : O.K., Apollo 18. Tout va bien pour vous.

Apollo : Heureux d'avoir échappé au roulis.

Houston : Nos ingénieurs ont parfois de bonnes idées.

Apollo : Ici Pope. On a plus de place que dans une Gemini. J'ai hâte de démarrer.

Houston : Calme-toi, mon fougueux.

Claggett largua le deuxième étage et ses cinq gros moteurs; Apollo n'était plus propulsée que par le moteur unique du troisième étage, celui qui serait mis à feu pour placer le véhicule en orbite terrestre, puis pour lancer Apollo vers la Lune, avant d'être largué à son tour. Bien entendu, le système fonctionnerait encore grâce aux petits moteurs des modules; après le largage du troisième étage, c'est-à-dire après quelque cent soixante minutes de mission, ces petites fusées prendraient le contrôle jusqu'au retour sur Terre de la capsule.

Un échange d'informations capital débuta à la trente-quatrième minute :

Houston : Tous les systèmes ont l'air go.

Apollo : Pareil pour nous.

Houston : Nous sommes prêts à prendre la grande décision.

Apollo : Pas d'opposition ici.

Houston : Vous avez le go pour la Lune.

1. *CapCom,* abréviation de *Capsule Communicator :* responsable des communications avec les astronautes. *Roger :* compris. (*N.d.T.*)

Apollo : Vitesse, 28 053, altitude, 192,4 km.

Houston : Roger. Mise à feu à 01 :26 :28. La trajectoire est correcte.

Tout était en place pour un vol long, mais sans histoires, vers la Lune. Les hommes s'adonnèrent alors à un exercice fondamental et déconcertant. Les diverses parties de l'énorme machine avaient été disposées de manière à obtenir le meilleur profil aérodynamique lors de la montée dans l'atmosphère; en un mot, elles étaient rangées sens dessus dessous, mais Claggett appelait ça « avoir le cul en l'air ». Mais, à présent que la résistance de l'espace était négligeable, toutes les dispositions se valaient; les astronautes devaient donc procéder au « démontage » de leur machine – avec des éléments énormes volant en toute indépendance à plus de vingt-huit mille kilomètres à l'heure –, avant de l'assembler comme il convenait. Les parties inutiles seraient alors larguées avant de brûler au contact de l'atmosphère.

« Souhaitez-moi bonne chance », dit Claggett au moment d'entamer cette délicate manœuvre; quand les parties furent séparées et que les modules de service et de commande eurent effectué un demi-tour, il les amarra en douceur au module lunaire. Avec beaucoup de précautions, il dégagea le train spatial du troisième étage, désormais inutile, et le regarda s'éloigner. Les astronautes étaient seuls dans les petits véhicules qui les déposeraient sur la Lune.

Mais ce n'était pas tout. La délicate manœuvre prenait fin, quand Claggett et Pope durent procéder à une opération inédite : avec une extrême précision, ils firent sauter les boulons explosifs du panneau et permirent aux trois petits satellites de communication de bondir hors de l'Apollo. Bénéficiant de la poussée du vaisseau mère, ils atteindraient la Lune, mais leur vitesse et leur altitude seraient telles qu'ils ne pourraient se mettre en orbite. Claggett enverrait alors un signal radio, qui déclencherait une rétro-fusée à bord de chaque satellite et l'obligerait à se placer dans la position qu'on lui aurait assignée. Ils assureraient alors la communication avec la Terre, tandis que les astronautes travailleraient sur la face cachée de la Lune.

« On peut aller se coucher, maintenant », dit Claggett.

Pendant une soixantaine d'heures, le vol d'Apollo serait lent, méthodique et entièrement contrôlé. Claggett écouta de la Country Music sur son magnétophone, et Pope préféra les symphonies de Beethoven quand son tour fut venu. Le docteur Linley prit en charge la communication avec Houston et nota soigneusement les résultats des matches de basket que lui annonça le CapCom Cater. La deuxième nuit, à un moment qui correspondait à l'heure de grande écoute aux Etats-Unis, le docteur Linley brancha la télévision de l'*Altaïr* et transmit à la Terre un programme de cinquante minutes destiné à montrer la vie à bord d'un vaisseau spatial. Claggett raconta toute une série de blagues texanes, mais le moment le plus intéressant fut l'exposé de Pope sur les conséquences de l'apesanteur. Il montra comment l'eau prenait la forme d'un globule, comment on pouvait dormir la tête en bas sans que cela ait la moindre importance et en quoi le simple fait de manger et de boire posait des problèmes particuliers. Il ajouta, pour attirer l'attention des enfants : « Ce n'est pas facile d'aller au petit coin. » Il utilisa le mot *urine* et montra comment elle était expulsée de la capsule. Il demanda ensuite à Linley de placer la caméra derrière sa tête pour que les enfants découvrent l'énorme quantité d'interrupteurs dont les astronautes devaient connaître la signification. Il insista sur le petit morceau de métal qui n'avait fait qu'une apparition tardive dans le programme spatial, et qui protégeait chaque interrupteur. D'un large mouvement, il balaya toute une partie du tableau de bord et montra qu'il n'était en rien affecté par un geste aussi maladroit.

Il prit ensuite la caméra et demanda à Linley d'expliquer le cœur du système, c'est-à-dire les ordinateurs qui stockaient les données nécessaires à un tel vol. Le scientifique parla du nombre d'informations détenues par l'ordinateur et Pope dit : « Dans quelques minutes, le colonel Claggett va allumer un moteur pendant onze secondes, ni plus ni moins. Comment sait-il à quel moment et pendant combien de temps ce moteur doit fonctionner? C'est l'ordinateur qui le lui dit; quand la mise à feu sera terminée, nous foncerons tout droit vers la Lune. »

Claggett sentit que le programme devenait un peu trop pédagogique, ce qui n'avait rien de surprenant de la part de Pope, et il prit un biscuit, mordit dedans et produisit de grosses miettes qui se promenèrent dans la cabine. « Ramassez ces miettes, cria-t-il aux deux autres. C'est comme ça qu'on fait le ménage, ici. Ramassez ces miettes, tas de feignants! » Et il tint la caméra pendant que Pope et Linley s'efforçaient de récupérer les miettes de biscuit.

Le sérieux revint le lendemain, car les hommes de l'*Altaïr* étaient sur le point de tenter une expérience absolument inédite, un débarquement sur l'autre face de la Lune. La Lune se rapprochait sans cesse, et ils purent reconnaître les régions où s'étaient posées les précédentes capsules Apollo; un instant, ils regrettèrent de ne pas se diriger vers les sites dont ils avaient dû tout apprendre, alors qu'ils n'étaient que des astronautes débutants. Mais lorsqu'ils contournèrent la Lune et découvrirent les paysages fabuleux qui les attendaient, ils furent envahis de plaisir.

Le plan de vol exigeait qu'ils effectuent plusieurs orbites autour de la Lune avant de procéder à la descente proprement dite; pendant cette période d'attente, ils conversèrent avec Hickory Lee, à Houston :

Apollo : Les choses ne pourraient pas mieux se présenter.

Houston : Qui a écrit le texte de Claggett pour le direct à la télévision?

Apollo : Joe Miller, il y a deux cents ans.

Houston : Vous avez fait un tabac. Les responsables du programme ont beaucoup apprécié la façon dont Pope a expliqué l'apesanteur.

Apollo (Claggett) : Nous aussi. Je n'y avais jamais rien compris avant.

Houston : Vous avez pu voir les épaves des précédents débarquements?

Apollo : Non, mais on a bien cherché.

Houston : C'est difficile à croire. Naturellement, quand vous passerez en orbite basse...

Apollo : Notre site d'atterrissage est dans l'obscurité pour l'instant, mais ce que nous pouvons voir des régions éclairées est assez rassurant. C'est très différent de l'autre côté. Il y a bien plus de cratères.

Houston : Nous voulons que vous fassiez quatre passages.

Apollo : Nous aussi, vous pouvez en être sûrs.

Houston : Des problèmes?

Apollo : Pas le moindre. On se croise les doigts, mais tout est parfait pour l'instant.

Il y eut tout de même un problème. Le lendemain du lancement, Sam Cottage observait le Soleil quand il vit avec intérêt que la région 419 avait conservé sa disposition en fer à cheval; certains signes indiquaient qu'une tache assez grosse à l'œil nu risquait de se développer, mais rien ne semblait devoir annoncer un événement protonique. Ce jour-là, son rapport aux scientifiques de la N.A.S.A. et du monde entier fut le suivant :

> « La région 419 a produit plusieurs éruptions mineures. De nouvelles taches apparaissent en lumière blanche. La région présente des polarités mêlées. Le champ géomagnétique risque de demeurer perturbé. Possibilité d'éruptions modérées. »

Mais le lendemain, alors que les astronautes se préparaient à s'approcher de la Lune, la région 419 était toujours là, et le rapport ne contint pas la moindre information qui eût pu alerter les experts de la N.A.S.A.

Cottage, toutefois, ne pouvait pas dormir; à l'heure où Claggett et Linley préparaient leur descente vers la Lune, il resta seul dans son bureau à étudier une nouvelle fois les données concernant le cycle 20 et le comportement de la région 419; plus il les soumettait à un traitement mathématique, plus il se rendait compte que ses théories étaient exactes : la région 419 allait bientôt produire une éruption majeure.

Il n'avait rien de sérieux en main, en dehors des corrélations qu'il avait établies, mais il les porta tout de même au directeur du centre en disant :

« C'est encore moi. Statistiquement, tout s'équilibrerait si la région 419 explosait.

– Nous ne sommes pas des voyantes pour prédire ainsi l'avenir.

– D'accord, oubliez mes théories. Qu'est-ce que vous en pensez?

– C'est une région turbulente, mais bon dieu, il

n'y a vraiment pas de quoi déclencher une alerte. »

Et une fois de plus, aucune mise en garde ne fut publiée.

Le 26 avril, alors que les deux astronautes prenaient les ultimes décisions concernant leur descente vers la Lune, Sam Cottage n'abandonna pas son poste à l'heure du déjeuner; il se déroulait sur le Soleil un événement assez banal, qui ne pouvait être à l'origine d'aucun danger spécifique, mais qui allait cependant produire une période de risque maximal pour les deux hommes en expédition sur la Lune. La région 419 passait d'est en ouest sur la face visible du Soleil, ce qui la rendait menaçante pour trois raisons. Premièrement, la rotation solaire fait que la trajectoire des particules atomiques émises par le Soleil est incurvée, et que les particules de la moitié occidentale se dirigent plus particulièrement vers la Terre et la Lune. Une éruption importante sur l'hémisphère oriental ne serait pas très dangereuse, car les particules seraient projetées dans l'espace sans atteindre la Terre. Deuxièmement, la durée du trajet des particules mortelles originaires de la moitié occidentale est bien plus courte que celle des particules émises par la moitié orientale; elles ont donc plus de chances d'atteindre les astronautes avant qu'ils ne se mettent à l'abri. Troisièmement, les particules frappant la Terre ou la Lune depuis l'hémisphère occidental sont plus riches en énergie que celles venues de l'hémisphère oriental.

Une éruption est particulièrement dangereuse quand elle se situe entre vingt et quarante-cinq degrés à l'ouest du méridien central du Soleil, et c'était justement dans cette zone sinistre que la région 419 entrait à présent.

Comme Sam n'était pas venu déjeuner, sa petite amie lui apporta un sandwich et regarda le Soleil avec lui.

« Hier, j'ai eu la trouille, lui dit-il. J'ai apporté toutes mes données au patron et je n'ai rien pu lui montrer. Il a dit que nous n'étions pas des voyantes, et il n'a pas tort. Regarde. Tout est calme. La région 419 passe doucement à l'ouest. Nous allons y échapper pour cette fois, mais je suis toujours convaincu qu'il va y avoir un feu d'artifice avant la fin du cycle 20.

– Heureusement pour les types qui sont là-haut, dit-elle.

– Pourquoi, ils se sont posés sur la Lune?

– Pas encore. Mais j'ai entendu le bulletin de Houston dire qu'ils amorçaient la descente. » Elle hésita devant ses yeux troubles, son air nerveux, puis ajouta : « Viens faire un tour avec moi jusqu'à la bibliothèque. Repose-toi un instant.

– Je veux voir cette saloperie disparaître à l'ouest.

– Il faut compter encore combien d'heures?

– Six jours. » Il éclata de rire et céda. « D'accord, on y va, mais une heure seulement. »

A peu près à l'instant où Sam Cottage pénétrait dans la bibliothèque en compagnie de sa petite amie, Claggett et Linley se glissaient dans l'orifice de jonction du module d'atterrissage. Ils furent satisfaits de voir que tout était paré, puis ils indiquèrent à Pope qu'il pouvait les lâcher. Celui-ci était plongé dans les check-lists lui permettant d'assurer seul le commandement de la capsule, et il leur demanda un peu de répit :

« J'ai encore trois pages. J'aimerais mieux que tout soit bouclé quand vous partirez.

– Nous aussi, dit Claggett dans l'interphone. Ça sera plus pratique pour revenir. »

Dès qu'il eut achevé ses méticuleuses vérifications, Pope s'écria :

« Randy, tout est go. Contacte Houston. »

La décision était prise. Les ordinateurs du module et leurs semblables restés à terre étaient du même avis, de sorte que le *Luna* se sépara pour entamer sa descente vers ce que Tucker Thompson qualifiait de « gouffre de ténèbres où des forces inconnues menacent l'existence de tous ceux qui s'y aventurent ». Le docteur Mott avait lu cette déclaration dans *Folks* et n'avait pu s'empêcher de maugréer : « Les forces fondamentales sont les mêmes qu'à Brooklyn, il n'y a que le paysage qui change. »

C'était parfaitement exact. Lorsque le Soleil éclaira des régions plus vastes de l'hémisphère, Claggett et Linley purent découvrir une Lune très différente de la face tournée vers la Terre, celle-là même qu'ils avaient étudiée avec tant d'assiduité. On ne trouvait pas ici de vastes mers, de cratères par milliers, de traînées aux formes étonnantes. C'était une Lune à l'état brut, aux chaînes de montagnes escarpées, aux vallées profondes. La face visible depuis la Terre était connue depuis vingt mille ans et cartographiée depuis trois siècles. Les enfants des écoles pouvaient la reconnaître au premier coup d'œil, mais seuls les scientifiques qui travaillaient sur les clichés pris par les Russes et les Américains pouvaient dire qu'ils connaissaient bien le site d'atterrissage du *Luna*.

Avec un talent accompli, Claggett amena le module au beau milieu du couloir, disposant ainsi d'assez d'ensoleillement pour reconnaître chaque rocher à l'ombre projetée. Puis les longues et délicates sondes accrochées aux pattes du train d'atterrissage se déployèrent pour entrer en contact avec la Lune et avertir les atronautes de couper les moteurs afin de ne pas heurter trop brutalement le sol lunaire. Le contact fut établi avec Houston :

Luna : Tout est O.K. Mon Dieu, c'est si différent.

Houston : Nous vous recevons à la perfection. C'est pour bientôt.

Luna : Pas de signal des sondes. Il y a un mauvais fonctionnement?

Houston : Vous êtes encore au-dessus du niveau des sondes. Tout va bien.

Luna (Claggett) : Trop occupé. Je dérive à gauche. Un peu trop.

Luna (Linley) : C'est bon. Je le vois, droit devant.

Luna (Claggett) : Je ne vois rien du tout. On est en train de pencher.

Luna (Linley) : C'est toi qui penches. A gauche. Cinq degrés.

Luna (Claggett) : Tu as raison. C'est mieux comme ça. Houston, je le vois maintenant. Tout est parfait.

Luna (Linley) : Superbe atterrissage.

Houston : Bravo, les gars.

Aussi doucement que s'il rangeait une grosse voiture sur le parking d'un supermarché, Randy Claggett avait posé *Luna* à la limite des rayons du Soleil. Devant, c'était l'obscurité, mais le paysage serait bientôt inondé de lumière. Derrière, s'étendaient les régions qui avaient été éclairées, mais qui connaîtraient bientôt le froid terrible et les ténèbres de l'espace, où nulle atmosphère ne peut refléter la lumière.

Luna : On a jeté un coup d'œil par les hublots. C'est pareil tout en étant différent.

Houston (CapCom Ed Cater) : Vous allez faire un somme.

Luna : Avec plaisir.

Houston : Les systèmes sont coupés?
Luna : Tout est vérifié.
Houston : Nous vous réveillons dans sept heures. Sortie dans neuf.
Luna : C'est pour ça qu'on est venus..

Sam Cottage avait une telle hâte de voir ce que le Soleil lui réservait en ce matin du 27 avril, qu'il s'installa au télescope une heure avant l'aube et attendit impatiemment que le grand disque rouge apparaisse au-dessus des plaines de l'Est. Pendant l'heure qui suivrait l'aube, il ne servirait à rien de prendre des clichés : le Soleil serait trop près de l'horizon et un appareil-photo ne pourrait pénétrer de manière efficace l'étonnante épaisseur de l'atmosphère. Plus tard, l'épaisseur serait minimale, et il serait possible de prendre de bonnes photographies. Cela n'empêcha pas Cottage d'observer le Soleil derrière son manteau de brumes, pour voir si quelque sinistre événement s'était déroulé pendant la nuit.

Dans l'éventualité de devoir donner l'alerte, il passa son temps à relire des articles concernant le rayonnement; les recherches les plus avancées en ce domaine étaient résumées dans la *Table de Rems*[1], dont voici quelques extraits :

100-150 Rems	Vomissements, nausées, pas de handicaps sérieux.
340-420 Rems	Tout le personnel malade. 20 % de décès dans les 2 semaines.

1. Rem : *Röntgen Equivalent in Man,* dose de rayonnement qui produit les mêmes effets biologiques qu'un rad de rayons X. 1 Rem = 0,01 Sv = 0,01 J/kg. (*N.d.T.*)

500-620 Rems	Tout le personnel très malade. 50 % de décès dans le mois qui suit. Survivants frappés d'incapacité pendant six mois.
690-930 Rems	Vomissements et nausées immédiats. Jusqu'à 100 % de personnes atteintes.
6 200 Rems	Incapacité totale quasi immédiate. Mort de tout le personnel.

Ces chiffres concernaient, bien entendu, « un mâle de race blanche dépourvu de toute protection », et la dose pouvait être considérablement réduite par divers subterfuges. Ainsi, une dose de 560 Rems qui atteint un homme non protégé, passe à 400 s'il porte une combinaison d'astronaute; à 128, s'il peut réintégrer le module lunaire; à 26, s'il atteint le module de commande, avec sa coquille protectrice et son bouclier thermique; et à 7, s'il se tient derrière le mur de pierre d'une maison solide.

Quand Cottage eut assimilé les deux séries de chiffres, il se dit : « C'est pour cela qu'on a besoin de types dans mon genre. Pour donner l'alerte avant l'accident. Un homme atteint sans protection meurt obligatoirement; mais il survit s'il peut regagner le module de commande. »

La nuit pâlissait. Il attendait l'apparition du Soleil et se faisait l'impression d'être un prêtre atzèque qui, au sommet de l'autel de Tenochtitlan, prie pour le retour de Celui-qui-donne-la-vie. Et il pensa : Ils savaient ce qu'ils faisaient, ils savaient d'où leur venait l'énergie de la vie.

La lumière du jour emplit la pièce et Cottage se mit à faire les cent pas, ne s'arrêtant que pour étudier une remarquable série de clichés pris le 23 février 1956, et montrant l'évolution de la plus grande explosion solaire jamais enregistrée. Selon les estimations de Cottage, elle aurait émis une dose totale de 2 000 Rems (mesure prise sur la Lune, bien entendu).

Puis apparut le Soleil, source de lumière, de chaleur, de vie et de pérennité, que les hommes acceptaient naturellement sans vraiment la comprendre. Anormalement captivé par la puissance de *son* étoile, Sam en contempla à l'œil nu le disque rouge orangé et lui rendit hommage à son tour :

> « Une vraie centrale électrique! Je ne peux toujours pas y croire! Tu existes depuis cinq milliards d'années et tu as projeté dans l'espace six millions de tonnes de matière toutes les secondes. Et tu pourras continuer ainsi pendant cinq autres milliards d'années, sans parvenir à dépenser le centième du centième de ta masse. Je t'en prie, calme-toi, pendant quelques jours tout au moins. »

Tandis que Cottage priait pour que le Soleil lui accorde un délai, Hickory Lee essayait depuis Houston de réveiller ses deux astronautes en répétant sans arrêt : « *Luna,* Houston. *Luna,* Houston. » Quand il y parvint, il leur rappela de ne pas oublier le petit déjeuner, puis il confirma le planning quand ils ouvrirent l'écoutille et abaissèrent l'échelle.

Randy Claggett se montrait irrévérencieux à tout propos, que l'on parlât du mariage, de la paternité, des essais en vol ou des combats contre les Mig russes; mais lorsqu'il sentit son pied botté toucher la surface de la Lune et comprit au même instant qu'il foulait une partie de l'univers que nul homme n'avait jamais vue, même avec le plus puissant télescope, il ne put résister à la solennité de l'instant :

Luna : Rien ne peut préparer à cet instant. Les clichés n'étaient pas assez rapprochés. C'est... c'est stupéfiant. Un paysage de cratères et de rochers à l'infini.

Houston : Alors, ce n'est pas la face sombre?

Luna : Le Soleil est très brillant, mais il est tout de même sombre, au sens figuré.

Dès que Paul Linley l'eut rejoint, il se produisit une étrange transformation : jusqu'à présent, Claggett avait été le pilote chevronné, le commandant de bord, mais ici, parmi les roches de terrain étranger, le géologue prenait le contrôle des opérations. Et il rappela à Claggett qu'ils avaient la responsabilité de procéder immédiatement au ramassage de roches, au cas où il leur faudrait partir précipitamment. L'installation des instruments scientifiques et la collecte systématique d'échantillons ne se feraient qu'après.

Ce n'est que lorsque les sacs d'urgence furent remplis et montés à bord que les deux hommes purent passer à une opération qui, vue de la Terre grâce aux satellites de liaison, avait quelque chose de miraculeux : ils ouvrirent un panneau situé à la base du module lunaire, actionnèrent plusieurs manettes, puis reculèrent quand apparut une étrange machine, semblable à une chrysalide sur le point de devenir papillon. Au début, cela ressemblait à un caddy sur lequel serait passé un camion; puis, sous l'action du Soleil, les diverses parties montées sur ressort commencèrent de se déplier : quatre roues apparurent mystérieusement, puis un manche à balai et deux sièges. Une jeep lunaire venait de se matérialiser, avec ses batteries qui lui permettraient de se mouvoir pendant trois jours ou cent trente kilomètres, « selon ce qui se présentera », comme le dit Claggett à Houston.

Quand la jeep fut entièrement montée, les astronautes ne s'installèrent pas sur les sièges pour aller se promener sur la Lune; en fait, ils l'ignorèrent totalement pour se consacrer à la tâche importante qui les attendait : le débarquement et la mise en place des instruments scientifiques qui témoigneraient du succès de leur mission pendant les dix années à venir. Au cours des précédentes missions Apollo, les hommes avaient placé sur la Lune des appareils censés communiquer avec la Terre pendant une année au maximum, mais ils avaient été si intelligemment conçus qu'ils continuaient tous à fonctionner après la date de péremption.

« Ça nous arrive de faire bien les choses, dit Claggett en mettant en place l'instrument chargé de mesurer l'intensité du vent solaire.

– Je crois que tu as fait un mauvais branchement, dit Hickory Lee depuis Houston. Le rouge avec le rouge.

– Je me suis touché avec les fils », dit Claggett. Et Lee dut lui rappeler :

« Nous travaillons à micro ouvert. »

Avant chaque vol, les officiels de la N.A.S.A. avaient rappelé à Claggett qu'il serait entendu par des millions, voire des milliards de personnes sur Terre, et qu'il devait surveiller la verdeur de son langage. Il promettait toujours de faire attention, mais de temps à autre, une expression familière ou empruntée à l'argot des pilotes d'essai réapparaissait, au grand désespoir de la N.A.S.A. Les responsables savaient que le moindre écart de langage susciterait des milliers de protestations, ainsi que des questions au Congrès : « Comment des hom-
« mes qui sont plus près des cieux qu'aucun autre
« humain peuvent-ils employer un tel langage? » Et Mott, qui écoutait la conversation, savait exactement ce que Claggett répondrait dans un pareil cas : « Monsieur le sénateur, c'était un instant capi-

« tal. Houston avait raison. J'allais foutre en l'air « toute l'expérience parce que je m'étais touché « avec les fils. »

Quand les huit appareils scientifiques furent mis en place et que les antennes chargées de transmettre leurs découvertes furent orientées vers les satellites, les deux hommes procédèrent à l'envoi des signaux d'essai.

Houston : Nous vous recevons fort et clair.

Luna : Voltage correct?

Houston : Il ne pourrait pas être meilleur.

Luna : Nous allons nous reposer quinze minutes.

Houston : Vous l'avez bien mérité.

Luna : Ensuite, en route pour l'expédition numéro un. Onze kilomètres jusqu'au cratère réticulé.

Houston : Roger. Vous vérifiez vos dosimètres?

Luna : Tout est régulier.

Le repos servait à éviter une trop forte respiration qui aurait épuisé l'oxygène. Le quart d'heure écoulé, les deux hommes montèrent dans la jeep. Le docteur Linley prit les commandes, car le véhicule était placé sous sa responsabilité, puis Houston reçut un message remarquable.

Luna : Veuillez informer mon oncle, le docteur Gawain Butler, lui qui ne voulait pas me prêter sa vieille Plymouth, que je roule maintenant dans un carrosse qui coûte la bagatelle de dix bâtons.

Houston : Attention aux feux rouges.

Chaque voyage avait été conçu de telle sorte que chaque minute comptait; les hommes devraient travailler sans interruption à rechercher des objets qui pourraient éclaircir l'histoire de cette face de la Lune. Les distances à parcourir étaient soigneusement étudiées : les hommes ne devaient jamais dépasser un point d'où ils pourraient revenir à pied en cas de panne de la jeep. Compte tenu de la fatigue et des réserves d'oxygène, la distance maximale avait été fixée à dix kilomètres pour les précédentes missions; mais Linley et Claggett étaient dans une forme physique étonnante, et leur horizon avait été repoussé à onze kilomètres.

La première expédition les mena jusqu'à l'un des plus intéressants petits cratères de cette face de la Lune; la section centrale, aplatie, était fendillée et tachetée comme une flaque de boue au soleil d'août, et les astronautes l'avaient surnommée « le cratère de la Girafe ». Ils grimpèrent sur une butte et Linley poussa un cri de satisfaction avant d'informer Houston que c'était encore plus passionnant que les photographies ne l'avaient laissé supposer.

Luna : Magnifique. Nous découvrons ici tout un monde nouveau.

Houston : Dites plutôt une Lune nouvelle.

Luna : Rectifié. Nous allons descendre à pied pour collecter des échantillons.

Houston : Trop raide pour la jeep?

Luna : Je crois.

Houston : Roger. Nous vous suivrons avec la caméra de télévision.

Luna : Nous prenons à gauche. Jusqu'aux rochers de couleur jaunâtre.

C'était absolument fantastique. Les deux astronautes quittèrent la jeep et descendirent prudemment dans le cratère mais, pendant ce temps, les techniciens de Houston avaient adressé des signaux à la caméra de télévision installée sur le flanc de la jeep, et celle-ci suivit fidèlement les mouvements des hommes. Ses impulsions électriques étaient émises par l'antenne spéciale de la jeep vers l'un des satellites en orbite, qui les retransmettait aux stations réceptrices d'Honeysuckle, en Australie, et de Goldstone, en Californie, où elles étaient transformées en images de télévision à l'usage des stations commerciales. La liaison était si parfaite que les opérateurs de Houston pouvaient manipuler la caméra plus soigneusement que ne l'aurait fait un passager de la jeep.

Au Centre d'études solaires de Boulder, Sam Cottage tourna les manivelles qui lui permettaient de mettre en position son télescope solaire, puis il plaça un filtre à l'hydrogène-alpha pour obtenir l'image la plus nette de l'activité de l'astre. Il attendit un instant que l'étoile ait perdu de sa coloration rouge pour la regarder bien en face, et il découvrit que la région 419 avait atteint le point où les risques de danger étaient les plus grands. Elle avait franchi la ligne la plus proche de la Lune, mais elle était encore assez près pour porter un coup fatal; de plus, elle était entrée dans l'hémisphère occidental, le plus dangereux, celui qui connaissait les décharges les plus violentes.

Les minutes passèrent, et avec elles les risques d'accident. Sam fut satisfait de voir que la région 419 se tenait tranquille. Cependant, son rapport matinal l'obligea à consulter les tables pour estimer la superficie de la région, et le chiffre auquel il aboutit ne manqua pas de le surprendre : la région 419 était maintenant soixante-trois fois plus étendue que toute la surface de la Terre.

Avant de rédiger son rapport, il regarda une dernière fois dans le télescope pour vérifier la taille de la turbulence; c'est alors qu'il vit la région se développer pratiquement sous ses yeux. « Mon Dieu, qu'est-ce que c'est que ça? »

Il tendit la main vers le téléphone, sans pouvoir détacher son regard de ce lointain champ de bataille, où des forces primitives entraient en tension anormalement. Prise d'une fureur titanesque, la région 419 était en train d'exploser. Ce n'était plus une région à l'activité menaçante; c'était l'une des plus violentes explosions jamais enregistrées depuis deux cents ans.

« Seigneur », balbutia Cottage tout en se débattant avec le téléphone. Les chiffres couraient dans sa tête : distance du Soleil à la Lune, un peu moins de cent cinquante millions de kilomètres. Ce que nous voyons maintenant s'est déroulé il y a 8,33 minutes. Mais le rayonnement se déplace à la vitesse de la lumière. Il a déjà atteint la Lune. Mon Dieu, les pauvres types qui sont là-haut! Et la dose totale, 5 000, 6 000 Rems, peut-être? En un éclair, deux idées traversèrent son esprit : « Qu'est-ce qui a bien pu se passer pendant les huit minutes mises par la lumière pour nous atteindre? » Mais aussi : « *Mon Dieu, je vous en supplie, protégez ces hommes.* »

Il donna l'alerte, mais, avant que ses supérieurs aient pu alerter la N.A.S.A., deux observatoires et trois astronomes amateurs de la région de Houston avaient déjà signalé qu'un formidable événement protonique était en cours.

Houston : Luna, Altaïr, vous m'entendez?

Altaïr : Je suis là.

Houston : Pourquoi *Luna* ne répond-il pas? *Altaïr,* vous pouvez voir *Luna* de votre position?

Altaïr : Négatif.

Luna : Je vous entends Houston.

Houston : Il semble qu'il y ait un événement sur le Soleil. Vous avez vérifié vos dosimètres?

Luna : Oh-oh!

Houston : Pour nous, la télémétrie est très élevée.

Luna : Ici aussi. Le dosimètre est saturé.

Altaïr : Confirmation. Très élevée.

Houston : Nous avons à présent confirmation de diverses sources. Evénement solaire majeur. Classification 4. X 9 par flux de rayons X.

Luna : Durée probable?

Houston : Impossible de le dire. Attendez. Pour le service écologie, deux ou trois jours.

Luna (Claggett) : Je crois que nous allons avoir des problèmes.

Houston : La marche à suivre est évidente. Retournez au module lunaire. Décollez dès que possible. Rendez-vous orbital dès que possible.

Luna : Nous n'avons pas de données pour le décollage. Pas de temps non plus. Idem pour le rendez-vous orbital.

Houston : Nos ordinateurs vont vous les communiquer. Quelles sont vos coordonnées par rapport au module lunaire?

Luna : Distance, onze kilomètres. Vitesse maximale, onze kilomètres. Durée, une heure.

Houston : Combien de temps avant le départ?

Altaïr : Est-ce que je dois descendre pour le rendez-vous?

Houston : Ne bougez pas, *Altaïr.* On s'occupera de vous après.

Altaïr : Roger.

Houston : Je répète, combien de temps avant le départ?

Luna : En abandonnant tout, vingt minutes.

Houston : Abandonnez tout. *Luna,* pas de panique, mais la vitesse est essentielle.

Luna : Qui est-ce qui panique, ici? On sort du cratère et on arrive.

Houston : Pour le constructeur, la jeep peut atteindre les dix-huit kilomètres à l'heure.

Luna : Et si elle casse? Quelle est la vitesse maxi à pied?

Houston : Roger. Gardez la vitesse de croisière.

Luna : On peut pousser à quatorze.

Houston : On nous informe que les tests sont bons pour quatorze.

Luna : Alors, on pousse à quatorze.

En cet instant, le Soleil rappelait aux Terriens sa terrible puissance : il déversait des rayons et des particules atomiques à un rythme hallucinant, les projetant dans l'espace jusqu'à ce qu'ils bombardent tous les objets célestes. Des vagues successives de particules solaires et de rayons très riches en énergie attaquèrent la Terre, mais la majeure partie fut repoussée par notre atmosphère protectrice; il en passa cependant assez pour donner naissance à d'étranges perturbations.

... Dans le nord de l'Etat de New York, une centrale électrique vit ses circuits de protection activés par d'énormes quantités de courant électrique courant le long des lignes sans qu'on puisse en déterminer l'origine.

... Un général de l'armée de l'air, qui essayait vainement de communiquer avec une base distante de quinze cents kilomètres, se rendit compte que le système de défense des Etats-Unis était réduit à néant : « Si la Russie profitait de notre confusion pour nous attaquer, ce serait le moment idéal. » Puis il sourit et se reprit : « Naturellement, leur système serait aussi inutilisable que le nôtre. »

... Les chauffeurs de taxi de Boston reliés par radio au standard de leur compagnie reçurent des instructions pour se rendre à des adresses de Kansas City.

... Une célèbre course de pigeons organisée entre Ames, dans l'Iowa, et Chicago regroupait mille cent vingt-sept volatiles dont l'expérience était telle qu'un bon millier devait sans problèmes atteindre le but. Mais les champs magnétiques étaient totalement bouleversés, et quatre oiseaux seulement arrivèrent, fourbus, avec plus de six heures de retard sur l'horaire.

... Des habitants de la Floride déclarèrent avoir vu

une aurore boréale pour la première fois de leur vie; dans le nord du Vermont, le phénomène était si éclatant qu'on pouvait lire son journal en pleine nuit.

... Et à Houston, les spécialistes chargés du vol Apollo 18 se réunirent sans céder à la panique, conscients de leur impuissance. Le responsable du centre de contrôle et le docteur Feldman consultèrent les chiffres donnés par les dosimètres et frémirent : plus de 5 000 Rems frappaient la Lune. Très calmement, le responsable dit :

« Exposez-moi clairement la situation. »

Le docteur Feldman dit :

« Le chiffre le plus élevé que nous ayons atteint est de 5 830 Rems », et un scientifique de la N.A.S.A. ajouta :

« C'est absolument fatal. »

Mais Feldman poursuivit :

« Si, et je le répète, *si* 5 830 Rems frappent un homme nu, il est mort. Mais nos hommes portent les meilleures combinaisons jamais conçues. La protection est énorme. Sans parler de leurs propres vêtements. Mais ce n'est pas le plus important. Ce n'est pas le rayonnement qui risque de les tuer, mais le flux de protons émis par le Soleil. Il n'atteindra la Lune que dans cinquante minutes. » Il insista tout particulièrement sur les deux derniers points : « Nous les faisons revenir d'urgence au module, où leur protection sera meilleure. Puis nous les expédions vers la capsule et son bouclier thermique. »

Lançant les bras en l'air, il s'écria :

« Nous pouvons sauver ces hommes! »

Le responsable du centre convoqua ses trois CapCom et leur dit :

« Pas de trémolos dans la voix. Pas d'énervement. » Il adressa le même message aux centaines de personnes réunies dans la salle : « Toutes les suggestions sont les bienvenues, et le plus vite possible. Mais seuls les CapCom pourront converser avec les astronautes. »

Il se tourna vers les astronomes et leur dit :

« On aurait pu le prévoir?

– Non, firent-ils. Ce sont les derniers mois d'un cycle qui fut très calme. Cela n'aurait jamais dû se produire. »

Le responsable voulut leur dire : « En tout cas, c'est fait. 6 000 Rems. » Mais il savait qu'il ne devait montrer ni colère ni angoisse. « Il s'agit à présent de les ramener sains et saufs. »

Claggett et Linley avaient atteint la jeep et lui avaient fait faire demi-tour; ils ne prêtaient plus attention à leurs dosimètres car, une fois dépassés les 1 000 Rems, les chiffres ne voulaient plus rien dire. Ils étaient en danger, et ils le savaient, mais ils avaient tout de même une chance de s'en tirer s'ils suivaient les instructions à la lettre.

Pendant près d'une heure, la jeep revint à petite allure vers le module lunaire, également attaqué par le rayonnement solaire; les deux hommes auraient voulu parler de leur situation, mais ils ne trouvèrent rien à dire de précis. Ils se réfugièrent alors dans les lieux communs et les plaisanteries :

« Les hommes ont déjà absorbé de fortes doses, pas vrai, Linley? » et le scientifique répondit :

« On voit ça tous les jours, dans les cabinets des dentistes. »

Claggett demanda alors :

« Tu crois que les tabliers de plomb sont utiles? » et l'autre dit :

« Je ne sais pas, mais on en aurait un ou deux, ça ne pourrait pas nous faire de mal. »

Houston entendit alors un rire sonore en provenance du *Luna*. C'était Linley :

« Hé! Claggett, tu as vu les chiffres qu'on nous a balancés la semaine dernière? Ils disent qu'un homme à la peau noire a 23,41 chances de plus qu'un homme à la peau blanche d'échapper aux radiations. Seigneur! Enfin, ça rapporte quelque chose d'être noir! »

Puis ce fut la voix de Claggett :

« Mets-toi de ce côté-là, tu pourras me faire de l'ombre. »

Seul dans l'*Altaïr*, John Pope tria calmement ses fiches jusqu'à ce qu'il trouve celle intitulée « Précautions en cas de radiations ». Quand il en eut mémorisé les grandes lignes, il se plongea dans l'interminable liste d'instructions additionnelles pour être fin prêt lorsque ses compagnons auraient regagné leur module. Tout comme eux, il ne cédait pas à la panique; il se sentait seulement la responsabilité supplémentaire de faire ce qui convient en cas d'urgence.

Houston : Altaïr, vous avez assimilé les données qu'on vous a transmises?

Altaïr : Affirmatif.

Houston : Vous connaissez la manœuvre pour tourner le module et diriger le bouclier vers le Soleil?

Altaïr : Affirmatif.

Houston : Exécution immédiate. Rendez-vous programmé.

Altaïr : Roger.

Houston : Que dit le dosimètre?

Altaïr : Comme avant.

Houston : Excellent... Les chiffres sont bien inférieurs à ceux du *Luna*. Tout ira bien.

Altaïr : Tout est prêt pour le rendez-vous. Vous pouvez me les envoyer.

Jusqu'à cet instant, le CapCom avait été un astronaute vétéran, un homme à la voix calme, rassurante, mais le commandement de la N.A.S.A. pensa qu'il valait mieux, dans un moment aussi critique, employer quelqu'un que tout le monde connaissait. Hickory Lee prit le micro :

Houston : Ici Hickory. Les chiffres sont parfaits. *(C'était absolument faux : les chiffres indiqués par le dosimètre étaient effrayants. Mais il y avait tout de même une part de vérité : un rendez-vous orbital était encore possible.)*

Luna : Ça fait plaisir d'entendre un accent du Tennessee. Nous voyons le module. Retour dans quinze minutes.

Houston : Je vous donnerai les données de décollage dès que vous serez rentrés. Vous n'avez pas de bloc avec vous, n'est-ce pas?

Luna : Négatif. Les blocs ne sont pas d'une priorité absolue sur cette guimbarde.

Luna : Ici Linley. Nous avons des échantillons superbes. On va les récupérer.

Houston : Parfait. Mais si le transfert dure une minute de plus, laissez tomber.

Luna : Nous ne laisserons pas tomber.

Houston : Moi non plus, je vous comprends. Quoi? Qui ça? *(Après un instant) : Luna,* le docteur Feldman est ici. Il dit : « Docteur Linley, est-ce que « vous avez la bouche sèche? »

Luna : Affirmatif.

Houston (Dr Feldman) : Avalez votre salive, c'est impératif.

Luna : Je n'en ai pas. Envoyez-nous du jus d'orange.

Houston (Hickory Lee) : Le docteur Feldman dit : « Docteur Linley, gardez la bouche humide. »

Luna : Bouche, sois humide, c'est un ordre!

Le centre de contrôle de Houston avait reçu pendant la dernière heure une nuée de spécialistes qui s'étaient rués aux postes d'urgence, chacun bien décidé à aider les deux astronautes à gagner l'environnement quelque peu meilleur du module lunaire, puis à effectuer le rendez-vous orbital avec l'*Altaïr.* Mais l'optimisme ne fut plus de mise lorsqu'ils virent les chiffres terribles des dosimètres; la partie allait être extrêmement serrée.

Houston : Garez la jeep à côté du module.

Luna : Roger.

Houston : Dites-moi quand Claggett pénétrera dans le module. Je lui lirai les données de la check-list. On ne fera rien de bon si on ne vérifie pas tout.

Luna : J'ai toujours été le meilleur vérificateur du monde.

Dès que Linley eut arrêté la jeep, Claggett se dirigea vers le module, pénétra à l'intérieur et suivit les instructions que lui envoyait Hickory Lee. La N.A.S.A. ne pouvait attendre l'heure idéale de décollage, à laquelle *Altaïr* serait dans la position de rendez-vous optimale, et il fallait improviser une solution de rechange. Voyant que son commandant de bord serait occupé pendant quelques minutes, Linley en profita pour récupérer dans la jeep sa précieuse cargaison de roches lunaires. On l'avait envoyé sur la Lune pour y collecter des échantillons, et il avait la ferme intention de les rapporter sur Terre. Il allait monter à bord le second lot, quand il se mit à trembler en cherchant à se raccrocher à une poignée inexistante.

Luna : Je crois que le docteur Linley s'est évanoui.

Houston : Dans le module ou au-dehors?

Luna : Entre les deux.

Houston : Tire-le à l'intérieur, boucle tout et décolle immédiatement.

Luna : Je n'ai que des données partielles. Il est rentré. On fait des merveilles avec un sixième de gravité.

Houston : Décollage immédiat.

Luna : Je prends la piste 39. Ça va, il n'y a pas trop de trafic.

John Pope arrivait de la face de la Lune visible de la Terre. Il utilisa son sextant comme télescope pour apercevoir le module; quand il l'eut localisé, il contacta Houston : « Tout est régulier. » Mais il savait déjà que Linley était inconscient et que Claggett devrait se charger seul de manœuvres très complexes. « Si quelqu'un peut le faire, c'est bien lui. »

Luna : Linley est hors course.

Houston : Tu as terminé ta liste? Et la sienne?

Luna : Tout est en ordre.

Houston : Tu as le go.

Luna : Altaïr, tu es prêt?

Altaïr : Trois orbites, et ça devrait être bon.

Luna : O.K., on arrive.

Le monde entier retenait son souffle. Seul, Randy Claggett arracha le module lunaire de la surface de la Lune et monta à près de deux cents mètres.

Houston : Données correctes. C'est du bon boulot, Randy.

Luna : Je ne me sens pas bien.

Houston : Pas maintenant, Randy, pas maintenant. Tu ne peux pas faire ça.

Luna : Je...

Houston : Ecoute, Randy, c'est Hickory. Tiens bon les manettes.

Luna : Ça ne sert à rien, Houston, je...

Houston : Colonel Claggett, tenez bon. Vous ne devez pas abandonner. Vous ne devez pas abandonner.

Luna (un long silence, puis une voix très calme) : Bon saint Leibowitz, fais que les hommes continuent de rêver... *(Un bruit sourd)...*

John Pope avait entendu la conversation. Il observa le module dans son sextant, le vit vaciller, pivoter, puis redescendre vers la Lune à une vitesse vertigineuse.

Houston : Tiens bon, Randy. Tu ne dois pas laisser tomber, Randy. Tu ne peux pas abandonner. Randy...

Altaïr : Luna s'est écrasé.

Houston : Emplacement?

Altaïr : A l'est du site, dans les montagnes.

Houston : Des dégâts?

Altaïr : Ils sont anéantis.

Houston : Ici Hickory. *Altaïr.* Remonte en orbite.

Altaïr : Négatif. Je dois rester en orbite basse pour être sûr.

Houston : Je parle avec le docteur Feldman. Il dit : « Est-ce que votre bouche est sèche? »

Altaïr : Anéantis. Mon Dieu, ils ont été anéantis...

Houston : Ici Hickory. Altaïr, il faut prendre une orbite haute. Tu gaspilles du combustible.

Altaïr : Je veux savoir où ils sont. Je ne partirai pas avant.

Houston : Tu nous l'as déjà dit. A l'est du site, dans les montagnes.

Altaïr : Je ne les abandonnerai pas.

Houston : Je crois qu'il a éteint son micro. John, John, c'est Hickory. Il est impératif que tu passes en orbite haute et que tu te prépares à la mise à feu. John, c'est Hickory. John...

John Pope effectua seul deux orbites, malgré l'intensité du rayonnement solaire; et chaque fois qu'il fonçait droit vers le Soleil, il voyait l'aiguille de son dosimètre s'affoler et prenait conscience de la formidable dose de rayons qu'il absorbait, mais lorsqu'il repassait derrière la Lune, il savait qu'il était à l'abri du rayonnement extrême.

A chaque fois, il observa le plus longtemps possible l'endroit où *Luna* s'était écrasé et, bien qu'il se trouvât à une altitude à laquelle on ne pouvait pas voir grand-chose, il était persuadé que les combinaisons des astronautes s'étaient déchirées lors de la collision et que la mort avait été plus ou moins instantanée. Et il dit à voix basse, pour lui seul :

> « Comme la mort est différente ici. Nul ver pour ronger le corps, nulle pourriture pour le souiller. Dans un millier d'années, ils seront toujours là, les premiers, les seuls aussi. Quand des visiteurs arriveront d'autres galaxies, ils seront encore là, immaculés quoique sans sépulture, intacts, dans l'attente de la résurrection.
>
> « Oh! Randy, comme je t'ai aimé. Notre guerre en Corée. Nos combats pour rire au-dessus de Chesapeake. Nos vols au-dessus du pays. Ces seize jours dans la capsule Gemini, quand tu ne buvais que du jus d'orange et que tu me pétais à la figure. Les heures que nous avons passées dans les simulateurs. Et toutes les bières que nous avons bues avec Debby Dee.
>
> « Mon Dieu, dire que nous ne vivrons plus jamais cela, tout ce que nous avons vécu ensemble. »

Après un bref tour d'horizon, la N.A.S.A. décida de mettre le silence radio sur le compte de l'explosion solaire, qui atteignait à présent des proportions phénoménales. Les astronomes du monde entier avaient braqué dessus leurs télescopes, et des dizaines de photographies permettaient aux télespectateurs d'en découvrir le côté titanesque. De sorte que le silence temporaire de Pope ne passa pas pour exceptionnel. Avec un sang-froid apparent, Houston demanda à toutes ses stations de tenter d'entrer directement en contact avec Pope, et un concert de voix venues de tous les pays s'éleva alors jusqu'au module *Altaïr.* Pope les écouta d'une oreille distraite, mais son attention fut attirée par l'une d'elles, qui lui était particulièrement familière :

Honeysuckle : Ici l'Australie *(la voix disait : Ostrâ-lie),* j'appelle *Altaïr.*

Altaïr : Ce n'est pas vous qui m'avez pris en charge quand j'étais dans la Gemini, avec Claggett?

Honeysuckle : Tout juste.

Altaïr : Je me souviens que vous disiez Je-mini.

Honeysuckle : Ce n'est pas cela?

Altaïr : J'aime bien vous entendre.

Honeysuckle : Houston voudrait vous parler.

Altaïr : Moi aussi, je veux leur parler.

Honeysuckle : Tout est Roger?

Altaïr : Impeccable.

Honeysuckle : Bonne chance, mon vieux.

Cette voix chaleureuse avait redonné courage à Pope, qui était prêt à répondre quand Houston réussit à le joindre :

Altaïr : Chute de *Luna* confirmée. Collision au sol.

Houston : Des survivants possibles?

Altaïr : Négatif. *Luna* est complètement disloqué.

Houston : Ici Hickory, John, nous voulons que tu passes immédiatement en orbite haute.

Altaïr : Roger. J'accepte.

Houston : John, on a profité du black-out pour calculer ta trajectoire dans le moindre détail. Ça se présente bien.

Altaïr : Je suis prêt.

Houston : Il faudra absolument que tu dormes. Tu as besoin de sédatifs?

Altaïr : Négatif. Négatif.

Houston Est-ce que tu peux rester éveillé pendant six heures?

Altaïr : Affirmatif. Six jours s'il le faut.

Houston : Dans six jours, tu seras dans un lit

douillet. A présent, John, est-ce que tu me reçois bien?

Altaïr : Affirmatif.

Houston : Tu as bien compris la séquence de mise à feu?

Altaïr : Affirmatif. Je te le répète, j'ai les idées claires. Je suis capable de comprendre.

Houston : Il va falloir que tu fasses tout parfaitement. Dans les temps que nous te donnerons.

Altaïr : C'est bien mon intention.

Houston : Et s'il y a quelque chose que tu ne comprends pas...

Altaïr : Laisse tomber, Hickory. J'ai bien l'intention de ramener cette casserole au bercail. Ne t'affole pas, et j'en ferai autant.

Houston : Dieu t'entende. A bientôt, alors.

Altaïr : Tout à fait d'accord.

Aussi méthodiquement que s'il en était à la dix-septième heure d'une simulation, Pope parcourut ses check-lists, nota ses réserves en combustible et le moment de la mise à feu destinée à corriger sa trajectoire pour lui assurer une bonne entrée dans l'atmosphère. Quand tout fut vérifié, il dit calmement à Houston : « Je crois que c'est O.K. d'un bout à l'autre. » Au signal, il procéda à la mise à feu des fusées et se trouva ainsi sur une trajectoire qu'il allait suivre pendant plus de trois cent quatre-vingt-quatre mille kilomètres avant de tomber dans l'océan Pacifique.

Il allait maintenant devoir affronter quatre-vingts heures de solitude; vue du siège de gauche, la capsule lui paraissait gigantesque, et il s'étonna de ce qu'on ait pu la trouver minuscule. Conscient d'être resté longtemps immobile pendant que Linley et Claggett travaillaient sur la Lune, il s'inquiéta pour ses jambes et passa deux heures à pédaler frénétiquement sur le nouvel Exer-Genie.

Il brancha ensuite le magnétophone pour écouter

la Septième de Beethoven, mais il se souvint que Claggett l'avait qualifiée de « musique spaghetti » et la trouva subitement peu à son goût. Il préféra passer des bandes appartenant à Claggett et entendit des chanteurs de Country entonner « D-i-v-o-r-c-e ». Son désir de revoir Randy ne réussit même pas à lui faire apprécier cette chanson. Quand le CapCom Ed Cater appela de Houston pour lui demander s'il voulait les informations, il répondit par un « Non! » très sec. Cater dit alors que le docteur Feldman souhaitait lui poser quelques questions.

Altaïr : Passe-le moi.

Houston (Docteur Feldman) : Est-ce que vous avez des vertiges?

Altaïr : Négatif.

Houston : Une sécheresse excessive dans la bouche? Des taches devant les yeux?

Altaïr : Négatif.

Houston : Du sang dans les urines?

Altaïr : Comment le savoir?

Houston : Je le verrai. Je veux que vous vérifiiez et que vous me contactiez aussitôt.

Altaïr : J'accepte.

Houston (Cater) : Ton psy préféré dit qu'il veut te parler et que c'est très important.

Altaïr : O.K. Il sait peut-être des choses que je ne sais pas.

Houston : Crandall est ici.

Altaïr : Je me souviens de lui. Et de son Rorschach.

Houston : Il dit que c'est grâce à lui que tu es là-haut.

Altaïr : Demande-lui s'il se souvient de Claggett. Vers la fin du test, Crandall nous a montré une feuille de papier blanc. Les types dans mon genre ont dit : « C'est l'infini de l'espace » ou encore « C'est le visage du Soleil ». Enfin, ce genre de truc.

Après un seul coup d'œil, Claggett a dit : « C'est deux ours polaires en train de forniquer dans le blizzard. »

Houston : Le micro est ouvert.

Altaïr : C'est bien pour cela que j'ai dit *forniquer.* Vous vous souvenez de sa réponse?

Houston : Le docteur Crandall dit que Claggett a toujours été équilibré. *(Sans commentaire.)* Il dit aussi qu'il est impératif que tu demeures équilibré. Il y a pas mal de boulot qui t'attend.

Altaïr : Ça ira.

Houston : Ici Hickory. Tout va bien. Mais nous voudrions que tu dormes régulièrement, John. Et que tu écoutes les infos.

Altaïr : Hé! lâche-moi. Je ne suis pas déprimé. Il n'y a rien qui cloche.

Houston : C'est sûr, mais tu n'as rien mangé hier.

Altaïr : J'ai vomi.

Houston : Tu as refusé d'écouter les nouvelles. Tu m'as coupé et tu as coupé Cater.

Altaïr : J'aimerais bien parler avec Cater. J'ai toujours aimé bavarder avec lui.

Houston : Cater est ici. Je ne plaisante pas, John. Dans trente-six heures, tu vas devoir faire le boulot de trois hommes. A ton signal, je suivrai avec toi quatre check-lists spéciales.

Altaïr : Tu parles de l'entrée d'urgence en solitaire?

Houston : Ça risque d'être un peu coton, tu sais.

Altaïr : Je le sais depuis un an. Je l'ai programmée sur mes fiches.

Houston : Tu es vraiment incroyable. Mais on ne peut pas te laisser à la dérive pendant toutes ces heures... tout seul, je veux dire.

Altaïr : Selon le planning, je devais passer tout ce temps en orbite autour de la Lune.

Houston : Roger, mais les choses étaient différentes, alors.

Altaïr : C'est vrai. Excuse-moi.

Il se refusa à continuer de parler, mais lorsque Hickory Lee reprit le micro, ils évoquèrent librement leur expédition en Amazonie.

Altaïr : Si je ramène ce tas de boulons – tu te souviens de la façon dont Claggett décrivait ses prototypes? Si je pose ma capsule en pleine jungle amazonienne, j'arriverai à me débrouiller en mangeant des cœurs de palmier et de l'iguane cru.

Houston : Ils voulaient savoir si quelqu'un avait emporté de l'alcool à bord.

Altaïr : Ils veulent que j'en boive ou pas?

Houston : Ils disent que ça pourrait t'apaiser, mais je leur ai expliqué que tu n'y avais jamais touché.

Altaïr : Roger. L'entraîneur de mon équipe de football disait toujours que les pires ennemis d'un jeune, c'étaient les cigarettes, la gnôle, la friture, le sucre raffiné et les filles. J'étais assez bête pour le croire, et je continue à me passer des quatre premiers.

Houston : Penny est ici, à Houston.

Altaïr : Elle ne doit pas pavoiser.

Houston : Elle est avec Debby Dee.

Altaïr : Cela ne m'étonne pas. Dis-lui que je la retrouverai le 2 mai.

Houston : Tu dois te poser le 1er mai... tu te souviens?

Altaïr : Hawaii, le 1er mai. Houston, le 2.

Houston : On va probablement la conduire à Hawaii.

Altaïr : Négatif! Négatif! De toute façon, elle n'acceptera pas.

On eut dit que la nation tout entière mais aussi une grande partie du reste du monde s'étaient figées pour voir John Pope ramener l'*Altaïr* sur la Terre. On priait dans les églises et les caricaturistes saluaient son effort solitaire; la télévision analysait longuement la situation, et plusieurs astronautes vétérans devant les caméras donnèrent leur avis sur les instants critiques de la mission. Ils étaient tous d'accord pour dire qu'un pilote expérimenté comme John Pope, qui avait volé sur des dizaines d'appareils expérimentaux et affronté l'ennemi en Corée, n'était pas du genre à s'affoler à la perspective de faire seul le travail de trois personnes. Le point culminant du retour eut lieu le dernier jour, alors que Hickory Lee faisait office de CapCom :

Houston : Altaïr, nos grosses têtes ont pensé à une chose avec laquelle tout le monde semble d'accord.

Altaïr : Je t'écoute.

Houston : Ils disent que ce serait bon pour le pays, mais peut-être aussi pour toi, si tu branchais ta caméra de télévision pour que les gens voient ce que tu fais.

Altaïr : Je ne peux pas abandonner les commandes pour filmer.

Houston : Non, non! L'objectif sera immobile. *(Un long moment de silence.)* C'est notre opinion à tous...

Altaïr : Tu me proposes cela pour m'occuper l'esprit?

Houston : Oui. Et je te le recommande. Sincèrement.

Altaïr : Qu'est-ce que je vais bien pouvoir dire?

Houston : Tu peux raconter un millier de choses. Lis tes fiches pour les cas d'urgence, montre-les-leur.

Altaïr : Ed Cater est d'accord? C'est un gars solide.

Houston : Nous lui en avons parlé en même temps qu'à toi.

Altaïr : Les heures passent très lentement. C'est très pénible. *(Sa voix avait l'air vide.)*

Houston : C'est bien ce qu'on pensait, *Altaïr.* Installe la caméra. Prends des notes. Rassemble tes idées. On démarre dans quarante minutes.

Altaïr : Est-ce que le docteur Mott approuve cette opération?

Houston : Il dit que c'est obligatoire et qu'elle te permettra de te ressaisir.

Altaïr : Roger.

Le 30 avril, à neuf heures du soir, peu de temps avant de procéder à une importante correction de trajectoire, Pope brancha la caméra de télévision. Installée contre la cloison, légèrement en retrait et au-dessus de son épaule droite, elle présentait un plan particulièrement efficace; en effet, on ne voyait pas entièrement le visage de Pope, mais on découvrait particulièrement bien la quasi-totalité de la cabine, et plus particulièrement les tableaux de bord qui faisaient face aux sièges.

Il ne put se résoudre à utiliser le pronom *je* et employa tout naturellement le *nous*, ce qui produisit un effet saisissant : « Nous ramenons ce vaisseau spatial sur Terre après une visite abrégée sur l'autre côté de la Lune. » Tous ceux qui virent les sièges vides comprirent parfaitement ce que représentait ce *nous*.

« Le docteur Linley aurait dû se trouver là, dans le siège de droite. Et notre commandant, Randy Claggett, au milieu. C'est lui qui nous a emmenés sur la Lune. C'était mon devoir de nous en faire revenir. »

Vint alors la partie la plus dramatique de son monologue : « Quand nous avons décollé de Cap

Canaveral, notre double vaisseau spatial, celui-ci, plus celui qui s'est posé sur la Lune, pesait quinze tonnes et demie. Nous avions emporté trente-deux tonnes de carburant, rien que pour ces deux petites machines. Nous devions savoir d'où partaient et où aboutissaient plus de soixante kilomètres de fils électriques. Nous devions connaître par cœur le fonctionnement de vingt-neuf systèmes différents et la manière de les réparer. Regardez, nous avions sous les yeux six cent quatre-vingt-neuf commutateurs, qu'il fallait soit allumer, soit couper. Cinquante moteurs différents étaient là pour nous propulser dans l'espace. Et nous avions aussi, je crois, plus de quatre mille pages d'instructions à apprendre par cœur. Personne, j'en suis persuadé, ne pourrait retenir tant de choses. »

La caméra n'était pas directement braquée sur lui, mais elle fournissait tout de même un excellent portrait de l'astronaute : mince, de taille moyenne, en manches de chemise, les cheveux courts, des mâchoires musclées, bien dessinées, de petites mains très agiles, et surtout une grande compétence et une grande maîtrise du détail : « Voici un diagramme de notre vaisseau spatial lorsque nous avons entamé ce voyage de deux cents heures. Nous sommes là, à cent dix mètres de haut. Au bout de deux minutes, nous nous sommes débarrassés du premier étage. Il avait pour but de nous soulever du sol, c'est tout; nous n'avons pas eu, grâce au Ciel, à utiliser la tour de sauvetage, et nous l'avons abandonnée au bout de trois minutes. Elle ne nous servait plus à rien. Le deuxième étage s'est détaché au bout de huit minutes. Le troisième étage, celui qui nous a mis sur la trajectoire de la Lune, a duré près de deux heures avant que nous ne nous en débarrassions également. Le module lunaire avait deux parties, une que nous avons volontairement laissée sur la Lune, et l'autre qui aurait dû nous rejoindre. Mais comme vous le savez, cela ne s'est pas passé ainsi. Normalement, nous l'aurions larguée à son tour.

« Il ne nous reste donc plus que ces deux petites parties : le module de service, qui contient tous les appareils servant à notre propulsion et que nous abandonnerons demain, et la petite cabine où je suis installé. Demain, nous traverserons l'atmosphère à reculons, pour ne pas ressentir la chaleur. La température extérieure sera de 13 800°, mais nous ne sentirons rien.

« Un petit parachute s'ouvrira, qui en déclenchera un plus gros, et nous plongerons dans la mer à l'ouest d'Hawaii, comme une mouette qui cherche sa nourriture. Des bateaux seront là pour nous accueillir. »

Il tourna alors la tête et regarda l'objectif de la caméra. « Il y a quelques années, nous étions cent dix pilotes d'essai à vouloir devenir astronautes. Six ont eu la chance d'être sélectionnés. Harry Jensen, le meilleur de tous, peut-être, fut tué par un conducteur en état d'ivresse qui n'en était pas à son premier accident. Timothy Bell, le seul civil, s'est écrasé en avion. Randy Claggett, qui était entré dans la légende bien avant ce vol, a été abattu par un soleil trop impétueux. Il ne reste plus que Hickory Lee, du Tennessee, Ed Cater, du Mississippi, et moi. Et si nous réussissions à persuader la N.A.S.A. de nous envoyer sur Mars dans un vaisseau aussi bon que celui-ci, nous partirions dès demain.

« L'humanité est née de la matière qui a pris forme dans l'espace. Ces derniers jours nous ont rappelé de manière terrible que les objets célestes les plus lointains pouvaient nous affecter très profondément. Notre désir était d'aller dans l'espace, de lutter avec lui, d'en percer les secrets. J'aimerais dire à Doris Linley que son mari revenait sur Terre avec une multitude de secrets et de théories nouvelles, et que sa disparition nous afflige cruellement. Le monde devra encore attendre, Doris! »

Il se tourna vers la console aux six cent quatre-vingt-neuf interrupteurs et oublia la caméra pour se consacrer entièrement à son travail; au bout d'un instant, les techniciens mirent fin à la transmission.

Les hommes qui, à Houston, étaient chargés de veiller sur son bien-être, avaient eu tout à fait raison de lui demander de faire cette émission en direct : le lendemain matin, 1er mai, il se réveilla l'esprit clair et désireux de procéder aux dernières opérations. Les gestes qu'il allait accomplir avaient été prévus pour trois hommes, mais cela ne l'arrêta pas un seul instant.

Le temps était venu pour la cabine de pénétrer dans l'atmosphère à une formidable vitesse, et il lui faudrait heurter sous un angle très précis la couche semi-solide dont dépend toute vie terrestre. Si elle fonçait droit sur la Terre, elle rencontrerait une telle opposition qu'elle brûlerait presque instantanément; mais si elle formait un angle trop aigu avec l'atmosphère, elle serait incapable de la pénétrer et ressemblerait alors à ces pierres que les gamins jettent à la surface des étangs : elle rebondirait à plusieurs reprises avant de repartir dans l'espace pour ne plus jamais reparaître. Puis les réserves d'oxygène s'épuiseraient, et l'homme reposerait sur son siège, à tout jamais, intact.

Pope vérifia à nouveau l'approche : Pas plus de 7,3°, ou nous brûlons, pas moins de 5,5°, ou nous rebondissons. Cela signifie qu'il faut pénétrer dans un couloir de quarante-trois kilomètres de diamètre à la vitesse de trente-huit mille kilomètres à l'heure, après avoir parcouru plus de trois cent quatre-vingt mille kilomètres. Espérons que l'ordinateur fonctionne bien.

Quand il entend parler du délicat problème du retour dans l'atmosphère, le profane demande souvent : « Si vous arrivez sous un angle trop aigu et que vous rebondissiez, pourquoi ne faites-vous pas un second essai? » Il est alors frappé par la réponse des astronautes : « Si vous pouviez imaginer tout ce que nous avons déjà à faire avant d'entrer dans l'atmosphère. »

John Pope se préparait à cet instant critique. L'amerrissage était prévu pour dans quatre-vingt-dix minutes; il consulta l'ordinateur et effectua une brève mise à feu des fusées pour corriger une dernière fois sa trajectoire. L'ordinateur lui ayant confirmé que la capsule avait parfaitement répondu, il déclencha le système explosif qui sépara le module de service et le propulsa dans l'espace, où il brûlerait en pénétrant dans l'atmosphère. Ce faisant, il se débarrassait des instruments propres à un vol de longue durée et ne conservait qu'une faible quantité de combustible. Il ne pourrait rien faire s'il arrivait sous un angle incorrect. Il se retrouverait seul et pratiquement impuissant dans un véhicule voué à la destruction.

Les dernières fusées pouvaient lui permettre d'effectuer une manœuvre vitale : il pouvait faire exécuter un demi-tour à la capsule, pour qu'elle arrive à reculons et présente le gros bouclier thermique à la chaleur.

Houston : Ici Lee. Tu n'as jamais été aussi bon.

Altaïr : Ça se passe si bien que j'en croise les doigts.

Houston : On t'attend au tournant. Fais-nous une belle descente.

Altaïr : Compte sur moi.

Confiant, il pénétra dans l'atmosphère et, bien qu'ayant été prévenu que ce serait plus difficile que lors du vol Gemini, il eut du mal à y croire lorsque des flammes gigantesques enveloppèrent la capsule. D'énormes morceaux de matériaux brûlant à près de 14 000° passaient devant le hublot. Toutes les couleurs de l'arc-en-ciel explosaient sous ses yeux; à un moment, le feu d'artifice s'interrompit : il entrevit la traînée de fumée et calcula qu'elle devait mesurer plus de huit cents kilomètres.

Il lui était impossible de parler à Houston de cet embrasement; la chaleur était si intense que toutes les communications radio étaient coupées. C'était l'instant flamboyant, que les astronautes doivent affronter seuls. Les morceaux de métal carbonisés devenaient si gros qu'il était sûr que tout allait brûler; pourtant, la température intérieure ne bougeait pas d'un degré.

Les flammes cessèrent. Il sentit la capsule freiner puis, lorsqu'il eut déclenché le petit parachute, c'est avec joie et soulagement qu'il en éprouva la poigne solide.

USS Tulagi : Nous vous apercevons, *Altaïr.* Descente impeccable.

Altaïr : Le comité de réception a mis le paquet, à ce que je vois.

USS Tulagi : Il semble que vous allez amerrir à un sixième de mille nautique d'ici[1].

Altaïr : C'était bien mon intention.

Le haut commandement de la N.A.S.A. fut scandalisé en apprenant que la journaliste japonaise, Cynthia Rhee, avait l'intention d'aller à Arlington assister aux funérailles du colonel des marines Randolph Claggett; le docteur Mott et Tucker Thompson, de *Folks,* furent envoyés à son hôtel de Washington pour tenter de l'en dissuader.

1. Un peu plus de trois cents mètres. (*N.d.T.*)

Dans le taxi qui les conduisait à l'hôtel, Thompson dit :

« Je crois que j'ai eu la plus grosse surprise de ma vie avec l'apparition de Debby Dee. C'est une bonne buveuse, une forte en gueule aussi, et je croyais qu'elle allait foutre en l'air toute la procession. Mais qu'est-ce que je vois? Mélanie, dans *Autant en emporte le vent* – l'image parfaite de la femme sudiste.

– J'ai déjà vécu neuf drames avec la N.A.S.A., et aucune veuve d'astronaute n'a mieux joué son rôle que Debby Dee. Ce serait donc particulièrement mal vu que la Femme Dragon vienne gâcher l'enterrement. »

Thompson avait prouvé à deux reprises que *Folks* savait parfaitement prendre en main les funérailles de ses astronautes, la première fois avec Jensen, et la seconde quand Tim Bell s'était écrasé en avion; il savait où interroger les jeunes veuves sur la perte cruelle qui les éprouvait tant, comment photographier les enfants ou le prêtre au bord de la tombe, et il imaginait mieux que quiconque ce que donnerait la rencontre de Debby Dee et de la maîtresse du héros défunt :

« Je ne pourrais pas lui en vouloir de balancer son poing dans la gueule de Mme Butterfly, mais je n'aimerais pas que cela soit photographié. Surtout par *Life*. Ils nous enfonceraient complètement avec ce genre d'histoire. »

Lorsque le taxi approcha de l'hôtel, il expliqua avec quel art il avait travaillé à éviter le scandale :

« Prenez un homme comme John Glenn, un battant comme John Pope, ils ont un rôle à jouer. On se moque parfois de nous en disant que nous cultivons l'image du boy-scout, mais bon dieu, c'est pourtant ça que le pays demande! Pope, ce qu'il a fait en ramenant tout seul la cabine Apollo, c'est de l'héroïsme! Donnez-moi deux millions de dollars et j'en fais un président! »

Dans la chambre de Cynthia, pièce modeste louée à la journée, Mott parla le premier et dit de sa voix la plus douce :

« C'est terriblement embarrassant...

– Pas pour moi », fit tout aussi doucement la Coréenne.

Thompson exposa alors ses arguments, en se faisant le plus mielleux possible :

« Ecoutez, mademoiselle Rhee, nous savons que vous êtes entrée en Amérique... illégalement... et nous savons à quel endroit vous avez passé la frontière... »

Elle fit un pas vers son adversaire, les yeux enflammés.

« Monsieur Thompson, ne dites pas d'idioties. »

Tucker était bien décidé à frapper très fort.

« Montrez-vous à cette cérémonie, madame Butterfly, et vous en repartirez... à coups de pied au cul.

– Et pourquoi? fit-elle avec arrogance.

– Parce que les sénateurs ne veulent pas de scandale.

– Je croyais qu'ils en avaient déjà un. » Le docteur Mott avait l'air paniqué, et elle dit : « Je parle de votre gars à la campagne, Sam Cottage. J'ai discuté avec lui des mises en garde qu'il a essayé de publier, mais je suppose que vos espions vous ont déjà mis au courant de notre entretien.

– Ce ne sont que des rumeurs, dit Thompson. Nous nous sommes déjà penchés sur le cas de Cottage.

– Vous espérez que ce ne sont que des rumeurs et qu'il n'y a rien par écrit.

– Mademoiselle Rhee, dit Thompson d'un air conciliant, quand l'Amérique a deux authentiques héros tels que Claggett et Pope, vous ne voudriez tout de même pas...

– J'assisterai à la cérémonie, dit-elle avec fermeté.

– Dans ce cas, le sénateur Grant donnera l'ordre de vous faire arrêter.

– Mais voyons, des centaines de personnes passent tous les jours la frontière du Canada ou du Mexique.

– Je vous avertis qu'il retiendra contre vous des charges très lourdes. Il peut vous accuser de prostitution, par exemple. »

Elle éclata de rire. C'était une journaliste hors pair, rien de plus. Oui, elle avait vécu dans l'entourage des six astronautes, mais elle avait fait la même chose en Europe, avec Fangio et les autres pilotes de course, afin de connaître la vérité sans fard. Et si un sénateur essayait de l'expulser pour un chef d'accusation aussi ridicule, elle ferait un véritable scandale.

« Un grand homme repose là-haut, sur la Lune. Je l'aimais, et peu importe qu'on le sache ou pas. Parce que j'écrirai sur lui, un jour, et sa veuve viendra me remercier. »

Thompson devint écarlate.

« Votre présence à Arlington... les feuilles de chou n'attendent que ça.

– Vous aurez beaucoup de mal à m'empêcher d'y aller, vous ou vos sénateurs. »

Le docteur Mott sentit qu'il devait prendre la parole.

« C'est un instant solennel, Cindy. Je vous ai toujours aidée de mon mieux. Aujourd'hui, je vous supplie de rester à l'écart.

– C'est impossible, parce que je serai accompagnée par John Pope.

– Pope? hurla Thompson. Parce que vous avez aussi fricoté avec lui?

– Pendant le vol qui les emmenait sur la Lune, Randy dit à Pope... mais je préfère que ce soit lui qui vous le dise. Il ne va pas tarder à arriver. »

Effectivement, Pope arriva quelques minutes plus tard en compagnie de Penny; ils comprirent ce qui se passait en voyant Mott et Thompson.

« Nous sommes venus chercher Cynthia pour les funérailles », dit Pope. Mott protesta :

« Les sénateurs Grant et Glancey ont expressément demandé qu'elle soit tenue à l'écart.

– Je crois que j'étais le meilleur ami de Randy, et je pense pouvoir vous dire qui...

– John, l'interrompit Mott, vous pourriez irriter certaines personnes très haut placées à la N.A.S.A.

– Ce sont les funérailles de mon ami. La nation va honorer un type sensationnel, et je sais qu'il aurait aimé que Cynthia soit là.

– Comment pouvez-vous savoir cela? demanda Thompson, le visage cramoisi.

– Pendant que nous volions vers la Lune, il nous a dit, à Linley et à moi : « Dès que je reviens sur « Terre, j'envoie balader *Folks* et la N.A.S.A. et « j'épouse la Coréenne. » Nous n'étions pas très d'accord, surtout Linley, qui avait vu tourner court bon nombre de mariages inter-raciaux, mais Claggett a ajouté : « Quand je volais en Corée, je sortais « avec une Jo-san. »

– Qu'est-ce qu'une Jo-san? demanda Penny.

– Une pute coréenne », répondit sèchement Thompson, et Pope lui adressa un regard empoisonné :

« Redites encore cela, Thompson, et je vous fais votre fête. Donc, j'ai rencontré la Jo-san de Claggett. Deux années d'université. Ballottée par la guerre, elle était complètement perdue. Et puis, elle a trouvé un petit boulot, elle procurait du hasch aux pilotes américains. Claggett est tombé amoureux d'elle. Il a dit à Linley et à moi que c'était la fille à laquelle il avait le plus tenu et qu'il mourait de honte de ne pas l'avoir épousée. Il nous a dit aussi qu'il ne voulait pas laisser passer deux fois le bonheur; c'est pour cela qu'il épouserait cette autre Coréenne. » Et ce disant, il s'inclina vers Cynthia.

« Madame Pope, fit Thompson d'un air suppliant, votre bon sens ne pourrait-il...

– Ce que mon mari vous a dit est tout à fait exact. Quand vous êtes venus avec mes sénateurs pour demander à Randy de ne pas quitter Debby Dee avant la mission, il m'a prise à part et m'a dit, je cite très exactement ses paroles : « Dis à tes gus qu'ils « ont gagné pour l'instant, mais quand je revien- « drai, ils pourront tous aller se faire mettre. »

Thompson faillit s'étrangler et demanda d'une voix hésitante :

« Vous êtes donc d'accord avec votre mari?

– Oh! oui. Debby Dee aussi, même si cela vous étonne. J'ai eu l'honnêteté de l'appeler pour lui dire que John était bien décidé à accompagner Cynthia et elle m'a répondu : « Allez, amène-la, je suis sûre « que Randy aurait passé du bon temps avec elle. »

– Pope! s'écria Tucker Thompson. Je vous préviens, les huiles ne vont pas du tout apprécier cela! »

Penny lui rétorqua :

« Mon mari est une huile aussi, et je suis sa femme, et nous conduirons Cynthia au premier rang, parce que c'est sa place.

– Vos sénateurs vous renverront si vous...

– Je travaille pour mes sénateurs, dit Penny. Je ne leur permets pas de me dicter ma conduite.. » Et quand Debby Dee arriva, du rimmel sur les joues, le chemisier froissé, Penny fit les présentations :

« Debby Dee, voici mademoiselle Rhee », et Debby Dee dit doucement :

« Je crois que l'on peut dire que nous nous connaissons déjà... par personne interposée. »

Tucker Thompson lança ses dernières forces dans la bataille.

« Madame Claggett, voulez-vous de cette femme à la cérémonie? » Et il tendit un doigt accusateur vers Cynthia.

« Je l'ai invitée, dit Debby Dee. Je crois que ce ne serait pas très chic si je la renvoyais à présent. »

Tucker aurait voulu se lancer dans une nouvelle leçon de morale, mais le sénateur Grant arriva au bras d'une belle femme noire d'une trentaine d'années, la veuve du Docteur Paul Linley. La voix brisée, il dit :

« J'ai encouragé mon cher ami, le docteur Gawain Butler, à placer son neveu dans le programme de la N.A.S.A. D'une certaine façon, je me sens responsable de sa mort.

– Et aussi de son héroïsme », dit Doris. Et Penny ne put s'empêcher de penser, en comparant les deux femmes : « Voilà de vraies Américaines, l'une Debby Dee, avec toute la rudesse du Texas, et l'autre, Doris, la rescapée des ghettos de Detroit. Mais laquelle a fait le plus long chemin pour arriver jusqu'ici? » Et tout en sachant qu'elle faisait preuve d'exhibitionnisme, elle traversa la pièce et alla les embrasser. Et pendant un bref instant, les larmes ne purent être contenues.

Après les cérémonies officielles, les dix-sept coups de canon et les tambours voilés, Debby Dee prit Doris Linley par la main et lui dit : « Foutons le camp d'ici et allons boire un coup », elle qui, neuf jours durant, avait conservé toute sa dignité devant les appareils photo de Thompson. Leur limousine officielle les amena à l'appartement de Penny Pope, à Washington, où elles passèrent la nuit à boire de la bière en compagnie de John et de Cynthia Rhee.

« Randy Claggett était un des grands hommes de ce monde, dit Debby Dee, et j'ai eu le privilège de le connaître. Il y a eu des moments formidables et des moments difficiles, mais il s'est toujours conduit en homme.

– Deb, qu'avez-vous éprouvé quand vous avez perdu votre premier mari? » demanda Cynthia.

Quand elles eurent parlé de cela pendant plus d'une demi-heure, elle voulut connaître leur vie à Pax River.

« C'est à eux qu'il faut le demander », dit Debby Dee, en désignant les Pope.

Et pendant deux heures, ils évoquèrent les îles Salomons, les vieilles voitures, la routine du Pax-Jax-Lax, les vols au-dessus de Chesapeake.

« Quel effet cela lui faisait-il? demanda Cynthia à Doris. Je veux dire, d'être noir et de ne pas appartenir à l'armée?

– Dans tout ce que Paul a fait, et Dieu sait s'il en a fait, il est parti avec un handicap. C'est ce qui arrive à tous les jeunes Noirs. Mais il a vite rattrapé le gros du peloton. Et à la fin, il était aussi bon que n'importe qui. » Elle se tourna vers le capitaine Pope en vue d'une confirmation.

« Intellectuellement, il était meilleur que la plupart, dit John. Et du point de vue du courage, personne ne l'a surpassé. » Il essaya de se souvenir de Linley, et l'image qui s'imposa à lui fut celle de l'amuseur public qui demandait à son auditoire de lancer le cri de guerre de l'Albuquerque Technological Institution. Réprimant un sourire, il dit au bout d'un instant :

« Pendant soixante-six heures et dix-sept minutes, il a été mon compagnon dans l'espace. Et je n'en ai pas connu de meilleur. » Et, traversant la pièce, il alla embrasser Doris.

La nuit allait s'achever quand Cynthia dit :

« Moi, je l'ai aimé différemment. Le symbole...

– S'il y a bien une chose que Claggett n'était pas,

dit Debby, c'est bien un symbole. C'était quelqu'un d'infiniment pratique.

– C'était l'Astronaute, avec un grand A, reprit Cindy. Ce n'était ni Glenn, ni Shepard, ni vous, John Pope. Il a passé plus d'heures dans l'espace que quiconque, et je l'ai bien étudié. Il s'enfermait dans un vaisseau spatial comme s'il le possédait. Un jour, avant de partir avec vous, Pope, dans la capsule Gemini, il a dit : « On va voir un peu comment vole « ce tas de boulons. »

Debby Dee sécha ses larmes et plus tard, dans sa chambre d'hôtel, Rhee Soon-Ka débuta ainsi son manuscrit sur les Six Piliers :

> « Ils ont pris une pierre noire et l'ont plantée dans un lieu sombre pour faire savoir au monde que Randy Claggett était mort. Mais nous, qui l'avions connu, nous étions convaincus que son esprit serait toujours parmi nous, fantasque, imprévu, insolent. »

X

MARS

PENDANT onze jours, la nation s'enthousiasma pour la formidable odyssée de John Pope, puis elle se rendit compte que plus jamais au cours de ce siècle un Américain ne marcherait sur la Lune et la magie du programme Apollo se ternit, la gloire de l'astronaute avec elle.

Le docteur Loomis Crandall, le psychologue de l'armée de l'air qui avait participé à la sélection des divers groupes d'astronautes, rédigea le rapport suivant dont la condescendance indigna Mott :

> « Nos brillants astronautes, comme on les appelle, qui cherchent un emploi dans le monde du travail, passent d'un poste de relations publiques à un autre pour la bonne raison qu'ils n'ont aucune formation en dehors du calcul et de l'astrophysique.
>
> « Certes, John Glenn est devenu sénateur et Frank Borman dirige une compagnie aérienne, mais le cas d'Ed Cater est typique : il a quitté la N.A.S.A. pour travailler avec un promoteur de Miami, puis dans une compagnie d'assurances de La Nouvelle-Orléans, avant de finir vendeur de voitures d'occasion dans sa ville natale de Kosciusko, où sa femme, associée d'une boutique de vêtements, gagne plus que lui.

« Neuf de nos plus brillants astronautes sont morts. Les autres ont fait preuve d'un héroïsme et d'une dignité dont nous pouvons être fiers. Mais nous ne cachons pas une certaine déception, car aucun n'a été un chantre de l'espace, comme Saint-Exupéry, en son temps. Pilotes d'essai hors pair, ils sont devenus des pilotes de l'espace hors pair, sans plus. Leur limite est le reflet de l'attitude générale devant l'espace. »

Mott acheva sa lecture, puis il fonça à la direction, les yeux brillants derrière ses petites lunettes cerclées. C'était un nerveux dont la sensibilité avait été mise souvent à rude épreuve. Dès qu'il eut trouvé Crandall dans le bureau de l'administrateur, il attaqua sans préambule :

« Prenez un nombre égal de diplômés de la Harvard School of Business, du Cal Tech, du M.I.T. ou de Notre-Dame, et comparez les résultats. Glenn est sénateur. On me dit que Schmitt devrait être élu dans l'Arizona aux prochaines élections. Borman est à la tête d'Eastern Airlines. Anders est ambassadeur. Ils font tous des choses fantastiques, même s'ils n'ont plus l'âge. Je veux bien, Crandall, comparer mes astronautes à qui que ce soit, y compris au même pourcentage de docteurs ès psychiatrie, psychanalyse, psychologie et autre vaudou psychométrique.

– Stanley, interrompit l'administrateur, c'est un rapport, rien de plus.

– Eh bien, il ne me plaît pas. Je n'aime pas que l'on dénigre le travail immense que nous avons fait dans cette agence. Si notre programme est brutalement freiné, ce n'est pas parce qu'il était mauvais mais parce que nous l'avons arrêté trop tôt. »

Sa combativité l'amena au Capitole, où il défendit la N.A.S.A. devant une large audience. En temps normal, il aurait été le savant calme et effacé que tout le Congrès connaissait bien, mais ce matin-là, quand un sénateur du Dakota du Nord lui demanda pourquoi la N.A.S.A. allait bien plus loin que l'industrie privée dans certains domaines, Mott faillit perdre son contrôle :

> « La N.A.S.A. est une industrie privée, monsieur le sénateur. Nous ne fabriquons rien. Nous sommes la meilleure administration que ce monde ait jamais connue. Depuis que j'y suis entré, nous avons dépensé plus de cinquante milliards de dollars, et il n'y a pas eu la moindre faute ni la plus petite malversation. Le pays n'a jamais eu à s'excuser de notre comportement. Bien sûr, je pourrais vous donner une douzaine d'exemples où, selon moi, nous n'avons pas choisi le meilleur partenaire. Mais vous ne pouvez pas m'en donner un seul d'un contrat frauduleux. Je serais fier si tous les organismes gouvernementaux pouvaient en dire autant. »

Mott défendait ardemment son agence, mais il voyait bien que le temps de sa gloire était passé. Il dit à ses jeunes assistants :

« Nous devrions redoubler d'audace et envoyer des vaisseaux, automatiques ou habités, aux confins de l'espace. Les philosophes se trouveraient confrontés à de nouveaux problèmes, dont ils devraient débattre publiquement. »

Lors d'un congrès d'astrophysique organisé à l'université de Purdue, il fit la mise en garde suivante :

> « Nous avons effectué ces dernières années des découvertes intellectuelles stupéfiantes. Arno Penzias et Robert Wilson ont identifié la réver-

bération résiduelle de l'explosion primale. Maarten Schmidt est parvenu à d'étonnantes conclusions sur la vitesse des galaxies les plus lointaines. A Cambridge, Hawking pose des questions troublantes sur les quasars, les pulsars et les trous noirs, et je crois que nous devrions repenser nos concepts de base.

« Comment le grand public va-t-il réagir? Ces trois précédents peuvent nous éclairer.

« Copernic a conservé par-devers lui la majeure partie de son savoir; quand l'Eglise a rejeté ses conclusions, il les a purement et simplement étouffées. L'impact immédiat a été nul, mais les conséquences ultérieures sur la morale, la théologie et la compréhension individuelle ont été très profondes.

« Giordano Bruno a exposé publiquement ses théories radicales, se mettant ainsi à dos catholiques et protestants. Il a agité la société en exposant les conséquences de ses découvertes scientifiques, et il a péri sur le bûcher pour ne pas avoir dénoncé ses propres hérésies en matière d'astronomie.

« L'œuvre de Charles Darwin était tellement dérangeante qu'elle fut immédiatement rejetée; sa théorie de l'évolution a heurté tant de sensibilités religieuses qu'elle a suscité une opposition intense, qui ne s'est pas encore tue.

« Je crois que nos théories concernant la nature ultime de l'univers doivent perturber nos générations aussi profondément que les théories de Darwin en son époque. Lorsque nous sommes, comme aujourd'hui, au seuil d'un monde nouveau, nous devons nécessairement remettre en question nos positions les plus stables, et lorsqu'une telle révision a pour objet les origines de l'univers, nous luttons sur un terrain particulièrement mouvant et nous devons nous attendre à une réaction particulièrement dure. »

Mott avait toujours été croyant. Après tout, son père était ministre méthodiste, et le jeune Mott avait constamment vécu en présence de la Bible. A une certaine époque, il pouvait réciter par cœur le nom des livres des deux Testaments, ce qui lui servit par la suite quand il eut besoin de retrouver une citation, mais il en connaissait également fort bien le contenu; cela aussi eut son importance, car cette connaissance l'empêcha de tomber inconsidérément dans l'équation « savant = athée ». Quand les amis de son père s'en prenaient aux théories de Darwin, il ne faisait jamais preuve de mépris à leur égard; et lorsqu'on lui posait brutalement la question : « Est-ce que tu crois en Dieu? », il pouvait répondre « oui » avec tout autant de fermeté.

Mais il croyait, sincèrement, que l'humanité avait évolué d'une certaine manière, tout comme le Soleil était né d'une matière primitive; et il le croyait pour une raison très simple : lorsqu'il observait le cœur des galaxies, y compris la nôtre, il pouvait voir des étoiles se former à partir de grands nuages de matière. C'était un fait tangible, non une simple théorie, et il ne pouvait concevoir aucune solution de rechange. Il supposait que les partisans de la religion qui avaient mis Darwin en accusation, proposaient une création divine instantanée, et que, ce faisant, ils disaient la même chose que lui, quoique de façon plus poétique; il n'avait donc aucune raison de s'opposer à la façon dont son père affirmait *sa* foi.

Mais il croyait aussi, sans réserve aucune, que cet univers dont il faisait partie, avec le Soleil et la Terre, était né il y a dix-huit milliards d'années, et que la Terre s'était formée il y a quatre milliards et demi d'années. Quand les amis de son père déclaraient que le Livre de la Genèse donnait une version précise des faits, il acquiesçait : « C'est une version poétique. Il dit pratiquement la même chose que moi; il convient seulement de traduire *jour* par *vaste époque géologique.* »

Si ses interlocuteurs essayaient de lui prouver que les milliards d'années utiles à la formation du Soleil et de la Terre n'avaient jamais existé, et s'ils soutenaient que la grandiose structure galactique n'était apparue qu'il y a quelque six ou sept mille ans, les strates géologiques et les os de dinosaures étant placés çà et là comme dans une chasse au trésor divine, il refusait de discuter. « C'est possible, mais ce n'est pas probable », répondait-il dans ces cas-là.

La véritable question de ce débat lui avait été posée par son père :

« Stanley, je veux bien admettre que l'univers est né lors du big bang, il y a dix-huit milliards d'années. Mais dis-moi, qu'est-ce qui a provoqué le big bang?

– La science ne peut répondre à cela.

– N'était-ce pas Dieu?

– Je le pense. Ou quelque force mystérieuse et divine. » Mais lorsque le père sourit, soulagé, son fils insista pour ajouter : « Le big bang n'aurait pas pu se produire en 4004 avant Jésus-Christ.

– D'accord. Je te concède quelques milliards d'années, si tu acceptes Dieu. »

Un jour, au bord du Grand Canyon, il avait entendu un garde forestier expliquer à des touristes comment cette petite rivière du Colorado avait, au cours des âges, entaillé la roche, couche après couche, pour produire finalement ce chef-d'œuvre naturel. L'explication terminée, le garde avait regagné son bureau et Mott s'était mis à réfléchir au concours de circonstances par lequel les Etats-Unis avaient acquis des lieux tels que le Grand Canyon ou Yellowstone; il avait adressé une pensée émue à tous ces pionniers qui, génération après génération, avaient lutté pour laisser ce canyon absolument intact. Et il s'était pris à imaginer un homme comme lui qui, trois siècles plus tard, assis au bord d'un canyon de la planète Mars, se dirait à son tour : « Ces gars de la N.A.S.A., je ne sais pas qui ils étaient, mais ils ont tout fait pour ne pas détruire ce qu'ils ont découvert. » En cet instant, Mott avait éprouvé de la fierté pour ce que son équipe avait fait, mais une fierté encore plus grande pour ce qu'elle n'avait pas fait.

Il avait à peine formulé ces pensées qu'un individu de grande taille, au regard flamboyant, sortit de la foule des touristes et s'adressa à ceux qui avaient écouté les explications du garde :

> « Ces gardes forestiers, qui sont des employés du gouvernement, nous abusent depuis trop longtemps. Ils se trouvent ici sur une propriété du gouvernement, et ils colportent des mensonges contredisant les Saintes Ecritures. Ils nous abusent en nous racontant comment cette petite rivière aurait mis des centaines de millions d'années à sculpter ce magnifique canyon. C'est un mensonge, vous le savez, et je le sais aussi. C'est un terrible mensonge et, l'un de ces jours, retenez bien ce que je vais vous dire, les hommes tels que lui devront rendre des comptes.
>
> « Ce noble canyon est né il y a quelque cinq mille ans, lorsque Dieu a envoyé la planète Vénus frôler la Terre pour y construire les montagnes et y creuser les ravines. Lorsque vous regardez ce canyon, vous savez, au plus profond de votre cœur, qu'il ne peut avoir un million d'années. Quant à parler de cent millions d'années, c'est tout à fait risible. Il a été

creusé à l'époque où vivaient sur terre des hommes tels que Moïse et Jérémie; ce n'est en rien l'œuvre d'une ridicule petite rivière, mais bien l'œuvre de Dieu. »

Il tint ce discours enflammé pendant près d'une demi-heure, captivant littéralement les touristes assemblés, puis il s'écria : « Passons aux votes. Levez la main si vous savez dans votre cœur que j'ai raison et que le garde forestier a tort! » Au grand étonnement de Mott, plus de la moitié des auditeurs furent d'accord pour soutenir que le Grand Canyon du Colorado ne pouvait avoir plus de cinq mille ans.

Partout où il se rendait, le monde lui semblait divisé en deux groupes : d'un côté, les rares individus qui avaient suivi les recherches les plus avancées de l'astrophysique, et de l'autre, la masse qui semblait souhaiter un univers plus simple, désencombré de toutes spéculations. Ce sentiment s'intensifia vers 1976, quand toute une partie de la population en vint à désirer un retour aux valeurs simples de 1776.

C'est également vers cette époque que réapparut son fils, Millard. Le président Ford avait accordé grâce, du bout des lèvres, aux jeunes hommes qui avaient échappé à la conscription en se rendant au Canada, et Millard était revenu au domicile des Mott dans des circonstances particulièrement humiliantes, même si, comme il le dit à son père, « tout le monde reconnaît aujourd'hui que les gens comme moi ou Roger ont eu raison de protester. L'Amérique sait que le Vietnam a été une terrible erreur ».

Roger avait refusé le pardon méprisant de l'Amérique, préférant rester au Canada. Millard éclata en sanglots en évoquant leur séparation et les Mott comprirent pour la première fois à quel point leur fils était attaché à Roger. Ils furent donc très surpris d'apprendre le lendemain que Millard vivait désormais avec un jeune homme nommé Victor, qui tenait à Denver une boutique spécialisée dans la vente des livres d'astrologie, des tarots, du Yi-king, et qui organisait des débats où des gourous venus de l'Inde expliquaient à des étudiants comment leur société devrait être organisée.

Dès que Millard fut reparti au Colorado, Rachel Mott fit de l'ordre dans l'appartement : les Mondrian furent remis en place, les disques classiques classés par ordre alphabétique, les livres superflus regroupés pour être donnés aux œuvres et les objets inutiles mis à la poubelle. Quand elle eut terminé, elle s'assit sur le lit et admira une fois de plus les charmantes figurines gravées dans le bois. Elle dit à son mari :

« Quand Millard nous parle de son Roger et de Victor, j'ai l'impression d'entendre une fille qui aurait divorcé de son banquier de mari pour vivre à présent avec un architecte. On ne sait plus très bien où sont les valeurs.

– Surtout quand on a plus de cinquante ans », dit Stanley.

Tout en pensant à ses fils, il feuilleta distraitement un magazine scientifique et tomba sur une étonnante proposition formulée par un chercheur du nom de Letterkill : « Nous devrions placer dans l'espace un gigantesque radiotélescope, dont la distance entre les deux éléments serait de dix unités astronomiques. Nous aurions alors une base d'un milliard et demi de kilomètres. »

Son imagination s'enflamma, et Mott traça hâtivement quelques diagrammes avant d'exposer le principe de base à sa femme :

« C'est magnifique! Le problème de la parallaxe porté à son absolu! Est-ce que tu sais comment fonctionne un télémètre sur un bateau de guerre?

Tu as une base très longue, disons trente mètres. Plus elle est longue, mieux c'est. Tu places un petit télescope à chaque extrémité. Tu vois la cible sous un angle différent, et cette différence peut être convertie en distance. Tu fais feu et, à tous les coups, tu coules le navire ennemi. Uniquement parce que tu as utilisé intelligemment la parallaxe. »

Il lui expliqua ensuite comment les astronomes avaient, en procédant ainsi, déterminé la distance des étoiles :

« Le 20 décembre, ils ont pris une photographie de Sirius. Le 20 juin, quand la Terre, ayant décrit la moitié de son orbite, se trouva à l'opposé de sa position en décembre, ils prirent une autre photographie de la même étoile avec le même appareil. Et la parallaxe a montré que Sirius se trouvait à 8,6 années-lumière de nous. Les astronomes avaient déjà conçu un vaste radiotélescope, dont une partie se trouvait en Californie et l'autre partie en Australie; en prenant au même instant deux « photographies » du même corps céleste, la différence d'angle permettait d'en déterminer la distance. Letterkill propose de mettre dans une fusée un énorme radiotélescope et de l'envoyer à sept cent cinquante millions de kilomètres dans l'espace. Puis d'envoyer l'autre partie du télescope à une distance égale, dans la direction opposée. Quelle base fantastique nous aurions alors! Rachel, nous pourrions voir les confins de l'univers! »

Son enthousiasme était tel qu'il appela Huntsville, même s'il pensait que Dieter Kolff était déjà couché; dès que celui-ci décrocha, à moitié endormi, il lui dit :

« Dieter, je viens de lire un article sur un gars qui a fait une proposition fantastique, et je voudrais ton avis à ce sujet. Est-ce que nous pouvons construire un télescope géant, mais très léger, en deux parties?

Les envoyer dans l'espace dans deux directions opposées, à un milliard et demi de kilomètres l'une de l'autre? Je crois qu'il recommande un angle de cent vingt degrés et...

– Cela fait une base très longue.

– Quelque chose comme dix unités astronomiques.

– Et tu pourrais ainsi voir au-delà de la galaxie connue la plus lointaine.

– C'est réalisable?

– Dès demain, si tu veux. »

Les deux hommes discutèrent pendant près d'une heure; Kolff en revenait toujours aux deux fusées qu'il imaginerait si la N.A.S.A. voulait le sortir de sa retraite. Mott, quant à lui, ne s'intéressait qu'à la construction du télescope proprement dit :

« Tu comprends, Dieter, nous n'employons pas de métal, sauf pour l'oculaire. Tout est très léger. Le télescope pèserait moins de quinze cents kilos. »

Après avoir raccroché, il ne put se rendormir, et c'est en réfléchissant à la proposition de Letterkill que l'idée lui vint qu'il s'agissait peut-être du même homme qui avait imaginé de lancer le premier satellite depuis la base de Wallops Island. A quatre heures du matin, il apprit par les renseignements que Letterkill se trouvait au Lewis Center, à Cleveland :

« Vous êtes bien l'auteur de cette brillante proposition, à Wallops Island? Pardonnez-moi, je suis le docteur Stanley Mott, j'ai soutenu votre projet à cette époque. »

Il s'agissait bien du même Levi Letterkill. Un homme qui a eu une bonne idée peut toujours en avoir une autre, mais la proposition d'un télescope pourvu d'une base de dix unités astronomiques ne suscita pas un intérêt immédiat : en effet, vers huit heures et demie du matin, heure de Washington, la police de Miami appela les Mott pour leur apprendre que leur fils, Christopher, était une fois de plus en prison, sous le coup d'une inculpation très grave : importation d'héroïne de Colombie.

Ses parents le défendirent de leur mieux quand il fut jugé pour avoir fait entrer pour trois millions de dollars de cocaïne. Proches de la soixantaine et farouches partisans des valeurs américaines, ils passèrent trois jours dans un prétoire sinistre de West Palm Beach à écouter des avocats accumuler des preuves contre leur fils.

Les Mott entendirent ce qu'ils avaient tout fait pour ignorer au cours des années précédentes, et l'image qu'ils offraient était des plus tristes : celle d'un couple d'âge mûr ayant toujours tenté de paraître respectable – Rachel, avec sa coiffure sévère, son ensemble bleu impeccable et ses lèvres fermes, qui ne tremblaient jamais; Stanley, avec son costume rayé, sa chemise blanche et ses lunettes cerclées de métal. Ils ressemblaient à une famille de cadres travaillant pour I.B.M. ou la Bethlehem Steel; mais le procès se déroulait si près de Cap Canaveral, que les journaux s'empressèrent d'insister sur leur appartenance à la grande famille de la N.A.S.A.

Agé de vingt-cinq ans à présent, Christopher ne pouvait plus passer pour un jeune homme naïf; pourtant, assis aux côtés de ses défenseurs, il paraissait si frêle, si vulnérable, que Rachel dut parfois baisser la tête pour s'empêcher de pleurer. Le récit de ses activités résonnait dans le prétoire, et elle se demandait : « Mon Dieu, comment tout ceci a-t-il pu arriver? Qu'avons-nous fait de mal pour en arriver là? »

En fin de journée, regagnant avec Stanley un motel proche du centre commercial, il lui sembla découvrir l'autre visage de Cap Canaveral : ce n'étaient plus les fusées géantes qui s'envolaient sous les acclamations et les centaines de techniciens qui veillaient sur les héros enfermés dans la capsule; c'était, à quelques kilomètres de là, un jeune homme désemparé qui cherchait à se défendre contre une société qui l'avait pratiquement encouragé à devenir ce qu'il était, un criminel.

Les chansons de l'époque, la forme des vêtements, la manière dont la télévision idéalise le chahuteur qui perturbe toute la classe, les articles à sensation des journaux et l'exemple néfaste de ses compagnons, tout cela avait conspiré pour faire de son fils un accusé; mais Stanley et elle s'étaient trop occupés des affaires de la société pour combattre ces influences destructrices.

« Nous n'avons jamais travaillé pour nous, soupira-t-elle au soir de la deuxième journée. Ça a toujours été pour l'armée, pour les Allemands d'El Paso, pour les enfants de l'Alabama, et même aujourd'hui, pour les familles des astronautes. Nous n'avons jamais été égoïstes, Stanley.

– J'aurais dû l'être, dit-il d'un air triste. Tu as essayé de me mettre en garde en Californie, à l'époque où j'étudiais si dur. C'est alors que Millard a commencé à virer de bord et Christopher à se montrer indiscipliné. Tu ne peux savoir à quel point je me sens coupable. »

Le troisième jour, les jurés, sept hommes et cinq femmes, se retirèrent vers onze heures du matin pour délibérer et firent connaître leur verdict après déjeuner : « Coupable. » Le juge annonça que Christopher connaîtrait sa peine deux jours plus tard, en raison du départ imminent de ses parents, qui passèrent ces jours en prison à s'entretenir avec leur fils.

Rachel faillit s'évanouir en entendant la sentence : cinq années de prison. Elle se joignit à son mari et aux avocats pour demander qu'il fût placé dans une prison sûre, où les risques de sévices sexuels et physiques seraient moindres. Le juge les écouta attentivement, leur dit qu'il n'admettait pas l'insinuation que les prisons de Floride n'étaient pas surveillées, et rejeta leur demande.

Le président proposa que John Pope fasse un tour du monde pour montrer aux autres pays le héros que l'Amérique avait engendré. L'équipe médicale de la N.A.S.A. s'y opposa, prétextant qu'il avait vécu une expérience épuisante qui réclamait du repos. Pope dit alors :

« J'accepte, si je peux faire un détour par l'Australie. J'aimerais remercier un gars à Honeysuckle. Il a joué un rôle important dans ma vie, à deux reprises. »

Pope se rendit donc en Europe, où les journaux insistèrent beaucoup sur son désir de connaître la voix australienne qui l'avait sauvé. L'ambassadeur des États-Unis se rendit de Canberra à Sydney pour lui souhaiter la bienvenue, puis l'accompagna dans un avion américain à Brisbane, Adélaïde et Melbourne où des réceptions furent organisées, avant de terminer par l'ambassade américaine de Canberra, où une large assemblée attendait le héros.

Il se montra courtois, comme toujours, expliquant à plusieurs reprises que son épouse, Penny, aurait normalement dû l'accompagner, mais que ses responsabilités auprès du Sénat l'avaient retenue à Washington. L'ambassadeur russe donna une petite réception en l'honneur de celui qu'il appela « le cosmonaute américain et un très brave homme », et Pope se sentit quitte envers tout le monde.

« Je suis venu pour voir le responsable des communications de Honeysuckle. Il serait peut-être temps d'y aller. »

L'ambassadeur américain fut de son avis et, le

lendemain matin, une voiture avec chauffeur emmena Pope vers la concentration de radars dissimulée dans les collines, au sud de Canberra. Ces radars permettent à Houston de garder le contact avec ses satellites quand ils survolent l'océan Indien et le Pacifique-Ouest; Pope fut surpris par leur taille, leur complexité et la beauté de leur environnement.

« C'est certainement une des plus belles réalisations de l'ère de l'espace », dit-il au responsable australien.

Avant de pénétrer dans les bâtiments où toute une série d'ordinateurs traitaient les messages, il se promena parmi les arbres et les fleurs de ce véritable paradis terrestre.

Il vit, émerveillé, des kangourous gambader sur une pelouse :

« Ils sautent vraiment sur leurs pattes de derrière! » Mais ses guides durent le tirer par le bras.

« M. McGuigan vous attend. Il y a aussi quelques journalistes qui aimeraient vous rencontrer. »

Il quitta à regret les enchantements du paysage pour le centre de communications. McGuigan, un Australien dégingandé affublé d'un accent barbare, se précipita vers son interlocuteur des missions Gemini et Apollo.

« Bonjour, Pope. Je suis content que vous ayez pu revenir.

– Grâce à vous, mon vieux. »

Ils échangèrent quelques amabilités, puis Pope dit à l'un des responsables du centre :

« Je ne vais pas pouvoir y couper, n'est-ce pas? »

L'homme haussa les épaules.

« Réunissez le personnel, je vous prie », dit Pope.

Les employés se rassemblèrent, et Pope demanda pardon dans son for intérieur pour ce qu'il allait devoir dire en tant qu'invité de marque.

A la veille de presque tous les grands tirs spatiaux

américains, les employés australiens menaçaient de se mettre en grève pour obtenir de meilleurs salaires. Comme il était impensable qu'un vaisseau spatial s'aventurât dans l'infini sans garder le contact avec la moitié du globe terrestre, la N.A.S.A. avait toujours cédé au chantage; mais Pope savait que, une fois les augmentations accordées, les Australiens fournissaient le meilleur réseau de communications du monde. Il arriva même que des hommes quittent le piquet de grève et fassent des kilomètres dans la campagne pour aller réparer un récepteur et assurer au vaisseau spatial américain une bonne communication avec Houston lors de son passage au-dessus de l'océan Indien.

Devant les hommes réunis, Pope déclara : « Tous les astronautes ont parfaitement conscience de ce qu'ils doivent aux employés des centres de communications australiens, et plus particulièrement à la magnifique équipe de Honeysuckle. A deux reprises, M. McGuigan m'a apporté une aide bien supérieure à son simple devoir, et j'aimerais lui remettre ces deux médailles que m'a confiées le gouvernement américain. La première lui est adressée personnellement. La seconde, en tant que représentant de votre excellente équipe. » Il lui remit les médailles en pensant, pendant que les applaudissements fusaient dans la salle : « Jusqu'à la prochaine grève, mes salauds. »

Les employés se dispersèrent, et le responsable du centre lui dit :

« La presse se trouve dans l'autre bâtiment. »

Pope eut une nouvelle fois l'occasion d'admirer la beauté du paysage; il était d'excellente humeur quand il entra dans la salle de presse, où l'attendaient cinq journalistes, quatre Australiens et Cynthia Rhee, aussi fraîche que les fleurs de la campagne environnante. Elle le regardait fixement de ses yeux sombres en amande.

« Je voulais achever mon histoire, dit-elle en lui prenant la main.

– Vous êtes venus spécialement de Tokyo?

– Je voulais voir le dernier de mes astronautes dans un environnement qui lui corresponde. Avec ceux de sa race. A Honeysuckle.

– Voici le capitaine John Pope, dit l'un des responsables. Vous connaissez tous ses exploits. »

John répondit par un mensonge aux questions des journalistes :

« Nous avons toujours entretenu les meilleures relations avec vos stations. Certains maillons de cette chaîne de communications m'ont été tout particulièrement précieux... » Il vit le sourire sardonique de Cynthia, puis il se rappela cette nuit passée au Bali Hai, où Claggett avait raconté comment les Australiens de Honeysuckle avaient menacé de faire grève avant son premier vol Appolo. « Je m'étais bien promis d'aller les trouver pour leur couper les couilles », avait-il déclaré, et Pope avait vu Cynthia recopier fidèlement ses paroles. Aujourd'hui, elle notait ses propres paroles, le sourire aux lèvres.

« J'ai demandé à venir à Honeysuckle, poursuivit-il, pour présenter mes hommages à M. McGuigan. Je n'ai pas toujours compris son accent, mais j'ai sincèrement apprécié la sympathie qu'il me portait. »

Quand la conférence de presse fut achevée, les responsables du centre voulurent accompagner Pope jusqu'à la voiture de l'ambassade, mais Cynthia s'interposa en disant :

« J'ai une voiture de louage, je vais le ramener. »

Et avant qu'on eût protesté, elle avait prié le chauffeur de regagner seul l'ambassade et entraîné Pope vers sa Volkswagen.

« J'ai une chambre dans un village proche du mont Kosciusko, dans les Alpes australiennes », dit-elle.

Ils roulèrent pendant plus d'une heure dans un parc naturel peuplé de kangourous qui jouaient au bord de la route.

« J'ai écrit mon livre, dit-elle, mais je dois connaître votre histoire pour le terminer.

– Elle est des plus banales. Nous sommes partis à trois, et je suis revenu seul.

– Oui, mais pourquoi êtes-vous parti? Un jour, dans les vastes plaines du Fremont, vous vous êtes vu dans le ciel. Que s'est-il passé, ce jour-là?

– Vous avez pris la peine d'aller au Fremont?

– Je visite tout. Je suis venue à Honeysuckle la semaine dernière pour être sûre de m'y retrouver.

– Mais pourquoi?

– John, vous et les autres, vous êtes réels... vous ne comprenez pas ça? Vous êtes immortels. Dans quatre cents ans, on lira vos exploits, comme nous lisons aujourd'hui ceux de Magellan. »

Elle avait prononcé ces paroles avec tant de simplicité et de conviction qu'ils n'eurent rien à ajouter. Pourtant, après la traversée d'un village, il lui demanda :

« Qu'entendez-vous par *réels*?

– Eh bien, fit-elle en se tournant vers lui, il y a Randy Claggett, un des meilleurs hommes de ce siècle, et aussi Timothy Bell, pompeux et pathétique à la fois.

– Vous allez écrire ça? Il est mort, vous savez.

– Il a toujours été mort, et je l'écrirai ainsi.

– Vous êtes implacable.

– Comme la vérité. »

Ils s'arrêtèrent dans une sympathique auberge de campagne; le soleil n'était pas encore couché, et ils prirent le thé dans le jardin. Au début, il parla avec lenteur; puis les mots se succédèrent sans entrave, comme s'il avait conservé en lui un univers d'impressions qu'il lui fallait maintenant partager. Il parla de choses qui touchaient au cœur de l'espace, des choses qu'il n'était jamais parvenu à énoncer, pas même au cours des interminables conversations avec les super-cerveaux de la N.A.S.A.

« Ils n'arrêtaient pas de me demander ce que j'éprouvais dans le module de commande, lors du retour vers la Terre, et je leur donnais les réponses qu'ils souhaitaient entendre, sous la forme qui leur plairait le mieux. La responsabilité. La mission que je devais remplir. La perfection de l'entraînement en simulateur. Plus des réflexions vraiment sincères sur la solitude. Mais peut-être aimeriez-vous connaître la vérité.

– Je suis venue pour ça.

– Le module était tout petit. D'ici à là, à peu près. Et quand je me suis retrouvé seul, qu'est-ce que j'ai ressenti? Que j'avais toute la place que je désirais, que je pouvais bouger, enfin. Et je dois avouer que je me sentais soulagé. » Il se mit à rire, puis s'arrêta brusquement : « Et les autres? Même si j'avais de la place, leur fantôme ne me quittait pas. »

Ils parlèrent jusqu'à l'heure du dîner, pendant le repas, puis dans un salon décoré de gravures anglaises. Il y eut un instant de flottement au moment de regagner les chambres, comme si chacun attendait de l'autre qu'il lui proposât de dormir ensemble. Mais Cynthia sonna l'employé de la réception, et lui demanda :

« Pouvez-vous me conduire à ma chambre? » Ils montèrent à l'étage, et elle dit : « Bonsoir, John. Nous continuerons de bavarder au petit déjeuner. »

Ils passèrent la journée au salon de l'hôtel ou à se promener dans les jardins; l'espace était leur seul sujet de conversation, mais, lorsqu'ils s'approchaient des employés de l'auberge, ceux-ci murmuraient : « C'est John Pope, celui qui a ramené seul le vaisseau spatial. Il couche avec la journaliste japonaise. »

Vers la fin de la journée, tout le monde savait ce qui se passait, en Australie mais aussi à Washington. Le sénateur Grant recevait des messages confidentiels de la N.A.S.A. et faisait de son mieux pour dissimuler la vérité au conseil de la commission. Mais une secrétaire n'hésita pas longtemps à informer Mme Pope des agissements de son mari :

« Il fricote avec la Coréenne. » Avec un sourire forcé, Penny répondit :

« Ce sont les hasards de la vie. »

Les câbles affluèrent à l'ambassade de Canberra pour que l'on retrouve Pope avant de l'escorter jusqu'à Sydney, où il devait prononcer son principal discours; l'ambassade parvint à le dénicher et téléphona pour le morigéner, mais il refusa de prendre les appels. Ce fut la femme qui tenait l'auberge qui lui transmit les messages :

« On dirait qu'il y a de l'eau dans le gaz, capitaine Pope.

– Ce n'est pas la première fois, répondit-il, avant de confier à Cynthia : J'ai l'impression que nous avons déclenché une tempête. »

Certains que l'occasion d'une telle interview ne se représenterait plus jamais, ils passèrent la dernière journée au cœur même de l'expérience spatiale, et Pope se surprit à dire des choses qu'il n'aurait jamais confiées à personne :

« Claggett était originaire du Sud, et moi, d'une région où il n'y avait pas de Noirs, mais nous avions les mêmes préjugés. « Les Nègres ont une drôle « d'odeur, disait-il, et ça ne va pas être marrant d'être « coincés dans le module. » Je lui fis alors remarquer que c'était mon siège qui jouxtait celui de Linley. En fait, Paul était l'homme le plus exigeant que j'aie jamais vu. Propre comme un sou neuf. Moi? Après plusieurs jours sans toilette véritable, je commençais à sentir le navet fermenté. Avant d'atteindre la Lune, j'ai demandé à Paul : « Est-ce que je pue? »

Et il m'a répondu : « Plutôt, oui. » Nous avons éclaté de rire parce que nous savions tous que c'était lui qui aurait dû sentir mauvais.

Cynthia ne cessait de prendre des notes ou de le harceler de questions.

« Pope-san, est-ce que vous vous considérez comme ayant atteint la maturité? »

Il se mordit la lèvre inférieure.

« Je crois que j'ai toujours été un roturier à Annapolis.

– Les autres avaient une orientation plus simple, c'est tout. Claggett, Jensen. Dès le jour de leur naissance, ils étaient destinés à...

– Destiné. Oui, c'est cela. Je voulais faire certaines choses, d'une certaine façon. Je crois que c'est cela, être un homme : énoncer clairement ses intentions et aller jusqu'au bout.

– Vous n'avez jamais failli?

– Non, dit-il, puis il hésita. Je ne suis pas sûr de pouvoir être aussi catégorique. Quand j'étais gosse, je rêvais d'entrer à Annapolis. Notre sénateur, Ulysses S. Gantling – notez bien son nom – m'avait promis un rendez-vous, et au dernier moment, il s'est désisté. Il ne restait plus rien.

– Qu'avez-vous fait alors?

– Pendant deux jours, j'ai pleuré. J'ai cru que j'allais en mourir. Et puis, je me suis mis à le maudire, ce que je n'avais jamais fait auparavant. Depuis ce jour, je n'ai plus jamais pleuré ou maudit quelqu'un. Vous connaissez la suite.

– Vous vous êtes engagé dans la marine par dépit. Et puis, on vous a envoyé à Annapolis... le second de la promotion. Vous avez eu tout ce que vous désiriez, n'est-ce pas?

– J'ai toujours tout fait pour.

– Penny est la première fille que vous ayez embrassée?

– La première et la seule, en fait. J'ai été remarquablement heureux avec Penny. Quand on nous prend tous les six, seul Hickory Lee a eu un mariage aussi heureux que le mien.

– Et Harry Jensen? Inger est adorable.

– Il n'y a pas de comparaison possible.

– Est-ce que vous retournerez un jour dans l'espace? »

Il se leva et arpenta la pièce en se demandant s'il devait aborder avec cette étrange jeune femme un sujet si personnel qu'il n'en avait jamais discuté avec Penny.

« Vos espions vous ont dit que la N.A.S.A. en avait assez de moi?

– Selon certaines rumeurs, vous ne seriez pas en odeur de sainteté. Ed Cater l'a laissé entendre dans sa dernière lettre

– Il vous écrit?

– Bien sûr. Nous étions de très bons amis. Nous le serons toujours.

– Quel genre de bruits colporte-t-il?

– Il disait, si je m'en souviens bien : « Pope-
« la-Morale nous a étonnés en désobéissant à deux
« reprises. Quand Claggett est mort, il a refusé de
« revenir sur Terre. Et aux funérailles, il a insisté
« pour que vous veniez. » Pour lui, vos jours étaient comptés.

– Vous en savez beaucoup plus que moi, fit-il.

– C'est mon métier, non? »

Il fut tenté de manifester une certaine irritation, mais il préféra lui sourire.

« Quand Claggett volait avec moi, en Corée, je n'ai jamais pu comprendre comment il pouvait aimer Debby Dee, qui travaillait au Japon, et la petite Jo-san de la base aérienne de Pusan. C'est parce que je ne vous connaissais pas. »

Elle haussa les épaules, et son sourire illumina le salon de l'auberge.

« Vous méritez vraiment d'être connu, Pope-san.

En d'autres temps... » Elle baissa les yeux et dit, en regardant son bloc-notes : « Vous et Penny, vous représentez quelque chose de très précieux, et je m'efforcerai de vous décrire tous les deux tels que vous êtes. Si j'y parviens jamais... »

Ils furent interrompus par les cris d'un homme ameutant l'auberge pour savoir où l'on pouvait trouver ce foutu John Pope et sa souris coréenne.

C'était Tucker Thompson, délégué par la N.A.S.A., le ministère des Affaires étrangères et *Folks* pour protéger tout ce qu'ils avaient investi sur l'astronaute Pope. Il avait l'air hagard.

« A Dulles, on m'a embarqué sur un jet de l'armée. A Los Angeles, j'ai eu quinze minutes pour prendre le vol de la Pan Am. Ensuite, non-stop jusqu'aux îles Auckland. Un avion australien jusqu'à Syndney, un autre jusqu'à Canberra. Excusez-moi si je suis un peu à plat.

– Les héros sont fatigués, dit Cynthia. Prenez un verre.

– Et qu'est-ce que je vois? Le boy-scout numéro un de l'Amérique en train de fricoter dans un...

– Mettons les choses au clair, Tucker. Nous n'avons pas fricoté, comme vous dites. Nous avons parlé. »

Tucker les regarda avec un plaisir non dissimulé.

« D'accord, Pope, tenez-vous-en à cette explication. J'espère sincèrement que vous pourrez vous en tirer comme ça. Mais si *Time* apprend la vérité, nous sommes cuits. Et quand je dis nous, c'est tout le monde. »

Pope le saisit par le bras.

« Je vous ai dit que nous sommes ici pour parler. »

Thompson ôta la main de Pope et s'effondra dans un fauteuil.

« En 1960, j'ai fait croire aux baptistes du Texas que John F. Kennedy était un doux Irlandais qui chantait *Mother Machree* et ne recevait pas d'ordres du pape. Je réussirai peut-être à faire passer ma nouvelle histoire : le fougueux héros de l'Amérique et la Femme Dragon aux yeux en amande... »

Pope n'avait jamais été aussi près d'envoyer son poing dans la figure de Thompson, mais il se ressaisit et le serra dans ses bras en riant.

« Tucker, une heure avec vous, c'est encore mieux qu'un an dans les égouts de New York. Je vous adore.

– Tenez-vous-en à votre histoire, mon vieux. Elle suscitera plus de commentaires que la vérité.

– Tout cela a si peu d'importance, dit Cynthia. Vous avez pris six Américains et les filles qu'ils ont épousées quand ils étaient jeunes, et vous en avez fait un conte de fées... » Sa voix se brisa et elle perdit subitement toute sa fougue. Elle se mit à pleurer et serra très fort la main de Pope. « Vous étiez tous si petits, dit-elle. Et cela, vous ne l'avez jamais dit au monde, Tucker. Que c'étaient de petits hommes très ordinaires. Qu'ils n'étaient ni grands ni héroïques, qu'ils n'avaient ni les mâchoires ni les épaules carrées. Pourtant, ils ont fait preuve d'héroïsme, et on se souviendra toujours d'eux. »

Plusieurs livres de qualité allaient être écrits sur les astronautes – ceux de Mailer, de Collins, de Wolfe, pour ne citer que les meilleurs –, mais si vous voulez vraiment savoir ce qui se passait dans la tête des hommes lorsqu'ils étaient enfermés dans leur capsule, le seul livre valable est celui d'une journaliste orientale, Rhee Soon-Ka. Elle était coréenne, mais elle avait pris le nom américain de Cynthia pour énerver ses ennemis; et comme elle méprisait la bonne société américaine, elle intitula son livre *Les Nains d'or*.

Renseignée sur la façon dont Penny Pope avait réagi à l'annonce de l'escapade de son mari, toute épouse aurait été consternée de voir une femme aussi respectable accepter d'être trompée aussi publiquement. Le capitaine Pope ne reviendrait aux Etats-Unis que dans trois semaines, car il lui fallait encore passer par la Nouvelle-Zélande, avant de s'envoler pour l'Amérique du Sud, via les îles Fidji, Tahiti et l'île de Pâques. Pendant tout ce temps, Penny Pope effectua normalement son travail auprès de la commission et s'occupa souvent d'affaires qui concernaient son mari.

Elle ne fit jamais la moindre allusion à son inconduite, et le sénateur Grant essuya une rebuffade lorsqu'il tenta de la consoler :

« Le capitaine Pope sait ce qu'il fait. Nous nous sommes toujours fait confiance. » Mais, tout en n'autorisant les allusions de personne, elle se demandait comment elle devrait se comporter au retour de John, et elle se rendit compte qu'elle était soumise à des contraintes qu'une femme normale ignorait.

Elle n'avait rien de l'épouse moyenne. Elle était femme de marin, et c'était toute la différence. Dès leur rencontre, elle avait su qu'il lui faudrait attendre au foyer son mari naviguant sur quelque lointain océan. Elle était prête à accepter d'incessants déménagements, lorsqu'il serait nommé en Allemagne ou au Japon. Et elle avait toujours su qu'elle devrait élever seule leurs enfants au cas où ils en auraient.

Ce n'était là que des détails domestiques, dont elle ne se plaignait jamais, à l'instar des autres femmes de marins. Depuis la plus haute antiquité, ces femmes étaient préparées à ces absences; mais il y avait un aspect émotionnel que ces femmes abordaient rarement entre elles.

Les maris étaient absents pendant les années où leurs désirs sexuels étaient les plus forts; quand ils pouvaient enfin rester à la maison, ils avaient atteint la cinquantaine, et c'est alors que leur absence aurait été le plus facile à supporter. Ainsi, une femme de marin savait que son mari était retenu à l'autre bout du monde alors que leurs appétits mutuels étaient particulièrement développés, et elle préférait ignorer ce qui risquait de se passer. C'est pour cela qu'elle jetait un voile discret sur cet aspect de son mariage.

Penny avait essayé d'être une épouse de marin modèle, et bien que son travail à Washington l'eût empêchée de vivre avec John lors de ses diverses affectations, elle lui avait rendu visite toutes les fois que c'était possible et avait pu ainsi rencontrer les femmes de ses camarades. Un jour, elle se trouvait chez les Claggett, dans les îles Salomons, quand Debby Dee déclara : « On croirait vraiment que John est le civil et que c'est Penny qui est dans la marine. » Elle n'avait pas tout à fait tort : souvent, quand John avait un peu de temps libre, Penny était retenue à Washington. Et elle ne cherchait jamais à savoir comment il occupait ses loisirs.

Elle avait appris à Patuxent River que les femmes de marins étaient trop absorbées pour se laisser aller aux coups bas quand leurs maris étaient à terre, et elle s'étonnait toujours de la façon dont ces femmes réagissaient aux difficultés; il y avait peu de divorces dans la marine, et lorsque cela se produisait, les femmes retrouvaient un autre marin, comme si elles savaient que c'étaient elles, et non le système, qui étaient coupables.

En fait, le seul vrai danger pour une femme de militaire n'était pas l'infidélité, mais l'alcoolisme. Le mess des officiers toujours ouvert, l'alcool bon marché, la solitude poussant à boire, et toujours une femme d'âge mûr, bouteille à la main, recherchant la compagnie de femmes plus jeunes. Penny avait vu une douzaine de femmes devenir des alcooliques invétérées, et elle avait entendu dire que certaines épouses de généraux ou d'amiraux étaient flanquées de jeunes officiers veillant à ce qu'elles ne fassent pas de scandale ou ne tombent pas dans l'escalier lors des réceptions. Comme Penny ne buvait jamais plus d'une bière, cet écueil majeur ne la guettait nullement.

L'attitude de Penny devant le mariage avait été forgée par le caractère de son mari. A Annapolis, il s'était toujours montré très strict et quoiqu'un des premiers de sa classe, il n'était sorti qu'avec elle. A Pax River, il avait occupé le quartier des célibataires, pour économiser l'argent qu'il lui envoyait. En Corée, selon Claggett, John avait évité les terrains où les jolies Jo-san servent à table et dorment dans le bâtiment des officiers. Et lorsque cette Coréenne avait débarqué au Bali Hai dans le but avoué, au dire de certains, de coucher avec tout le monde, les autres épouses avaient pu l'assurer qu'il n'avait rien à voir avec elle. Et maintenant, heureuses de voir enfin s'écrouler l'idole, Debby Dee Claggett et Gloria Cater utilisaient dans leurs lettres la même expression : « Bienvenue au club! »

Une modification subtile intervint dans l'attitude de Penny. Elle faisait encore confiance à John, mais elle devait tenir compte de son amour-propre. Elle aurait bientôt cinquante ans, et elle occupait une position assez importante, convoitée par toutes les diplômées aspirant à d'autres emplois que celui de secrétaire. Elle représentait quelque chose, et il était irritant de penser qu'elle avait été si mal utilisée. Son ressentiment la poussa à observer d'un œil neutre les ramifications de sa propre vie, et ce qu'elle découvrit suscita en elle une indignation encore plus grande.

Dans les débats publics du Sénat, elle remarqua qu'un grand nombre de vieillards imbibés d'alcool, incapables de suivre une discussion, s'endormaient bien souvent au milieu d'une déclaration. Lorsqu'elle comparait ces individus aux femmes qui détenaient les meilleurs postes au niveau fédéral, la différence sautait aux yeux; mais elle était encore plus déroutée lorsqu'elle se penchait sur le cas des députés qu'elle connaissait : elle ne voyait que des individus stupides, ne sachant même pas pour quoi ils votaient, alors que des femmes de qualité se fânaient dans leur rôle d'assistantes.

Ses critères étaient élevés, car elle avait travaillé de très près avec trois politiciens de premier ordre : Lyndon Johnson, qui acceptait tout ce qui donnait un petit coup de pouce au Texas et à son compte en banque; Mike Glancey, peut-être le meilleur homme qu'elle eût jamais connu, mais dont le vote se négociait toujours sur le principe du « renvoi d'ascenseur »; et le bon, le fidèle Norman Grant, à l'intégrité sans faille, mais dont le système de vote était identique, quoique d'un niveau plus élevé. C'étaient des hommes de qualité, qui avaient admirablement servi leur pays, mais Penny se rendait maintenant compte que l'Amérique avait également donné naissance à des femmes de qualité et qu'elles étaient scandaleusement tenues à l'écart des postes de responsabilité.

Elle s'était intéressée depuis plusieurs années aux arguments d'un certain nombre de femmes libérées qui s'étaient penchées sur ces problèmes, mais leur cause ne l'avait jamais attirée. Pour elle, l'australienne Germaine Greer était trop dure, Bella Abzug trop caustique et Betty Friedan trop dépourvue de féminité; il lui arrivait parfois de douter de leur logique, car c'était sans éclats qu'elle avait décroché un bon poste à Washington, et elle ne voyait pas pourquoi d'autres femmes ne pourraient en faire autant. Mais lorsque Gloria Steinem et une femme au nom fascinant de Letty Pogrebin se mirent à analyser des situations semblables à la sienne, elle leur prêta une oreille plus attentive et vit que les femmes subissaient la discrimination dans des dizaines d'autres situations, qu'elles étaient enfermées par la société dans un certain nombre de moules presque aussi désastreux que pour les hommes.

Elle eut une conscience aiguë de ce problème lorsque Tucker Thompson se hâta de revenir d'Australie pour lui faire savoir comment les braves gens de *Folks* avaient défini son personnage de femme outragée.

« Madame Pope, je suis allé jusqu'à Canberra, c'est un pays immense, et je suppose que vous savez déjà ce que j'y ai trouvé. Le scandale risque d'éclater d'un instant à l'autre. La N.A.S.A. en a assez de votre mari, *Time* et *Newsweek* sont sur l'affaire et attendent le petit détail qui leur permettra de frapper très fort.

– Qu'est-ce qui les retient?

– Votre mari est un héros national. Quelle carte peuvent-ils jouer? La dérision? Je ne pense pas. Le sordide? J'en doute également. Ce que je crois, c'est que nous pouvons leur damer le pion si nous attaquons les premiers et en douceur.

– Que recommande votre magazine?

– Que nous accusions le coup et que nous vous montrions en train d'accueillir votre mari au retour de sa tournée triomphale.

– Selon vos directeurs, je devrais l'embrasser?

– Oui. Ce qui est important, c'est de donner le ton. Ce serait terrible si l'affaire nous échappait.

– Pourquoi, il n'est pas trop tard?

– Non, et tout dépend de vous, dit Thompson avec fermeté. Penny, c'est un problème d'importance nationale. La réputation de la N.A.S.A. en une époque de révision budgétaire. Le quitte ou double, quoi.

– Je n'aurais pas grand mal à embrasser mon mari, dit Penny, parce que je l'aime.

– Seigneur, si nous pouvions placer ce genre de phrase dans notre article... Malheureusement, elle susciterait plus de questions qu'elle n'en résout. »

C'est alors que, pour la première fois, il commença à se dire que cette femme dangereuse, qu'il n'avait jamais aimée, était en train de se jouer de lui.

« Vous avez l'intention de coopérer, n'est-ce pas? dit-il, hésitant.

– Ce serait manquer de dignité que d'agir autrement.

– Vous le pensez vraiment?

– Tout à fait.

– Je peux avoir une autre tasse de café? » Il était en sueur. Il but son café d'un seul coup et dit, avec un enthousiasme soudain : « C'est vraiment extraordinaire. Le comité de sélection de la N.A.S.A. a pris six familles, un peu au hasard, et il n'y a là que des battants. Je me demande combien de filles de ce pays se seraient mieux comportées que vous. Les décès, les déceptions, les menaces de divorce, le scandale, à présent. Vous êtes de vraies championnes.

– C'était bien notre intention, dit Penny qui reprit une des expressions favorites de son mari.

– C'est un honneur que d'être associé à une fille comme vous.

– J'ai quarante-sept ans.

– Nous ne faisons jamais mention de cela dans les articles. Pour nos lecteurs, vous êtes toujours des jeunes filles bien élevées. Je suis terriblement fier de vous avoir connues, Penny, vous et les autres.

– Vous en parlez toujours comme si c'était du passé.

– C'en est. L'espace, c'est terminé. Si j'étais vicieux, je susciterais un formidable scandale en jouant à fond la carte « Pope contre Pope » – ça marquerait la fin d'une époque, l'adieu aux symboles. Si je voulais, j'écrirais cette histoire sur-le-champ. Ce serait vraiment une sortie en beauté. » Il secoua la tête, comme s'il regrettait de ne plus travailler pour un journal à sensations. Puis il dit : « Mais je vous aime comme si vous étiez ma propre famille. C'est mon chant du cygne, vous savez. Je suis obligé de prendre ma retraite dans un mois. Et je refuse de salir ce que j'ai aimé. Penny, faisons preuve de panache.

– Vous avez un style à proposer?

– L'épouse américaine, loyale, confiante, compréhensive. Nous ne voulons pas vous montrer dans votre bureau, cette fois-ci. Nous l'avons déjà fait, et cela nous a toujours semblé trop dur. Ce à quoi je pense, c'est une petite maison et...

– Et moi, Tucker, ce à quoi je pense, c'est mon bureau, avec le drapeau américain dans un coin et les photographies de Johnson, Grant et Glancey, les architectes du programme spatial.

– Mais...

– Je fais autant partie de la N.A.S.A. que mon mari et, d'une certaine façon, je crois même que je suis plus importante que lui, parce que c'est un peu grâce à moi que tout a continué à rouler. »

Thompson comprit alors qu'il s'était aventuré dans des eaux bien trop profondes et que Penny n'en ferait qu'à sa tête.

« Je crains que mon idée ne soit pas valable, madame Pope.

– J'en suis intimement persuadée.

– Vous feriez bien de prier pour que *Time* et *Newsweek* ne s'emparent pas de l'affaire.

– Ils connaissent mon numéro de téléphone. »

Il était sur le point de partir, mais il ne pouvait laisser l'un de ses Six Piliers foncer la tête la première vers le danger.

« Je vous en prie, madame Pope, nous avons vécu des heures formidables. Gemini... Apollo... l'héroïsme de vos maris... Claggett. Par pitié, ne salissez pas Claggett. »

Elle baissa la tête et dit dans un souffle :

« Vous avez raconté dans l'un de vos articles comment Randy et John ont volé ensemble en Corée, puis testé des avions à Pax River, avant de partager seize jours durant une cabine téléphonique Gemini. Et, aussi, comment John a dû l'abandonner sur la Lune après sa mort. C'était très fort. » Elle leva les yeux vers lui. « Croyez-vous que je pourrais faire quoi que ce soit pour ternir ces relations?

– Je ne vous en crois pas capable.

– Je vais coopérer avec vous. Faites venir vos photographes. Mais cela se passera dans mon bureau. » Il poussa un gémissement et elle dit : « Tucker, les mots n'ont plus de secrets pour vous. Vous allez nous écrire une fable à votre façon. La femme moderne qui fait superbement deux choses très différentes, s'occuper de son bureau et aimer son mari.

– Je ne crois pas que ça passera à Peoria. »

Il décida de ne pas se lancer dans un couplet sur « John Pope et Penny, son épouse toujours aimante », parce qu'il y décelait de trop nombreuses bombes à retardement. Au moment de partir, déçu de ne pas avoir réussi à manipuler Mme Pope, il se sentit tiré par le bras et poussé vers un fauteuil.

« Vous m'avez beaucoup apporté, Tucker. Il y a encore une minute, je ne m'intéressais pas vraiment à Betty Friedan. Son style ne me plaisait pas, mais la moindre de vos paroles est venue abonder dans le sens de sa thèse dans *La Femme mystifiée.* Votre magazine et les auteurs de votre genre constituent les principales forces de création du mythe de la femme américaine idéale. La petite maison, pas le bureau. Un ensemble blanc, pas une robe stricte de femme d'affaires. L'épouse qui pardonne, au lieu de la femme humiliée.

– Penny, l'interrompit-il, je ne m'intéresse plus à ce qu'ils peuvent penser. *Folks* ne veut plus de moi, vous comprenez? c'est terminé. Mais je vous en supplie, ne divorcez pas.

– Qui a parlé de divorce?

– Vous venez de dire que vous vous sentiez humiliée par le comportement de John et...

– C'est vrai, je me sens humiliée par ce qu'il m'a fait. Mais je suis tout autant humiliée par ce que votre magazine et vous aimeriez que je fasse. Les poses truquées, les fausses citations. Tucker, vous êtes tout près de la sortie, et John n'en est pas loin, lui non plus. Quant à moi, je n'en ai peut-être plus pour très longtemps à la commission. Offrons-nous un feu d'artifice final. Voici la seule citation de moi que je vous autorise à publier dans votre torchon : « En apprenant les escapades australiennes de son « mari, Mme John Pope a déclaré : « J'aimerais lui « balancer un coup de pied au cul qui l'enverrait « jusqu'à Tahiti, et puis, je lui remettrais la médaille « de la N.A.S.A. pour s'être conduit en parfait boy-« scout. » Je veux que vous passiez également la photo où je l'embrasse sous le drapeau américain, dans mon bureau. Avec comme légende : « Tout est « pardonné. C'est mon seul boy-scout. »

– Je me demande si nous pourrions arranger cela, dit Thompson. Je me demande si je pourrais faire passer votre message, votre « coup de pied au cul qui l'enverrait jusqu'à Tahiti ».

– Ne changez absolument rien, dit sèchement Penny, parce que c'est désormais ainsi que je vais m'exprimer. »

Dégoûté par cette femme trop moderne, il se préparait à quitter le bureau quand un nouveau signal d'alarme résonna dans sa tête.

« Vous n'êtes peut-être pas au courant, mais votre mari a tenu à raconter qu'il avait passé trois jours à bavarder avec le Typhon coréen. Je vous en prie, ne vous moquez pas publiquement de lui s'il nous sort encore cette version des faits.

– Il a vraiment dit cela? » s'écria-t-elle. Et quand Thompson hocha la tête, elle ne put s'empêcher de l'embrasser. « Tucker, vous êtes adorable, corrompu, stupide, même un peu méchant... mais vraiment adorable. »

Quand son mari arriva à l'aéroport avec deux valises pleines de médailles et de souvenirs, Penny était là pour l'accueillir. Sur le tarmac, il dit :

« Désolé si je t'ai causé du tracas, Pen, mais il fallait que je parle. C'était important que je raconte tout cela à quelqu'un qui puisse me comprendre.

– Pourquoi ne m'en as-tu pas parlé? demanda-t-elle, des larmes de joie plein les yeux..

– Tu es toujours si occupée. » Il se reprit : « Je suis toujours si pris par des choses qui n'ont pas vraiment d'importance. »

Bras dessus, bras dessous, ils se dirigèrent vers les photographes.

Pareil à un baromètre ultra-sensible qui sonde l'atmosphère et prédit les ouragans, Leopold Strabismus suivait les fluctuations de la mentalité nationale; il avait décelé le changement, bien avant que le sénateur Grant ne comprenne que l'ère de l'espace touchait à sa conclusion, et la fin du programme Apollo lui montra qu'il devait modifier sa stratégie ou connaître des heures très sombres. C'est pour cela qu'un matin de l'été 1976 il se réveilla en sursaut, repoussa les couvertures, remonta la chemise de nuit de sa compagne endormie et lui tapa sur les fesses en disant :

« Allez, debout, Marcia! On va se marier! »

Elle avait trente-sept ans; mince, charmeuse, féline, elle ne croyait plus que Strabismus lui proposerait de l'épouser. Cela ne l'empêchait pas de bien vivre. Ils tiraient toujours de substantiels profits de la menace des petits hommes verts, ainsi qu'un revenu plus modeste, quoique constant, de la vente des diplômes; de sorte qu'elle avait sa propre Mercedes et un secrétaire pour s'occuper de ses affaires. Ramirez faisait toujours preuve d'imagination, et l'entreprise ne cessait de prospérer. Cette soudaine proposition de mariage lui causa donc un très grand choc.

« Qu'est-ce qui te prend? demanda-t-elle.

– Le moment est venu, ma jolie.

– Il y a une enquête? C'est la police?

– Non, la roue tourne. C'est l'éveil du public.

– De quoi parles-tu?

– Marcia, j'ai eu une vision. Comme celle que j'ai eue à Yale quand j'ai compris que la Californie serait ma Terre Promise.

– Je ne veux pas quitter la Californie. » Elle frémit. « Tu nous vois en train de vivre au Fremont ou au Nebraska?

– Nous nous marions aujourd'hui, et la Californie sera doublement notre foyer. »

Il sauta à bas du lit et enfila le pantalon d'un costume réservé aux visites chez les généreux donateurs de l'Est. Marcia vit que ses yeux brillaient d'enthousiasme.

« Leopold, que se passe-t-il?

– Habille-toi, je t'en prie, ce n'est pas pour rire. »

Dès qu'ils furent vêtus, il la conduisit sur une route d'où elle pouvait découvrir le bâtiment qui abritait leur université. Il tremblait presque en divulguant son plan :

« Nous avons assez d'argent pour faire bâtir les deux ailes dont je t'ai déjà parlé. Une ici, l'autre là. Et pas de petites ailes, des grandes.

– Je peux savoir pour quoi faire?

– Pour la religion. »

Elle ne répondit rien, mais se prit déjà à imaginer

ce que son brillant compagnon pourrait faire d'un sujet aussi explosif. Elle le voyait très bien en train de prêcher d'une voix puissante, la barbe noble, le corps drapé dans une tunique, et elle savait d'instinct qu'il y excellerait. Elle voyait déjà le bâtiment de l'université agrandi aux dimensions d'une cathédrale, les centaines de voitures garées sur le parking, les fidèles pleins de générosité et l'argent coulant à flots. C'était un projet très réaliste, étant donné la nature de son homme et celle de la Californie, mais il fallait faire très correctement les choses : la concurrence était impitoyable. La direction d'une université de fantaisie était assez facile, car ce domaine trop spécialisé n'attirait pas beaucoup les manipulateurs; mais il n'en allait pas de même pour la religion : à moins de trouver un biais très particulier, le succès n'était pas automatiquement assuré.

« Quelle religion? demanda-t-elle.

– J'y réfléchis depuis deux mois. J'aimerais bien garder le sigle U.S.A. Qu'est-ce que tu dirais de Universal Spiritual Association?

– Il n'y a pas un seul mot de bon. Le U doit correspondre à United. Pars là-dessus.

– Tu as peut-être raison. Et Spiritual, pourquoi ça ne te plaît pas?

– On risque de penser à « spiritisme ».

– C'est vrai. Que dirais-tu de Salvation? J'ai l'intention de miser gros sur le salut.

– Cela me plaît bien, Leopold. Oui, gardons Salvation. »

Ils poursuivirent leur discussion, mais ne parvinrent pas à trouver un mot convenable commençant par A; ils se rendirent alors en voiture vers une Eglise non officielle, dont le responsable était d'accord pour oublier le délai légal et pour antidater le mariage en indiquant l'année 1976; un greffier du tribunal entérinerait cette date pour quelques dollars de plus. De retour chez eux, ils appelèrent l'université biblique de Red River : « Révérend Hosea Kellog? Ici le docteur Leopold Strabismus, président de l'University of Space and Aviation, à Los Angeles. J'ai entendu parler de vos excellents travaux, révérend Kellog, et mon université aimerait vous faire docteur en droit, si vous pouviez me faire docteur en théologie. C'est extrêmement important, et je serais très heureux si la date pouvait être fixée à 1973. »

Tout fut arrangé, et Strabismus demanda à Ramirez de préparer un diplôme particulièrement orné à l'intention du révérend Kellog; avec la même plaque, mais des lettres différentes, il en imprimerait un autre à l'intention de Strabismus, un diplôme émis par l'université de l'Ouest-Dakota et témoignant de ses connaissances en hébreu, en grec et en latin. Fort de tels documents, il pourrait réfléchir à la branche de la théologie que sa nouvelle Eglise soutiendrait. Mais avant d'imprimer quoi que ce soit, il eut de longues discussions avec sa femme.

« Nous devons nous marier, dit-il, parce que j'ai l'intention de mettre l'accent sur la morale. Ce pays aspire à la renaissance des valeurs traditionnelles, Marcia. Et je vais t'utiliser à fond pour cela. La fille du sénateur Grant, le héros de la seconde guerre mondiale.

– Et à part ça?

– Le rejet de l'athéisme scientifique – l'évolution à partir des singes, la géologie, etc.

– Mais nous nous en sommes très bien tirés avec la science. Les pamphlets...

– C'est fini, tout cela. Nous conservons l'université parce que c'est une mine d'or. Mais nous laisserons quelqu'un d'autre s'occuper des petits hommes verts, parce que les soucoupes volantes ont fait leur temps. Crois-moi, Marcia, la nouveauté, c'est la religion bien traditionnelle. »

Il lui raconta qu'il avait été très impressionné par un prédicateur d'une télévision du Sud qui avait monté toute une campagne contre ce qu'il appelait « l'humanisme athée »; ni Strabismus ni le prédicateur ne semblaient parfaitement comprendre de quoi il s'agissait, mais c'était à coup sûr une cible idéale. Leopold revint chez lui avec quatre ou cinq livres empruntés à la bibliothèque publique de Los Angeles; en moins d'une semaine, il était devenu expert ès humanisme athée.

« C'est l'état d'esprit des bibliothécaires pervers qui corrompent notre jeunesse avec des livres immoraux. C'est le credo des professeurs d'université qui cherchent à détruire notre pays. C'est ce qui rend les rédacteurs du *New York Times* et du *Washington Post* indulgents pour le communisme. C'est tout ce qu'il y a de mauvais dans ce beau pays, et les gens qui y souscrivent doivent être écartés de la vie de la nation. Bon nombre de généraux sont des humanistes, et il convient de les identifier avant qu'ils n'aient le temps de détruire nos forces armées. »

C'est à l'époque de la construction des deux ailes du temple qu'il se mit à parler comme un paysan illettré du Sud des Etats-Unis et à utiliser systématiquement des expressions toutes faites, telles que « guerre nucléaire », « religion de l'Ancien Testament », « diminution de notre capacité à nous défendre », etc.

A New Haven, il avait rédigé deux thèses de doctorat pour des universitaires paresseux; aujourd'hui, il ne disait plus que « Jésus veut que... » ou « Nous étions perdus dans le désert du péché ». En fait, c'était sa façon de prononcer qui rendait son style particulièrement expressif – une façon absolument intranscriptible.

Il avait adopté ce style oratoire parce qu'il savait que les adeptes des vieilles doctrines avaient une méfiance instinctive des universitaires, des journalistes et des présentateurs de télévision; ils ne recherchaient que la simplicité de la vie rurale et seul pouvait être digne de leur confiance un homme proche des paysans de leur enfance. Ils faisaient partie de ce grand mouvement national de rejet de la culture, et leurs contributions en espèces les placèrent à la pointe de ce mouvement. Le pays en avait assez des merveilles de l'espace, de la médecine, de la science et de l'analyse sociale sophistiquée, il voulait entendre enfin un discours anti-intellectuel et Leopold Strabismus était tout prêt à le lui donner.

Il comprit tout de suite que seule la télévision lui apporterait l'efficacité maximale, mais il était nécessaire qu'il agisse avec circonspection.

« Marcia, je veux que Ramirez et toi-même fouilliez chaque pouce de ce pays pour me trouver une station de radio bon marché. Je me moque de son emplacement et de sa puissance. Ce que je veux, c'est acheter une radio. »

Ils dénichèrent dans les collines de Los Angeles une radio de 50 watts, autorisée à n'émettre qu'entre le lever et le coucher du soleil. Cela fit sensation quand on entendit le révérend Strabismus diffuser interminablement des sermons enregistrés : « Pourquoi dois-je m'arrêter au crépuscule de délivrer le message du Seigneur? Pourquoi m'interdit-on de vous apporter la parole du Seigneur après le coucher du soleil? Parce que les humanistes athées qui fourmillent au ministère des Affaires étrangères ont signé un pacte avec le Mexique... » Son mépris s'abattait tout particulièrement sur les universités de Yale et de Stanford, centres de l'humanisme destructeur du pays.

Les fonds collectés grâce à son ministère radiophonique lui permirent d'acquérir une station émettant vingt-quatre heures sur vingt-quatre. Il y accueillit les meilleurs orateurs du pays et, par leur intermédiaire, se vit ouvrir les portes de la télévision où sa corpulence, sa barbe et son talent oratoire remportèrent immédiatement tous les suffrages. Au bout de vingt mois d'activités, ses revenus frôlaient les trois cent mille dollars par an.

Marcia était l'un des facteurs de son succès – elle était assise près de la chaire et venait témoigner lorsqu'il la convoquait –, et ce fut elle qui identifia le point noir risquant de tout compromettre :

« Léopold, les journaux vont découvrir un de ces jours que ton véritable nom est Martin Sorcella et que tu es juif. Cela pourrait faire un véritable scandale.

– A moitié juif, rectifia-t-il. Mais je m'en tirerai comme Fiorella La Guardia, dont le problème était exactement le même que le mien : un père italien et une mère juive. Il n'a pas été inquiété pendant les six premiers mandats. Tous ses partisans croyaient qu'il était catholique. Mais un jour, quand un journaliste plus futé que les autres lui a demandé : « Pourquoi avez-vous dissimulé le fait que vous « étiez à moitié juif? », il a répondu : « Parce que « cela ne suffit pas pour s'en glorifier ». Quand on me percera à jour dans six ou sept ans, je serai si bien établi qu'on ne pourra rien contre moi.

– Les gens qui prennent la religion au sérieux pourraient être désemparés. On ressortira que les Juifs ont crucifié Jésus, etc.

– J'y ai déjà pensé, Marcia, et je crois pouvoir leur fournir une réponse irréprochable. Je leur dirai : « Oui, je suis né juif, comme saint Pierre, « saint Jacques, et Jésus lui-même. Mais, comme « eux, j'ai entrevu le chemin de la vérité, alléluia, et « je suis devenu chrétien, et je ne connaîtrai pas le « repos tant que les juifs n'auront pas reconnu leur « erreur et ne seront pas, comme saint Paul ou « moi-même, convertis au christianisme. » Je peux t'assurer que ça les calmera.

Il attira l'attention de toute la Californie avec son programme télévisé intitulé *Chimp-Champ-Chump*, au cours duquel il attaquait férocement la théorie évolutionniste. En effet, il avait produit, à l'époque de New Haven, trois thèses sur les théories de Darwin et avait ainsi acquis une très grande maîtrise de ce sujet hautement controversé. Il connaissait mieux ces théories que la plupart des professeurs qui les défendaient et, lorsqu'il s'en prenait à Darwin et à son humanisme athée, c'était avec un humour supérieur à celui des émissions comiques moyennes.

Il demanda à Marcia et à Ramirez de contacter les dresseurs d'animaux de Hollywood, et c'est ainsi qu'ils lui ramenèrent un sympathique chimpanzé nommé Oliver. Vêtu d'un short en satin et de grandes chaussures blanches, il se tenait aux côtés du révérend Strabismus, dont il tirait souvent la barbe. Il avait le don de l'écouter attentivement et de sourire lorsque Strabismus s'adressait à lui, mais il savait hocher la tête d'un air agressif quand le révérend attaquait violemment un point de la théorie darwinienne. C'était un délicieux animal, et les spectateurs de tout l'Etat applaudissaient dès qu'il faisait son apparition.

« J'aime cette petite bête, s'écriait Strabismus. Regardez-le, il est mignon comme tout. C'est un privilège de l'appeler mon ami, mais je ne veux pas l'appeler " grand-père ". Il n'y a pas le plus petit argument dans tout ce que Charles Darwin a écrit, qui pourrait me prouver, à moi ou à qui que ce soit de censé, que ce singe ici présent était mon ancêtre. Mais il y a toutes les preuves souhaitées dans la Bible pour comprendre qu'il a été créé animal et que j'ai été créé humain, et que c'est Dieu qui m'a donné mon intelligence et mon immortalité. »

Chimp-Champ-Chump devint une émission très populaire, au point de pousser le mouvement californien à demander le bannissement de l'enseignement de la théorie de l'évolution ou, tout au moins, à exiger l'enseignement parallèle de la genèse biblique. Des professeurs qui sentaient le vent tourner accordèrent plus de temps et d'intérêt au « créationnisme », comme ils disaient, qu'à la ridicule théorie de l'évolution, et toute une génération d'étudiants californiens se mit à croire que le darwinisme était une imposture perpétrée par les humanistes athées, uniquement parce que le révérend Strabismus et les autres prédicateurs de son show télévisé l'avaient dit.

Strabismus s'imposa au niveau national en voulant obliger les gardes forestiers des parcs nationaux à ne plus raconter que des sites tels que le Grand Canyon avaient évolué au cours de milliards d'années, alors qu'on savait pertinemment, en lisant le Livre de la Genèse, qu'ils avaient été créés en une semaine. Et toutes les fois qu'on lui signalait qu'un employé fédéral avait prêché pour l'évolution devant les visiteurs des parcs nationaux de Yellowstone ou de Glacier, il se lançait tête la première dans la bataille pour combattre leur hérésie.

Les plus hautes autorités scientifiques du pays commencèrent à prendre ses attaques très au sérieux et décidèrent de lancer une contre-offensive. Les professeurs de Harvard, de Chicago et de l'U.C.L.A. comprirent qu'il était de leur devoir d'informer leurs concitoyens que l'Amérique allait se ridiculiser aux yeux du monde en s'adonnant à un tel boycottage de la science; ils commençaient à obtenir des résultats, quand Strabismus et une vingtaine de ses « collègues » les attaquèrent de front en les accusant de n'être que des humanistes athées et des communistes.

La confrontation devint sanglante quand le révérend Strabismus invita, lors d'une harangue très suivie, ses auditeurs à se joindre à lui dans une grande croisade : « Je n'en suis pas le responsable. C'est l'œuvre de chrétiens dévoués de la côte Est. Ils se nomment eux-mêmes les Pères de la Vertu, et c'est sous leur direction inspirée que nous pourrons chasser les marchands du Temple. Nous allons battre tous les sénateurs favorables aux humanistes athées. Nous allons chasser des campus les professeurs qui enseignent l'évolutionnisme communiste. Nous allons purifier nos bibliothèques de tous les livres qui contiennent des enseignements erronés et antiaméricains. Et nous ne nous arrêterons que lorsque nous aurons rendu cette nation au Seigneur! »

Les réactions dépassèrent largement ses espérances – des centaines de milliers de dollars arrivèrent par la poste – et il put dire à Marcia :

« Je crois qu'on a déclenché quelque chose d'important, encore plus grand que ce qu'on prévoyait. »

L'accent campagnard et le vocabulaire simpliste ne le quittaient plus, même en privé.

Le rôle joué par le sénateur Grant dans la course à l'espace ne présentait pas la moindre ambiguïté. Il avait chaudement recommandé à la N.A.S.A. le neveu de Gawain Butler et s'était félicité de voir ce jeune homme devenir le premier astronaute noir des Etats-Unis. Il s'était réjoui du comportement du capitaine John Pope, un garçon originaire de sa propre ville natale, même s'il avait été plus délicat à manier après son vol historique en solitaire. Il était néanmoins allé trouver personnellement le président Nixon, pour le presser d'envoyer Pope dans le monde entier comme ambassadeur de paix, mais aussi « pour rappeler aux Russes qui étaient les premiers ».

Il était en revanche farouchement opposé à toute nouvelle exhibition de la part de la N.A.S.A. ainsi qu'à l'attribution de fonds fédéraux à ce type d'aventure : « Trois hommes ont mené ce combat quand l'exigeait l'honneur de notre pays : Lyndon Johnson, Michael Glancey et moi-même. Les deux premiers ont rempli honorablement leur contrat et sont maintenant décédés. Je me considère comme leur représentant et, s'ils vivaient encore, je suis certain qu'ils voteraient comme moi contre le développement du rôle de la N.A.S.A. »

Il ne critiqua jamais la N.A.S.A. et ne chercha jamais à manipuler l'opinion en sa défaveur; il se contenta de voter régulièrement la réduction du budget de l'espace et d'expliquer à ceux qui pouvaient s'en étonner : « Nous avons prouvé que nous sommes capables d'aller au bout de nos ambitions; nous devons à présent nous tourner vers des problèmes plus sérieux. »

Son attitude était en grande partie dictée par le fait qu'il était candidat aux élections de 1976. En politicien habile, il s'efforçait de pressentir l'esprit national, opposé désormais à la poursuite de l'aventure spatiale. Comme l'avait dit un fermier dans une réunion électorale organisée à Calhoun : « Il n'y a pas grand-chose à cultiver sur la Lune, et il y en a beaucoup ici-bas. » Les Noirs renâclaient devant de nouvelles dépenses; les jeunes qui s'étaient opposés à la guerre du Vietnam étaient maintenant hostiles à la science en général. Et Grant se rendit compte que l'énorme majorité de son électorat était opposée à l'espace.

« C'est bel et bien terminé, dit-il à Finnerty. Nous pouvons nous féliciter de ce que nous avons fait, mais le problème est réglé pour l'avenir. »

Il demanda à Finnerty de faire participer Pope, le héros local, à ses réunions électorales; l'astronaute ne prendrait pas la parole, mais il accepterait de se faire photographier à ses côtés.

Dans cette campagne, ce n'était pas tant l'espace qui inquiétait Grant que la déplorable mentalité du peuple américain : « Voici venir le bicentenaire de notre république, et nous sommes incapables d'organiser la moindre manifestation d'envergure. » De grands projets avaient été élaborés depuis 1969 – une foire internationale, des parades gigantesques, des expositions et des créations théâtrales, sportives ou télévisées –, mais tous avaient été abandonnés; une grande nation, porte-flambeau de l'humanité, célébrait son triomphe dans le silence quasi absolu, comme si elle avait honte d'elle-même.

« Le drame, se lamentait Grant, c'est que 1976 est une année électorale, et que nous autres, républicains, avions envisagé de célébrer une sorte de jubilé en l'honneur des huit années de Richard Nixon à la Maison Blanche. Cette partie de nos projets s'est effondrée avec le Watergate, et nous avions décidé de profiter de ce bicentaine pour fêter la nouvelle direction républicaine. C'était bien la dernière chose à faire.

« Les démocrates se sont montrés aussi vénaux que nous. Officiellement, ils se montraient favorables à une grande fête nationale, mais ils n'ont pas voulu nous accorder le moindre centime, puisque c'était nous qui l'organisions. C'est ainsi que, pour des questions de politique électoraliste, nous célébrons dans l'indifférence la plus totale l'une des plus nobles journées de cette nation. C'est lamentable. »

Il était également déterminé à éviter toute manifestation pouvant attirer l'attention sur le triste état de son épouse, Elinor, et seule la délicatesse de la presse locale avait empêché de transformer ses agissements en scandale. Elle avait fait don de toute sa fortune personnelle au docteur Strabismus, afin de soutenir l'admirable travail qu'il effectuait en Californie, et le nom des Grant aurait été souillé si l'équipe du sénateur n'avait réussi à bloquer le paiement de certains chèques signés de sa main ou à en récupérer certains autres.

Bien mieux informée que son mari sur les périls qui menaçaient le pays, Elinor s'était plainte à des journalistes de ce que Norman l'affamait et la séquestrait :

« C'est un véritable Barbe-Bleue. Je suis comme la captive d'un château.

– Mais nous avons eu l'entière liberté de venir vous voir, dit une jeune femme.

– Oui, mais vous ne pouvez imaginer ce qui adviendrait si j'essayais de partir en même temps que vous.

– Il n'y a qu'à faire un essai. Allons déjeuner en ville tous les cinq.

– Je n'oserais jamais. Il y a des espions partout.

– Vous voulez dire que le sénateur a engagé des espions...

– S'il n'y avait que le sénateur », conclut-elle d'un air lugubre.

Les rédacteurs en chef qui lurent les notes de leurs journalistes comprirent que Norman Grant était affublé d'une cinglée mais, par respect pour son héroïsme en temps de guerre et pour l'excellent travail qu'il avait accompli depuis, ils décidèrent de ne pas imprimer cette histoire; en revanche, ils continuèrent de s'intéresser à l'exil californien de la fille du sénateur. Des articles écrits avec une délicatesse extrême, parce que bourrés de sous-entendus, faisaient référence à son association avec l'escroc bien connu, Leopold Strabismus, et son usine à diplômes :

> « Marcia Grant, fille du sénateur Norman Grant (républicain, Fremont), amie de longue date de Strabismus, dont elle est désormais l'épouse, est le doyen de sa faculté, avec un titre de docteur qu'elle s'est elle-même décerné. Il est difficile de démontrer que son rôle consiste à autre chose que réunir des fonds,

puisque l'université semble ne pas avoir de facultés. Toutes les demandes pour rencontrer un professeur au moins ont été repoussées par le doyen Grant, sous le prétexte que son équipe est bien trop occupée à corriger des copies, probablement écrites par des étudiants fantômes. « Des enquêtes menées à Sacramento ont révélé que l'Etat de Californie accrédite plusieurs usines à diplômes telles que l'U.S.A. de Strabismus, uniquement parce qu'elles sont " tout à fait inoffensives et que chacun sait désormais que les diplômes n'ont aucune valeur ". Lorsque nous avons demandé pourquoi l'Etat fermait les yeux sur une telle escroquerie, il nous a été répondu : " S'il fallait tenter de moraliser les fausses universités, nous devrions également nous en prendre aux innombrables sectes et Eglises, et les défenseurs du Premier Amendement[1] nous tomberaient dessus. Dans cet Etat, vous pouvez choisir la religion ou l'université qui vous convient le mieux, et l'administration n'y peut absolument rien. " »

Il était curieux de constater que des démocrates ne profitaient pas de la tension de la campagne sénatoriale pour lancer quelques attaques contre la vie privée de Norman Grant. Mais, comme le dit un jour Finnerty à son équipe : « Dans le système américain, tout le monde sait que les hommes sont incapables de mettre au pas leurs femmes, leurs filles ou leurs fils. Où s'arrêtera-t-on si l'on commence à faire du scandale autour de Grant? »

Le sénateur fut touché par une telle marque de courtoisie, mais l'attitude de ses femmes lui causait

1. Entré en vigueur le 15 décembre 1791, le Premier Amendement à la Constitution porte principalement sur la liberté de la parole, de la presse et de l'exercice de la religion. (*N.d.T.*).

beaucoup de souci : s'il avait été un meilleur mari et un meilleur père, Elinor et Marcia aurait évolué plus normalement. Ce sentiment ne fut jamais aussi intense que lorsque Penny Pope vint le soutenir dans sa campagne, car il vit en elle une enfant du pays, semblable à sa propre fille, et qui, sans atouts majeurs, était devenue l'une des figures de proue de Washington. A quarante-neuf ans, elle savait se montrer très directe dans les débats et irréprochable dans sa vie privée; c'était de plus l'épouse d'un héros national. Grant avait eu l'occasion de lire les rapports établis par les membres du ministère des Affaires étrangères qui avaient accompagné John et Penny Pope dans leurs voyages autour du monde :

> « John Pope est formidable, où qu'il aille; modeste, effacé, c'est un héros infiniment sympathique. Il sait faire preuve de réserve quand il discute avec les rois et les présidents, et c'est avec talent et bon sens qu'il s'adresse aux foules. Il gagne sur tous les tableaux. Penny Pope, pourtant, lui ravit la vedette, toujours habillée avec goût, très soignée de sa personne et faisant preuve d'une très grande franchise. Valant dix cuirassiers, question diplomatie. »

Penny ne s'en prit jamais publiquement à la nouvelle politique spatiale de Grant; elle ne le fit qu'en privé, en s'efforçant toujours de parler en tant que conseillère auprès de la commission, et jamais en tant que femme de John Pope :

« A vous entendre, monsieur le sénateur, on croirait que l'Amérique s'est retirée de la course à l'espace. Franchement, combien croyez-vous que nous ayons de satellites en activité? Des satellites qui, année après année, continuent de tourner et de nous adresser des milliards de messages?

– Je sais par notre commission que les activités

sont encore nombreuses. Mais nous n'avons plus d'Apollo. Le programme Skylab est terminé. Nous n'avons plus la moindre grande entreprise en cours. »

Elle tira de sa serviette le *Rapport sur la situation des satellites* publié par la N.A.S.A. et lui montra des colonnes de chiffres.

« Les objets envoyés dans l'espace ont tous reçu un numéro de série. Le premier a évidemment le numéro 1. Selon vous, quel est le numéro du Cosmos russe lancé l'autre jour? 9509.

– Seigneur! Comment font-ils pour ne pas se rencontrer?

– C'est une question d'altitude, d'orbite.

– Mais qui a bien pu les lancer? » demanda-t-il. Et elle lui rappela que bon nombre de nations en étaient désormais capables :

« L'Espagne, l'Inde, la Tchécoslovaquie, l'Italie, les Pays-Bas et, bien entendu, les Etats-Unis et la Russie. A l'heure actuelle, 2 116 objets américains émettent des signaux. La Russie n'en a que 1 205. »

Le sénateur lui emprunta le rapport et découvrit une rubrique au nom étrange.

« Que sont ces « objets inanimés »? Il y en a 6 708, russes la plupart.

– Ils n'ont plus d'énergie et n'adressent plus de messages. Ils continuent de tourner, indéfiniment. »

Elle attira son attention sur un objet qui portait le numéro 4041 :

« C'est le petit vaisseau qui a conduit Aldrin et Armstrong sur la Lune en 1969. Ils l'ont largué après avoir rejoint Apollo 11. Lisez la note en bas de page. »

Grant lut : « Vaisseau habité qui se posa avec « succès sur la Lune, avant de décrire une orbite « sélénocentrique perpétuelle. » Sélénocentrique? Qu'est-ce que cela signifie?

– Sélènè est le nom de la déesse grecque de la Lune. Cela signifie qu'il tourne éternellement autour de la Lune. » Elle se mit à rire : « L'autre soir, à Webster, vous avez parlé comme si nous avions déjà abandonné l'espace. Alors que nous commençons à peine à l'utiliser. »

Devant l'autorité de Penny, Grant ne pouvait s'empêcher de penser à ce que sa vie aurait été s'il avait épousé une femme de sa trempe, équilibrée et judicieuse. Pendant la première administration Nixon, on avait envisagé de faire entrer Grant au cabinet et de lui donner l'un des meilleurs portefeuilles, peut-être même celui de la Défense; grâce à ses bons résultats au Fremont, on avait également pensé qu'il pourrait se présenter au poste de vice-président et battre ainsi Rockefeller. Mais il avait une conscience douloureuse du handicap que lui imposaient sa femme et sa fille : il avait confié ses craintes aux conseillers de Nixon, et ceux-ci s'étaient vite rangés à son avis, de sorte que l'on ne parla plus jamais de poste de responsabilité. Comme le disait quelqu'un en Californie : « Il y a dans ce pays des centaines d'hommes qui feraient d'excellents sénateurs mais de piètres hommes d'Etat, et Norman Grant en est peut-être le meilleur exemple. »

Avec une femme comme Penny Pope, tout aurait été possible...

Pourtant, toutes les fois qu'elle participait à la campagne du sénateur Grant et écoutait ses interventions, Penny se rendait compte qu'il devenait lourd et pathétique. Sa force vitale l'avait quitté. Il ne représentait plus rien. Il ne pouvait entrevoir l'avenir. Ses derniers atouts étaient son patriotisme et le fait qu'il répondait dans les quarante-huit heures aux lettres qu'on lui adressait.

Deux événements avaient balisé sa vie : le jour où

il avait fait pénétrer son destroyer au cœur de la flotte japonaise, et celui où il s'était uni à Lyndon Johnson et Michael Glancey pour lancer l'Amérique dans la course à l'espace. Depuis, il périclitait, et il envisageait à présent de demander à ses électeurs de le renvoyer pour six ans à ses futilités. Penny avait honte de faire partie de son équipe.

Un soir de juin, après une manifestation d'éclat organisée à Calhoun, Finnerty lui dit :

« Norman Grant représente cet Etat de manière presque idéale. Pensez aux sommes dont nous avons pu disposer grâce à lui, à toutes ces installations que nous n'aurions pas eues autrement. Sans parler des services qu'il rend à ses administrés.

– Je vous concède ce dernier point. Nul sénateur n'a eu plus d'invités aux banquets sénatoriaux. Quant à ses idées...

– Elles conviennent parfaitement à la situation. Tenez, prenez Fulbright, c'est un professeur éminent, un merveilleux orateur. Il a des idées à revendre, mais pas de siège au Sénat. Grant ne prend pas de risques inutiles.

– Grant ne fait rien, Tim. Au cours de ces dernières années, vous êtes venu me trouver sept fois – disons une douzaine de fois – à mon bureau pour vous plaindre de son refus de voter en faveur de projets valables.

– Penny, il est infiniment supérieur à l'opposition démocrate.

– Je vous l'accorde. Il ne sera pas une catastrophe, comme cet empoté, mais il ne sera pas non plus un foudre de guerre.

– Peu de sénateurs le sont. »

Ses tête-à-tête avec Grant étaient particulièrement déprimants. Il n'avait que soixante-deux ans, mais il ressemblait à un vieillard inquiet, incapable de prendre une décision; et le comportement des femmes de sa famille lui ôtait le crédit qu'auraient pu lui accorder ses costumes sombres et ses cheveux argentés. C'était une coquille vide malheureusement un peu trop sonore : « Nous devons nous consacrer à des problèmes plus sérieux. Nous devons réduire le budget et accroître notre puissance militaire. Nous devons soulager le contribuable et prendre des mesures sévères pour lutter contre la criminalité. Si vous m'envoyez une nouvelle fois à Washington, mon premier devoir sera de diminuer vos impôts sans mettre en péril notre défense. »

Il s'exhibait ensuite sur l'estrade en uniforme chamarré, aux côtés de Tim Finnerty, de Larry Penzoss, ainsi que de Gawain Butler qui remettaient en mémoire ses hauts faits et appelaient à voter pour ce citoyen modèle.

« Tim, dit Penny après le meeting de Webster, vous ne devriez plus jouer sur l'héroïsme. Vous avez vraiment l'air ridicule avec vos uniformes passés. »

Mais Finnerty mit les choses au clair :

« C'est pour cela qu'il est élu depuis trente ans et, bientôt, pour trente-six. »

Cherchant à écrire un dernier bon article sur les Six Piliers, Tucker Thompson s'arrangea pour que John Pope se rende à Benton à l'occasion du meeting du 3 novembre; tandis que la réélection du sénateur Grant était pratiquement assurée, celle du président Ford restait incertaine. Héros charismatique, Pope monta sur l'estrade, embrassa sa femme et, en désaccord avec les règles de la N.A.S.A., demanda brièvement aux électeurs de son Etat d'envoyer une nouvelle fois au Sénat ce grand patriote qui était aussi l'une des figures majeures de la suprématie spatiale américaine.

En bonne épouse, Penny posa pour la photo la main dans la main de son mari, mais le photographe la surprit en train de regarder d'un air extrêmement dubitatif le sénateur Grant, occupé à échanger des poignées de main avec un groupe de femmes. Pour cette photographie, la dernière que son magazine consacrerait aux astronautes, Tucker rédigea la légende suivante :

> « Elle avait menacé de lui donner un bon coup de pied qui l'enverrait jusqu'à Tahiti mais, finalement, elle l'a soutenu avec enthousiasme lorsqu'il a fait campagne pour la réélection du sénateur Grant. »

Penny se trouvait seule dans son bureau quand elle découvrit cette photographie, et elle ne put s'empêcher de proférer quelques grossièretés, ce qui lui arrivait très rarement :

> « Cette vieille salope de Tucker! Il le sait bien, que c'est moi qui fais campagne pour Grant et que John n'est venu que pour me donner un coup de main. Mais il valait mieux écrire que John a fait tout le boulot et que je me suis contentée de l'assister. Penny, ces conneries vont devoir s'arrêter, et il n'y a que toi qui puisses y mettre un terme! »

Stanley Mott se faisait beaucoup de soucis pour ses enfants et, comme beaucoup d'hommes dans ce cas, il se réfugiait dans le travail; là aussi, il ne savait que faire, car l'étude des planètes qu'il menait pour le compte de la N.A.S.A. l'obligeait toujours à balancer entre la technique et la science. L'ingénieur aurait voulu construire des machines toujours plus grandes et toujours plus sophistiquées, sans tenir compte de leur utilisation; tandis que le scientifique ne pensait qu'à lancer de petites machines fort précises dans de nouvelles aventures de l'espace : « Il y a là tout un univers que nous n'avons fait qu'entrevoir et, si nous en avions le courage, nous pourrions y consacrer toute notre vie intellectuelle. »

Son indécision était marquée par deux livres qui ne le quittaient jamais, une véritable bible technique due à un professeur de physique de Princeton, et l'ouvrage d'un professeur de Londres qui résumait toute la connaissance scientifique de l'espace. Mott suivait l'ascendant de l'un ou de l'autre, selon les jours.

Le professeur de Princeton s'appelait Gerard K. O'Neill et son livre s'intitulait *La Colonisation de l'espace*. Il y envisageait d'un point de vue pratique un travail technique aux dimensions colossales, l'assemblage d'une gigantesque station orbitale où vivraient et travailleraient des milliers, peut-être même des centaines de milliers de techniciens et de chercheurs. La beauté de la proposition d'O'Neill résidait en ce qu'elle était applicable sur-le-champ. Au rythme de plusieurs centaines de lancements par mois, des fusées semblables à celle que construisait Dieter Kolff pourraient certainement placer les matériaux en orbite terrestre basse. Les appareils de construction, déjà en service à Houston et à Huntsville, pourraient réunir les différentes parties, tandis que des récepteurs géants tireraient du Soleil l'énergie nécessaire.

L'édification d'une telle station reviendrait, en dollars, à un 1 suivi de 27 zéros – un milliard de milliards de milliards de dollars – et c'était là que le bât blessait. Les plus optimistes prétendaient qu'on pourrait s'en sortir avec un milliard de milliards de dollars. Mais Mott en doutait sincèrement.

Pourtant, la hardiesse du projet le fascinait et il se persuadait qu'il ne faudrait pas attendre longtemps pour voir quelque grande nation scinder en plusieurs parties l'invention grandiose de Gerard K. O'Neill et construire une station abritant, non pas des centaines de milliers de colons, mais seulement une centaine. Ce pays prendrait alors une avance technologique que ne lui raviraient jamais les autres nations, moins aventureuses : on pourrait, à partir d'une telle station, capter l'énergie solaire et rendre le pétrole inutile. On pourrait contrôler le climat, faire pleuvoir sur les déserts et empêcher la pluie de tomber sur les régions humides. On pourrait inventer de nouvelles formes de vie, imaginer de nouvelles combinaisons de matières, mener des recherches sur la nature de l'univers.

C'était toujours à ce moment que Mott s'arrêtait, croyant entendre les intonations germaniques de Dieter Kolff : « On peut faire tout cela dès aujourd'hui avec des sondes automatiques, pour un prix mille fois moins élevé. »

L'autre livre était tout à fait extraordinaire. Les *Quantités astrophysiques* de C. W. Allen compilées par un ancien professeur d'astronomie de l'université de Londres. Cet ouvrage présentait, en trois cent dix pages, un résumé de tout ce que l'on savait de la structure de l'univers, avec des centaines de tables et des milliers de notes indiquant les références des données. C'était le livre de chevet de tous ceux qui, Russes, Japonais, Pakistanais, Allemands, ou Américains, s'intéressaient aux mystères de l'espace, et Mott s'y référait presque quotidiennement.

C'était un livre d'une étonnante simplicité, commençant par une liste précise des constantes qui gouvernent l'existence avant de résumer ce que l'on savait sur l'atome, abordant la structure de la Terre, les autres planètes, le Soleil, les étoiles, les galaxies, les lointains amas galactiques et l'infini de l'univers. La seule lecture de la table des matières était une aventure spirituelle.

Mott prenait particulièrement plaisir à relire la première section, la liste des lois immuables, énoncées au cours des siècles par les hommes de sciences de différents pays. Pi avait la valeur

3,14 159 265...; Mott l'avait appris par cœur dès l'enfance, c'était cette valeur-là et nulle autre. Il y avait une constante de Planck qui régissait l'énergie, le nombre d'Avogadro qui indiquait le nombre de molécules présentes dans un volume de gaz donné, le Faraday en électricité et la constante de Stefan-Boltzmann en matière de rayonnement.

La lecture de cette liste suffisait à rendre humble tout Américain, car rares étaient les découvertes effectuées dans ce pays. Les Etats-Unis bâtissaient sur des fondations creusées au-delà de leurs frontières.

En revanche, quand Mott parcourait les derniers chapitres de l'ouvrage qui le concernaient plus particulièrement, il découvrait que la majeure partie du travail fondamental s'effectuait en Amérique, comme si ce pays avait réuni la connaissance du monde et en avait tiré des concepts entièrement inédits. Harlow Shapley était à l'origine des recherches permettant de déterminer les dimensions de notre galaxie; Carl Seyfert découvrait de nouveaux types de galaxies; Edwin Hubble avait découvert la constante qui les régit, et Maarten Schmidt développait les définitions.

En ouvrant les *Quantités astrophysiques*, Mott éprouvait le plaisir de l'amateur de littérature parcourant une anthologie poétique. Chaque page avait sa propre résonance. On y retrouvait Isaac Newton et Max Planck, Albert Einstein et Ejnar Hertzsprung. C'était la porte ouvrant sur l'univers, et Mott se sentait apaisé toutes les fois qu'il reposait le petit livre à la reliure verte.

C'était un livre étrange, l'œuvre d'un vieil homme qui avait passionnément aimé son sujet. L'édition de Mott, la troisième, comportait cette extraordinaire préface :

> « Une nouvelle révision sera probablement utile dans un délai de sept années. Les travaux

préparatoires devraient débuter dès maintenant, et l'auteur serait heureux de rencontrer toute personne désireuse de coopérer. »

Quand Mott lut pour la première fois cette invitation à participer à la rédaction d'un manuel unanimement reconnu, l'idée lui vint d'accepter, puis il éclata de rire. « On me demanderait seulement de connaître la physique atomique, l'analyse spectrale, le rayonnement, la géologie, les particules subatomiques, l'astronomie, la photométrie et l'intégralité de l'astrophysique. Rien de plus! »

Son esprit était tout entier tourné vers la science mais, lorsqu'il était tenté d'aller trop loin, il se rappelait le vieux Crampton dans sa soufflerie de Langley : « Les savants rêvent de faire des choses, mais ce sont les ingénieurs qui les réalisent. » Il revenait alors à l'aspect pratique des choses : « Que pouvons-nous faire dès à présent? » Et il retombait une fois de plus sur la station spatiale d'O'Neill, dont l'Amérique aurait pu entreprendre sur-le-champ une version simplifiée.

Son travail quotidien à la N.A.S.A. butait sur un banal problème de gestion : « Comment pouvons-nous conserver nos meilleurs techniciens en période de récession? » Le programme Apollo avait été écourté et rien n'était venu le remplacer; les diminutions budgétaires et les licenciements étaient inévitables. Cocoa Beach était devenu sinistre : le Bali Hai n'avait plus que deux serveuses au lieu des huit qui, dans l'excitation des années 60, avaient travaillé pour les astronautes et leurs amis. Et M. et Mme Quint discutaient avec Mott, l'air lugubre, dans un coin sombre de ce bar de la Dague jadis si vivant :

« Les maisons qui valaient quatre-vingt-dix mille dollars il y a dix ans, vous pouvez les avoir aujourd'hui pour quelques centaines ou, au plus, quelques milliers de dollars. Nous avons perdu des milliers d'habitants, les boutiques et les bars ferment les uns après les autres. »

Quand Mott leur demanda s'ils pensaient pouvoir continuer à tenir le Bali Hai, ils répondirent tristement :

« Avec la plage, nous avons plus de chances que les autres. Et puis, on nous connaît. Nous pourrions tenir avec un seul tir Apollo par an. Maintenant, nous ne savons plus.

– Vous allez lutter, tout de même.

– Nous pouvons attirer peut-être les vacanciers qui vont chercher le soleil au sud.

– J'espère que vous réussirez. Cet endroit fait partie de l'histoire de l'Amérique. »

Il pouvait entendre les astronautes, voir Cynthia Rhee traverser le bar comme une comète dans le ciel d'été; et surtout, il pouvait revoir les trois jeunes hommes qu'il avait tant admirés lorsqu'il était chargé de superviser leurs activités : Bell, le civil, avec toute sa compétence; Jensen, l'archétype de l'astronaute; Claggett, le fonceur, l'amuseur, le meilleur de tous, peut-être. Ils étaient morts, et Cap Canaveral se mourait aujourd'hui. Il quitta alors le Bali Hai et roula vers Palm Beach pour rendre visite à son fils, en prison; et tout au long de la route, les mêmes pancartes : MAISON À VENDRE – TOUTE PROPOSITION RAISONNABLE ÉTUDIÉE.

C'était la même chose partout où il allait : les grandes bases, d'où l'homme était parti à la conquête de l'espace, fonctionnaient au ralenti, et certaines allaient disparaître. Le personnel était licencié, à un rythme effrayant, mais ce fut en Californie qu'il comprit véritablement le problème auquel la N.A.S.A. et le pays tout entier se trouvaient confrontés. A Ames ou au Jet Propulsion Laboratory, c'était le même son de cloche : « Nous pouvons faire des coupes sombres. Nous pouvons renvoyer les hommes. Mais comment pouvons-nous faire pour préserver une structure intellectuelle de base qui nous permettrait de démarrer aussitôt si le besoin s'en faisait sentir? »

Oui, c'était bien le problème majeur. Comment conserver un encadrement intellectuel et technique? Quels travaux confier aux hommes pendant les périodes creuses? Et, surtout, comment préserver l'infrastructure pour qu'elle redevienne opérationnelle en cas de besoin? Les compagnies automobiles, les unités militaires, les grandes chaînes de magasins se sont toutes posé la même question, mais jamais avec l'acuité de la N.A.S.A. en cette douloureuse période, car chaque personne licenciée emportait avec elle un potentiel de vitalité et de savoir-faire difficilement remplaçable.

Mott écouta les responsables évoquer le départ des hommes du J.P.L. : « Henderson en savait plus que quiconque en informatique. Avec quelques données, il pouvait faire des merveilles. En temps de guerre, il serait très précieux pour l'armée, mais que peut-il faire avec le fichier des employés de Sears Roebuck? Ondrachuk en sait plus que nous tous sur la résistance des métaux. Sa prudence est légendaire. Mais ce n'est pas en enseignant dans un lycée qu'il pourra mettre à profit ses connaissances. Il faudrait déjà qu'il trouve un poste. »

Le problème était plus complexe qu'on aurait pu le croire : « Henderson et Ondrachuk ont appris à travailler en équipe. Ils ont créé un jargon que ne partageaient qu'une cinquantaine d'experts. Bien sûr, nous pourrions retrouver des hommes de leur valeur, mais ils ne posséderaient pas ce jargon. De plus, laissez-les trois ans à l'écart du programme et ils oublieront tout. Ils ne seront plus dans le coup, même s'ils étudient très sérieusement pendant ce temps. L'espace, cela s'apprend sur le tas. »

Parfois, la nuit, il frémissait en pensant aux capacités intellectuelles que son pays gaspillait... qu'il dissipait aux quatre vents... qu'il ignorait en période faste et détruisait peut-être en période de vaches maigres. Mais c'était ainsi que fonctionnait une démocratie, par à-coups, en réagissant avec dynamisme aux besoins les plus pressants, puis en retombant dans l'indifférence lorsque les besoins étaient assouvis. C'est en arrivant à la base de Lewis, près de Cleveland, et en apprenant que ce technicien inventif de Levi Letterkill avait été remercié, qu'il aborda concrètement le problème.

« Vous ne pouvez pas renvoyer Letterkill. Rappelez-le tout de suite et mettez-le au travail.

– Il a fallu le laisser partir. C'est une question de quotas.

– Je me fous des quotas. Letterkill en sait deux fois plus que moi et le pays a besoin de lui.

– Pas nous. Pas ici, en tout cas.

– C'est ce que vous croyez. Mais vous ne savez pas qui il est. En 1957, bien avant le lancement du Spoutnik russe, il a inventé le moyen de permettre à l'équipe de Wallops Island de mettre en orbite l'une de nos petites machines. Et l'année dernière, vous savez ce qu'il a imaginé? Un radiotélescope avec une base de dix unités astronomiques de longueur. Nous avons besoin de lui.

– Non, pas ici.

– S'il s'en va, je m'en vais aussi. »

Il avait lancé un défi que les hommes de Lewis s'empressèrent de relever. Ils appelèrent Washington et dirent qu'ils refusaient de se laisser commander par un cheval de retour de la direction; puis Mott prit le téléphone et dit calmement :

« Si Letterkill est renvoyé, je dois l'être aussi. »

Il y eut un long moment de silence, puis une voix conciliante :

« Mott, vous devriez voir si Huntsville n'a pas une place à proposer à Letterkill. »

Il se rendit à Huntsville, pour découvrir que la récession battait son plein, mais il parvint tout de même, fort des recommandations de Washington, à convaincre les responsables du centre d'intégrer Letterkill à leur groupe d'experts, d'où sortaient souvent des idées audacieuses. Mott les remercia vivement.

Ce soir-là, il dîna en compagnie des Kolff à Monte Sano; puis il s'installa avec Dieter et Liesl sur la terrasse qui surplombait la ville et Dieter lui apprit la bonne nouvelle :

« Lorsque je travaillais à Peenemünde, j'empruntais toujours des disques classiques à von Braun qui aimait la musique. C'étaient des disques Polydor, les meilleurs du monde, sans le moindre bruit de fond. Et je rêvais du jour où je serais un personnage important, comme von Braun, et où je pourrais à mon tour me payer des disques Polydor. Beethoven, Brahms, Wagner! Eh bien, aujourd'hui... »

Il rentra dans la salle de séjour, alluma le tourne-disque, et des sons d'une pureté céleste s'élevèrent dans la nuit. Mott ne put reconnaître de quoi il s'agissait, mais Dieter revint avec une de ces belles couvertures à la cartouche jaune signée Deutsche Grammophon. VIVALDI. CONCERTO POUR TROMPETTE ET ORCHESTRE EN LA MAJEUR. *Magnus Kolff et le Philharmonique de Berlin dirigé par Herbert von Karajan.* La couverture posée sur les genoux, Mott écouta les sonorités brillantes de la trompette emplir la pièce, la transformant en la plus prestigieuse salle de concert.

« Ce n'est pas trop fort? demanda Dieter.

– Non, j'aime bien la réverbération. » Puis il ajouta, au bout d'un moment : « Tu dois être très fier, Dieter.

– Oui. Cela vaut pour moi tous les Polydor de von Braun. » Puis il expliqua : « Tu sais sûrement que Polydor a fusionné avec la Deutsche Grammophon. En fait, c'est la même société. »

Mott tourna la couverture et vit une photographie de Magnus Kolff, vingt-neuf ans, le sourire aux lèvres, la main gauche refermée sur sa trompette.

« Comment faire pour garder la cohésion de l'équipe ? demanda alors Mott.

– Nous avons eu le même problème à Peenemünde. Hitler frappait fort, et il y avait beaucoup de travail. Si son rêve échouait, tout le monde était renvoyé. Mais s'il se réalisait, si les A-4 gagnaient la guerre, l'équipe était triplée. Avec le Vietnam et le Watergate, l'Amérique aussi a fait un mauvais rêve.

– Comment von Braun s'y est-il pris pour que son équipe soit toujours là ?

– Il nous a cachés dans des granges quand le général Funkhauser est venu chercher des volontaires pour le front.

– Tu savais que le Congrès avait remis une décoration à Funkhauser ?

– Je l'ai lu dans le journal. Il l'a bien méritée, tu sais, il a fait énormément pour ce pays.

– Il m'a trouvé du travail à la N.A.S.A. C'était la N.A.C.A., à l'époque. Je me demande où j'en serais s'il n'était pas intervenu.

– Et moi, je sais où je serais, si Liesl ne l'avait pas empêché d'intervenir, fit Kolff en riant. A six pieds sous terre, dans un champ de pommes de terre !

– Que devrait faire la N.A.S.A., selon toi ?

– Cacher ses meilleurs éléments dans une grange. Et attendre que Hitler ou quelqu'un d'autre ait un nouveau rêve de grandeur. »

Mott entendit un autre son de cloche de la part du sénateur Grant, lorsqu'il lui rendit visite dans son bureau de Washington :

« J'ai quitté la commission sur l'espace, Mott. J'y ai apporté ma petite contribution et je laisse la place à des hommes plus jeunes. Quand nos astronautes – Glenn, Armstrong, Claggett – étaient en activité, le pays tout entier vibrait pour eux. Mais aujourd'hui, c'est l'indifférence la plus totale. Le projet Mars qui vous tient tant au cœur, qu'est-ce que cela représente pour l'homme de la rue?

– Ce pourrait être notre plus belle réalisation en matière d'exploration spatiale.

– Détrompez-vous. S'il n'y a pas d'hommes, ce ne sera qu'un exercice.

– Mais il y a des hommes, monsieur le sénateur, des centaines de milliers. Le monde entier pourra...

– Ça, c'est après, bien après. Dans les livres que vous lisez. Mais pas dans la vie de tous les jours.

– Selon vous, que devrait faire la N.A.S.A.?

– Trancher dans le vif. Fermer les trois quarts de vos installations. Poursuivre les tirs vers les planètes, qui ne coûtent pas très cher. Les scientifiques seront satisfaits. Mais n'espérez plus occuper la première place.

– Comment pouvons-nous faire pour préserver l'encadrement?

– C'est le problème de l'armée. J'y ai moi-même réfléchi. Les individus compétents qui ont été renvoyés par la N.A.S.A. travaillent maintenant pour le Pentagone ou l'aérospatiale, et ils n'ont pas à s'en plaindre. Les forces vives sont toujours là, croyez-le. » Mott aurait voulu lui opposer la prééminence d'un contrôle civil, mais Grant ajouta : « Pourquoi croyez-vous que j'ai quitté la commission? Pour occuper un poste plus important dans la hiérarchie militaire. Parce que c'est là que les choses vont se dérouler, désormais. »

Mott tenta à nouveau de parler, mais Grant l'en empêcha :

« Prenez votre groupe d'astronautes, ceux dont vous vous êtes tant occupé. Trois sont morts, Cater est revenu à la vie civile. John Pope est sur le point de démissionner. Il ne reste plus que ce gars du Tennessee... comment s'appelle-t-il?

– Hickory Lee.

– Il ne reste plus que lui. Son expérience est trop limitée pour qu'il trouve du travail dans le civil.

– Monsieur le sénateur, jusqu'où faut-il aller dans les restrictions?

– L'autre jour, j'ai été très étonné quand notre conseillère, Mme Pope – vous la connaissez – m'a cité le nombre de satellites que nous avions déjà envoyés et m'a expliqué à quoi ils servaient. Eh bien, il faut en avoir encore plus. Améliorez-les, rendez-les plus opérationnels. Travaillez la main dans la main avec l'armée et vous aurez de quoi vous occuper. Mais cessez de croire que vous êtes une sorte de super-agence. Vous êtes une agence de services, rien de plus, avec un budget limité. Tenez-vous-en là.

– Vous avez bien dit que John Pope envisageait de quitter le programme?

– C'est un garçon brillant. Il voit bien qu'il faut tourner la page.

– Que va-t-il faire?

– Je n'en sais rien. Il a une épouse très capable, elle pourra le soutenir tant qu'il n'aura pas pris de décision. » Grant se fit hésitant : « Vous savez certainement que les gros bonnets de votre maison sont assez mécontents de Pope. Son arrogance quand il a convaincu Claggett de retarder son divorce... la présence de la journaliste japonaise aux funérailles de Claggett. Sans parler de sa petite aventure australienne... Les gros bonnets...

– Je suis assez bien placé moi-même, dit sèchement Mott, et je n'ai rien à reprocher à Pope.

– Moi non plus! Il est de la même ville que moi, vous savez. Je lui dois beaucoup. Il a fait campagne à mes côtés... » Il reconduisit Mott à la porte. « La science-fiction, les douces rêveries, tout cela est terminé, Mott. Nous devons maintenant nous atteler à des problèmes plus quotidiens. »

Le sénateur Grant avait raison : John Pope s'était dit qu'il ferait mieux de quitter la N.A.S.A.

« Il faut voir les choses en face, Penny. J'ai quarante-neuf ans. On ne me confiera plus jamais de mission.

– Ils ont certainement quelque chose en vue pour toi, qui te conviendrait.

– Oui, un travail de gratte-papier dans un bureau obscur. Merci, ce n'est pas mon genre.

– Tu peux tout faire dès l'instant où tu l'as décidé, John, je le sais.

– Tu as raison, mais il faut que cela en vaille la peine. S'ils veulent que je me consacre à un domaine entièrement nouveau – un nouveau type de vol, par exemple –, je suis leur homme. Mais il est déjà trop tard. L'agence n'est plus qu'un squelette, et il n'y a pas de place pour moi.

– John, je connais le budget, il est encore très élevé. Il y a beaucoup de choses à faire...

– Je suis allé dans l'espace. J'ai volé vers la Lune. Je ne peux pas passer le restant de mes jours derrière un bureau.

– Tu as envisagé quelque chose? »

Ils se trouvaient dans l'appartement de Penny, à Washington, au cœur même de la nation, et elle ne put s'empêcher de frémir en l'entendant parler comme si sa vie s'était arrêtée.

« Je suis toujours dans la marine. Je pourrais reprendre du service.

– Que pourrais-tu faire, à part un travail administratif? John, avec tout le respect qu'ils te doivent, tu es trop vieux pour eux.

– Je suis toujours un des meilleurs pilotes. »

Elle éclata de rire et lui versa une bière sans alcool.

« John, les jeunes loups de Pax River ne sauraient que faire de toi... ou de moi. »

Ils réfléchirent un instant, puis John alluma la télévision. Penny l'éteignit presque aussitôt.

« John, il faut régler ce problème une fois pour toutes. Tu ne vas pas échanger un emploi de bureau à la N.A.S.A. contre un emploi identique dans la marine.

– Je pourrais peut-être enseigner l'astronomie à Annapolis.

– Non, si tu dois changer, que ce soit du tout au tout.

– Par exemple? »

Comme toutes les autres familles de la N.A.S.A. confrontées au chômage, les Pope exploraient toutes les possibilités.

« John, est-ce que tu as déjà envisagé notre retour à Clay? Nous aurions de quoi vivre. Nous pourrions...

– Nous pourrions quoi?

– Tu pourrais te lancer dans la politique, par exemple.

– Je n'y ai jamais touché.

– Tu pourrais te faire élire, tu sais.

– Je ne suis pas un politicien. »

Il refusa de discuter de cette éventualité, alluma la télévision et regarda un match de football. Mais, le lendemain, se rendant au Q.G. de la marine, au Pentagone, il reçut un véritable choc :

« John, la marine pourrait vous trouver une situation, mais vous êtes parti trop longtemps. Vous ne correspondez plus aux tranches d'âge. »

Cela signifiait qu'un homme comme John Pope aurait dû, statistiquement parlant, avoir plus d'avancement; il n'avait pas suivi l'échelle logique des promotions, et la marine ne pourrait plus jamais faire de lui l'un de ses amiraux. Il était battu, irrémédiablement.

« Mais, dans l'aviation...

– Vous êtes un as, John, personne n'en doute. Mais vous êtes devenu un vrai civil et...

– Je pourrais certainement...

– Je ne connais pas un seul chef d'escadrille qui se sentirait à l'aise avec un héros national de votre âge et de votre réputation sous ses ordres. Ce ne serait pas dans l'ordre des choses.

– On m'a dit que Yeager allait être nommé général. Je peux prétendre au grade d'amiral.

– Yeager n'a jamais quitté la hiérarchie, lui.

– Et Patuxent River? » Avant même que l'amiral pût répondre, Pope ajouta avec enthousiasme : « Je me dis parfois que c'était la période la plus heureuse de mon existence. Vous saviez que Claggett était là-bas, avec moi? Hickory Lee y est également passé, bien qu'il fût dans l'armée de terre. » L'amiral écouta avec respect Pope évoquer l'époque glorieuse de ses exploits puis, peu à peu, l'enthousiasme retomba. « Je suis sûr d'être également trop âgé pour Pax River. Mais bon sang, c'était vraiment le bon temps.

– Croyez-moi, John, ce serait une erreur terrible que de tenter de revenir. »

Il était indésirable. La marine ne pouvait pas se sentir à l'aise avec un héros civil de l'envergure de John Pope, et il comprit en quittant le Pentagone qu'il ne porterait jamais plus l'uniforme bleu. Penny avait raison, et il était prêt à l'écouter.

« Tu penses que tu es en bout de course à la N.A.S.A.? dit-elle.

– Tout à fait. Je suis fini, que je le veuille ou non.

– Et la marine, aussi?

– Je suis certain que c'est ce qu'ils essaient de me faire comprendre.

– Et l'industrie? Claggett disait que six grandes sociétés voulaient le détourner de la N.A.S.A.

– C'était Claggett. Il aurait pu vendre n'importe quoi à n'importe qui.

– Dans ce cas, j'ai une surprise pour toi. Nous

avons magouillé dans ton dos, le sénateur Grant et moi. L'université du Fremont t'invite à rejoindre la faculté.

– En tant que quoi?

– Professeur d'astronomie appliquée. »

John s'appuya au dossier de la chaise. Un doigt sur la bouche, il s'efforça d'imaginer son travail, et un sourire de contentement éclaira peu à peu son visage.

« Je crois que ça me plairait. » Puis il demanda : « Tu vas venir avec moi?

– La majeure partie de l'année. Je sais déjà quelle maison nous allons acheter.

– Qu'est-ce que cela veut dire, « la majeure partie de l'année »?

– Je voudrais terminer mon travail à la commission. Glancey et Grant ne sont plus là, on a besoin de moi. » Elle arpenta la pièce et remit en place quelques objets, ce qu'elle ne faisait que lorsqu'elle était tracassée. « Il serait question de me rattacher à une agence fédérale... peut-être même à la magistrature.

– Tu y serais parfaite, Penny. Si on te fait une proposition intéressante, n'hésite pas un instant.

– J'aurais des congés, toi aussi. Je suis certaine que cela marcherait. D'un autre côté, si tu voulais trouver quelque chose à Washington...

– Je crois que j'ai déjà eu ce que je voulais.

– Tu as raison. Sincèrement, je pense que tu devrais retrouver tes racines, pour affronter le travail qui t'attend.

– Qu'est-ce que tu veux dire?

– Je ne sais pas au juste. Tu n'as pas cinquante ans, tu as encore au moins vingt-cinq années devant toi.

– Penny, ce qu'il y a de pénible dans ce genre de décisions... c'est difficile à dire. » Il parut buter sur les mots, puis il dit très vite : « Tu sais que je t'aime – plus que mes missions, plus que tout le reste.

– C'est difficile à croire... quelquefois.

– Mais j'ai l'impression que c'est toujours la même chose : toi ici et moi en Corée, toi ici et moi à Pax River... ou sur la Lune.

– Tu m'as appris à être une femme de marin, John. Tu y as parfaitement réussi.

– Alors, ça va encore être toi à Washington et moi au Fremont?

– Oui, pendant encore quelques années. Mais nous tiendrons le coup.

– C'est bien mon intention », dit John.

Les citoyens et les universitaires du Fremont organisèrent une grande réception en l'honneur du retour au pays de leur héros national, mais la communauté était loin d'être unie; elle était divisée en deux fractions farouchement opposées.

Les fondamentalistes religieux, qui croyaient littéralement à chaque parole de l'Ancien Testament, avaient lancé au Fremont une croisade destinée à purger l'enseignement scolaire ou universitaire de toute référence à la théorie darwinienne de l'évolution; leur mouvement n'aurait peut-être pas survécu au mépris des spécialistes si le révérend Leopold Strabismus, de l'United Scripture Alliance (l'Alliance pour les Saintes Ecritures), n'avait trouvé là une occasion inespérée de lancer une grande campagne publicitaire contre l'humanisme athée :

« Marcia, nous allons pouvoir nous faire connaître de tout un Etat. Il y a là toute une population qui n'a jamais entendu nos prédications. Et je pense que nous pourrons bientôt avoir une audience nationale. »

C'est ainsi qu'il fit une entrée très remarquée dans l'Etat de son épouse : chapiteaux pour les manifestations à la campagne, haut-parleurs pour porter au loin le tonnerre de sa voix, chorales chantant des hymnes, supporters locaux, tout concourait à créer l'ambiance propice. Et les gens qui, d'ordinaire, n'assistaient pas aux meetings traditionalistes, venaient en foule entendre le docteur Strabismus jeter l'anathème sur la science, le communisme, les faux prophètes et l'université de Yale. Le spectacle était excellent, mais il dégénéra bientôt en une attaque systématique de tout le milieu intellectuel.

Le membre le plus populaire de l'équipe de Strabismus n'était pas le révérend lui-même, avec sa corpulence et son costume blanc, ni sa jeune épouse, qui hochait vigoureusement la tête pour mieux ponctuer ses arguments, mais bien le charmant petit animal avide de bananes et d'applaudissements, qui participait aux débats sous le nom de Chimp-Champ-Chump :

> « Braves gens, croyez-vous sincèrement que ce singe ici présent ait pu être votre grand-père? Acceptez-vous que les humanistes athées de l'université de Yale vous enseignent que ce singe vivait il y a deux millions d'années et qu'il engendra des animaux et des hommes, alors que la Bible elle-même nous dit que Dieu créa cette Terre il y a six mille ans, et que nous pouvons aisément le prouver? »

Ses attaques étaient si vigoureuses, sa logique si persuasive, que les électeurs du Fremont organisèrent un référendum pour que les gens disent clairement qui avait raison, de la Genèse ou de Darwin, et qui détenait la suprématie, de Dieu ou des humanistes communistes athées de l'université de Yale.

Des hommes et des femmes défendant l'un et

l'autre point de vue envahirent l'Etat, et l'atmosphère devint particulièrement électrique. Lors d'un vibrant appel à la renaissance des communautés rurales de la partie ouest de l'Etat, Strabismus énonça les objectifs de sa campagne :

> « Je n'ai que cinq points, et ils viennent tout droit de la Bible. Primo, dans aucune institution de cet Etat fonctionnant sur les deniers publics, de l'école élémentaire à l'université, personne ne pourra enseigner la réalité de la théorie athée de Darwin. Deuxio, dans toute institution, le créationnisme de Dieu devra être enseigné pour devenir le credo des gens sensés. Tertio, nous devrons effacer des manuels toute référence aux millions et milliards d'années. Cette Terre est née il y a six mille ans, un point c'est tout. Quarto, il faut arrêter de parler des dinosaures et de toutes ces bêtes comme si elles avaient vécu il y a très longtemps et qu'elles se soient éteintes pour quelque vague raison géologique. Elles sont mortes pendant le Déluge, et pas autrement. Quinto, nous ne voulons plus que la géologie vienne souiller l'esprit de nos enfants. »

Sa croisade battant son plein et son point de vue ayant toutes les chances d'être plébiscité, des universitaires d'autres Etats, ainsi que des éditeurs de manuels scolaires de New York ou de Boston rappliquèrent pour tenter de faire triompher la raison. Mais ils furent impuissants à éteindre l'incendie qu'il avait allumé.

Il fondait son raisonnement sur deux ouvrages que lui avait fait connaître un pasteur du Mississippi. Le premier avait été écrit par un Anglais, Philip Gosse; sa thèse était très simple : oui, il y avait des fossiles, et des ossements de dinosaures, et des couches géologiques – tout était exactement ainsi que Darwin et les géologues l'avaient décrit. Mais le grand secret était que Dieu avait créé le monde en 4004 avant Jésus-Christ, comme l'expliquait la Genèse, et qu'il avait disséminé les indices dans les roches et les ossements de dinosaures, afin de tenter les impertinences intellectuelles de l'homme. Gosse expliquait tout avec une simplicité et un art tels que Strabismus disait : « Cela ne sert à rien de continuer à discuter. Les vestiges sont exactement ce qu'en disent les professeurs athées de Yale. Il ne peut en être autrement, puisque Dieu les a mis en place le jour de la Création. »

Le second livre était indispensable pour discuter avec ceux dont les connaissances étaient vagues. Il s'agissait de *La Nouvelle Géologie*, de George McCready Price, que Marcia Strabismus vendait dix dollars à ceux qui cherchaient la vérité. C'était un formidable essai, riche en jargon scientifique et difficile à contrecarrer. Sa thèse attirait tous ceux qui souffraient de la tyrannie de la science, et Strabismus en faisait un argument de poids lorsqu'il la traduisait dans le langage qui lui était propre :

> « Tous ces savants essaient de nous dire que les fossiles trouvés dans les roches vont toujours des formes primitives vers les formes complexes, telles que vous et moi. Et pour vous le prouver, ils nous montrent que les formes primitives apparaissent toujours dans les roches les plus anciennes, et les formes complexes dans les roches plus récentes. Mais comment font-ils pour dater ces couches rocheuses? Réfléchissez un instant, et dites-moi comment ils s'y prennent pour les dater.
>
> « Eh bien, ils y arrivent en voyant que les formes primitives se trouvent dans ce qu'ils

appellent les couches anciennes. Et les formes complexes dans les plus récentes. Vous voyez bien qu'ils ne font que tourner en rond. C'est comme si un garçon disait à sa fiancée : « Tu « devrais m'embrasser parce que c'est la Saint-« Valentin, alors que la Saint-Valentin est deve-« nue ce qu'elle est parce que c'est le jour où « les filles embrassent les garçons. »
« C'est un raisonnement complètement idiot : le garçon le sait bien, et les savants aussi, mais ils en profitent pour jeter de la poudre aux yeux du public. Mais moi, je vous dis qu'il est temps d'arrêter tout ça. »

Plusieurs professeurs de géologie se portèrent volontaires pour contrecarrer Strabismus, mais celui-ci n'acceptait de les rencontrer que sous son chapiteau, en présence de la chorale, de la charmante Mme Strabismus, des supporters enthousiastes et de Chimp-Champ-Chump, ce qui, évidemment, déroutait les scientifiques.

Leopold Strabismus était un adversaire redoutable, bien plus instruit que la plupart de ses opposants; à l'approche du référendum, il devint évident que les citoyens d'un grand Etat allaient exclure la géologie, l'évolution, l'anthropologie et la paléontologie des disciplines intellectuelles. Du jour au lendemain, on allait mettre au rebut deux cents années de recherche et de prospection.

On peut se demander pourquoi Strabismus faisait preuve d'une telle frénésie et d'une efficacité aussi diabolique. La croisade ne lui rapportait pas d'argent : tout ce qu'il gagnait au cours des quêtes passait dans la location des chapiteaux ou de la sonorisation. On ne pouvait pas non plus le taxer d'ignorance, puisqu'il avait écrit des thèses de doctorat sur l'évolution et la géologie du Dévonien. Et il n'agissait certainement pas par conviction religieuse, puisqu'il en était totalement dépourvu.

La force qui l'aiguillonnait était double : outre la soif de pouvoir, il avait le désir profond de se venger de la communauté académique qui avait refusé de le recevoir. Bien avant les autres, il avait compris que l'Amérique en avait assez de la science et qu'elle aspirait à plus de simplicité; tout au début de sa croisade, il avait découvert que les habitants de l'arrière-pays prenaient plaisir à entendre fustiger des institutions telles que l'université de Yale ou le *New York Times*.

Mais ses antennes, particulièrement sensibles aux fluctuations de la conscience nationale, lui disaient que l'Amérique se préparait à prendre un grand virage à droite, et il se proposait de l'aider.

Quelles étaient ses inclinations personnelles? Ses grands-parents italiens auraient été démocrates-chrétiens, si un tel parti avait existé à Mount Vernon, et ses grands-parents juifs étaient des socialistes convaincus. Ses parents avaient modéré ces convictions en devenant des démocrates très classiques, votant parfois pour des républicains de valeur tels que le général Eisenhower ou Jacob Javits. La logique des choses aurait voulu que Martin Sorcella fût un libéral modéré, et c'est exactement ce qu'il fut jusqu'à son expulsion de New Haven.

Il commença alors à se poser des questions et à faire publiquement des plaisanteries du genre : « Je suis issu d'une famille de onze démocrates, mais moi, j'ai appris à lire. » Que lisait-il, en fait? Eugene Lyons, Igor Gouzenko et, surtout, Ayn Rand, ce qui l'amena progressivement à comprendre que l'approche sociale du libéralisme était erronée.

Il prit alors une décision capitale, à l'instar de tous les jeunes gens brillants depuis la Grèce antique : « Puisque la société est pourrie, je vais la manipuler. » Il avait débuté avec les petits hommes verts, avant de passer à la fondation d'une université fantôme, puis d'un temple religieux; mais ce que Marcia, son épouse, ignorait encore, c'est qu'il avait décidé d'abandonner sa basilique de Los Angeles pour acheter plusieurs hectares de terrain en banlieue, afin d'y bâtir un temple et une véritable université fondée sur la Bible. Entre-temps, il devait remporter le référendum du Fremont : s'il pouvait encourager un seul Etat à bannir l'évolution, un vaste mouvement se développerait dont il se ferait le champion, Etat après Etat, et sa puissance deviendrait rapidement considérable.

On comptabilisa les votes : le peuple du Fremont avait choisi de rejeter la majeure partie de la science moderne, et les éducateurs de l'Etat se livrèrent à un travail pénible, en ôtant de leurs bibliothèques tous les livres qui parlaient intelligemment de Darwin, de la géologie ou des dinosaures. Leur tâche fut plus facile que prévu, car bon nombre de citoyens se portèrent volontaires, et le travail de purification fut général.

C'est dans cette atmosphère surchauffée que John Pope revint au pays. L'appréhension fut grande quand on annonça que le discours de bienvenue serait prononcé par le professeur honoraire le plus populaire de l'université, Karl Anderssen, celui qui avait enseigné l'astronomie au jeune Pope. Anderssen était très âgé et l'on pouvait craindre qu'il se mît à radoter; il n'avait pas participé à la lutte contre Strabismus, mais il se pouvait qu'il parlât sans retenue, rouvrant ainsi d'anciennes blessures. Les officiels furent soulagés quand Anderssen leur dit :

« C'est au planétarium que je ferai mon discours en l'honneur de John.

– L'endroit est assez petit, expliqua le président de l'université à son conseil, et la foule ne pourra y accéder. »

Ils se retrouvèrent à huit heures du soir avec l'élite intellectuelle de la communauté, dont bon nombre de représentants avaient voté la mise hors-la-loi de l'évolution et de la géologie. Mais ce n'étaient pas des fanatiques, et ils désiraient entendre ce que le vieux professeur souhaitait leur dire :

> « C'est aujourd'hui le 22 juin 1976 et, quand les lumières s'éteindront, nous verrons les cieux tels qu'ils se présentent à l'extérieur de ce planétarium. A présent, nous allons faire un bond de 922 années dans le passé. Nous sommes donc le 22 juin 1054. Le ciel est pratiquement le même que ce soir; quelques planètes sont disposées différemment, c'est tout. « Sautons dix-huit jours, et voici le ciel tel qu'il se présentait au coucher du Soleil, le 10 juillet 1054. Il est minuit à Bagdad : les astronomes observent le ciel, aujourd'hui comme tous les autres jours. Il n'y a rien d'inhabituel. Il est à présent trois heures du matin, le 11 juillet. Tout est paisible. Et tout à coup, là, dans la constellation du Taureau! »

Dans le silence du planétarium, l'auditoire vit une lueur extrêmement vive apparaître à l'extrémité de la corne du Taureau. Infiniment plus brillante que Vénus, elle grossissait d'une minute à l'autre.

> « Une supernova! Nous en connaissons la date exacte parce que les notes des astronomes arabes qui l'ont vue confirment les observations des Chinois. Les Indiens de l'Arizona l'ont vue et s'en sont émerveillés. Les indigènes du Pacifique-Sud ont cru à un miracle! Regardez à présent le jour se lever en 1054! La nouvelle

étoile est si brillante qu'elle éclipse presque le Soleil, qui se trouve alors dans le Cancer.

« Pendant vingt-trois jours, selon les astronomes de Cathay et d'Arabie, la supernova a dominé le ciel, et jamais on ne vit objet plus incandescent. Vous voyez? Elle brille plus fort que le Soleil. Et elle resplendit dans la nuit comme une torche! »

Il fit tourner lentement le planétarium, afin de recréer le cycle de ces vingt-trois jours qui émerveillèrent les observateurs du monde entier. De jour comme de nuit, la supernova illuminait le planétarium, au point que John et Penny pouvaient se voir à sa lumière. Puis, au soir du 2 août 1054, la grande étoile déclina, plus rapidement qu'elle n'était apparue; le Taureau retrouva bientôt son aspect des mille années précédentes, et des mille années suivantes.

« Pourquoi vous ai-je raconté tout cela le jour où nous honorons notre cher John Pope? Pour une raison fort simple. Cette grande étoile, certainement le plus grandiose spectacle jamais observé dans les cieux, cette grande étoile fut signalée en Chine, en Arabie, en Alaska, en Arizona et dans le Pacitique-Sud. Les textes sont là. Mais en Europe, personne ne l'a vue. De l'Italie à Moscou, de l'Oural à l'Irlande, personne ne l'a vue. Ou, du moins, n'en a fait état. Ces hommes ont assisté à l'un des spectacles naturels les plus magnifiques, et personne n'a pris la peine de le noter sur un parchemin.

« Nous savons que cet événement a eu lieu, car un télescope peut nous faire découvrir, dans le Taureau, les vestiges de cette supernova; mais nous avons fouillé toutes les bibliothèques de l'Occident sans trouver le moindre signalement de cette merveille.

« Une époque est dite obscure, non parce que la lumière n'y brille pas, mais parce que les hommes se refusent à la voir. »

Le travail de planification de la N.A.S.A. n'avait jamais été aussi délicat. La mission martienne effectuée en 1971 n'avait pas comporté de tentative d'atterrissage sur la planète; la sonde Mariner décrivait son orbite en prenant de remarquables photographies qui enchantaient le monde scientifique. Le problème des sites ne se posait donc pas. Mais, au cours de ce vol, Viking allait devoir se poser sur la surface de Mars avant de transmettre des photographies à la Terre. Si, en 1971, Mars était à cent vingt millions de kilomètres de la Terre, cette fois-ci, elle en était à trois cent vingt millions...

L'instant choisi pour l'atterrissage allait ajouter un certain raffinement à la mission. Dès 1961, année où le vol fut envisagé en théorie pour la première fois, les mathématiciens les plus doués établirent un emploi du temps selon lequel l'appareil devrait se poser sur Mars le 4 juillet 1976, à trois heures de l'après-midi. Cet exploit de la technique et de l'imagination humaine marquait d'une pierre blanche la célébration du bicentenaire des Etats-Unis.

Année après année, les dirigeants de la N.A.S.A. demandèrent à leurs experts : « Le planning sera-t-il respecté? Parviendrons-nous à nous poser le 4 juillet? » A partir de 1975, ils posèrent ces questions tous les mois; après le lancement de Viking en août la même année, ce fut toutes les semaines. L'année du bicentenaire était arrivée : les experts vérifiaient quotidiennement leurs données et fournissaient inlassablement la même réponse : « Nous nous poserons le 4 juillet, à trois heures de l'après-midi. »

Le gouvernement n'ayant rien d'autre à proposer pour ce jour glorieux, les politiciens décidèrent de faire de l'atterrissage sur Mars l'événement capital. Le président Ford parlerait sur toutes les chaînes de télévision pour féliciter les scientifiques ayant accompli ce miracle. Les trois grands réseaux diffuseraient les images de Mars dès leur arrivée sur Terre. Et le monde entier célébrerait avec l'Amérique cette formidable victoire intellectuelle. Sur tout le territoire, des milliers d'Américains consacraient tous leurs efforts à l'aboutissement de cette aventure.

Le haut commandement de la N.A.S.A. demanda au Docteur Stanley Mott de se rendre au Jet Propulsion Laboratory de Pasadena pour s'assurer qu'il n'y aurait pas d'anicroche au cours d'un événement dont les spectateurs se compteraient par millions. Il arriva à Pasadena trois semaines avant le jour J pour constater avec plaisir que des scientifiques renommés étaient prêts à étudier les données que leur transmettrait Viking. Des ingénieurs travaillaient vingt-quatre heures sur vingt-quatre pour maintenir le vaisseau sur sa trajectoire; l'équipe de sélection du site choisirait le lieu exact de l'atterrissage; l'équipe chargée du traitement des images déterminerait parmi des milliers de clichés lesquels pourraient être diffusés par les médias; l'équipe responsable de la chimie inorganique analyserait les données transmises par les capteurs; l'équipe chargée de l'étude de la surface du sol martien se spécialiserait dans la composition de la planète; et trois autres équipes, au moins, s'efforceraient de réunir des éléments permettant de prouver que la vie avait existé sur Mars... ou qu'elle s'y manifestait encore, sous une forme infime et inhabituelle.

A ce cénacle des esprits les plus brillants vint se joindre un groupe de civils triés sur le volet, invités par la N.A.S.A. à participer à un séminaire.

Le commandant Cousteau parla des forces intérieures poussant les hommes à explorer le monde qui les entoure et des profondeurs abyssales des autres planètes. Ray Bradbury, le pape de la science-fiction, exposa ses vues sur un mode poétique, et le malheureux Philip Morrison, du M.I.T., livra ses réflexions tandis que Viking gagnait peu à peu son orbite.

Le 3 juillet, pendant que le président Ford rédigeait des notes informant le monde de l'arrivée d'un engin américain sur Mars et que les caméras de télévision s'installaient dans la pièce où le docteur Mott et son équipe devaient exposer leurs découvertes scientifiques, un petit groupe de chercheurs de la N.A.S.A., en train d'étudier les derniers gros plans du site sélectionné six ans plus tôt, fut très étonné de ce que l'analyseur leur révéla :

« Nous ne pouvons pas nous poser là, il n'y a que des cratères!

– Ecoutez, le président des Etats-Unis est prêt. Les caméras de télévision attendent le feu vert.

– Je m'en fous. On ne peut pas poser une machine aussi fragile sur un terrain aussi accidenté.

– Vous vous foutez du président des Etats-Unis?

– Je n'ai pas dit cela, mais dans les circonstances actuelles, oui, je m'en fous.

– Qu'est-ce que vous proposez?

– De retarder l'atterrissage de quelques jours. De trouver un site plus favorable.

– Retarder? Mais c'est impossible!

– Pourtant, il le faut. Il est absolument impensable de se poser demain. Nous devons trouver un meilleur site. »

Une chape de plomb s'abattit sur la salle, car ces hommes savaient quelle déception ils allaient provoquer. On discuta brièvement pour savoir qui allait annoncer le retard, et le choix se porta sur trois hommes : deux scientifiques travaillant sur le projet et le docteur Mott, représentant la direction. Inspirant profondément, l'analyseur déclara :

« Bon, il faut y aller. »

L'annonce officielle provoqua un certain mécontentement dans la grande salle de presse où des centaines de journalistes de la presse et de la télévision, venus de fort loin participer à cet instant de triomphe, se montrèrent assez désagréables.

« Alors, votre laborieux planning est tombé à l'eau? demanda l'un d'eux.

– Oui », se contentèrent de répondre les scientifiques.

Le docteur Mott quant à lui était bien décidé à ne céder sur aucun point. L'air très digne dans son costume strict (les autres étaient en bras de chemise), il réfuta toutes les critiques :

> « Nous ne pouvons pas nous poser le 4 juillet, et notre déception est profonde. Mais les nouvelles photographies me permettent de croire que nous trouverons un site plus sûr aux alentours du 20 juillet, c'est-à-dire dans seize jours. Mais, dans la longue histoire de l'exploration, quelle importance que Christophe Colomb ait entrevu le Nouveau Monde le 12 octobre ou deux semaines plus tard?
>
> – Son équipage aurait bien pu le lyncher, c'est tout, grommela un journaliste.
>
> – Nous avons travaillé pendant des années et dépensé des millions de dollars pour que tous ces efforts débouchent sur un succès. Une aventure de cette envergure n'a jamais été tentée auparavant, et nous ne devons pas la compromettre au tout dernier instant en essayant de nous poser dans une plaine rocheuse.

– Le prochain site sera-t-il meilleur? demanda un journaliste scientifique.
– Nous ne pouvons rien garantir, mais cette mission est si complexe que nous devons mettre tous les facteurs de notre côté. Nous savons que le site du 4 juillet n'est pas bon. Nous espérons que le prochain sera meilleur.
– Vous n'auriez pas pu le savoir il y a trois semaines? Ça nous aurait évité de nous déplacer pour rien.
– Il y a trois semaines, nous ne pouvions travailler que sur des photographies prises à plusieurs milliers de kilomètres de distance. Aujourd'hui, nous avons des gros plans et des images radar, mais je puis vous assurer que cela n'a rien à voir. Si le site du 20 juillet se révèle aussi mauvais, nous retarderons encore une fois l'atterrissage. Messieurs, les hommes de science sont avides d'informations, mais il faut ensuite se plier à leurs exigences. Telle est la science. »

Le jour de la fête nationale se passa donc dans la déception la plus totale. Le président Ford rangea ses notes. Les équipes de télévision rentrèrent au bercail et, dans le monde entier, de grands esprits expliquèrent à qui voulaient les entendre comment on aurait dû s'y prendre. Les deux semaines écoulées, les hommes de la N.A.S.A. conclurent que tous les facteurs étaient favorables; le 20 juillet, on vit des hommes tels que Carl Sagan, de Cornell, ou Hal Mazursky, le super-cerveau, se mordre les lèvres; Jim Martin croisa les doigts et donna l'ordre de séparer le module d'atterrissage de la sonde qui l'avait porté pendant des millions et des millions de kilomètres.

Prenant Mott par le bras, un jeune chercheur lui murmura :

« Ça va marcher, vous verrez. » Et quand la Terre reçut le signal indiquant que le module s'était bien détaché, le jeune homme, en soupirant déclara : « Je savais que ça marcherait. »

Pendant deux heures interminables, les hommes de la N.A.S.A. surveillèrent les chiffres qui traduisaient la descente du petit module dans l'espace martien; quand le mouvement s'accéléra, l'atmosphère devint franchement électrique : « Viking est à 300000 pieds... Viking est à 74000 pieds du site... Viking est à 2600 pieds... Viking se rapproche de Chryse, son attitude est parfaite... »

Le silence envahit la pièce; on n'entendait que la respiration des hommes. Enfin un signal franchit 320 millions de kilomètres : « Viking s'est posé. Tous les systèmes sont go. »

Les hommes poussèrent des cris de joie. D'autres se mirent à pleurer. Jerry Soffen, qui avait travaillé sur ce projet depuis le premier jour, s'écria : « Après quinze ans... Mars! » Et Mott, qui venait de voir la science bannie du Fremont, se mit à danser avec Carl Sagan pour fêter cette formidable victoire.

L'homme avait atteint une autre planète. Il défiait à présent le système solaire et ses secrets. Les remparts de la Galaxie pourraient être franchis, et nul ne savait où s'arrêterait l'aventure de l'humanité. L'atterrissage sur la Lune, à côté, paraissait bien modeste : la Lune n'était que la banlieue de la Terre, alors que Mars était une planète à part entière, qui révélait son visage grêlé, désertique.

Le jeune homme qui avait pris le bras de Mott se pencha sur les premiers clichés et le tira à nouveau par la manche.

« Bon sang! Rien que le désert! Si au moins il y avait eu un palmier, on aurait pu lancer un vol habité dès demain. Mais là, tout sera oublié dans deux mois. »

Mott savait exacte cette sinistre prédiction, mais quant au futur immédiat seulement. Et il se sentit dans l'obligation de reprendre le jeune chercheur :

« Il faut avoir de la patience. Cette photographie qui vous déçoit tant fera peut-être rêver un jour un jeune Japonais, ou quelque écolier du Massachusetts. »

Il se souvint alors de sa propre enfance : « Le livre le plus important que j'aie jamais lu est peut-être celui de Percival Lowell. Il était faux d'un bout à l'autre, mais il a permis à mon imagination de se développer. Vous vous rendez compte? Nous sommes sur Mars, moins de soixante-dix ans après sa publication! J'ai peut-être apporté ma contribution à ce projet, mais c'est grâce à ce livre que tout a démarré. » Puis il s'approcha pour voir les photographies en temps réel : nulle trace des canaux.

XI

LES ANNEAUX DE SATURNE

STANLEY MOTT était agacé. Sa formation et ses prédispositions auraient dû lui permettre de se consacrer à l'étude des confins de l'espace, mais les nombreux scandales où ses fils se trouvaient impliqués l'empêchaient de décrocher l'un des postes clefs de la N.A.S.A. Cependant, la combinaison peu commune de ses talents – c'était un technicien hors pair tout autant qu'un visionnaire de l'astrophysique – faisait de lui un conseiller écouté dans toutes les activités de l'agence.

Récemment, on lui avait confié un travail analytique concernant l'aviation au sol, et cette mission risquait de l'occuper plusieurs mois.

« C'est un terrible gaspillage, dit-il à Rachel dès que la décision fut connue. J'ai toujours poussé les autres à tenter de nouvelles explorations. Et maintenant, je vais perdre mon temps chez Boeing ou chez Lockheed, ça fait mal. »

Il jeta un coup d'œil à la photographie de l'objet céleste NGC-4565. Seul l'espace comptait pour lui.

Mais Mott avait toujours été un employé scrupuleux et, après trois semaines passées à étudier les efforts américains en matière d'aviation, son seul désir fut d'effectuer un travail de première qualité. Ses amis eurent à subir son nouvel enthousiasme :

« Vous oubliez que le premier A de N.A.S.A. est l'initiale d'« aéronautique ». Dans le passé, notre agence a souvent apporté sa contribution à l'aviation et aujourd'hui que la recherche spatiale sommeille, il est tout à fait normal que des hommes comme moi remplissent des tâches différentes. »

Il insistait sur le fait que le pays était en danger une fois de plus :

« Vous oubliez que l'Amérique s'est trouvée à la traîne de l'Europe à trois périodes cruciales de son histoire. En 1915, lors de la fondation de la N.A.C.A., pendant la période qui suivit la première guerre mondiale, et à la fin de la seconde guerre mondiale, quand les Anglais et les Allemands travaillaient sur de nouveaux moteurs. Si vous voulez mon avis, nous sommes une fois de plus à la traîne. »

Il étonnait ses auditeurs en déclarant :

« Notre industrie aéronautique semble bien décidée à faire les mêmes erreurs que l'industrie automobile. Pas d'esprit d'invention. Une place trop mince accordée à la recherche. Aucun effort pour construire le petit appareil dont le monde a besoin. Nous nous reposons sur nos lauriers parce que nous avons fabriqué cette merveille qu'est le Boeing 747. » Mais il ne captait vraiment l'attention que lorsqu'il révélait que le meilleur petit transporteur commercial du monde était de fabrication brésilienne. « La N.A.S.A. devrait faire tout son possible pour susciter l'invention – un hélicoptère qui volerait à plus de cinq cents à l'heure, un avion qui pourrait décoller et se poser dans un espace très réduit, de meilleurs rédacteurs, le meilleur en tout, quoi. »

En défendant un tel programme, il se trouvait confronté à des hommes de la N.A.S.A. et du Congrès favorables à la doctrine suivante : « Si une idée est commercialement rentable, c'est le commerce qui devrait financer son développement, non le gouvernement fédéral. » Ces mêmes hommes avaient l'intention de vendre aux grandes compagnies civiles les centres d'expérimentation et les souffleries de la N.A.S.A. pour que ce soit les compagnies, et non plus la N.A.S.A. qui se chargent de l'expérimentation et de la réalisation des idées nouvelles.

Il y avait une certaine logique dans leurs propos, Mott devait bien le reconnaître. Si une compagnie commerciale gagnait beaucoup d'argent en exploitant une découverte de la N.A.S.A. il était normal que cette compagnie réglât, elle, les frais; mais cet argument ne l'empêcha pas de s'opposer farouchement à ce projet :

> « Il me semble que quatre des lois les plus sensées jamais votées par le Congrès des Etats-Unis ont été les suivantes : le Homestead Act de 1862, qui cédait les terres de l'Ouest pour permettre l'établissement d'une grande nation libre; le Morrill Act de la même année, qui cédait des terres aux Etats pour qu'ils y fondent leurs propres établissements d'enseignement, ce qui a donné naissance à d'excellentes universités telles que la Texas A & M ou l'université de l'Oklahoma; le G.I. Bill, après la seconde guerre mondiale, qui offrait une éducation aux hommes qui avaient servi leur pays; et enfin, la loi qui accordait des terres aux chemins de fer et aux aéroports pour édifier un vaste réseau de transports.
>
> « Il y a un certain nombre de choses fondamentales qu'une nation doit faire pour préserver sa créativité. Ce sont, en priorité, le financement énergique des innovations techniques, de l'éducation et des nouveaux modes d'expression. Si la nation cesse de financer l'expérimentation en matière d'aéronautique, personne ne prendra le relais et cette merveilleuse industrie

qui nous rapporte tant dépérira bientôt comme notre industrie automobile. »

Il donna des conférences dans tous les centres industriels du pays pour mieux défendre ses idées et c'est ainsi qu'en janvier 1979, après s'être rendu à Denver chez des partenaires de la N.A.S.A., il monta à bord de l'un de ces étonnants petits appareils qui survolent les montagnes Rocheuses pour se poser à Skycrest, où un chauffeur de taxi le conduisit à la boutique tenue par son fils, Millard Mott : « Vous verrez, on y rencontre tous les gens dans le coup. Le président Ford et sa bande y sont fourrés tout le temps quand ils arrivent de Vail. »

Mott entra sans se faire annoncer et prit le temps d'admirer l'agencement de la boutique : les articles de sports d'hiver venus d'Autriche étaient extrêmement coûteux. Les deux vendeurs faisaient office de moniteurs pour les touristes venus se mesurer aux pentes neigeuses. Finalement, une très jeune femme à l'air effronté vint se planter devant lui, lui demandant sans préambule :

« Alors, mon gars, je vous vends une paire de super-skis? Quatre cent cinquante dollars, c'est une affaire.

– Vous confondez les hommes et les gamins, je crois.

– Et d'abord, est-ce que vous savez skier?

– Je suis entré ici pour échapper à la neige, je l'ai en horreur.

– Dans ce cas, buvez un coup. » Elle se dirigea vers un petit réfrigérateur, prit une boîte de bière et l'ouvrit d'un geste sec. « Dans quoi vous êtes, au juste?

– Je suis le père de Millard.

– Ouais! s'écria-t-elle en lui sautant au cou. C'est vous qui envoyez les gars dans la Lune quand ils n'ont pas été sages?

– Ou plutôt, quand ils l'ont été.
– Millard, cria-t-elle, ton père est là! »
Millard sortit d'un bureau. C'était un homme de trente-six ans mais qui en paraissait dix de moins, avec ses cheveux blonds très soyeux. Il portait un pull en jacquard assez luxueux et un pantalon bleu pâle. Il s'arrêta un instant, reconnut son père et s'avança vers lui, la main tendue. Stanley la lui serra avec chaleur.
« Tu es drôlement bien installé. Tout est payé?
– Tu sais ce que tu nous as appris : « La seule chose qu'il faut acheter à crédit, c'est le coffre-fort. » Millard éclata de rire et entraîna son père vers le bureau, avant de lui confier : « En fait, j'ai emprunté comme un dingue. Si tu avais vu les intérêts! Mais ça a bien démarré. Je dois engager une autre fille la semaine prochaine.
– Les deux qui sont là n'ont pas l'air de faire fuir la clientèle, en tout cas.
– Tu peux le dire. » Il s'appuya au dossier de la chaise en disant : « Tu ne vieillis pas. Je me demande comment tu fais.
– Ta mère est une cuisinière hors pair. C'est la reine de la diététique. Toi aussi, tu as l'air en forme.
– Et Chris, comment va-t-il? »
La question était arrivée plus tôt qu'il ne le pensait, et Stanley dut y répondre.
« Il survit. Même les gardiens de prison n'ont pas d'influence sur lui. Il est totalement impénétrable.
– Quand il sortira, tu crois que je peux lui proposer du boulot? Skycrest est un endroit étrange. L'air pur remet les idées en place à certains, les bars achèvent les autres.
– Je crains que Chris ne préfère les bars.
– Quelle pitié... Tu le vois de temps en temps, je suppose.
– Toutes les fois que je vais à Canaveral. »

Stanley découvrit bientôt que le chauffeur de taxi ne lui avait pas menti : la boutique de Millard était le rendez-vous des gens dans le vent. En une matinée, il vit entrer trois hommes politiques du parti républicain, qui avaient accompagné Gerald Ford à Vail, et les présidents de deux grandes sociétés. Les vendeurs les traitant avec désinvolture, les hommes entraient dans le jeu. L'endroit était très animé, et Stanley remarqua que le vendeur faisait l'article à tous ceux qui passaient la porte.

« Tu devrais en faire ton associé, dit-il à Millard.

– J'ai déjà un associé. Il nous rejoindra pour déjeuner, et tu vas être surpris. »

Millard emmena son père dans un châlet, où un menu très limité était proposé par neuf des plus jolies filles que Stanley ait vues depuis longtemps :

« Bonjour, je m'appelle Cheryl, je suis du Montana. Je peux vous proposer des œufs brouillés aux foies de volaille, du bœuf bourguignon à un prix scandaleux ou encore des quiches au jambon fumé et aux épinards. Personnellement, je vous conseille les quiches, elles sont délicieuses.

– Nous sommes trois.

– Trois quiches?

– Je crois qu'il vaudrait mieux attendre mon associé.

– D'accord. Je vous mets deux bières? »

Pour Stanley, la conclusion était simple : à Skycrest, il fallait acheter, et vite, si l'on ne voulait pas être expulsé de la ville.

« Les filles étaient toutes à l'université. Vassar, Texas, Berkeley. Il ne faut pas plus d'un quart d'heure pour trouver du personnel.

– Pourquoi ont-elles abandonné?

– Eh bien, certaines ont... Tiens, le voilà. » Stanley leva les yeux pour découvrir un homme encore jeune, mais dont les tempes commençaient à grisonner. Il eut l'impression de l'avoir déjà rencontré.

« Bonjour, monsieur Mott, je suis Roger. Nous nous sommes vus en Californie il y a quelques années.

– Roger, de l'Indiana! »

Mott se souvenait parfaitement de lui : c'était le garçon qui avait rejeté l'amnistie.

« Il a servi trois années à Leavenworth pour avoir refusé la conscription, dit Millard avec une certaine fierté. Et le voici de retour. Grâce à Dieu. »

Dans l'avion qui le ramenait à Los Angeles, Mott écrivit à sa femme :

> « Je ne savais plus quoi penser, mais j'étais tout de même très heureux. Roger est sorti de prison, il porte avec dignité les traces de sa détention, et Millard lui a offert la moitié des parts de la boutique parce qu'il avait purgé sa peine pour eux deux. Ils se sont construit une charmante maison à Skycrest; j'y ai rencontré de nombreux leaders de ce pays : notre fils est en effet un membre respecté de cette petite communauté. Un jour, tu m'as dit que Millard te faisait penser à une fille qui aurait quitté son banquier de mari pour vivre avec un architecte. Eh bien, la fille est revenue avec son mari, et je n'ai pas eu le courage de demander ce qu'était devenu Victor, l'architecte. Mais je serais un menteur si je ne te disais pas que leur maison et leur boutique sont des lieux où souffle l'amour. »

Cette fois-ci, ce n'était pas l'aviation qui obligeait Stanley à se rendre à Los Angeles, mais une crise assez grave dans la recherche astronautique. Une dizaine d'années plus tôt, à l'époque où il s'occupait de tout autre chose, le haut commandement de la N.A.S.A. avait consacré énormément de temps et de matière grise à mettre sur pied une grande opération susceptible de remplacer le programme Apollo; mais voici qu'il reconnaissait enfin le bien-fondé des arguments de Dieter Kolff, à savoir que l'Amérique n'avait pas besoin d'être présente sur la Lune et se devait plutôt de posséder une plate-forme en orbite terrestre, d'où seraient lancés des véhicules qui travailleraient en orbite haute.

Mais la N.A.S.A. avait dépassé les prescriptions de Kolff. Son vaisseau serait occupé par des astronautes qui le ramèneraient sur Terre pour qu'il serve à nouveau. L'Amérique se doterait ainsi d'une sorte d'autocar volant peu coûteux, qui ferait la navette entre Cap Canaveral et l'espace.

Mott souleva le véritable problème dès qu'il fut mis au courant de cette décision : « Nous avons prouvé que nous étions capables de décoller, de manœuvrer et de nous poser. Mais qu'avons-nous fait atterrir, au juste? Une portion infime de ce que nous avions lancé. Elle était enveloppée d'un matériau de protection qui se désagrégeait en entrant dans l'atmosphère. Je ne vois pas comment nous pourrions isoler tout un vaisseau pour qu'il puisse servir à nouveau. »

Il fut atterré en entendant la solution proposée : on envisageait de coller sous la navette des milliers de tuiles d'un matériau nouveau, pouvant résister à la chaleur du retour dans l'atmosphère et être réutilisées. « Combien de tuiles allez-vous devoir employer? » demanda-t-il sur-le-champ. « 31 689, lui répondit-on, et toutes différentes les unes des autres. » La fabrication de ces tuiles et de leur colle réjouit son esprit scientifique; mais, le technicien en lui voyait mal comment on viendrait à bout d'une telle entreprise. Ceux qui avaient pris cette décision s'en faisaient les défenseurs :

« Mott, nous ne pouvons pas utiliser un matériau qui se désintègre, vous l'avez dit vous-même. Il faut quelque chose qui reste en place et qui puisse être réutilisé. Un alliage spécial de cuivre pourrait convenir mais, avec une couche protectrice de huit centimètres d'épaisseur, pas une fusée au monde n'arracherait l'ensemble du pas de tir, et aucun frein ne serait assez puissant pour l'arrêter à l'atterrissage. Nous n'avons pas le choix, comme vous le voyez. Il faut inventer un nouveau matériau, une nouvelle substance adhésive...

– Mais pourquoi utiliser plus de trente et une mille tuiles?

– Parce que la navette est une chose vivante, qui se meut et qui respire. Ses diverses parties vont interagir. Si l'on se contente de la recouvrir d'une bonne couche de ce nouveau matériau, le premier ébranlement de la structure va tout faire craquer. Des morceaux énormes s'arracheront chaque fois. Avec les tuiles, il faut confectionner quatre fois trente et un mille joints... un peu moins, en fait. Je sais, c'est un travail énorme. Mais si ça craque, quelques tuiles seulement partiront, pas toute la protection. »

Mott fut emballé par le nouveau matériau; un fragment de 5 centimètres sur 5, et de 2,5 centimètres d'épaisseur pesait moins lourd qu'une petite boîte d'allumettes. On plaça une tuile sur sa main gauche, puis on approcha un chalumeau dont la flamme atteignait plusieurs milliers de degrés. La partie de la tuile exposée à la flamme tourna au rouge, puis au blanc, mais sa main ne ressentit pas la moindre chaleur. N'importe quelle structure protégée par ce matériau pourrait traverser l'atmosphère sans problème.

La fixation des tuiles sur la navette se révéla, elle,

d'une incroyable complexité, comme Mott l'avait prévu. Une société californienne dut fabriquer 31689 tuiles différentes les unes des autres et correspondant très précisément à une partie de la navette; on fixa ensuite méticuleusement chaque tuile à la main. Quatre types d'alliage furent utilisés, selon la quantité de chaleur escomptée, et cinq sortes de substances adhésives, pour la fabrication des joints.

Lors du transport de la navette vers Cap Canaveral, un nombre incroyable de tuiles se détacha; les deux hommes de l'équipage auraient brûlé vif s'il s'était agi d'une véritable mission.

La navette se trouvant en Floride et le constructeur des tuiles en Californie, ce fut un chassé-croisé complexe. Les monteurs de Floride faisaient des moulages des tuiles dont ils avaient besoin, indiquant le type de matériau de chacune d'elles, ainsi que la qualité de la substance adhésive. Les moulages et les précisions techniques étaient envoyées en Californie où des ouvriers hautement qualifiés, de véritables orfèvres, fabriquaient minutieusement les tuiles, qui revenaient en Floride pour être testées. Quand le moindre détail ne correspondait pas au modèle, on les renvoyait en Californie. Cette procédure compliquée se répéta vingt mille fois, à en faire frémir un homme de la trempe de Mott. Il ne parvenait pas à comprendre comment ses collègues pouvaient se satisfaire d'une telle solution.

« Bon sang, ils n'ont donc pas de techniciens? demanda-t-il un soir, excédé, à sa femme qui lui répondit :

– Tu ne te demanderais pas plutôt pourquoi ils ne t'ont pas pris, toi? »

Serviteur dévoué de la N.A.S.A. dont la réputation lui importait par-dessus tout, il ne fit jamais la moindre allusion au piège où était tombée son agence bien-aimée; cela ne l'empêcha pas de se demander pourquoi le processus de sélection et de vérification, qui avait fait la réputation de la N.A.S.A., était subitement en train de se dégrader aussi lamentablement. Et il en vint à la conclusion que le responsable était ce démon impitoyable qui s'abat sur les hommes les plus capables : l'orgueil. Enivrés par leurs succès – la Lune, Mars, Jupiter –, les scientifiques de la N.A.S.A. en étaient venus à croire qu'ils pouvaient tout se permettre et ne voyaient pas l'absurdité d'un projet qui nécessitait la fabrication et la pose à la main de 31 689 tuiles différentes. Ils n'avaient pas pensé que cette méthode mobiliserait pendant des années des centaines d'hommes et de femmes, et que la moitié des tuiles se décollerait le travail achevé.

Les semaines de retard se changèrent en mois, puis en années, et les heures supplémentaires occasionnèrent de nombreux dépassements de budget. Mott grinçait des dents en entendant la chaîne de télévision A.B.C. tourner la navette en ridicule, et ses maux d'estomac se réveillèrent quand il dut expliquer au Congrès comment on avait pu s'embarquer dans une aussi sinistre aventure.

Pourtant, il défendit la N.A.S.A. et devint l'un de ses meilleurs porte-parole en assurant au Congrès et à la presse que la navette volerait et offrirait à l'Amérique le véhicule spatial dont elle avait besoin. Il le dit si souvent et dans des lieux si différents, qu'il en vint à le croire. Il défendit la navette devant des membres du Rotary Club, dans des universités, à la télévision et même devant ses collègues de Houston ou de Huntsville.

« La navette est, d'un point de vue aérodynamique, encore meilleure que ce que nous avions dit. Les tuiles constituent un problème mineur, qu'une matière adhésive de qualité supérieure résoudra très facilement. Le système de décollage est le meilleur que nous ayons jamais conçu, croyez-moi. » Il se refusait à admettre la moindre faiblesse, et ses collègues comprirent très vite que cet homme de soixante-trois ans, tout près de la retraite, trouvait dans la navette spatiale son ultime contact avec la N.A.S.A. De par sa seule volonté, comme ses collègues l'avaient souvent constaté par le passé, il ferait traverser l'atmosphère à cet engin et le renverrait en mission.

Un spécialiste de l'espace au *New York Times* lui ayant reproché les dépassements en temps et en argent, il l'invita à boire une bière au bar de la Dague.

« Vos critiques sont tout à fait fondées. Les dépassements ont un côté pénible, mais si vous tenez compte de l'inflation, nous n'avons pas dépensé beaucoup plus que ce que nous avions prévu en 1971. Quant aux nombreuses modifications, j'aimerais vous raconter une petite anecdote. Il y a quelques années, j'ai rencontré un garçon qui avait travaillé sur les plans du PBY-5A de l'aéronavale. Vous vous souvenez peut-être du premier PBY, c'était un merveilleux appareil capable de se poser sur l'océan pour secourir les pilotes tombés à l'eau. Quelqu'un eut un jour l'idée d'en faire un appareil amphibie, capable de se poser sur la terre ferme. Cela multipliait par quatre la complexité du problème. Le constructeur donna naissance à un appareil impeccable; les huiles de la marine l'approuvèrent et les pilotes de l'aéronavale le testèrent sans lui reprocher quoi que ce soit. Et pourtant, il fallut lui apporter cinq cent trente-six modifications avant qu'il ne fût vraiment parfait. Voilà ce qui se passe quand on expérimente une idée nouvelle. On fait de son mieux et, quand le moindre détail est réglé, on lui apporte encore cinq cent trente-six modifications. Avec la navette, nous n'en sommes qu'à quatre cent vingt et une, mais ne désespérez pas, nous n'avons pas encore fini. »

Sa présente mission consistait à se rendre dans un coin perdu du désert de Californie, où des dizaines de techniciens fabriquaient la dernière série de tuiles qui devaient recouvrir les parties arrondies ou les arêtes de la navette. Il n'aurait jamais imaginé un travail aussi compliqué. Une tuile carrée toute simple, ABCD, présentait une pente différente entre A et B, et entre C et D; de même, la pente de la diagonale AC n'était pas identique à celle de la diagonale BD. Les précisions portaient également sur le choix du matériau de base, du vernis et de la colle destinée à la fixer à la navette. C'était une opération d'une complexité désarmante, et Mott avait honte pour les hommes de la N.A.S.A. qui avaient pu la concevoir. Mais lorsqu'il parlait à la presse, c'était toujours pour réfuter les critiques adressées à la N.A.S.A. :

> « La navette décollera en mars de cette année. Elle demeurera pendant trois jours en orbite terrestre, exactement comme nous l'avons prévu, et l'Amérique sera étonnée par la beauté de cet exploit technique. Nous entrons dans une nouvelle époque, et je puis vous assurer qu'elle sera riche de promesses. »

Une fois seul dans sa chambre d'hôtel, il imaginait ce qu'il adviendrait du programme spatial américain si la navette explosait lors du lancement ou se désintégrait pendant le retour dans l'atmosphère : ce serait alors les critiques de la presse, les « je vous l'avais bien dit » des spécialistes de la télévision, les éditoriaux pleins de morgue et, surtout, la colère du Congrès. Il se voyait déjà en train de témoigner devant le Sénat, sans la présence d'un Mike Glancey pour les défendre, lui et la N.A.S.A., en une succession d'images d'apocalypse : Huntsville fermant ses portes; Wallops Island, où il avait eu la joie de découvrir la nature de la haute atmosphère, livrée aux sables; Houston réduisant son activité; et le J.P.L., le saint des saints, transformé en entrepôt.

Il fallait réussir à tout prix! Plus que quiconque, il savait quel terrible fardeau la navette emporterait lors de son vol inaugural. Oui, il fallait réussir! Il finissait par s'endormir à l'aube pour rêver de tuiles qui se détachaient et de flammes de plusieurs milliers de degrés. Il se réveillait alors, en sueur, en proie à une terreur permanente qu'il ne pouvait partager avec personne. On l'avait choisi pour défendre la navette et il remplirait ce rôle sans faillir, fort des nombreux succès que chacun lui reconnaissait.

A l'université du Fremont, le professeur Pope enseignait l'astronomie à ses étudiants comme s'il s'agissait d'astronautes à l'entraînement : « Que vous vous en rendiez compte ou non, vous vivez parmi les étoiles. Comme les navires perdus en haute mer, c'est votre relation avec les étoiles qui vous indiquera où vous vous trouvez sur Terre; et quand vous quitterez la Terre, votre avion se dirigera par rapport aux étoiles. J'insiste pour que vous sachiez où les étoiles se trouvent et à quoi elles ressemblent, cela vous permettra de toujours vous situer. »

Ses étudiants passaient beaucoup de temps au planétarium, où ils se familiarisaient avec le ciel, et Pope s'attardait tout particulièrement sur les étoiles de l'hémisphère Sud, que la plupart des jeunes gens ne verraient peut-être jamais : « Si votre commandant de bord se perd et pose son appareil en Australie plutôt qu'à Woonsocket, je veux que vous puissiez rejoindre le Fremont en ne vous fiant qu'aux étoiles. » Et il leur montra Canopus, Achernar et Acrux.

Il ne plaisantait pas avec le travail, mais ses étudiants l'aimaient bien pour ce qu'il avait fait, seul parmi les étoiles. Il savait aussi détendre l'atmosphère en leur racontant comment Randy Claggett avait massacré les cieux; et c'est ainsi que des générations d'étudiants du Fremont en vinrent à croire que l'étoile Polaire se trouvait dans la Petite Rousse et que les véritables noms de Bételgeuse et de Zubeneschamali étaient Bête Neigeuse et Je-ne-baise-qu'au-lit.

Parfois, l'émotion était la plus forte, et les étudiants se souvenaient de ce que leur professeur était un véritable astronaute. Un jour, un garçon de la campagne qui avait étudié le ciel à l'aide d'un télescope de sa propre fabrication – il en avait même poli la lentille, comme Galilée! – dit :

« Professeur Pope, mon *Atlas des étoiles* ne cite pas trois des étoiles qui se trouvent sur votre liste : Navi, Regor et Dnoces. »

Pope se sentit la gorge serrée. A deux reprises, il essaya de parler, mais n'y parvint pas; les étudiants ne pouvaient pas deviner ce qui se passait. Se maîtrisant, il répondit :

« Le 27 janvier 1967, les préparatifs du premier vol Apollo étaient en cours. Il y a eu un court-circuit : Grissom, White et Chaffee ont péri carbonisés. Il y avait dans le ciel trois espaces dont les étoiles, utiles à la navigation, ne portaient pourtant pas de nom; nous les avons baptisées Navi, d'après Ivan Grissom, et Regor, d'après Roger Chaffee. Mais le plus beau nom est celui donné en l'honneur d'Ed White. Son nom complet étant Edward Higgins White, second du nom, nous avons inversé « second » pour en faire Dnoces. »

Il s'arrêta de parler pour que les étudiants notent la position de ces trois étoiles : Navi dans Cassiopée, Dnoces à l'extrémité de la Grande Ourse et Regor, au sud du Voile.

Puis il dit :

« Aussi longtemps que des Américains s'aventureront dans l'espace, ils y seront guidés par l'esprit de Grissom, White et Chaffee. »

Un jour, une étudiante lança :

« On s'est beaucoup interrogé sur les dernières paroles du colonel Claggett lors de la mission Apollo 18. Je crois bien que le texte véritable n'a jamais été divulgué. Qu'a-t-il dit, au juste?

– C'était incompréhensible, fit Pope. Les radiations étaient si importantes qu'elles ont perturbé la transmission vers la Terre.

– Oui, mais vous, vous avez dû entendre ses paroles. Vous n'étiez pas sur Terre. »

Pope réfléchit un instant. Il avait toujours vu dans le message de Claggett une communication privée, privilégiée même et, s'en tenant à cette opinion, il refusa de répondre à la jeune fille. Mais le soir, dans le planétarium où il préparait le cours du lendemain, il se dit que cela ne servait à rien de garder pour lui les dernières paroles de Claggett. Elles représentaient si bien son défunt compagnon que le lendemain, à la fin de la classe, il répondit à la jeune fille :

« Je n'ai jamais révélé ce que Randy a dit quand il a su que son module allait s'écraser sur la Lune et qu'il allait mourir, mais je ne vois pas pourquoi je conserverais ce secret pour moi seul. Je vous répéterai seulement ses paroles; à vous d'en comprendre le sens. Il a dit : « Bon saint Leibowitz, fais que « les hommes continuent de rêver. »

Sur ce, il quitta la salle de cours.

Les étudiants écumèrent le campus pour tenter de découvrir le sens de cette phrase remarquable; les mots *bon saint* et *Leibowitz* semblaient tellement se contredire qu'ils n'aboutirent à rien. Mais un étudiant de première année avait un camarade passionné de science-fiction, comme Claggett, et le mystère fut dissipé en un instant. Le lendemain, le jeune homme leva la main, Pope se pencha sur son bureau, et le garçon murmura : « Walter Miller ». Pope dit alors :

« Nombreux sont ceux qui croient, à l'instar de Claggett, que le meilleur roman de science-fiction jamais écrit est un livre étrange dû à un certain Walter Miller. Il s'intitule *Un cantique pour Leibowitz*. L'action se passe vers l'an 3175. Le monde a été ravagé par la guerre nucléaire; une grande révolte contre la science, semblable à ce que nous voyons aujourd'hui, a provoqué la destruction des bibliothèques, des laboratoires et du matériel de recherche. Les savants ont été mis à l'écart... Les gens vivent dans des grottes, ils ne connaissent ni la médecine, ni l'électricité, ni les livres.

« L'Amérique du Nord s'est désintégrée en une multitude de petits Etats féodaux toujours sur le pied de guerre, et la vie est d'une effarante monotonie. Pourtant, dans un coin perdu du Nouveau-Mexique, un groupe de moines, appelons-les ainsi, a gardé secrètement vivante la tradition d'un savant qui aurait vécu dans cette région, un saint homme nommé Leibowitz. Quel est le plus précieux document de cette civilisation privilégiée? Un morceau de papier retrouvé dans le laboratoire de Leibowitz. Son authenticité est indiscutable, mais on n'a pas encore réussi à le déchiffrer. Le texte est le suivant :

Livre pastrami
Chou en boîte
Six bagels
Pour Emma

« C'est à partir de ce message mystérieux que sera recréée la culture de l'Ouest des Etats-Unis. Je vous recommande la lecture de ce livre. Randy Claggett nous l'a confié en mourant, et je suis sûr que le bon saint ne serait pas surpris de voir que l'Etat du Fremont a décidé de mettre hors la loi tous les ouvrages traitant de l'évolution et de la géologie, parce que c'est exactement ce qui se déroula dans cette partie de l'Amérique à l'époque où il était vivant, vers 2010. »

La pression exercée sur Stanley Mott, porte-parole de la navette spatiale, s'intensifia en février 1981, car chaque petit retard, inévitable dans une opération de cette envergure, donnait aux journalistes l'occasion de reparler de la faillite du système. Les sarcasmes visaient tout particulièrement les tuiles; une journaliste étudia toute l'histoire de la N.A.S.A., insista sur le moindre de ses échecs et intitula son article LA N.A.S.A. NE SERAIT-ELLE PLUS DANS LE COUP?. La morosité planait sur la navette et, le jour où deux hommes furent tués en pénétrant dans une salle où ils respirèrent de l'azote pur, Mott ne put s'empêcher de se demander si cette formidable entreprise n'était pas un gigantesque fiasco; mais il garda ses appréhensions pour lui.

En public, il était toujours aussi inconditionnel; lorsqu'il se rendit à Canaveral pour voir le majestueux engin dressé sur le pas de tir, ses doutes les plus secrets se dissipèrent en un instant, et c'est en toute honnêteté qu'il annonça à la presse : « La navette volera et marquera le début d'une nouvelle ère de l'exploration spatiale. »

La date du lancement fut fixée au vendredi 10 avril 1981, à l'aube. Il se rendit au Bali Hai où les

Quint l'accueillirent chaleureusement avec les autres membres de la N.A.S.A. Les astronautes Cater et Pope y retrouvèrent Hickory Lee, qui devait remplir la fonction de CapCom à Canaveral, avant de passer le relais à Houston.

Quand tout fut en place et que les pronostics furent favorables, Mott se détendit un peu, mais sa formation d'ingénieur lui rappelait que tout pouvait très mal tourner. Ces maudites tuiles pouvaient se décoller, et il passa très mal la soirée précédant le lancement.

Il se leva à deux heures du matin, contempla le ciel obscur et murmura : « Dieu merci, il n'y a pas de vent, et il ne pleut pas. » Tout semblait devoir aller bien; en compagnie de deux responsables de la N.A.S.A, il voulut rejoindre le site de lancement, à quelques kilomètres de là, mais leur voiture fut prise dans un embouteillage gigantesque. Un policier leur dit : « Je ne peux rien faire. Il y a peut-être un million de personnes. Tous ceux qui ont raté les tirs Apollo ne veulent pas manquer celui-là. »

A cinq heures du matin, la voiture de Mott se trouva immobilisée; il se dit qu'il n'atteindrait jamais le site de lancement, pas même Cap Canaveral, mais il se consola en constatant qu'il pourrait tout de même voir la fusée s'élever dans le ciel. Mais la circulation redémarrant pour se figer à nouveau, il se trouva coincé dans une dépression, derrière des arbres et des bâtiments très élevés, et ne vit plus rien du tout.

« Nous allons tout rater », dit-il d'un air résigné à ses compagnons.

Celui qui avait un transistor le tenait au courant de l'évolution des événements, et il se demanda une nouvelle fois si le projet de la N.A.S.A. n'allait pas être un gigantesque fiasco.

Il y eut pourtant une bonne nouvelle : le lancement serait légèrement retardé par un mauvais fonctionnement de l'un des cinq ordinateurs. Peut-être aurait-il le temps d'échapper aux embouteillages et de rejoindre l'aire de lancement. A ce moment, passa à côté d'eux, escortée par la police, une voiture transportant plusieurs membres de la N.A.S.A. qui reconnurent le docteur Mott. « Suivez-nous! » Les voitures officielles et les autres coupèrent à travers les pelouses et gagnèrent l'aire de lancement.

La matinée était claire, l'air était vif; le vaisseau spatial se dressait au bord de l'Atlantique. Mott et ses compagnons s'en rapprochèrent au maximum, mais ils en étaient encore éloignés de neuf kilomètres; la sécurité exigeait cette distance, au cas où la fusée deviendrait folle et retomberait.

Mott avait l'impression que tous les gens qu'il avait pu connaître, s'étaient réunis pour voir l'Amérique reprendre la conquête de l'espace : il y avait là d'anciens administrateurs, qui avaient vaillamment défendu leurs budgets; d'anciens ingénieurs, à qui l'on devait ces formidables machines; d'anciens scientifiques, qui avaient calculé le chemin des étoiles; et de bons amis du Congrès, qui avaient supervisé l'entreprise. Quelques-uns des meilleurs étaient pourtant absents : Lyndon Johnson était mort, lui qui avait maintenu si fièrement le cap, Michael Glancey, Wernher von Braun, dont les rêves de gosse avaient tout déclenché, et John Kennedy qui, à une époque où son pays était en proie à un terrible malaise, avait eu le courage de prononcer les mots magiques :

« Avant la fin de la décennie, nous enverrons un homme sur la Lune. »

Les salutations achevées, l'attente reprit le dessus et les vieux doutes réapparurent. Un des scientifiques s'efforça de détendre l'atmosphère en racontant l'histoire survenue à une équipe de télévision spécialisée dans l'espace, qui s'était fait installer une sorte de petit paradis d'où voir le lancement :

« Ça leur a bien coûté dix mille dollars, mais ils ne l'ont pas construit dans le bon sens. Quand les gars sont arrivés de New York, ils ont dit : « Mais « on ne voit que des marais! » Nous leur avons prêté une grosse grue, ils ont soulevé leur cabane et l'ont replacée dans la bonne direction. Vous voyez, ça arrive à tout le monde de se tromper. »

Vers neuf heures du matin, le cinquième ordinateur refusant toujours de communiquer avec les quatre autres, il fallut bien annoncer la terrible nouvelle : « Le lancement est annulé. »

Les voitures firent demi-tour, et ce fut un nouvel embouteillage, plus impressionnant que le précédent. Mott et ses compagnons regagnèrent, déçus, le Bali Hai et s'installèrent au bar de la Dague; un coup de téléphone attendait le docteur Mott : « Pourriez-vous rejoindre la salle de presse du Hilton? Deux équipes de télévision aimeraient vous interviewer. »

Apercevant Pope et Cater à l'écart, dans un coin du bar, il leur demanda de l'accompagner, ce qu'ils firent avec empressement : « On va leur montrer qu'on ne les craint pas. » Selon plusieurs observateurs, ce fut le moment le plus intéressant : « Cela nous a permis de voir un vrai savant, et deux astronautes qui n'ont rien de doux rêveurs. »

Mott ne céda sur aucun point et John Pope soutint le programme avec fermeté, mais ce fut Ed Cater, originaire de la Louisiane, qui ramena la discussion sur le côté pratique des choses : « J'ai eu plus de pépins avec ma vieille Oldsmobile Toronado qu'eux avec leur navette. Je veux bien y monter dès demain matin si l'on m'y invite. Elle peut faire tellement plus de choses que nos vieilles cabines Apollo. Je suis allé sur la Lune, d'accord, c'est amusant, mais il faut régler maintenant les problèmes domestiques. Cette navette partira dimanche matin et, moi qui connais bien John Young pour avoir passé quelques dizaines d'heures avec lui, je vous dis qu'il se posera en Californie en douceur, comme une fermière transportant des œufs. »

Mott, Cater et Pope passèrent toute la journée au bar de la Dague à échanger des souvenirs. Le soir, ils invitèrent à se joindre à eux Hickory Lee, le seul digne d'entrer dans le cénacle.

Mott ne parvint pas à dormir le vendredi soir; le samedi, après avoir passé, une fois de plus, toute la journée au bar de la Dague, il se demanda s'il ne devrait pas prendre des somnifères, mais l'idée de dormir à poings fermés tandis que la navette s'élèverait dans le ciel le déprimait; il veilla donc jusqu'à deux heures du matin, s'habilla, prit sa voiture et, en compagnie de trois membres de la N.A.S.A., suivit des policiers qui les conduisirent jusqu'au site de lancement. Les petites boutiques de rafraîchissements allaient bientôt ouvrir. Dans la nuit, il dit à ses compagnons : « Cet oiseau va bientôt voler, et il va étonner l'Amérique. »

A l'aube, la tension était extrême; quand l'ultime compte à rebours fut retransmis à la radio, Mott, se rendant compte de la vitesse de sa respiration, pensa, les yeux tournés vers la navette : J'espère que les gars sont plus calmes que moi.

Un rugissement! Un éclair de feu! Un grondement qui se répercute alentour! Puis la montée lente et bien assurée de l'engin, l'explosion de vapeur provoquée par les tonnes d'eau destinées à éteindre les flammes, et enfin le départ majestueux de la navette.

Stanley Mott faillit s'évanouir. Toute son énergie l'avait quitté en un instant; il ne pouvait plus parler, car la véritable épreuve commençait et ne s'achèverait qu'une fois les deux hommes posés, sains et saufs, sur la piste d'atterrissage. A l'instant où des doutes terribles l'assaillaient, le commentateur de la télévision annonça : « Quand les portes se sont ouvertes, les astronautes ont pu constater qu'il manquait déjà plusieurs tuiles. »

Il prit l'avion pour Los Angeles, d'où un petit appareil de la N.A.S.A. le conduisit à la base aérienne d'Edwards, en plein désert. Il y retrouva plusieurs scientifiques et un groupe d'anciens astronautes. Deux chaînes de télévision lui demandèrent s'il pouvait parler des tuiles manquantes, mais il craignait tellement de ne pas parvenir à dissimuler son angoisse qu'il déclina leur invitation. Un présentateur dit alors : « Les officiels de la N.A.S.A. se sont refusés à tout commentaire devant des conditions de vol aussi périlleuses. »

Il se leva très tôt le mardi matin, se coupa plusieurs fois en se rasant, et se rendit en voiture vers la longue bande désolée sur laquelle la navette était censée se poser. Il sentit ses genoux fléchir. « Mon Dieu, je vous en prie, faites ce que tout se passe bien. » Il frissonna en pensant à ce que diraient les critiques en cas d'accident de dernière minute.

Il savait par les messages radio que Young et Crippen survolaient actuellement l'océan Indien et qu'il leur fallait prendre la grande décision; ils passeraient au-dessus de l'Australie et fonceraient vers la Californie tout en perdant de l'altitude. Dans quelques minutes, ils pénétreraient dans l'atmosphère à la vitesse de Mach 24,5. La chaleur serait alors terrible. Le haut-parleur l'interrompit : « Columbia vient d'entrer dans la zone de silence. La chaleur est si intense que toute communication radio est impossible. » « Seigneur, faites que les tuiles ne bougent pas. »

En cet instant, les hommes de la mission et ceux

qui demeurent à Terre ne peuvent plus qu'espérer, et attendre.

Mott s'arrêta pratiquement de respirer. Chacun faisait silence. Puis retentit le son d'une voix totalement dépassionnée : « C'est une manière formidable de revenir en Californie. »

Un des petits avions qui ne cessaient de scruter le ciel, transmit aux télévisions l'image du grand vaisseau, le premier à revenir intact. Les hommes poussèrent des cris de joie en voyant la navette grandir dans le ciel. Elle revenait sur Terre aussi simplement qu'un avion de ligne qui rentre d'Australie, et Mott battit des mains comme un enfant.

Le splendide appareil toucha triomphalement le gravier de la piste, piqua légèrement du nez et parcourut plusieurs centaines de mètres avant de s'arrêter. Une mission d'exploration ne s'était jamais aussi bien terminée après tant de craintes.

Mott chercha un endroit où s'asseoir, au bord de l'évanouissement.

Le lendemain de ce jour de triomphe, Rachel Mott reçut dans son appartement de Washington un cadeau-surprise de Huntsville. Il avait été expédié par les Kolff, en même temps qu'un petit mot : « Pourriez-vous m'appeler et me donner un conseil? Dieter. » Elle trouva le paquet et découvrit deux disques produits et enregistrés par le jeune Magnus Kolff et son ensemble, le Boston Brass, composé des onze meilleurs cuivres du Boston Symphony, auxquels s'ajoutaient cinq autres musiciens. Le premier disque réunissait quatre morceaux de Vivaldi, Schumann, Beethoven et Brahms, transcrits par Magnus; les sonorités brillantes traduisaient bien la joie de ces hommes qui, pour une fois, damaient le pion aux cordes. Rachel n'aurait su dire quand Magnus jouait : il n'avait pas cherché à privilégier les trompettes, et encore moins lui-même.

Le second disque était d'inspiration plus populaire : sur la face A, des chants de Noël, joués avec une verve ensorcelante; sur la face B, Kolff avait réuni trois pièces brèves qui avaient enchanté l'enfance de Rachel avant que son goût ne s'affine : « Le largo » de Haendel, extrait de son opéra *Serse*, L'*Ave Maria* de Gounod, d'après Bach, et le merveilleux *Agnus Dei* de Bizet, que l'on n'entendait plus souvent mais que Caruso avait si bien chanté.

S'abandonnant aux sonorités des musiciens de Magnus, elle écouta deux fois chaque disque, puis appela Huntsville pour savoir quel problème agitait Dieter Kolff. Ce qu'elle entendit ne manqua pas de la surprendre :

> « Rachel, je suis content que ce soit vous. J'ai confiance en votre jugement. J'ai un problème avec mon petit-fils, Wernher. Le fils de Magnus. Vous avez bien reçu les disques? C'est splendide, n'est-ce pas? C'est lui qui dirige, vous savez.
> « Le problème est le suivant. Magnus vit ici, à Huntsville, et Wernher – on lui a donné ce nom en l'honneur de von Braun, vous vous en doutez – a l'âge d'entreprendre des études sérieuses. Magnus pense que nous devrions l'envoyer en Allemagne. C'est aussi notre avis, à Liesl et à moi. Qu'en pensez-vous?...
> « Pourquoi? Pour une excellente raison. Il y a ici tout un mouvement qui voudrait interdire l'enseignement de l'évolution, de la géologie, de toute la science, en fait. La croisade est menée par un pasteur, un certain Strabismus. Rachel, ils veulent mettre un terme à l'enseignement de ces matières. Je crois que l'on n'a pas le droit d'éloigner un garçon de valeur de la

science. Comment von Braun aurait-il pu inventer la fusée si... »

Elle l'interrompit :

« Dieter, envoyez tout de suite votre petit-fils en Allemagne. Si l'Amérique décide de retomber dans l'obscurantisme, nous enverrons nos enfants en Allemagne, ou en Chine. Il faut qu'ils partent pour découvrir le monde tel qu'il est; ensuite, il faudra qu'ils reviennent pour préserver la connaissance.

– C'est exactement ce que j'ai dit à Magnus. Le petit Wernher peut être un nouveau von Braun. Il peut aussi être employé de banque. Comment ai-je fait pour avoir un fils qui joue aussi divinement de la trompette? Nul ne le sait. Mais ce garçon doit pouvoir connaître la vérité, quoi qu'il devienne par la suite. »

Liesl Kolff avait maintenant soixante-cinq ans, et ce qui se passait en Alabama lui faisait un peu peur. Elle prit le téléphone et dit :

« Vous ne croyez pas que nous avons raison?

– Mettez-le dans le premier avion, Liesl. La sauvegarde de son âme est en jeu.

– Vous pourriez demander au docteur Mott de nous appeler? Je suis de la vieille école, vous savez. J'aime bien que ce soit l'homme qui dise les choses. »

En revenant à la maison, Stanley apprit quels conseils sa femme avait donnés aux Kolff. Bouleversé, il appela aussitôt Huntsville :

« Dieter, je crois que Rachel vous a mal conseillés. Je ne vois pas pourquoi vous enverriez ce gosse en Allemagne. L'Amérique est un pays libre et ses citoyens ont le droit de faire toutes les folies qui leur passent par la tête. Comme réfuter la géologie.

– Comment pouvons-nous lutter contre de telles absurdités?

– Par la logique. En leur apportant de nouvelles données, de nouveaux progrès. C'est par la science que nous protégerons la science. De même que c'est la foi qui protège la foi.

– Ils vont faire voter des lois, Stanley. Notre Wernher n'aura même plus le droit d'apprendre la vérité.

– Ils feront voter des lois, mais nous les écraserons, et ces lois seront abrogées. J'ai un espoir immense en ce pays.

– Des milliers de personnes ont mis tout leur espoir dans l'Allemagne, et on voit ce que cela a donné.

– Laisse-le à l'école, Dieter. Donne-lui de bons livres. Et cet été, si vous pouvez vous le permettre, envoyez-le en Allemagne... pour les vacances... pour qu'il découvre par lui-même ce qu'on y apprend. Il n'en reviendra que meilleur. »

Il raccrocha, et Rachel lui demanda aussitôt :

« Je me suis laissé emporter? J'ai eu tort de craindre la victoire des hommes des cavernes?

– Ils feront tout pour gagner, mais nous ne nous laisserons pas faire.

– Tu crois que nous pouvons réussir?

– Cela fait six millions d'années que nous sommes vainqueurs, même s'il y a eu de temps à autre des régressions d'un millier d'années. »

Le Sud de la Floride abrite les trois aéroports les plus dangereux du monde : Miami, Fort Lauderdale, un peu plus au nord, et Palm Beach. Pour un avion qui décolle ou se pose après le coucher du soleil, les risques d'accident sont infiniment plus élevés que sur les terrains reculés de Birmanie ou d'Indonésie.

Les aéroports de Floride possèdent le meilleur équipement électronique, les contrôleurs aériens les mieux formés et des pistes immenses, mais le danger demeure : à cause de la taille des pistes, le tarmac s'étend si loin autour qu'il en devient tentant.

Les trafiquants cherchant à faire entrer aux Etats-Unis d'importantes cargaisons de marijuana ou des lots plus petits, mais plus rentables, d'héroïne ou de cocaïne, chargent en Colombie, en Equateur ou au Mexique de petits appareils, volés la plupart du temps, et font route vers le nord dès le coucher du soleil. Ils survolent le golfe du Mexique à basse altitude afin d'échapper aux radars, atteignent en pleine nuit la côte occidentale de la Floride, traversent la péninsule et se posent sans feux de signalisation, ni permission, ni assistance, sur l'une des grandes pistes du Sud de la Floride.

S'en remettant au hasard, ils espèrent que les pistes seront assez larges pour les accueillir, d'où qu'ils viennent, et que les gros appareils commerciaux ne feront pas de manœuvre à ce moment-là. Comme le déclarait un pilote de ligne qui avait affronté les Zéros japonais à Guadalcanal : « Rien de plus angoissant qu'un atterrissage à Fort Lauderdale. La tour vous donne l'autorisation de vous poser, l'écran du radar est parfaitement dégagé. Mais ce qu'on ne sait pas, c'est qu'un trafiquant a choisi cet instant précis pour se poser en plein milieu de la piste où l'attendent des voitures rapides. »

Les voyageurs qui ont entendu parler de la circulation aérienne clandestine refusent d'aborder ces aéroports après le coucher du soleil. Comme dit un industriel allemand qui passe la moitié de l'année à Palm Beach : « A Berlin, nous avons Baader-Meinhoff, seize ou dix-sept personnes qui nous rendent la vie impossible. Mais ici, ils sont seize ou dix-sept cents à utiliser les pistes dès la tombée de la nuit. Ce sont eux, les vrais terroristes. »

En juin 1981, les nuits plus courtes étant moins propices aux trafiquants, deux pilotes rencontrèrent secrètement à West Palm Beach un groupe d'individus fort peu recommandables que le chef, Chris Mott, avait connus lors de son séjour en prison. Son plan était assez audacieux : « Jake et moi connaissons un terrain en Louisiane où l'on peut prendre un Lear sans trop de difficulté. Nous avons déjà réussi quatre fois. Le propriétaire est si insouciant qu'on pourrait sortir son jet sur une remorque.

« Jake et moi nous rendrons directement à Las Cruces, au nord de Medellin, en Colombie. Là-bas, nos hommes monteront à bord du Lear la plus grosse cargaison de l'histoire des Caraïbes. Si le vent est favorable, nous pourrons être de retour vers deux heures et demie du matin. Jake dit qu'il peut se poser, moteur coupé, au sud des pistes; vous nous attendrez sur la nationale 98 et vous vous rendrez tout droit à Orlando, où John sera aux commandes d'un appareil autorisé. »

Son plan nécessitait des connaissances techniques précises, le respect de l'emploi du temps et une certaine dose de courage, car le trajet Las Cruces/Palm Beach correspondait exactement à l'autonomie d'un Lear. Jake, le pilote, dit qu'il était prêt à risquer le coup si les différentes équipes au sol se chargeaient des voitures rapides, de l'autre appareil et des clients de New York et de Boston. Mais le grand responsable de l'opération était Chris Mott qui, à trente et un ans, était aguerri au point de ne rien laisser au hasard : « Cela peut nous rapporter onze millions de dollars, vous comprenez que les risques sont en proportion. Les gars en Colombie ne touchent que six pour cent tant que nous n'avons pas vendu la came en ville. Jake et moi, nous ne touchons rien tant que vous n'avez pas réussi. Et vous, vous n'avez rien tant que nous ne sommes pas revenus à Palm Beach. *Comprendo, amigos?* »

Deux des hommes conduisirent Jake et Chris à Baton Rouge, et de là à Plaquemine, où un dénommé Thibodeaux possédait un Lear pourvu de deux très gros réservoirs. Ayant volé un gros camion qu'ils placèrent en travers de la route pour retarder les poursuivants éventuels, Jake et Chris se dirigèrent vers le hangar du jet. Ils ouvrirent la porte à l'aide d'un passe et s'installèrent aux commandes. Jake vérifia soigneusement tous les systèmes et constata que l'appareil avait assez de carburant pour les emmener au Mexique, où fonctionnaient une douzaine de terrains d'aviation clandestins; puis il mit le contact.

En Colombie, Chris Mott prit les choses en main. Il avait appris l'espagnol en prison, pour le jour où ses coups nécessiteraient la connaissance de cette langue, et il parlait d'égal à égal avec les hommes qui contrôlaient le marché des drogues dures; il leur offrit la somme qu'il avait réunie aux Etats-Unis et les assura qu'ils en toucheraient bien plus si l'affaire réussissait. Les Colombiens parurent d'abord trouver assez mince l'avance qu'on leur proposait, mais Chris haussa le ton, leur montra ses poches vides et évoqua les risques énormes que lui, Jake et les autres prenaient aux Etats-Unis... « Où croyez-vous qu'on a eu l'avion? On l'a piqué sur un terrain, en Louisiane. » Il leur montra un journal américain qu'il avait acheté lors de son escale mexicaine où ils purent lire un article sur le vol audacieux de Plaquemine. Il y avait également une photographie de l'appareil, sur laquelle on distinguait son numéro d'immatriculation.

« Laisse-nous le jet, suggéra l'un des hommes. On en tirera un ou deux millions de dollars.

– Ah! oui? Et nous reviendrions à pied? » dit

Jake. Avant même que les Colombiens aient pu ajouter un mot, Chris intervint :

« Imbéciles! Vous n'en tireriez pas plus de deux cent mille dollars, et moi, je vous parle de onze millions! »

Il pensa un instant que les Colombiens allaient essayer de les tuer pour revendre le jet à un client sud-américain, et il prit les devants en sortant son revolver, faisant signe à Jake de l'imiter. Il recula vers l'appareil, attendit que Jake ait mis les réacteurs en marche, puis se précipita dans le Lear et ne reprit son souffle que quand l'appareil eut décollé en bout de piste.

« Je me suis demandé s'ils n'avaient pas une mitraillette.

– Eh bien, j'aurais foncé droit dans les arbres, dit Jake. Ils n'auraient plus eu que de la ferraille.

– Et nous, on serait morts.

– Ouais, mais on les aurait bien eus! »

La cargaison tenait énormément de place – ballots de marijuana auxquels s'ajoutaient des cartons pleins de drogues dures – et les hommes ne pouvaient même pas prendre une bière dans la glacière; Chris ne quitta pas le siège du copilote et regarda l'océan s'assombrir après le coucher du soleil. Leur itinéraire passait par la pointe occidentale de Cuba, avant de regagner Naples, au sud de la Floride. La nuit tombait, et Chris demanda :

« Tu crois qu'on peut descendre assez bas pour éviter les radars cubains?

– C'est mon boulot, dit Jake.

– S'ils avaient eu une mitraillette, dit Chris, s'ils t'avaient descendu, je crois que j'aurais essayé de m'en tirer tout seul.

– Tu n'as jamais piloté.

– Je t'ai observé.

– Tu saurais poser ce zinc, s'il m'arrivait quelque chose?

– J'essaierais, en tout cas. »

Jake lui posa une bonne douzaine de questions et s'étonna de la précision des réponses de Mott.

« Peut-être bien que tu pourrais te poser. Il ne vaudrait plus grand-chose après, mais peut-être bien que tu y arriverais. »

Le Lear ronronnait au-dessus des flots.

« Ton père, il fait quoi, au juste? demanda Jake.

– C'est une huile à la N.A.S.A., il s'occupe de l'espace.

– Qu'est-ce qu'il penserait de cette opération?

– Ça lui foutrait un coup.

– Tu m'as bien dit que tu avais un frère?

– Oui, il est décorateur.

– Sans blague?

– Je crois qu'il tient un bar à Denver, mais c'est plutôt le genre décorateur. » Ils ne parlèrent pas pendant une quizaine de minutes, soit un peu plus de cent cinquante kilomètres, puis Chris ajouta :

« Millard, c'est comme ça qu'il s'appelle, Millard m'a écrit quand j'étais en tôle pour me proposer du boulot. C'est sûrement mon père qui le lui a suggéré. Cela m'étonnerait que Millard ait envie de me voir. Je ne lui ai même pas répondu. »

Ils traversèrent Cuba sans incident, volèrent au ras des flots pour rejoindre le littoral ouest de la Floride, puis passèrent au sud de Fort Myers pour rejoindre le vaste aéroport de West Palm Beach.

Ils arrivèrent à basse altitude, comme prévu, virent les lumières de la ville, puis la partie sud des pistes; ils piquèrent vers le sol, à l'instant précis où décollait un jet privé emmenant des hommes d'affaires à Chicago. Les deux appareils se heurtèrent de plein fouet à quelques mètres du sol et explosèrent sur le coup.

Dans les cinq voitures rapides garées sur la nationale 98, les six hommes virent la précieuse cargaison disparaître dans les flammes. Un des conducteurs suggéra aux autres :

« On ferait mieux de se tirer. Les flics ne vont pas tarder...

– Seigneur, dit un autre, onze millions de dollars! »

La direction de la N.A.S.A. était l'une des plus compréhensives de toute l'administration américaine; travaillant depuis des décennies avec des scientifiques toujours tendus et, depuis des années, avec des astronautes ultra-sensibles, elle comprenait fort bien les problèmes psychologiques de son personnel; de sorte qu'elle sut tout de suite que les Mott avaient besoin d'aide quand la tragédie s'abattit sur eux, en Floride. Un hasard malheureux voulut que les membres de la direction dussent annoncer une autre mauvaise nouvelle à Mott, et ils préférèrent parler sans détour.

« Stanley, je suis vraiment désolé de devoir vous dire cela maintenant, mais vous savez que votre retraite prend effet le dernier jour de cette année.

– Oh! oui, je le sais, fit-il d'un air las. Je le sais depuis longtemps...

– Nous avons beaucoup apprécié la façon dont vous avez défendu la navette et notre agence. Nous sommes fiers de vous.

– Ecoutez! lança Mott. Je prends ma retraite, un point c'est tout. Vous n'allez pas vous éterniser là-dessus. »

L'administrateur continua de parler sur le même ton.

« Nous voudrions vous faire savoir que, même pendant votre retraite... eh bien, nous aimerions vous appeler en consultation. Vous avez encore dix bonnes années devant vous. » Mott hocha la tête. « Pour vous montrer à quel point nous vous apprécions, nous voulons vous installer en Californie... pour travailler avec la presse lors du survol de Saturne par Voyager 2, en août prochain. »

Mott parut satisfait d'entendre cela, et l'administrateur se détendit à son tour. Il sourit d'un air approbateur lorsque Mott dit :

« Vous comprenez, Clarence, je ne me suis occupé que de la navette. Je ne me suis pas tenu au courant des découvertes des Voyager.

– Nous en sommes parfaitement conscients. Mais c'est votre inexpérience, je dirais même votre innocence, qui donnera de l'enthousiasme à la presse.

– Je crois que cela me plairait bien. Donnez-moi la possibilité de me mettre au courant.

– Et puis, Stanley, nous avons pensé que vous devriez faire venir Rachel, pour qu'elle se sente impliquée dans ce projet. »

Mott ne put lui répondre – les dernières semaines ayant été horribles – et les deux hommes restèrent longtemps assis, en silence. Finalement, Mott parvint à dire :

« Votre offre me touche beaucoup, Clarence. Vous savez, elle a dû identifier le corps de notre fils à partir de fragments de dents. »

Cette nomination au Jet Propulsion Laboratory de Pasadena serait son ultime collaboration avec la N.A.S.A., du moins quant aux planètes du système solaire. Rachel et lui bourrèrent la voiture, et les longues heures de route vers l'ouest leur donnèrent l'occasion de se parler et de se redécouvrir. Ils s'arrêtèrent à Clay pour bavarder avec le professeur Pope, à Boulder pour rencontrer les spécialistes du Soleil, et enfin à la montagne où ils virent brièvement leur fils, Millard, dans son magasin d'articles de sports. A leur grand étonnement, son associé leur déclara :

« Vous savez, il y a pas mal d'hommes d'affaires

de cette ville qui voudraient voir Millard à la mairie de Skycrest! »

La douleur provoquée par la mort de leur fils s'était quelque peu atténuée lorsqu'ils arrivèrent en Californie; la traversée en voiture du continent américain s'était, une fois de plus, révélée extrêmement bénéfique, et Stanley avait hâte de se plonger dans les préparatifs du survol. Rachel et lui ne purent échapper à l'euphorie ambiante. Il n'était plus question ni de tuiles qui se détachent, ni de problèmes métaphysiques; rien n'existait en dehors des préparatifs méticuleux et du travail de contrôle dans lesquels la N.A.S.A. avait toujours excellé. Et Saturne ne fut jamais cause d'insomnie.

Tous les matins, Rachel et lui retrouvaient les soixante ou soixante-dix experts responsables de la mission; dès qu'il eut réuni des détails techniques pour la presse, il tomba sous le charme de cette dernière grande exploration planétaire. La tristesse avec laquelle certains hommes accomplissaient leur travail le touchait :

« Docteur Mott, vous devriez insister sur le fait que c'est notre ultime effort. Quand elle aura quitté Saturne, la sonde Voyager 2 se dirigera vers Uranus, qu'elle survolera en janvier 1986, puis Neptune, en août 1989. Après elle, il n'y aura plus de sondes, plus d'atterrissages. L'effort américain d'exploration des planètes aura atteint son terme... pour ce siècle-ci, tout au moins. »

Ainsi, l'aventure fantastique de la conquête de l'espace allait s'achever, tout comme sa propre carrière. Lorsqu'il contemplait la maquette de la sonde, Mott avait l'impression de se voir lui-même, et il rédigeait ses textes avec une attention toute particulière :

> « En 1967, il y a quatorze ans, un groupe de visionnaires pensaient que si l'on pouvait lan-

cer dans l'espace un certain type de véhicule en lui donnant, au moment voulu, la vitesse adéquate, ce véhicule effectuerait un magnifique arc de cercle en direction de Jupiter, avant d'utiliser la gravité de la planète géante pour se propulser vers Saturne. Ces hommes pensaient qu'il serait possible de passer à quelques milliers de kilomètres des anneaux de Saturne et de connaître enfin leur composition et leur rôle au sein du projet grandiose de l'univers. »

Les détails de ce rêve insensé ne manquaient pas de l'étonner : distance Terre-Saturne en ligne droite, 1,6 milliard de kilomètres environ, selon la position des planètes sur leur orbite respective; distance réelle, 2,25 milliards de kilomètres; durée du voyage, quatre années moins onze jours; vitesse moyenne, 65 000 kilomètres à l'heure.

Dix ans plus tôt, il avait demandé à ces apprentis-sorciers équipés de calculatrices primitives : « Que verrez-vous si vous arrivez à atteindre Saturne? » Leur réponse l'avait sidéré : « Nous allons placer sur notre véhicule onze instruments que personne n'a encore jamais vus. Des analyseurs spéciaux qui nous transmettront des images. Des appareils pouvant mesurer le rayonnement, les champs magnétiques, le plasma, les rayons cosmiques. Nous ferons des expériences de spectroscopie, de photopolarimétrie, un tas de choses dont vous n'avez aucune idée. »

Ils lui avaient montré une maquette de la sonde et il s'était une fois de plus émerveillé de ce qu'elle pût voler dans l'espace à une vitesse formidable sans être entravée par rien; il était donc possible d'y adjoindre toutes sortes d'instruments, dans la position et l'attitude souhaitées.

« Il y a encore quatre appareils assez complexes

que nous n'avons pas fixés », dirent-ils.

Il s'étonna :

« Mais où allez-vous les mettre?

– Oh! nous pouvons les accrocher n'importe où. »

Le magnétomètre l'avait particulièrement impressionné car il symbolisait ce que la science pouvait effectuer dans un environnement radicalement différent. C'était une sorte de bras d'une douzaine de mètres de long, dont la structure de verre ressemblait à celle d'une toile d'araignée qu'un souffle de vent eût pu briser. Mott s'étonna du poids de l'instrument placé à l'extrémité – il était évident que le bras ne pourrait jamais le supporter –, mais il vit les hommes du J.P.L. plier la frêle structure, la ranger dans une boîte métallique et placer le magnétomètre sur le dessus. Dans l'espace, le couvercle de la boîte serait éjecté, la structure se déploierait et Voyager disposerait d'un long bras capable de soutenir l'instrument. C'était un spectacle assez extraordinaire, et l'inventeur de ce système confia à Mott :

« Dans l'espace, ce bras arachnéen sera aussi rigide qu'ici une poutrelle d'acier.

– Mais comment ferons-nous pour adresser des commandes à la sonde? avait alors demandé Mott, à qui le directeur du programme avait répondu :

– Nous placerons dans la sonde trois ordinateurs de très haute puissance et nous les bourrerons d'instructions très complexes du genre « Pointer l'analyseur dans l'autre direction »; « Abandonner Canopus dans la Carène pour Deneb dans le Cygne »; « Augmenter la vitesse du listing »; « Oter le filtre bleu et le remplacer par le rouge ». Quand les ordinateurs auront reçu toutes ces instructions, nous établirons une liaison radio avec le sol, mais pas du tout comme un téléphone. Loin de là. Les distances sont énormes et nos instructions radio mettront quatre-vingt-sept minutes pour atteindre Saturne, à la vitesse de la lumière; la réponse mettra également quatre-vingt-sept minutes pour nous parvenir. Imaginez que nous nous parlions au téléphone. Je dirais : « Allô! qui est à l'appareil? » et je devrais attendre plus de trois heures pour vous entendre répondre : « C'est Stanley Mott. » Nous devons donc construire un langage spécial comportant mille trois cents mots environ; chacun d'eux déclenchant dans les ordinateurs une séquence précise. A votre avis, docteur Mott, combien de commandes radicalement différentes pourrions-nous adresser ainsi à notre sonde?

– Vous voulez dire du J.P.L. à Saturne?

– Oui.

– Eh bien, vous avez mille trois cents mots, et je suppose que chacun d'eux contrôle... dix... quinze fonctions?

– Nous pouvons envoyer trois cent mille ordres différents. »

Resté muet quelques secondes, Mott, lentement, comme un enfant qui répète une leçon, dit :

« Après quatre années de voyage, et plus de deux milliards de kilomètres parcourus dans l'espace... avec un système qui a besoin d'une heure et demie pour échanger un seul mot... vous pouvez vraiment transmettre trois cent mille ordres différents?

– Oui, avec une certaine probabilité de succès. Ce que je veux dire, c'est que la sonde recevra l'ordre et que ses conditions de travail seront de 90,3 p. 100. »

Les années suivantes, Mott resta en contact avec les hommes chargés des missions Voyager 1 et 2 : 1972-1976, construction des sondes et des pièces annexes; 1976-1977, simulations répétées pour s'assurer de leur bon fonctionnement; 20 août et 5 septembre 1977, deux lancements impeccables; 1977-1979, quatre cents experts se rongeant les ongles d'impatience; 5 mars et 9 juillet 1979, passage au-dessus de Jupiter; 1979-1980, nouvelle période d'attente angoissée; 12 novembre 1980, photographies sensationnelles de Saturne par Voyager 1...

Et maintenant, dans l'attente du 25 août 1981 – date à laquelle la sonde Voyager 2 allait survoler Saturne –, Mott devait s'assurer auprès des spécialistes du J.P.L. que les meilleures photographies seraient bien communiquées aux médias. Il dit à Rachel :

« Tu devrais voir ce qu'ils font, c'est miraculeux. »

Il emmena sa femme visiter les laboratoires, où l'un des grands responsables de la mission lui expliqua :

« Nous avons lancé cette petite merveille il y a quatre ans avec la ferme intention de lui faire prendre les meilleures photographies de Saturne. Tenez, regardez ce que Voyager 1 nous a transmis en novembre dernier. » Rachel admira les images de Saturne, et il poursuivit : « Nous nous rapprocherons encore des anneaux, et les clichés n'en seront que meilleurs.

– Comment pouvez-vous être aussi sûrs de vous?

– Je puis vous assurer que les caméras filmeront la banlieue de Saturne. Ce qu'elles nous transmettront, c'est l'affaire de Template. »

Entendant ce nom familier, Mott s'écria :

« Rachel, il faut que tu connaisses ce garçon. S'il y a un seul génie à la N.A.S.A., c'est bien Template. »

Quand les Mott pénétrèrent dans le bureau de ce dernier, Stanley lança jovialement :

« Mon épouse voudrait voir des images vraiment formidables. Qu'est-ce que vous pouvez lui montrer?

– Madame Mott, dit le jeune homme avec enthousiasme, vous allez assister à un miracle. Quand nous avons débuté avec Mariner 4, à l'aube de l'ère spatiale, en quelque sorte...

– Ce n'était qu'en 1964, lui rappela Mott.

– C'est bien ce que je dis, à l'aube de l'exploration. Notre équipement pouvait alors nous transmettre 6 bits à la seconde. On en est maintenant à 44 000! 44 000 informations distinctes qui nous parviennent en une seule seconde après avoir parcouru plus d'un milliard et demi de kilomètres.

– Vous paraissez bien sûr de l'intérêt de ces images », dit Rachel.

Template ne releva pas la remarque; il se passionnait pour le procédé ingénieux élaboré par ses collègues et lui-même, non pour le résultat final.

« Madame Mott, Mariner 4 a eu besoin d'une semaine entière pour nous adresser 21 minables petites photos, très excitantes à l'époque, mais tout de même minables. Maintenant, nous allons pouvoir recevoir 18 000 clichés en un rien de temps. Ici même, à River City, je vais recevoir 184 milliards de bits d'information. De quoi occuper pendant dix ans tous les chercheurs du monde.

– On m'a dit, fit Mott, que les conditions de travail de Voyager pourraient être de l'ordre de 90,3 p. 100. Selon vous, quel sera le pourcentage de bon fonctionnement du matériel photographique?

– Je préfère toujours le mot *analyseur,* vous savez. Je dirais... 97 ou 98 p. 100. Nous aurons un lot des meilleurs clichés du monde dont nous colorerons quelques-uns. »

Fort de l'assurance de ces hommes qui savaient de quoi ils parlaient, Mott put superviser l'organisation du séjour des centaines de journalistes qui envahiraient bientôt le J.P.L.; chacun en effet ayant compris que ce serait certainement le dernier gros plan que la Terre prendrait des planètes les plus proches, en ce siècle, tout au moins, les principaux pays étrangers déléguaient leurs observateurs : cinquante-deux journaux, soixante et onze magazines, neuf équipes de télévision sans compter les équipes américaines. Quelques-uns des plus grands astronomes du monde devaient être là, et Mott lut avec plaisir le nom de John Pope sur la liste.

Le jour où Voyager 2 se rapprocherait au maximum de Saturne n'étant plus loin, Pasadena devint la capitale intellectuelle du monde; les hommes allaient pouvoir admirer de près cette planète si complexe. La tension était extrême et les discussions passionnées; on allait vivre l'un des grands moments de la spéculation humaine, l'homme se trouvait en présence de l'objet céleste captivant son imagination depuis la nuit, vieille de plus d'un million d'années, où quelqu'un s'était écrié, épouvanté : « Une étoile qui bouge! » Cet objet devenu encore plus mystérieux depuis que les télescopes avaient révélé la structure exquise de ses anneaux.

Saturne serait bientôt là. Il recevrait un bref salut photographique, parmi les étendues glacées et intemporelles, puis l'éloignement à tout jamais. Instant fragile et précieux, sanctifié par les hésitations de Galilée – « Je crois qu'elle a des cornes, mais mon télescope n'est pas assez puissant pour me l'assurer » –, événement pour les scientifiques réunis en ce lieu, mais dont l'importance n'apparaîtrait pas à la majeure partie du monde. Un astronome déjà âgé put ainsi dire :

> « Ne vous en faites pas pour cela, Mott. Je demandais à mes étudiants de se pencher sur les expériences de Copernic, de Kepler et de Newton. Ces hommes qui ont changé la face du monde, à l'époque de leurs travaux et de leurs découvertes, combien de leurs contemporains l'ont-ils su, et combien auraient pu en comprendre l'importance?...

« Mes brillants jeunes gens ont calculé que trois pour cent des habitants de leur ville savaient qu'ils travaillaient à quelque chose d'important, dont une seule personne sur deux mille aurait pu comprendre la signification.

« Quelques personnes seront au courant de notre visite à Saturne grâce à la télévision et aux magazines, mais il y a une chose dont vous pouvez être sûr : comme à l'époque de Copernic et de Newton, tous ceux qui doivent savoir, sauront, et l'écho de ces prochains jours se répercutera éternellement, réapparaissant de temps à autre dans des circonstances qui nous surprendraient fort. »

Les deux derniers jours d'attente furent particulièrement agréables pour Mott, car des dizaines de collègues arrivèrent, porteurs de messages chaleureux. Il y avait là Carl Sagan, auréolé de gloire; Bradford Smith, et son approche froide des premières photos; John Pope, quelque peu réservé – bref, tous les maîtres dans ce domaine de la connaissance.

« Voici un gros plan de Titan, messieurs. Les suppositions les plus folles s'évanouissent avec ce cliché. »

Titan, la plus grande des lunes de Saturne, était le seul élément du système solaire dont l'atmosphère pouvait être comparée à celle de la Terre, et dont la taille et la densité permettaient d'imaginer la présence d'êtres vivants. Pour la science-fiction, c'était un centre très peuplé et hautement sophistiqué; en réalité, ce n'était qu'une concentration gazeuse à peine plus dense que l'eau. Assez mécontent, un astronome s'écria : « S'il y a des gens là-haut, il faut qu'ils aient des branchies capables de respirer du méthane! »

Plusieurs photos en couleurs apparurent; même

ceux qui connaissaient bien Saturne s'émerveillèrent de la beauté de ses anneaux. L'objet le plus étonnant peut-être du système solaire, avec son halo qui en faisait une véritable œuvre d'art. Le docteur Mott expliqua :

« Les anneaux sont très larges, mais extrêmement fins, puisque leur épaisseur n'atteint pas le kilomètre. Ils se composent de fragments de glace de taille variable, pouvant atteindre la grosseur d'un wagon de chemin de fer. C'est, bien entendu, la gravité qui les maintient. Saturne est une planète géante, qui attire tout à elle, mais leur position est équilibrée par les satellites gravitant alentour.

« Comment cette glace s'est-elle formée? Les hypothèses sont infinies, mais j'adopterais la théorie selon laquelle certains éléments qui auraient dû se réunir pour former une lune, n'y seraient pas parvenus. Vous en saurez davantage sur le sujet à la table ronde de demain. Je puis toutefois vous donner une nouvelle rassurance : étudiant Saturne à l'aide de nos meilleurs ordinateurs, nous en avons déduit que les fragments de glace qui circulent autour de la planète continueront de le faire pendant cinq milliards d'années, l'âge probable de Saturne, si rien ne vient ni les sublimer ni les éroder. »

Mott apprécia particulièrement l'instant où les photographies, corrigées et artificiellement colorées par Template, s'affichèrent sur un grand écran, tandis qu'un groupe des meilleurs astronomes mondiaux discutait le sens de ces nouvelles données. Ces chercheurs consciencieux qui pouvaient passer des mois dans leurs laboratoires à éliminer les idées matériellement impossibles, pour l'heure, étalaient superbement leur ignorance et leurs brillantes intuitions. Un bref instant, ils communièrent, à travers Saturne, avec les grands mystères de l'univers; parfois, la salle vibrait à l'annonce de théories dont on reparlerait encore longtemps; certaines se révéleraient exactes, la plupart seraient écartées, mais aucune n'aurait été inutile.

Auréolée de glace, Saturne semblait se déplacer majestueusement dans la grande salle, suivie par ces hommes qui vivaient avec elle et cherchaient à lui arracher ses secrets; lorsque Template présenta le plan d'une lune particulièrement criblée, Brad Smith ne put s'empêcher de s'écrier : « J'ai déjà vu des pizzas qui avaient meilleure mine. »

Le dernier après-midi, Mott sortait du Von Karaman Hall, où se réunissaient les scientifiques, quand il fut abordé par un groupe d'étudiants en astronomie des universités voisines; ils étaient venus assister au survol en compagnie de leurs professeurs.

« Vous êtes bien le docteur Mott qui a écrit dans les années 50 quatre articles fondamentaux sur la nature de la haute atmosphère? »

Mott était heureux que des jeunes gens se souviennent de lui : « Vous savez, j'ai écrit ces articles bien avant de soutenir ma thèse de doctorat. »

Etonnés, les étudiants lui demandèrent s'ils pouvaient bavarder avec lui, rejoints par un vieux professeur de Stanford. Voyant John Pope quitter la grande salle, les étudiants l'abordèrent et c'est ainsi que trois hommes d'âge mûr, dont la réputation n'était plus à faire, se mirent à discuter avec seize étudiants, tous aussi passionnés par la rencontre d'une planète massive et d'un minuscule vaisseau spatial distants de plusieurs centaines de millions de kilomètres.

« Si j'étais enseignant, comment expliquerais-je à mes étudiants que Saturne a une densité inférieure à celle de l'eau, que sa structure est gazeuse et que, pourtant, il ne s'évapore pas? »

Quelques étudiants se mirent à rire, mais le vieux professeur les arrêta.

« C'est l'une des plus profondes questions de toute l'astronomie : si vos étudiants ne parviennent pas à en apprécier la complexité, ils ne comprendront jamais les problèmes mineurs. Commençons par le commencement. Prenez un globe terrestre et passez une semaine à vous demander pourquoi les océans ne s'évaporent pas, comme vous dites. Voilà une question difficile à résoudre.

– Comment la résolvez-vous?

– Vous savez, je connais toutes les équations contenues dans ce livre, et je sais tout de la gravité et des marées provoquées par la Lune. Mais je serais bien incapable de vous fournir une explication solide.

– Comment faites-vous alors?

– Il y a plusieurs années, je me suis dit : « Pauvre « idiot, tout le monde voit bien que les océans sont « encore là! » J'ai accepté les faits, c'est tout. »

Plusieurs visages s'illuminèrent.

« Ce serait si simple si l'on nous expliquait tout comme ça... »

Puis ils demandèrent à Pope s'il avait fait dans l'espace l'expérience d'une chose à laquelle il n'était pas du tout préparé, intellectuellement parlant, et Pope répondit sans hésitation :

« La gravité, ce n'est rien du tout. Nous nous y étions préparés, à son absence comme à son retour, lorsque nous nous sommes approchés de la Lune. Mais une chose m'a vraiment frappé : entre l'ombre de la Terre et celle de la Lune, le Soleil a brillé vingt-quatre heures sur vingt-quatre pendant l'un des trajets, puis ce fut la nuit perpétuelle pendant l'autre. Je m'y attendais, bien sûr, mais je n'avais pas vraiment imaginé que toutes les étoiles pratiquement seraient visibles en permanence. Elles parsemaient toute la sphère, sauf dans la région voisine du Soleil. Je l'ai fait remarquer à Claggett, et il m'a répondu : « La Galaxie aurait une drôle d'allure si « elles n'étaient pas là. »

– Comment avez-vous passé le temps en redescendant sur Terre? »

Le vieux professeur ne put laisser passer une telle question.

« Mentalement sinon verbalement, vous devez rompre avec cette habitude d'employer des expressions comme « redescendre sur la Terre ». Il n'y a ni *haut* ni *bas*. On ne peut dire que *vers* ou *depuis*, si l'on prend le centre de la Terre comme référence. Si l'on se réfère au plan de la Galaxie, il est évident que nous sommes loin de l'axe central, mais qui pourrait dire si nous sommes *en haut* ou *en bas*? De même, je n'aime pas beaucoup l'expression *vers les confins de l'univers.* Peut-être occupons-nous l'un de ces confins, de sorte que tout ce que nous voyons pourrait se situer entre les deux bords. Mais il est plus juste de dire que la lisière se situe partout, selon moi, l'univers n'a ni direction ni définition. Je suppose que vous aurez du mal à exprimer cela avec des mots, mais vous devrez inculquer ce concept à vos élèves; sinon, ils ne deviendront jamais de vrais astronomes.

– Regardez! s'écria une étudiante. Voilà Saturne! »

La planète était apparue, en étroite conjonction avec Jupiter et Vénus : ses anneaux magiques n'étaient pas visibles à l'œil nu, mais sa mystérieuse beauté était toujours aussi impressionnante. Les trois hommes qui cesseraient bientôt leurs activités et les jeunes gens qui ne tarderaient pas à entrer dans la carrière, contemplèrent la planète avec une compréhension à peine supérieure à celle des Assyriens d'il y a quatre mille ans.

« Des morceaux de glace à peine plus grands que ceux d'un shaker, et qui n'ont pas fondu en cinq milliards d'années. On pourrait s'en servir si on les redescendait sur Terre.

– Si on les rapportait », rectifia le vieux professeur.

Sa dernière grande mission auprès de la N.A.S.A. achevée, Mott passa une nuit sans cauchemars. En se rasant, il en comprit la raison : « La navette spatiale emportait des hommes, ce qui nous obligeait à la prudence, Voyager 2 n'a emporté que des esprits, ce qui nous permet d'être téméraires. » Un rayon de soleil projetant sur le lit la forme d'une croix, il s'écria : « Comme la légende de Jésus est profonde! Son corps est mort sur la croix, et cela n'a pas eu grande importance, pour lui comme pour ses contemporains. Mais son esprit, sa pensée, a triomphé et résonnera à jamais. »

Il alluma la télévision; au lieu du programme religieux du matin, il entendit un homme qu'il connaissait bien : le révérend Leopold Strabismus, de l'United Scripture Alliance. Mott écouta attentivement le prêcheur élaborer une superbe théorie sur le salut et la restructuration de la vie; ses paroles étaient généreuses, pleines d'amour et étonnamment rassurantes. Avec un accent du Sud de plus en plus outré, Strabismus proposait une doctrine plus profonde que celle de la plupart des psychiatres; sa conviction personnelle était telle que le docteur Mott en fut touché, et ce qu'il dit de l'amour que les parents devraient éprouver pour leurs enfants, s'appliquait parfaitement à la famille Mott.

Son sermon, selon Mott, comportait toutefois deux erreurs regrettables : il fit quatre fois appel à la générosité de ses auditeurs, ce que le père de

Mott ne se serait jamais permis, et il dit, dans sa péroraison, que ses auditeurs devaient, pour connaître le salut, tourner le dos à la science et à l'humanisme athées pour en revenir à l'enseignement simple de Jésus. Il répéta ensuite, à trois reprises, l'adresse des législateurs californiens qui voteraient en faveur de sa proposition de loi destinée à bannir des écoles publiques l'enseignement de l'évolution et de la géologie.

Ayant quelques heures devant lui avant le départ de son avion, Mott se dit qu'il serait peut-être intéressant de visiter l'United Scripture Alliance. Il arriva ainsi au bâtiment où avait été installée l'University of Space and Aviation, aujourd'hui occupé par des Mexicains. Une secrétaire lui expliqua :

« Le révérend Strabismus nous a vendu ce bâtiment. Nous en avons fait notre centre social mexicain. »

Mott lui demanda dans quel endroit Strabismus exerçait ses activités, et la jolie secrétaire mexicaine répondit :

« Il a une grande église à la campagne. » Et elle lui tendit une carte imprimée avec soin indiquant le chemin vers l'United Scripture Alliance, agrémenté du message : « Tout ceux qui cherchent la Lumière de Dieu seront les bienvenus. »

Il suivit la carte et se retrouva sur une agréable *mesa*, au nord de Pasadena, où Strabismus, avec les fonds de ses auditeurs, avait fait construire une série de structures très réussies; il avait en effet choisi les meilleurs architectes de la région et leur avait demandé d'être audacieux et inventifs. Le bâtiment le plus impressionnant était le temple de l'U.S.A.; autour de lui se dressaient onze constructions robustes, les locaux de l'University of Spriritual Americans. La première, qui relevait à la fois du temple et de l'université, était le Sanctuaire du Don Perpétuel.

Mott entra et demanda à l'hôtesse, une jeune femme très attirante, s'il pouvait parler avec le révérend Strabismus.

« Je suis désolée, monsieur, il n'est pas en Californie.

– Je viens de le voir à la télévision.

– C'était enregistré. Il nous confie toujours huit bandes vidéo lorsqu'il est en déplacement.

– Où se trouve-t-il actuellement, si ce n'est pas un secret?

– Bien sûr que non, fit la jeune femme avec un sourire désarmant. Aujourd'hui, il rencontre le président, puis il se rendra au Fremont pour apporter son soutien à la campagne.

– Une campagne? A quel propos?

– Un groupe d'humanistes athées tente de faire abroger la loi votée il y a quelques années.

– Celle qui bannissait l'enseignement de l'évolution?

– Oui.

– Je travaille moi-même dans l'administration des écoles, et j'ai des raisons de croire que certains de nos enseignants sont des humanistes... qu'ils enseignent l'évolution de manière subversive. Est-ce que vous auriez des brochures susceptibles de m'éclairer?

– Bien sûr! »

Elle le conduisit dans une salle, où quelques dizaines de pamphlets et trois livres plus substantiels étaient mis à la disposition du public. Mott choisit trois pamphlets qui expliquaient comment lancer des campagnes contre les enseignants, les élus et les professeurs d'université soupçonnés d'humanisme, ainsi qu'un livre intitulé *Comment reconnaître un humaniste.*

« Cela fera quatre dollars, dit la jeune femme.

– Je croyais que les pamphlets étaient gratuits.

– Rien n'est gratuit.

– Comment se passe la campagne au Fremont?

– La lutte est acharnée. Ils ont fait preuve de bassesse. Ils ont engagé un vieux professeur, du nom d'Anderssen, si vieux qu'il faut le hisser sur l'estrade, qui discourt sur la liberté de l'esprit.

– Ils feraient n'importe quoi », dit Mott. En partant, il constata avec amusement que le Temple était installé dans une région marquée par l'observatoire du mont Wilson, où les premières photographies des galaxies avaient étonné les hommes; par le California Institute of Technology, où étaient nées quelques-unes des réflexions les moins orthodoxes – les spéculations sur la nature de l'univers, par exemple; et par ces foyers d'erreurs qu'étaient l'U.C.L.A. et l'U.S.C. Et il se dit que Strabismus ferait bien de balayer devant sa porte, avec tous ces humanistes en train de contempler Saturne.

Stanley Mott éprouva un véritable choc en voyant le révérend Strabismus faire campagne au Fremont : cet homme étonnamment populaire était encore plus rebondi qu'avant – il avoisinait les cent trente-cinq kilos –, mais il était surtout plus urbain et plus calme. Il ne vociférait pas, comme les prophètes de l'Ancien Testament, et ne faisait preuve d'aucune animosité à l'encontre des humanistes athées qu'il cherchait à éliminer de la vie publique. Il était raisonnable, intelligent, persuasif, et particulièrement doué pour piquer au vif l'orgueil national. C'était sans le moindre remords qu'il fustigeait la science :

> « Etes-vous plus heureux parce que des hommes ont prétendu marcher sur la Lune? La facture de l'épicier a-t-elle baissé pour autant? Vos enfants sont-ils mieux éduqués? Cela vous plaît de savoir que les docteurs fous de Lon-

dres peuvent fabriquer des bébés en éprouvette? Ou que les partisans de l'avortement peuvent agir à leur guise dans cet Etat? Vous sentez-vous plus en sécurité chez vous depuis qu'un libéral irresponsable a voulu vous retirer le droit de posséder une arme?

« L'évolution, les fossiles dans les roches, le pléistocène et le miocène, à quoi tout cela vous a-t-il menés? Eh bien, je vais vous le dire, moi, où la science vous a conduits : dans la fange, avec les autres animaux.

« Mais je peux vous apporter la libération. Ce que je vous dis, vous le savez déjà au plus profond de votre cœur : il n'y a qu'une seule vérité. Rejetez ces humanistes parce qu'ils sont mauvais. Débarrassez-vous de leurs livres corrompus. Redonnez à Dieu la place qu'il mérite dans les écoles et rendez sa fierté à ce pays. »

Mott fut surpris d'apprendre que le révérend Strabismus résidait avec sa femme chez le sénateur Grant, à Clay, et il suivit l'évangéliste de ville en ville, jusqu'à ce que les orateurs, les chanteurs, les trompettistes et Chim-Champ-Chump arrivent dans la ville universitaire. Lorsqu'il apprit que Mott était dans les parages, le sénateur l'invita à dîner; la discussion faillit mal tourner quand Mott s'en prit à la stupidité de cette campagne.

« C'est amusant que je sois ici ce soir, dit-il. Dans cette maison, j'entends. Parce qu'il y a quelques années, le sénateur m'a chargé d'une mission, dans cette même pièce. « Allez voir ce que ce salaud a « fait à ma fille. » J'y suis allé, et j'ai découvert un jeune homme fort brillant qui...

– Je vous en prie! » l'interrompit le sénateur, désignant de la tête la masse inerte installée en face de lui, pour faire comprendre à Mott qu'il devait éviter d'évoquer les petits hommes verts pour ne pas agiter sa femme.

« Révérend Strabismus, comment avez-vous effectué la transition entre la science-fiction et la religion?

– Dieu m'a appelé.

– Est-ce que Dieu a également appelé Jim Jones, ou Guyana? Et le révérend Moon?

– Les individualistes ne peuvent comprendre l'appel divin. Regardez tous ces savants fous qu'évoque la littérature.

– Le docteur Frankenstein et le docteur Jekyll sont des personnages fictifs. Alors que les vôtres sont bien réels.

– Vous m'avez demandé comment j'ai effectué la transition. J'ai répondu aux cris déchirants du peuple américain qui souffrait d'une terrible maladie, docteur Mott, celle que vos savants lui avaient infligée.

– Vous êtes un homme extrêmement brillant, Strabismus. Je vous ai suivi depuis New Paltz et... »

Devant un nouveau signe du sénateur Grant, Mott changea brusquement de ton : « Vous parlez en public comme un paysan inculte. Et ici, on croirait entendre Socrate... ou Savonarole.

– J'ai une chose que vous ne possédez pas, docteur Mott. Je saisis parfaitement les désirs du public américain. Le vote de cet Etat vous le prouvera. Les gens cherchent à être rassurés par un homme simple. Ils cherchent la clarté, la simplification, le retour aux idéaux historiques, la sécurité de la religion de leurs ancêtres, débarrassée de Darwin, d'Einstein et de toute cette fange. Ils veulent la sécurité et ils savent par instinct qu'ils la trouveront auprès d'un homme simple comme moi, pas d'un savant athée comme vous.

– Vous savez certainement que mon père était un ministre méthodiste.

– Vous vous êtes bien éloigné de son enseignement.

– Il m'arrive de croire que je le perpétue, au contraire. Strabismus, vous ne croyez donc pas que si les choses que nous découvrons sont si extraordinaires, la force qui les a créées devait être elle-même un « savant », comme vous dites?

– Ne parlez pas de Dieu comme d'une force. Il est Dieu, ainsi que l'affirme le Livre de la Genèse.

– C'est ce que mon père m'a enseigné.

– Dans ce pays, pourquoi désobéissez-vous aux commandements divins en apprenant aux enfants des mensonges sur les dinosaures, la géologie et l'évolution?

– Parce que les preuves sont là, sous mes yeux, dans les roches.

– Au jour de la Création, Dieu a placé les fossiles dans les roches. Et c'est pour notre enseignement qu'il a déposé toutes ces couches rocheuses.

– Je refuse de croire que Dieu est un filou.

– Il est le Créateur, et rien ne nous autorise à pénétrer ses intentions.

– Vous prétendez qu'il a consacré son énergie à composer ce puzzle? Les os fossilisés des poissons au sommet des montagnes, les ossements de dinosaures en une centaine d'endroits, les strates géologiques? Ne serait-ce pas infiniment plus noble de croire qu'il a tout créé lors d'une puissante explosion, il y a dix-huit milliards d'années, et qu'il a laissé son projet se réaliser... en accord avec les lois qu'il a lui-même données à l'univers?

– On commence par là et on en arrive ensuite à dire que Chimp-Champ-Chump est votre grand-père.

– Vous préférez donc croire que Dieu est un tricheur?

– Il est le Créateur. Il a donné naissance à toute chose au jour glorieux de la Création.

– Mais si toutes les archives de la terre nous obligent à dire...

– Vous avez perdu la bataille, docteur Mott, et nous avons gagné. Indépendamment du référendum qui se tiendra le mois prochain au Fremont, nous avons gagné la bataille. Pourquoi? Parce que nos partisans sont majoritaires dans les commissions chargées de choisir les livres en Californie et au Texas, et ce que les grands Etats ont fait, les petits le feront également. La science athée va être expulsée des manuels scolaires. Bientôt, vous n'oserez plus montrer un fossile ou un dinosaure, et vous ne pourrez plus prêcher en faveur de l'évolution athée. Ce que fait un Etat comme le Nouveau-Mexique n'a pas d'importance. Les éditeurs corrompus de New York veulent vendre des livres en Californie et au Texas, et ils imprimeront tout ce que nous disons. La science que vous prônez est morte dans ces deux grands Etats, ce qui la rend automatiquement caduque au Nouveau-Mexique ou au Vermont.

– Ainsi donc, si j'écrivais un manuel scientifique où je dirais que les dinosaures régnaient sur cette planète il y a trente millions d'années...

– Il serait obligatoirement erroné, puisque le monde n'existait pas il y a trente millions d'années. Il n'a été créé qu'il y a six mille ans, en même temps que les ossements de dinosaures.

– Est-il vrai que vos partisans ont mis un terme aux conférences de géologie des parcs nationaux?

– Un parc national est un grandiose livre d'école, et ce que nous enseignons aux enfants en Californie, nous pouvons l'enseigner aux parents à Yellowstone et à Grand Canyon.

– Il y a quelque temps, j'ai mis un petit garçon dans un avion pour qu'il aille passer les vacances en Allemagne. Sa famille désirait qu'il apprenne la science véritable, pas le fatras que vous nous prescrivez. Ne redoutez-vous pas le jour où nos jeunes les plus brillants devront s'enfuir en Europe pour y trouver une éducation de valeur?

– Docteur Mott, une de nos commissions rédige en ce moment même un rapport sur le mal fait à ce pays par les universitaires et leurs idées corrompues. Fullbright, dans l'Arkansas, Sarbanes, dans le Maryland, Carl Albert, je ne sais plus trop où, et Bradley, dans le New Jersey. Si vous voulez mon avis, je crois que ce sont tous des communistes. Vous pourrez dire à ce garçon qui est allé en Allemagne de se tenir sur ses gardes quand il reviendra, parce que nous aurons l'œil sur lui.

– Est-ce que vous vous rendez compte que vous êtes en passe de devenir le Jim Jones de l'esprit? Que vous allez réussir à...

– Messieurs, intervint le sénateur Grant, cette discussion ne nous conduira nulle part. Le docteur Mott est un remarquable scientifique et le révérend Strabismus un des leaders de ce pays. Je crois que l'un et l'autre méritent sa place.

– Nous avons besoin de savants pour inventer de nouveaux médicaments, lui concéda Strabismus. Pour construire de meilleurs avions. Mais qu'ils ne se mêlent pas de choses aussi profondes que la Création.

– Dans ce cas, tout est dit », fit Mott.

Mme Grant sortit alors de son long silence :

« Je suis si heureuse de revoir Marcia. Il fait très chaud, en Californie?

– C'est probablement le climat le plus agréable du monde », dit Marcia.

A quarante-deux ans, elle était assez radieuse; aux côtés de son mari, sur l'estrade, elle offrait l'image rassurante d'une épouse dont le seul intérêt était l'accomplissement de l'œuvre de son compagnon. Il était visible qu'elle prenait plaisir à jouer ce rôle, et elle en parla avec enthousiasme :

« Vous savez, docteur Mott, Leopold et moi vivons très simplement. Nous avons ce superbe temple que vous avez évoqué tout à l'heure, mais tous ces bâtiments n'existent que grâce aux fonds remis entre nos mains par un public de fidèles. Nous dépensons très peu personnellement.

– Et votre avion?

– Il appartient à un homme d'affaires qui soutient généreusement notre œuvre.

– La Mercedes?

– Il faut bien, nous nous déplaçons beaucoup.

– Qu'avez-vous fait de votre ancien immeuble? Celui où je vous avais rendu visite?

– Nous l'avons vendu un dollar à une église mexicaine.

– C'est vrai, Strabismus?

– Grâce à quoi nous sommes très bien implantés dans la communauté mexicaine. Un dollar, quand nous aurions pu en tirer un million.

– Docteur Mott, protesta Mme Grant, vous n'arrêtez pas de poser des questions délicates au révérend. Restez-en là, je vous en prie.

– D'accord.

– Je connais le révérend Strabismus depuis des années, vous savez. Je l'ai même connu avant Marcia. Et il a toujours su nous apporter la lumière. » Elle posa la main sur son bras. « Si vous voulez mon avis, c'est sa diplomatie de tous les instants qui a empêché les étrangers de s'emparer de notre gouvernement, même si leurs messagers m'avaient assurée que Norman conserverait son poste. »

Mott regardait droit devant lui, mais le sénateur dit une chose qui le fit sursauter.

« D'après ce que m'en disent les électeurs du Fremont, je crains que nous ne soyons allés un peu trop loin avec cette histoire de voyage sur la Lune.

– Strabismus, vous avez dit l'autre soir que la

N.A.S.A. « prétendait être allée sur la Lune ». Qu'est-ce que vous entendez par là? »

Au lieu de tenter de se défendre, Strabismus s'empressa de lui expliquer sa pensée :

« Il y a dans ce pays beaucoup de gens qui croient que nous ne sommes jamais allés sur la Lune. Ils pensent que c'est un gigantesque canular monté par le gouvernement, et je parle pour les rassurer.

– Ainsi donc, vous rassemblez autour de vous tous les adversaires de la pensée, ceux qui sont contre tout? Je vous le dis, un jour, vous serez le nouveau Jim Jones... mais ce sera à une échelle bien plus dévastatrice. »

D'une voix frêle, Mme Grant intervint :

« Comme j'aimerais ne plus entendre parler de ces histoires de manuels scolaires, de singes qui seraient nos ancêtres, de droits de la femme et d'interdiction d'avoir son arme bien à soi. Je voudrais oublier tout cela et retrouver la vie simple que je menais avec mon père. Révérend Strabismus, vous devez nous rendre cette vie sans histoire. »

Pendant le bref silence qui suivit, Mott se dit que cette femme avait vu l'espace et qu'elle en avait éprouvé une répulsion certaine. Des machines fabuleuses s'étaient élancées de Cap Canaveral pour développer notre compréhension du cosmos, mais elle avait intentionnellement réduit le périmètre de son petit univers pour mieux le maîtriser. Il en conclut que tous les hommes se doivent d'affronter l'univers qu'ils perçoivent, et que ceux que cette perspective épouvante se terrent chez eux afin de tenter de détruire les machines responsables de la connaissance, et leurs inventeurs.

Pour le sénateur Grant, l'espace n'avait été qu'un champ de bataille où humilier les Russes; une fois le conflit résolu – c'est-à-dire lorsque les Américains furent sur la Lune et les Russes à moins de deux cents kilomètres de notre planète –, il s'était retiré de la grande aventure. Il avait tourné le dos à l'espace et voté contre tout nouveau projet. John Pope avait fait mieux que tous ses contemporains mais, son objectif atteint, il était rentré dans l'ombre. Ed Cater avait effectué deux vols parfaits, et il s'occupait à présent d'une agence immobilière dans sa ville natale. La charmante Inger Jensen avait offert son mari au programme spatial, avant de se réfugier dans le sanctuaire d'une bibliothèque de l'Oregon. Les fils de Mott avaient été entraînés dans le courant; seule Debby Dee avait su engloutir son gin et traiter l'espace avec autant de facilité que les Chevrolet rouillées de son mari.

Et lui, Mott, avait-il relevé le défi? Il avait toujours tenté de repousser la frontière; en Allemagne, tout d'abord, sachant qu'il devait sauver les hommes de Peenemünde ou voir l'Amérique sombrer pour longtemps; à Wallops Island, ensuite, quand il avait exploré la haute atmosphère; puis avec le programme Apollo, et enfin, aux portes de Saturne. Il avait toujours fait preuve d'honnêteté mais, à présent, en entendant le révérend Strabismus dresser le pays contre ses principes, il en venait à se demander s'il n'avait pas fait que se tromper.

Dieter Kolff avait tort, se dit-il pendant que les autres bavardaient entre eux. Il croyait que l'homme pourrait tout faire avec une fusée assez puissante. Mais il n'avait pas su se protéger des timorés qui, toujours, souhaiteraient assister à la destruction de sa fusée.

C'est, probablement, l'erreur historique des Allemands. Ils adorent une machine, mais pas l'homme qui la conduit. Peut-être Strabismus a-t-il raison. Peut-être faut-il laisser les hommes dans l'ignorance. Brûler les livres qui pourraient les troubler ou les convaincre d'autre chose. Leur faire croire que la vérité réside partout, sauf dans l'esprit humain.

Ses réflexions furent interrompues par Mme Grant disant :

« C'est vraiment formidable que Marcia et vous-même, révérend Strabismus, puissiez vous rendre en Suède après le référendum.

– La ville d'Uppsala s'est toujours montrée généreuse envers moi, madame Grant. Dans tout ce que j'écris, je parle toujours des années merveilleuses que j'y ai passées. Et maintenant, je peux emmener ma femme contempler ce lieu béni.

– La véritable raison de notre voyage, leur confia Marcia, c'est que Leopold s'est vu attribuer une chaire à l'université d'Uppsala.

– En quelle discipline? demanda Mott, éberlué.

– Il s'agit de la chaire Strabismus de Philosophie Morale », dit Leopold.

Penny Pope travaillait toujours avec le Sénat sur les problèmes de la N.A.S.A. – elle avait en effet refusé deux postes supérieurs que lui avait proposés la nouvelle administration Reagan –, quand elle aboutit au début du printemps 1982 à deux importantes décisions dont elle souhaitait discuter avec son mari. Elle s'organisa un voyage d'études dans les installations de la N.A.S.A., puis téléphona à John à l'université pour lui proposer de la rejoindre à Washington pour l'aider à conduire la Buick jusqu'à Clay.

« John, j'ai l'air de te l'imposer, mais tu sais que rien ne me réjouit plus que ces longues balades pendant lesquelles nous pouvons bavarder librement. »

Comme il avait les mêmes goûts, il sauta sur son invitation, trouva un remplaçant pour son cours et se rendit sur-le-champ dans l'appartement qu'elle possédait à Washington. Ils dînèrent dans un restaurant chinois, se couchèrent tôt et se levèrent à quatre heures du matin. Moins de dix minutes plus tard, leur voiture empruntait la nationale 50 en direction de l'ouest.

Comme à l'accoutumée, ils parcoururent onze cents kilomètres, sans vraiment s'intéresser au paysage. Ils eurent ce jour-là une conversation passionnée.

Penny : J'ai bien observé le sénateur Grant. Il est sénile.

John : Attends!

Penny : Je ne peux plus attendre. Il est sénile, je te dis.

John : Par exemple?

Penny : Eh bien, il ne peut plus suivre une conversation. Il prononce le même discours en toute circonstance, où qu'il soit.

John : Avec de tels critères, on peut dire que la moitié du Sénat est sénile.

Penny : Il pourrait faire tant de choses en jouant sur son ancienneté.

John : Il a déjà beaucoup fait, et il peut se faire élire aussi longtemps qu'il le désire.

Penny : Il ne fait plus rien, il n'aide absolument pas Reagan.

John : Quelle importance? Il vote tout sans poser la moindre question.

Penny : Il y a encore tant à faire...

John : Ne compte pas sur Norman Grant, ce n'est pas son genre. Il occupe un poste, un point, c'est tout.

Penny : Il a joué un rôle capital dans la course à l'espace.

John : La contribution de certains individus peut être ponctuelle. Prends l'exemple des astronautes qui n'ont volé qu'une seule fois. Ils ont tout de même compté.

Penny : On en a assez de ceux qui sont vissés à leur fauteuil. Notre époque mérite mieux.

John : Ce pourrait être pire.

Penny : En tout cas, j'en ai conclu que Norman Grant devait se retirer.

John : Tu as conclu cela?

Penny : Oui, je vote dans ce secteur, et j'ai conclu cela.

John : Et qui vois-tu à la place?

Penny : Toi.

John (manquant sortir de la route) : C'est complètement idiot.

Penny : Pas du tout. Avant que tu dises quoi que ce soit, permets-moi de te faire un tableau de la situation. Sans parti pris, John, tu es bien plus capable que la plupart des sénateurs. Birch Bayh s'est bien débrouillé, mais il n'est plus dans le coup. Strom Thurmond est manipulateur comme personne. Je pourrais te citer encore une demi-douzaine de types vraiment puissants qui font un travail fantastique. Mais la moyenne, tu sais où elle se situe? John, toi ou Hickory Lee, vous les battez dans tous les domaines. Grant doit partir, et il faut que tu le défies aux primaires.

John : Je vais te mettre les points sur les i, Penny. Tout d'abord, je ne suis pas un politicien et n'ai aucune ambition politique. Je n'en aurais même pas la capacité. Mais il y a, surtout, que Norman Grant m'a fait entrer à Annapolis. Il m'a sauvé la vie, exactement comme il a sauvé celle des trois hommes qui reviennent chaque année...

Penny : John, ne me parle pas de ces singes déguisés! Ils font honte à la politique américaine.

John : Et c'est parce qu'il m'a sauvé la vie que...

Penny : Il n'a rien fait de tel, John. Tu es entré à Annapolis par ce que tu as fait en tant que soldat.

John : Il m'a sauvé la vie. Il m'a soutenu. Je l'ai

aidé à se faire élire et j'ai envers lui une dette éternelle. Je ne me présenterai pas contre lui.

Penny : Reconnais au moins qu'il est devenu complètement gâteux.

John : Non. Il est sénateur des Etats-Unis et parfaitement digne de cette fonction.

Penny : Tu ne vois pas que c'est une vieille baderne et qu'il craque de partout?

John : Je ne ferai jamais rien contre Norman Grant.

La conversation se poursuivit ainsi à travers l'Ohio et une partie de l'Indiana. Penny accumulait des preuves des carences de Grant, et John se refusait à admettre que le sénateur sortant devait être battu aux primaires.

John : C'est de la folie de croire que le premier candidat venu peut battre Grant. Tout le parti républicain sera là pour le soutenir.

Penny : Les républicains sont comme les autres : ils se mettent du côté du vainqueur.

John : Les primaires sont dans dix semaines. Pendant combien de temps un challenger pourrait-il déposer sa candidature? Deux semaines?

Penny : Jusqu'à jeudi en huit, très exactement.

John : Et tu crois que tu vas trouver un volontaire... Quelles sommes crois-tu pouvoir rassembler pour lutter contre Grant?

Penny : L'argent, les listes de soutien, tout cela se mettra en place dès que tu auras annoncé ta candidature. J'ai pris la température, John.

John : A Washington, pas au Fremont.

Penny : La plupart des hommes importants du Fremont se trouvent à Washington. Et ils savent qu'un homme comme Norman Grant est fini. Il est au bout du rouleau. C'est un fossile.

John : Cela suffit. Je ne pourrai jamais accepter de me présenter contre un homme qui a été mon ami. C'est ce qu'on apprend à la N.A.S.A., et on ne l'oublie jamais.

Penny : Nous en reparlerons demain quand nous serons en Illinois.

C'est après avoir quitté la patrie d'Abraham Lincoln que Penny lui présenta son argument le plus convaincant. Elle avait pris le volant.

Penny : Tu es un militaire, John, aussi je ne vais plus te parler de tactique, mais de stratégie. Si tu n'avances pas tes pions dès aujourd'hui, ce sera un autre républicain qui le fera. Il aura un pied dans l'affaire et sera imbattable aux élections de 1988. Tu auras laissé passer ta chance.

John : Je te l'ai déjà dit, je ne veux pas...

Penny : Ecoute-moi. En 1988, Norman Grant sera complètement hors circuit. Le premier venu pourra le battre, s'il ne se retire pas avant. C'est cette année qu'il faut agir pour protéger tes positions en 1988.

John : Tant que Grant voudra occuper son siège au Sénat...

Penny : Admettons que tu aies raison et que Grant soit imbattable cette année. La stratégie consiste à faire de toi son dauphin. Et tu ne pourras y parvenir qu'en le défiant cette année. En menant une campagne de très haut niveau. Je suis certaine que tu peux le battre dès maintenant. En 1988, ce sera du tout-cuit.

John : C'est à Grant d'en décider. Mon sens de l'honneur ne me...

Penny : Que ferais-tu si le comité républicain venait te trouver?

John : Je leur répondrais que je refuse.

Penny : John, je crois que tu te sous-estimes. Tu es un authentique héros américain. Tout le monde te connaît.

John : Les Américains ne votent pas tous au Fremont.

Penny : Mais tout le monde t'aime, au Fremont.

Tu disposes d'un capital de sympathie énorme. Tu peux facilement être élu. Mais non, tu préfères rester dans ton coin...

John : Pourquoi t'intéresses-tu autant à ce siège de sénateur?

Penny : Parce que je suis depuis longtemps dans cet hôpital qu'est Washington.

John : Quoi?

Penny : Je souffre d'une maladie incurable. La washingtonite. La capitalite, si tu préfères.

John : Je m'en doutais un peu. Tu ne veux pas rentrer au pays?

Penny : Il y a quelques années, on a fait une étude sur une centaine d'anciens sénateurs. Quelques-uns avaient été battus aux primaires, d'autres aux élections générales, d'autres encore s'étaient retirés. Mais il y en avait encore quatre-vingt-treize à Washington, qui s'occupaient d'une chose ou l'autre. C'est un homme de Phoenix qui a le mieux exprimé le sentiment général : « Que je revienne en Arizona? Vous êtes dingue ou quoi? » Quand on est à Washington, on voit battre le cœur du pays. On voit tourner les rouages. Et parfois, on peut leur donner un coup de pouce.

John : Dans ce cas, pourquoi n'acceptes-tu pas ce poste de juge dont on a tant parlé?

Penny : C'était sous l'administration Carter. Glancey les avait persuadés que j'étais démocrate.

John : Et en réalité, tu es quoi?

Penny : En 1982, je serais idiote si je n'étais pas républicaine.

John : Tu sais, Penny, quand la N.A.S.A. a réuni pour la première fois les six familles à Cocoa Beach, j'ai eu le sentiment que notre couple était de loin le meilleur. Je t'aime énormément, et je t'aime un peu plus chaque année.

Penny : Tu ne peux imaginer à quel point je suis

fière de toi. Il n'y en a guère comme toi, et c'est pour cela que je veux te voir sénateur.

John : C'est impossible.

Ces incessantes discussions firent tomber leur moyenne et ils passèrent la nuit à l'est du Missouri; ils mangèrent mexicain, passèrent quelques coups de téléphone, allèrent au cinéma. Au matin du dernier jour de leur périple, Penny remit l'affaire sur le tapis.

Penny : John je te le demande pour la dernière fois. Vas-tu te présenter au Sénat des Etats-Unis?

John : Je ne le peux pas.

Penny : C'est très sérieux, John, et je dois te reposer la question. Seras-tu candidat, oui ou non?

John : Non.

Elle quitta brusquement la nationale, chercha une station-service et donna plusieurs coups de téléphone. A cinquante-cinq ans, elle avait une volonté de fer et connaissait parfaitement les mœurs de Washington. Elle regagna la route et dit très calmement :

« J'ai demandé à mon équipe de prévenir les journaux et la télévision. Je me présente aux primaires républicaines pour le poste de sénateur. »

Le capitaine John Pope, retraité de la marine des Etats-Unis, s'effondra sur le siège de la Buick en cherchant ses mots. Penny avait averti son équipe de publier la nouvelle et rien ne pourrait plus la faire changer d'avis; il ne savait quel commentaire ajouter. Une chose était certaine : il ferait tout pour la soutenir. C'était son épouse, et il était extrêmement fier de tout ce qu'elle avait réalisé jusqu'ici. Il savait qu'elle était l'une des meilleures femmes de l'Amérique, énergique mais tendre, très ferme sur les principes mais douce dans ses relations personnelles, et, surtout, très intelligente. Glancey et Grant le lui avaient dit à plusieurs reprises : « Pope, votre femme est aussi importante que vous pour le programme spatial. Elle en connaît le moindre détail. »

Son honneur l'obligerait toutefois à présenter des excuses à Norman Grant mais aussi, si on lui posait la question, à déclarer publiquement qu'il savait que Grant était un citoyen exemplaire et un homme parfaitement digne d'être réélu. Oui, cette période d'élections allait être vraiment difficile...

Il aborda alors des problèmes plus pratiques et conclut que rien ne changerait – il demeurerait à Clay et elle, à Washington. Ils étaient habitués aux longues séparations, comme toutes les familles appartenant à la marine, et il savait qu'ils tiendraient bon. En se tournant, il vit Penny les yeux fixés sur la route. Il lui sourit et trouva enfin ce qu'il allait pouvoir lui dire : « Dans la capsule Gemini, avec Claggett, j'étais sur le siège de droite. Pour toi, je recommencerai. »

Arrivée à Clay à onze heures du matin, Penny se rendit directement au domicile d'un homme qui avait œuvré pour l'élection de John Pope; John y reçut une leçon de politique en constatant que Penny était attendue par un comité de neuf personnes ayant devant elles seize listes de soutien venues de toutes les parties de l'Etat, toutes signées pour la candidature de John Pope, qui refusait de se présenter. La femme du président du comité avait soigneusement tapé un Mme devant le nom du candidat et l'avait fait suivre de son nom de jeune fille : Penny Hardesty.

« Mais c'est absolument illégal, s'écria John. Ils ont signé pour une personne et vous la remplacez par une autre!

– Pas sans leur permission, dit le président. Nous

avons passé toute la nuit à appeler chaque signataire pour lui demander son autorisation. »

Il se tourna vers Penny, souriante, impeccable après trois jours de route, et l'idée lui vint pour la première fois qu'elle risquait bien de gagner. Puis il alla, seul, chez le sénateur Grant pour le mettre au courant de la situation, sans savoir qu'une autre surprise, et même deux l'y attendaient.

La première concernait Mme Grant, qui ouvrit la porte d'entrée. Elle ne le reconnut pas, bien qu'il fût l'un des personnages les plus célèbres de la ville et qu'elle l'eût souvent vu, puis elle le conduisit dans le bureau de son mari comme si elle se trouvait dans une maison inconnue. Elle lui demanda si elle pouvait compter sur son soutien pour le référendum sur l'évolution, cette théorie pernicieuse et destructrice de la dignité humaine; John ne prit pas la peine de lui rappeler que le vote avait eu lieu plusieurs mois auparavant et que ses partisans avaient été vainqueurs.

Il éprouva un second choc après que le sénateur Grant l'eut écouté raconter comment Penny voulait lui ravir son siège et comment il l'avait dissuadé de se présenter contre un homme qui avait tant fait pour lui et qui était, en quelque sorte, son bienfaiteur.

Grant émit un rire rauque.

« Pope, vous n'avez pas compris. Penny n'a pas une chance de me battre cette année, mais elle se fera connaître. Le comité central saura qui elle est. Je pense énormément de bien d'elle et je sais qu'elle montera en première ligne en 1988, où je suis certain de ne pas me représenter. A moins que ce pays ne s'écroule, elle représentera le Fremont au Sénat des Etats-Unis. Vous pouvez partir avec ma bénédiction, John. Faites de votre mieux pour la soutenir. Dans six ans, quand je raccrocherai, il faudra quelqu'un de qualité pour me remplacer, et c'est elle que je choisirai. »

C'est exactement ce que Penny m'a dit en Illinois, pensa Pope, mais je ferais mieux de ne pas le révéler à Grant. Et puis, une question n'était toujours pas réglée : Penny le pensait-elle vraiment, quand elle prétendait avec tant de véhémence que Grant pouvait être battu? D'autres élections furent organisées avant les primaires du Fremont. Dans la petite ville sportive de Skycrest, les promoteurs immobiliers, les commerçants et les hôteliers désiraient une transformation radicale de la gestion municipale : « Nous avons des besoins spécifiques, qui exigent des solutions spécifiques. » Ils se mirent d'accord pour faire de Millard Mott leur candidat : « Il connaît bien les affaires. Il sait ce que signifie payer des impôts. Et voyez comment il a développé sa propre boutique. »

Dans cette ville qui, jadis, avait presque toujours été favorable aux démocrates, voici que les républicains conservateurs désignaient Millard comme candidat. Quelques bruits coururent sur la façon dont son frère avait été tué, en Floride, mais la communauté choisit de ne pas les retenir contre lui. Il y avait également le fait qu'il vécût avec Roger, qui avait refusé de faire son service militaire; cela aussi fut ignoré. Enfin, l'opposition n'insista guère sur sa fuite au Canada. Beaucoup pensaient : « Cette histoire du Vietnam a été désastreuse. En refusant d'y aller, il a peut-être été plus malin que nous, c'est tout. »

Il fut élu avec une énorme majorité. Lors d'un cocktail organisé par Roger et les filles de la boutique, il promit à Skycrest : « Vous aurez tout ce que vous désirez : de meilleurs services, des effectifs de police plus nombreux, une surveillance renforcée de la montagne, de meilleures routes et moins d'impôts. J'espère seulement que quelqu'un me dira comment faire pour y parvenir. »

En juin 1982, le professeur Pope eut le plaisir d'apprendre que la N.A.S.A. pensait confier à son ami Hickory Lee, le dernier des Six Piliers, le commandement du quatrième vol de la navette. Il la conduirait à une altitude jamais atteinte; divers instruments scientifiques seraient placés en orbite et contrôlés au cours des activités extra-véhiculaires. La navette était parfaitement rôdée, et Lee rejoindrait le groupe très restreint des astronautes ayant volé dans trois types d'engins différents – Apollo, Skylab et la navette, dans le cas de Lee. Nul n'avait expérimenté les quatre différents vaisseaux, et nul n'en aurait jamais l'occasion, puisque le programme s'épuisait.

Pope fut encore plus surpris le jour où le sénateur Grant annonça, au beau milieu de sa campagne électorale, qu'il donnerait une conférence de presse à midi précis et qu'il lui téléphona pour le prier d'y assister. John supposa que l'imminence des primaires et le bon comportement de Penny avaient inquiété le sénateur, et que ce dernier lui demandait son soutien. Il put joindre par téléphone Penny qui se trouvait au sud de l'Etat, où elle connaissait un succès inespéré :

« Chérie, la vieille garde va donner l'assaut. Le sénateur Grant me demande son appui.

– Nous avons décidé depuis longtemps que tu le lui apporterais.

– Je ne peux faire autrement. Mais je serai très réservé. Je prendrai l'avion pour Calhoun dans l'après-midi. Phil m'emmènera. Je serai à tes côtés dès ce soir et je dirai quelque chose. Si tu veux remporter ces primaires, je le veux aussi.

– Je veux gagner, oui. Et j'ai besoin de ton aide. »

Puis elle ajouta, très vite : « Tu ne te rends pas compte que Grant te demande ton appui parce qu'il se sent menacé? »

Satisfait d'avoir résolu ce problème délicat avec sa femme, Pope se rendit à l'université, où l'attendait un politicien de Webster :

« Professeur Pope, votre femme veut réellement remporter ces primaires?

– Bien sûr!

– Ce n'est pas seulement pour se donner des sensations?

– Penny ne se donne jamais des sensations, comme vous dites.

– Mon épouse est une excellente infirmière.

– Quel rapport cela a-t-il avec les primaires?

– Beaucoup. Elle travaille avec les docteurs. Elle les écoute.

– Où travaille-t-elle? Asseyez-vous, je vous en prie.

– Elle travaille à l'hôpital général de Webster. Mais l'un des docteurs, le docteur Schreiber, est un spécialiste qui consulte à domicile les cas les plus graves. » Il s'arrêta pour mieux faire son effet. « Il y a trois jours, il est venu ici, à Clay. » Autre pause. « Sa patiete était l'épouse du sénateur Grant.

– Qu'a-t-elle?

– Selon le docteur, elle est en très mauvais état. Il l'a soignée mais n'en a rien dit à personne. En revanche, il a parlé du reste. Les faux en écriture. Elle a imité la signature du sénateur sur un chèque. Elle apporte de l'argent frais à la campagne que Strabismus mène en Alabama contre Darwin, l'avortement, enfin tout.

– Des faux? Pourquoi aurait-elle fait des faux?

– Je n'en sais rien. Tout ce que ma femme sait, c'est que le sénateur Grant a dû intervenir pour empêcher la police...

– Pourquoi me dites-vous tout cela?

– Parce que cela rend Grant vulnérable. Si votre femme veut réellement dégonfler cette baudruche... »

Pope ne perdit pas son sang-froid. Cet homme évoquait un comportement que les Pope ne pouvaient même pas imaginer, mais John avait appris que la politique débouchait sur toutes sortes d'aberrations. Libre à chacun de les accepter ou de les rejeter. Il se leva et, prenant son visiteur par l'épaule, lui dit doucement :

« Ma femme et moi apprécions l'intérêt que vous nous portez, mais ce n'est pas le genre d'information que nous aimerions utiliser. Remerciez votre épouse, et j'espère que vous continuerez à soutenir Mme Pope. »

La conférence de presse débutait dans quarante-cinq minutes, et Pope réfléchissait à ce qu'il allait dire pour soutenir un citoyen infiniment respectable mais qui, la campagne l'avait bien montré, devenait gâteux et ne possédait ni objectif précis, ni vision claire de l'avenir. L'épisode de Benton avait été particulièrement pénible. Penny et le sénateur devaient confronter leurs grands thèmes politiques, mais Penny avait appris, juste avant le débat, que Tim Finnerty avait fait venir Gawain Butler de Californie et Larry Penzoss d'Alabama. Elle s'était rendue directement à l'hôtel de Finnerty.

« Tim, j'espère que vous n'allez pas encore exhiber ces vieillards en uniforme?

– Ils sont au cœur de la campagne. Les électeurs les adorent.

– Tim, cette époque est révolue. Si vos trois clowns montent sur l'estrade...

– Les deux autres ne sont pas des clowns. Ce sont d'authentiques héros. Leurs histoires...

– Vont faire bâiller tout le monde, oui.

– Pourquoi protestez-vous? Si c'est une mauvaise idée, c'est vous qui en profiterez.

– Personne n'en profitera. Tim, si vous faites cela, je me verrai dans l'obligation de dire à quel point tout cela est ridicule. Et je ne me gênerai pas, croyez-moi », dit-elle d'un ton ferme.

Le débat s'était mal engagé pour le sénateur, mais Penny se souvint qu'il était meilleur dans les conclusions, quand il marquait des points grâce au patriotisme et à l'héroïsme qu'il évoquait, les seuls points dont on se souviendrait le lendemain. Au début de sa péroraison, il adressa un signe à Finnerty, qui fit monter sur l'estrade Butler et Penzoss, vêtus de leurs vieux uniformes. Malheureusement pour Grant, la ville de Benton possédait trois universités : des étudiants présents dans le public se mirent à rire et un activiste noir cria « Oncle Tom ». L'affaire tourna au ridicule, et les journées héroïques d'octobre 1944 parurent aussi lointaines que la bataille des Thermopyles.

Grant ne savait que faire. Il avait déjà rencontré une opposition étudiante à l'époque du Vietnam, quand toutes les valeurs étaient bouleversées, mais voilà que ces jeunes gens se moquaient de lui, de Gawain Butler et de leurs actes héroïques! C'était scandaleux. Son adversaire, Mme Pope, les larmes aux yeux, prit la parole :

> « Je m'adresse aux étudiants, et je leur demande de cesser de rire. Ces quatre hommes, le sénateur Grant et ses camarades, ont été de formidables héros. La survie de notre pays leur doit beaucoup et je tiens à m'incliner devant eux. En revanche, je crois que vous avez raison quand vous dites que nous ne pouvons plus compter sur les vieilles idées... les souvenirs... les habitudes anciennes. Ce qu'il nous faut, c'est un sang nouveau, une énergie intacte. Ces deux conceptions ne sont pas opposées.

Réfléchissez-y bien, car notre pays a besoin de toute votre imagination. »

Plus tard, dans sa chambre d'hôtel, elle confia à son mari :

« Je ne suis pas très fière de moi. J'aurais dû prendre une mitraillette et apprendre à ces morveux à respecter les grandes idées. Mais je dois dire que j'avais prévenu Finnerty de ne pas exhiber ses vieillards. » Les larmes lui vinrent aux yeux. « J'étais très triste pour Norman Grant. Est-ce que tu as vu son visage? Il était en face d'une nouvelle génération, avec des valeurs entièrement différentes, et il ne savait absolument pas comment l'aborder. Si je gagne, ce sera vraiment que Dieu l'aura voulu. »

Pope quitta son bureau sans grand enthousiasme pour rejoindre lentement le bâtiment où devait se donner la conférence de presse. Il ne savait toujours pas ce qu'il allait dire, avant de se contredire lui-même au meeting de Calhoun. Mais dès qu'il aperçut Norman Grant, grand, beau, typiquement américain, son cœur parla pour lui :

« C'est l'homme le meilleur que cette ville ait jamais produit. Je ferai tout pour qu'il gagne à nouveau. Penny peut bien attendre. »

Pope reçut un choc dès que Grant s'installa derrière les micros :

« Je suis désolé que mon talentueux adversaire, Penny Pope, ne soit pas là avec nous. Elle est en ce moment même au sud de notre Etat, où elle s'active à m'éreinter, mais je suis très heureux de voir que son mari, notre grand héros, John Pope, est dans cette salle. »

Il y eut des applaudissements et Pope se leva pour saluer, un peu malgré lui.

« Je vous ai prié de venir ce matin, poursuivit Grant, pour vous faire savoir que des raisons personnelles tout à fait prioritaires m'obligent à me retirer de cette campagne pour les élections primaires. Ceux qui me connaissent comprendront que mon geste n'est pas dicté par la peur de mon loyal adversaire, parce que j'ai déjà affronté des adversaires tout aussi résolus. Je ne me retire que pour des raisons privées que je ne puis plus continuer à ignorer. Mais je suis soulagé de savoir que je laisse le champ libre à l'une des personnes les plus capables des Etats-Unis, Penny Pope, qui fut aussi l'une de mes meilleures collaboratrices. Nous avons travaillé ensemble pendant trente-six ans et nul dans ce pays n'est mieux qualifié que moi pour chanter ses louanges. Madame Pope, vous avez remporté les primaires républicaines. Vous remporterez sans problème les élections générales de novembre, et je vous apporterai mon soutien le plus total. Astronaute John Pope, allez rejoindre votre femme et faites tout votre possible pour qu'elle soit élue. Elle en est digne. »

Pope parvint à rejoindre son épouse dans une petite ville proche de la frontière du Kansas, et les premières paroles de Penny furent :

« John, mets la main sur Tim Finnerty avant qu'il ne quitte la ville. Je veux qu'il organise ma campagne. »

Lorsqu'elle serait sénateur, elle le prendrait pour bras droit, parce que ce démiurge libéral, démocrate, catholique, irlandais et bostonien connaissait parfaitement le fonctionnement du Sénat et les opinions de chacun de ses membres. Il avait presque réussi à faire de Norman Grant un sénateur de tout premier plan; avec un sujet encore meilleur, il réussirait totalement.

Stanley Mott était à la retraite; il avait soixante-quatre ans et jouissait de tous les honneurs à la hauteur de sa compétence. Quatre fois docteur *honoris causa,* plusieurs sociétés savantes l'avaient récompensé et on l'invitait un peu partout à venir parler de l'avenir du programme spatial.

Son ultime collaboration avec la N.A.S.A. lui avait permis de participer à deux formidables projets : le lancement de la navette et le survol de Jupiter par Voyager 2. Sans la moindre hésitation, il pouvait dire que cette dernière réalisation était la plus importante, car elle projetait l'esprit de l'homme vers de nouveaux horizons. Il avait été immédiatement d'accord avec Dieter Kolff l'appelant d'Alabama :

> « Tu vois ce que je t'avais dit, Stanley? L'avenir de l'homme, c'est de construire des machines encore plus performantes et des fusées toujours plus grandes pour les lancer. Nous pouvons aller où nous le désirons, toi et moi, et nous n'avons pas besoin d'astronautes. Invente une nouvelle famille d'instruments, des merveilles capables de tout faire. Je construirai une nouvelle famille de fusées qui se poseront sur Uranus et Neptune. Nous pouvons y arriver avant la fin de nos jours. »

Mais il prêta une égale attention à Grant lorsque celui-ci l'appela de Clay :

> « Vous voyez ce que je vous avais dit, Mott? Il n'y a pratiquement eu personne pour s'intéresser à cette histoire de Saturne. Parce qu'il n'y avait pas d'hommes. Tandis que la navette, avec ces deux jeunes gars aux commandes... (Mott interrompit Grant pour lui rappeler que John Young avait déjà cinquante et un ans.) Vous avez vu comment le public s'est précipité dessus? L'homme est encore la mesure de

toute chose. Mott, et vous feriez bien de le rappeler à vos copains de la N.A.S.A. »

Mott savait parfaitement que la cote de la N.A.S.A. grimpait après chaque tir habité; il était tout à fait d'accord pour dire que la N.A.S.A. avait eu raison de le mettre au pas quand, plusieurs années auparavant, il avait soutenu avec trop d'ardeur les théories de Kolff. L'homme est la mesure de toute chose, reconnut-il, mais ce qu'il mesure a une importance capitale.

Il se posait de telles questions parce qu'il avait été choisi pour recevoir la médaille d'or décernée par les trois plus grandes sociétés savantes, ce qui l'avait obligé à prononcer un discours de remerciements d'une assez haute teneur. Il croyait sincèrement en la nature immaculée de la science, surtout depuis que de nombreux groupes de pression tentaient de la bannir des établissements d'enseignement : ses opinions étaient on ne peut plus claires, mais il était troublé par certains propos tenus par le sénateur Grant et le révérend Strabismus, à savoir que l'homme ne peut absorber une aussi grande quantité de science abstraite, sans retomber dans une sorte de simplicité enfantine qui lui fait tout rejeter en bloc.

Sommes-nous donc responsables? se demandait-il. Aurions-nous échoué à entraîner le monde dans notre aventure? Pourquoi Mme Grant s'est-elle enfermée dans une tour d'ivoire, niant toutes les convictions de son mari? Pourquoi Strabismus reçoit-il un tel accueil avec ses propos aussi rétrogrades? La réponse à toutes ces questions ne résidait ni chez Mme Grant, ni chez le révérend Strabismus, mais bien chez les hommes qui, comme lui, avaient aveuglément poursuivi leurs petits objectifs sans se préoccuper de la multitude incapable de suivre le rythme de leurs découvertes.

Il ne ferait toutefois que des concessions limitées. Les scientifiques de sa génération repoussaient chaque jour les frontières de la connaissance, et c'était un problème politique si le grand public était incapable de suivre. Rien ne lui donnait le droit d'étouffer l'exploration, intellectuellement parlant. L'Eglise avait muselé Copernic, menacé Galilée et brûlé Giordano Bruno, mais cela n'avait en rien étouffé la vérité sur la position de la Terre dans le système planétaire. Aujourd'hui, en Amérique, les ayatollahs de la télévision et les Cro-Magnons du Sénat pouvaient obliger des Etats à nier les vérités tangibles de la science; ils pouvaient dissimuler la connaissance, mais jamais ils ne pourraient détruire les faits. La Terre tournait autour du Soleil, elle était vieille de plus de quatre milliards d'années et les dinosaures avaient régné en maîtres.

Plus important encore, les quasars et les trous noirs existaient bel et bien, et l'intelligence devait les expliquer. Comme le dit Mott dans l'un des tout premiers paragraphes du discours qu'il préparait :

> « Je suis très heureux de constater que l'esprit de l'homme se trouve aujourd'hui dans une position semblable à celle qui était la sienne au début de l'ère copernicienne. Une des plus importantes révolutions de la connaissance nous attend. Année après année, les limites de l'univers seront repoussées par des découvertes et des interprétations qui émerveilleront l'esprit et l'obligeront à forger de nouvelles interprétations.
>
> « Quels seront les débouchés de nos plus récentes découvertes? Le plus brillant d'entre nous ne saurait le dire, mais je suis impressionné par le fait qu'en 1938 le président Roosevelt avait réuni à la Maison Blanche les scientifiques les plus brillants, afin qu'ils l'ai-

dent à envisager les choses auxquelles il lui faudrait s'adapter.

« Je veux que vous me disiez à quoi je dois « m'attendre », leur dit-il. Au bout de trois jours d'intense spéculation, ces hommes chargés d'imaginer l'avenir ne parvinrent à prévoir ni la puissance de l'atome, ni le radar, les fusées, les avions à réaction, les ordinateurs, la xérographie et la pénicilline, autant d'inventions qui devaient apparaître quelques années plus tard. Certes, ils étaient au courant des recherches en ces domaines, mais ils ne pouvaient croire que les applications pratiques verraient si rapidement le jour. Je puis vous assurer que si nous réunissions aujourd'hui des scientifiques d'égale importance, ils seraient bien incapables d'anticiper les merveilles que nous connaîtrons en l'an 2000. »

Ses spéculations furent stoppées dans leur élan lorsqu'il apprit que le révérend Strabismus, assisté d'autres leaders religieux, avait décidé de lancer une grande campagne contre l'homosexualité dans la vie américaine et, plus particulièrement, dans la gestion des affaires publiques. « Dieu a créé Adam et Eve, pas Adam et Steve » était leur cri de ralliement, et ils avaient entrepris de tester leurs forces dans la petite ville montagnarde de Skycrest, où un homosexuel notoire venait d'être élu à la mairie.

Ils réussiraient à se débarrasser de lui, disaient-ils en guise d'avertissement à San Francisco, et ils y parviendraient par un référendum; cet artifice politique était d'une grande valeur, puisque la couverture par les chaînes de télévision pouvait amener le grand public américain à ratifier pratiquement n'importe quoi. Mott se sentit obligé de voler au secours de son fils, bien qu'il ne fût absolument pas préparé au combat. La campagne de Strabismus fut terrible; il cita souvent le Lévitique, principalement le verset 13 du chapitre 20. En entendant pour la première fois Strabismus vociférer ce texte, Mott fut sérieusement ébranlé car son père lui avait appris à prendre la Bible très au sérieux :

> « Si un homme couche avec un homme, comme on couche avec une femme, ils ont commis tous deux une action abominable. Ils seront punis de mort. »

Il réfléchit plusieurs jours à cette phrase, puis abandonna le combat, incertain de sa véritable opinion. Son fils, Millard, semblait tout à fait respectable, mis à part ses goûts en matière de sexualité, et Stanley avait presque réussi à se persuader qu'une vie consacrée à la communauté et la bonne opinion de ses concitoyens comptaient plus qu'une condamnation arbitraire prononcée par des hommes tels que le révérend Strabismus; pourtant, la phrase impitoyable de la Bible donnait beaucoup de poids à leurs arguments, et Mott ne savait plus que penser. Peut-être Millard était-il aussi mauvais qu'ils le prétendaient.

Très troublé, il emprunta une Bible et relut tout le Lévitique; ce n'est qu'alors qu'il comprit ce qu'il devait faire. Il emporta la Bible au grand meeting organisé par les chefs religieux et ce n'est qu'après plusieurs tentatives qu'il parvint à s'emparer d'un micro. Les caméras de télévision se braquèrent sur lui :

> « Vous avez tous jeté l'anathème sur mon fils, Millard Mott, le maire de cette ville, et je vous demande si vous êtes d'accord avec les paroles du Lévitique, chapitre 20, verset 13, selon lesquelles les homosexuels devraient être mis à

mort. (Deux des religieux dirent " Oui, c'est une abomination ". Strabismus évita de répondre.) Dans ce cas, messieurs, savez-vous que ce même chapitre du Lévitique dit que celui qui maudit son père doit également être mis à mort? Etes-vous prêts à exécuter cette sentence?

« Connaissez-vous le dernier verset du chapitre? Tous ceux qui s'adonnent à la divination seront mis à mort. Etes-vous prêts à rallumer les bûchers de Salem? A faire périr par le feu les vieilles femmes qui marmonnent des incantations?

« Savez-vous que ce même chapitre vous demande d'exécuter les hommes et les femmes qui ont commis l'adultère? L'un de vous n'a-t-il jamais commis l'adultère? Etes-vous prêts à mourir? Croyez-vous sincèrement que tous les habitants de cet Etat du Colorado qui ont commis l'adultère devraient être lapidés? Je m'adresse à notre auditoire : combien êtes-vous à avoir commis l'adultère? Faudra-t-il tous vous exécuter? »

Ses paroles embrasèrent l'assistance. Strabismus cria que c'était honteux de faire des citations tronquées, et les spectateurs lui répondirent qu'il faisait la même chose pour ses propres idées. L'affaire prit des proportions inimaginables quand trois étudiantes s'emparèrent du micro pour annoncer qu'elles avaient péché avec des personnages importants de Skycrest et qu'elles étaient prêtes, s'il le fallait, à donner des noms.

Le lendemain, plusieurs personnes arborèrent de grandes lettres A sur la poitrine, ainsi que la phrase *Exécutez-moi.* Une jeune fille brandissait une pancarte : JE SUIS UNE SORCIÈRE. BRÛLEZ-MOI.

Les leaders religieux terminèrent leur croisade

par un énorme meeting au cours duquel ils annoncèrent que Skycrest était les nouvelles Sodome et Gomorrhe, ce qui n'étonna personne au Colorado tout en donnant à une bonne partie de la nation de nouvelles idées pour les vacances. Le référendum destiné à écarter le maire Millard Mott fut un échec, mais cela n'empêcha pas les chefs religieux de penser que leur expédition avait été une expérience intéressante. Leur campagne californienne fut encore plus importante, mais ils parlèrent moins souvent du chapitre 20 du Lévitique qui, ils s'en étaient rendu compte, pouvait se retourner contre eux.

Mott revint à Washington, épuisé, puis il passa quelques jours en compagnie de sa femme. Ils écoutaient de la musique; un après-midi, à la fin du *Requiem* de Verdi, il dit :

« De tous les couples que nous connaissions – ceux de Peenemünde, de la N.A.S.A., même les Six Piliers – je crois que c'est le nôtre qui a été le plus heureux. Grâce à toi, nous avons mené une vie simple, sans problèmes. C'est une chose que j'apprécie beaucoup, Rachel. » Ils demeurèrent un instant silencieux, puis il éclata de rire. « Devine ce que je vais mettre maintenant?

– Tu ne vas tout de même pas... » C'était le Quatuor en *la* majeur, de Luigi Boccherini, et elle rougissait toutes les fois que son mari l'obligeait à l'écouter. Mais, après quelques notes, elle ne put s'empêcher de rire à son tour.

A Wellesley, elle était tombée sous le charme d'une femme qui enseignait l'histoire de la musique et croyait fermement que la seule musique européenne digne d'écoute débutait avec Palestrina et Purcell, pour s'achever avec Haendel. Vivaldi recueillait tous ses suffrages, de sorte que toute une génération d'élèves avait appris que *Les Quatre Saisons* étaient supérieures à la Neuvième de Beethoven et infiniment plus inspirées que les œuvres de Tchaïkovski, dont le nom ne figurait même pas dans les tablettes du professeur.

Rachel avait toujours eu près d'elle quelques disques de Vivaldi, qu'elle adorait. Lorsque son mari avait appris dans un programme de concert que Vivaldi avait composé plus de quatre cents concertos, et que certains d'entre eux ne lui avaient pas demandé plus d'un après-midi de travail, elle s'était refusée à admettre que la majeure partie de son œuvre fût facile, pour ne pas dire banale : « Les meilleures œuvres de Vivaldi représentent le summum de la musique européenne. »

Un jour, elle s'imagina que Luigi Boccherini était un contemporain de Vivaldi, ce qui le rendait tout naturellement génial; elle avait eu la chance de trouver un enregistrement de son Quatuor pour cordes et s'était empressée de l'acheter. Dès la première écoute, elle le trouva assez quelconque; mais c'était l'œuvre d'un compositeur de sa période de prédilection, et elle s'obligea à l'aimer et à le faire aimer de son mari. Malheureusement, il consulta une encyclopédie et découvrit que Boccherini n'avait rien d'un compositeur baroque; c'était en fait un collaborateur de Joseph Haydn, son « nègre », en quelque sorte :

« Rachel, les critiques de l'époque disaient de lui que c'était la « femme de Haydn ». Tu peux regarder par toi-même. »

Elle regrettait amèrement la façon dont son mari avait découvert son erreur, mais aussi sa propre crédulité. Parler de Boccherini équivalait à proférer une grossièreté. Un jour, Stanley offrit à Rachel un splendide enregistrement du Quintette en *mi* majeur, et cette œuvre devint l'une de leurs pièces préférées : « C'est notre chef-d'œuvre sentimental.

Nous l'écoutons toutes les fois que nous nous sentons amoureux. »

Rachel était de son avis : leur mariage était certainement le plus heureux de tous, bien qu'elle eût énormément de considération pour John et Penny Pope :

« Je dirais presque qu'ils sont les meilleurs, sauf qu'ils n'ont pas eu d'enfants. La joie et les soucis que donnent des fils et des filles... » Pas une seule fois, la pensée ne l'effleura qu'il aurait peut-être mieux valu que le pauvre Chris ne vît pas le jour. « Ce garçon nous a donné des années de bonheur. Même s'il a choisi une autre direction. » Elle ne se rendit jamais sur sa tombe, en Floride, mais il était toujours présent dans ses pensées. Quant à Millard, elle fut très satisfaite de le voir conserver son poste. « Mon fils, celui qui est maire », disait-elle toujours, quand elle en parlait avec des amis; elle était heureuse de savoir qu'il vivait avec Roger, puisque c'était ce qu'il désirait.

Stanley lui lut des extraits de son discours; il y résumait une vie riche en expériences, et elle applaudit à ses conclusions :

> « Dès l'instant où il cesse d'aller de l'avant, l'esprit de l'homme se replie sur lui-même et se dessèche. Il en va de même pour les civilisations. Au XVe siècle, l'Espagne et le Portugal ont découvert de nouveaux mondes et se sont partagé des continents entiers; au siècle suivant, leur désir de poursuivre de nobles buts s'est émoussé, et on peut dire que ces deux pays se sont desséchés, intellectuellement mais aussi économiquement parlant. Ils ont permis à d'autres nations de prendre la relève et de développer de nouvelles idées : ils ne se sont jamais relevés depuis.
>
> « J'ai très peur que notre refus de continuer à

explorer l'espace ne nous fasse commettre la même erreur que l'Espagne et le Portugal. Il ne suffit pas de lancer un mouvement. Il faut aussi le porter à son extrême. »

Elle aimait beaucoup sa façon de parler de l'Allemagne et du Japon de l'après-guerre, pour donner l'exemple de pays vaincus, pratiquement réduits à néant, à qui une utilisation intelligente des progrès scientifiques avait permis de prendre le pas sur les nations qui les avaient écrasés.

« Stanley, comment expliques-tu cela?

– Quand on repart pratiquement de zéro, on n'adopte que les idées les plus modernes. Cela signifie que les pays dont les usines n'ont pas été bombardées croulent aujourd'hui sous les traditions du passé. C'est pour cela qu'ils sont à la traîne.

– Tu crois que des pays comme l'Angleterre ou les Etats-Unis devraient abattre leurs usines tous les trente ans?

– Le monde serait bien meilleur si nous faisions cela... de temps à autre.

– Pourquoi ne faisons-nous rien?

– Nous n'aurions pas à les abattre, tu sais. Il suffirait de les abandonner et de recommencer ailleurs. Mais les gens n'accepteraient jamais une telle idée. C'est pour cela que nous continuons de véhiculer des idées archaïques et que nous voyons les pays vaincus nous supplanter en de multiples domaines.

– Peut-être devrions-nous bouleverser de fond en comble notre mode de production?

– Cela ne servirait à rien. Je pourrais te donner des centaines d'exemples de pays exsangues qui ont ensuite fait preuve d'une étonnante vitalité. C'est la même chose que de tailler un arbre. Les profanes n'arrivent jamais à croire qu'on l'améliore en l'amputant.

– Oui, mais qui fait les frais de l'opération?

– La classe moyenne. Toi, moi. Les riches sont rarement touchés. Pour les pauvres, cela ne change rien. Ce sont les gens comme nous qui en souffrent. Les retraités. Ceux qui possèdent quelques biens. En fait, notre classe sociale peut être totalement éliminée. »

Elle réfléchit à ses paroles, puis dit :

« Est-ce que c'est bien d'éliminer une classe sociale dans l'intérêt de la communauté?

– Je ne peux pas te répondre. Tout ce que je sais, c'est que les nations qui ont permis l'élimination de leurs classes moyennes n'en ont pas pâti à l'époque et se sont parfaitement bien tenues depuis.

– Tu crois à l'intégrité des idées, n'est-ce pas?

– Je ne crois qu'à ça, me semble-t-il.

– Et la religion? En tant qu'idée, naturellement.

– Elle est nécessaire, comme juge-arbitre. C'est la nation la mieux éduquée du monde, l'Allemagne, qui s'est le plus dévoyée. Elle avait les meilleurs cerveaux, mais personne pour crier casse-cou. La science pourrait jouer ce rôle, mais elle ne le fait jamais. La politique ne le fait pas plus, d'ailleurs. La société a besoin d'une force supérieure capable de tirer le signal d'alarme. C'est mon père qui me l'a appris.

– Très bien, mais que vas-tu faire du révérend Strabismus et de sa clique?

– Je crois qu'il faut les supporter. Admettre qu'ils n'auraient pas tout ce pouvoir si la société n'avait pas eu envie d'eux. Et espérer qu'ils passeront très vite, comme Savonarole, sans faire trop de mal.

– D'après toi, quand leurs activités cesseront-elles? » demanda-t-elle.

Il quitta le bureau et arpenta la pièce.

« Je crois que ce sera assez moche jusqu'à la fin

du siècle. Je m'attends à être convoqué par le Sénat pour mes propos subversifs...

– Seigneur, mais pourquoi?

– Les raisons ne manquent pas. Je m'attends aussi à voir brûler des livres. Les familles pourraient bien se mettre à penser comme les Kolff. A envoyer leurs enfants à l'étranger pour qu'ils apprennent les disciplines interdites, puis à les faire revenir subrepticement pour permettre à la culture de continuer de vivre.

– C'est ce que j'ai dit à Dieter, et tu m'as critiquée.

– J'en suis à me demander si tu n'avais pas raison. Et si je pense une telle chose, j'ai le devoir moral de le proclamer. Pendant que j'ai encore le droit de parler librement.

– Je veux lire tout ton discours avant que tu le prononces. Discuter de ces éventualités en privé, c'est une chose, mais le faire en public, c'est tout à fait différent. Je ne veux pas que mon mari passe pour un illuminé.

– Tu sais, je ne m'intéresse pas vraiment à ce que pensent les gens de 1982. La façon dont un individu réagit à un stimulus donné, cela ne regarde que lui. J'écris ce texte pour l'an 2002. Je veux que les hommes et les femmes de cette époque sachent que cette folie m'a épouvanté et que j'ai essayé d'agir. »

Le soir tombait; ils écoutèrent du Vivaldi, contemplèrent le Mondrian et se demandèrent dans quel restaurant de Washington ils pourraient bien dîner pour leur quarantième anniversaire de mariage.

Stanley Mott venait tout juste d'accepter sa retraite et de reconnaître que la période productive de son existence appartenait désormais au passé, quand il apprit deux nouvelles qui le comblèrent de joie, parce qu'elles lui permettaient de plonger à nouveau au cœur de la grande aventure. La première venait de l'université du Fremont, où le professeur John Pope mettait la dernière main à un important traité sur l'espace et l'aviation.

« Stanley, je serais très honoré si vous pouviez vous charger des trois derniers chapitres. Ils nécessitent une précision et une compréhension dont vous seul êtes capable. Acceptez, je vous en prie. »

Le lourd paquet arriva à l'appartement de Mott, à Washington, et il s'empressa de l'ouvrir en sachant que c'étaient les retombées intellectuelles du programme spatial.

Mott n'avait jamais été de ceux qui justifiaient l'énorme programme spatial de la N.A.S.A. par ses retombées pratiques, telles que le Téflon des poêles à frire ou les bandes Velcro si prisées des comédiens. Il se refusait à déclarer au Sénat que l'exploration de l'espace avait servi à développer les satellites de télécommunication ou à créer du matériel miniaturisé. Il trouvait mesquin d'invoquer ces raisons, quand l'aventure était assez noble pour se justifier d'elle-même; l'homme avait repoussé les bornes de l'ignorance et des ténèbres, et cela se suffisait pleinement.

La défense de cette austère position intellectuelle ne l'empêchait toutefois pas d'apprécier le développement parallèle des produits industriels – surtout en ce qui concernait l'informatique – et l'application des sciences de l'espace à des disciplines telles que la prévision océanographique et l'analyse agricole. Il était heureux de savoir que John Pope, le plus brillant et le plus expérimenté de tous les astronautes, mettait ses études à profit.

LA DÉSORIENTATION CIRCADIENNE
par John Pope, Ph. D.

Le sujet de ce livre est très simple. Au cours de ces dernières années, j'ai volé par trois fois sans escale du Cap à la pointe extrême de l'Afrique, à Londres, à la limite occidentale de l'Europe; les deux villes se situaient dans le même fuseau horaire et ma fatigue n'était pas supérieure à celle occasionnée par un très long vol. De plus, je dors assez bien en avion, et j'arrivais à Londres parfaitement reposé, capable en tout cas de travailler neuf heures à l'ambassade américaine, puis de me rendre au théâtre et, enfin, d'assister à un dîner officiel. Pendant la même période, j'ai effectué trois vols sans escale Tokyo-New York; la durée est sensiblement la même, mais j'ai franchi dix fuseaux horaires et ma glande pinéale a sécrété des doses si massives de mélatonine qu'il lui a fallu quatre ou cinq jours pour recouvrer son taux normal. C'est ainsi que j'arrivais à New York désorienté, épuisé et mal à l'aise tant que mon orientation circadienne n'était pas rétablie.

Ce livre étudie ce phénomène en s'appuyant sur l'expérimentation animale, celle des pilotes de ligne qui franchissent régulièrement les fuseaux horaires et, surtout, les rapports des astronautes russes et américains qui ont, à plusieurs reprises, franchi les vingt-quatre fuseaux horaires en quatre-vingt-dix minutes.

Le mot *circadien,* du latin *circa diem* (« autour de la journée »), se réfère aux mystérieux rythmes de vingt-quatre heures qui contrôlent toutes les manifestations extérieures du cerveau – comportement, autonomie, système neuro-

> endocrinien – des animaux et des hommes qui vivent sur une Terre où le jour et la nuit forment un cycle de vingt-quatre heures. Soyons assurés que si la journée n'avait que dix heures, comme sur Saturne, nos réactions circadiennes correspondraient à ce rythme.
> Notre problème spécifique est le suivant : quelle est la cause de la désorientation circadienne lorsque nous franchissons les fuseaux horaires, et comment peut-on y réagir?

Mott parcourut rapidement le manuscrit et vit comment Pope avait mis à profit ses connaissances astronomiques pour s'attaquer au sujet; John pensait qu'il était plus dérangeant de voler de New York à Tokyo que de faire le trajet inverse :

> Lorsque nous volons d'est en ouest, peut-être allons-nous *contre* le mouvement de la Terre. Et peut-être réagissons-nous à cette situation d'exception en augmentant nos sécrétions glandulaires. En revanche, nous volons dans le sens de la Terre lorsque nous allons d'ouest en est et nous en acceptons volontiers la domination, même après la fin du vol. Plus simplement, on pourrait dire que la plupart des gens ont plus de difficultés à se lever tôt qu'à se lever tard.

Mott s'arrêta sur l'exemple étonnant des chevaux de course qui voyagent pratiquement sans escale des prairies du Delaware vers les grands champs de course d'Australie et de Nouvelle-Zélande :

> Sur les hippodromes de Christchurch et de Melbourne, où j'ai mené mon enquête, j'ai découvert que les entraîneurs devaient accorder des soins tout particuliers aux chevaux importés d'Amérique, et les garder pendant

près de trois semaines dans un environnement éclairé artificiellement en conformité avec le rythme des jours et des nuits de leur Delaware natal. Progressivement, l'éclairage électrique se synchronise avec l'éclairage naturel, et le cheval peut vivre dans ce nouvel environnement sans désorientation apparente.

Pope devenait encore plus passionnant quand il analysait minutieusement les deux types de voyage spatial : les vols en orbite basse, du type Gemini, où l'on franchit un fuseau toutes les trois minutes et quarante-cinq secondes, et les expéditions dans l'espace extérieur, comme un très long vol au sein d'un même fuseau horaire. Un paragraphe l'amusa particulièrement :

> Lorsque nous évaluons ces données, nous devons nous souvenir que trente hommes seulement ont eu la possibilité de faire l'expérience de ce second type de voyage : ce sont les astronautes d'Apollo 8 puis des missions Apollo 10 à 18. Ils étaient tous américains; à ce jour, aucun Russe ne s'est aventuré dans l'espace extérieur. Les cosmonautes de ce pays ont tous été assignés à des orbites basses, de sorte que leur expérience n'a pas de rapport avec le sujet de notre étude.

Mott arriva finalement aux derniers chapitres dont il avait la charge. Chapitre XII : *Voyage vers Mars.* Chapitre XIII : *Voyage vers Proxima Centauri.* Chapitre XIV : *Voyage hors de la galaxie.* Lorsqu'il vit les titres de ce qu'il devait écrire, il connut ce sursaut d'enthousiasme qui s'était emparé de lui quand le général Funkhauser l'avait placé au milieu des génies de Langley.

Avec une ardeur quasi juvénile, il se plongea dans

ces trois sujets, accumulant des quantités énormes d'études techniques qu'il modela avec son imagination. Quand trois Américains partiraient de Canaveral pour leur voyage vers Mars, en l'an 2005 environ, quand le grand sursaut d'énergie des années 1960-1970 se manifesterait à nouveau pour une raison quelconque, ils se prépareraient à parcourir plus de trois cents millions de kilomètres à la vitesse moyenne de quarante mille kilomètres à l'heure. L'expédition prendrait trois cent trente jours à l'aller, deux mois pour l'exploration de la planète et trois cent trente jours au retour, soit deux ans très exactement :

> La prudence voudrait qu'ils maintiennent leur propre rythme circadien en conservant l'heure de Houston comme système de référence. Bien sûr, ils pourraient profiter de la durée du voyage pour s'adapter au rythme de Mars, où un jour dure 24 heures et 37 minutes, mais le léger avantage acquis ne justifierait pas leurs efforts.

Il s'attaqua au deuxième problème, celui de l'envoi d'êtres humains vers Proxima Centauri, étoile située à une distance de 4,3 années-lumière, soit $4{,}05 \times 10^{13}$ kilomètres, (40,5 billions de kilomètres). Il se rendit alors compte du formidable changement qui s'était produit en lui; en compulsant les livres qu'il avait réunis, il s'aperçut qu'il y avait parmi eux une vingtaine de grands romans de science-fiction :

> « Seigneur! Randy Claggett a fait de moi un fan de S.-F.! Dire que chaque livre prédit scientifiquement les machines et les processus techniques des voyages spatiaux! Cela n'a rien à voir avec les analyses des civilisations de l'avenir.

> Non, c'est aussi bon que Jules Verne, Arthur C. Clarke ou Robert Heinlein. Des fous volants qui relèvent le défi de l'espace extérieur... »

Il comprit alors ce qui lui était arrivé : « Les ingénieurs ne perdent pas leur temps en vaines spéculations. Les scientifiques, oui. Cela signifie que je suis devenu un scientifique, presque à mon corps défendant. » C'est en scientifique, en représentant de cette nouvelle race d'astrophysiciens qui vivait parmi les galaxies les plus lointaines, qu'il plaça devant lui sa Bible, les *Quantités astrophysiques* d'Allen. Et c'est à partir de ces données obscures qu'il se mit à apporter une solution à leur problème : comment parcourir 40,5 billions de kilomètres en voyageant pendant 4,3 années à la vitesse de la lumière.

> Les rythmes circadiens seront alors tout aussi importants que la dilatation du temps, et la façon dont les voyageurs de l'espace organiseront leur habitat jouera un rôle capital. Imaginons qu'ils utilisent la méthode de l'animation suspendue : il leur faudra replacer leur corps sensible dans un système circadien bien précis, sinon, ils se trouveront complètement désorientés, au point de ne plus pouvoir fonctionner pendant la période d'adaptation où tout dépendra de l'efficacité maximale de leur cerveau.

Il établit ensuite le détail du plan de vol vers Epsilon Eridani, fascinante étoile située à onze années-lumière de la Terre (soit 104 billions de kilomètres de la Terre) et il se rendit compte que la réalité de ces voyages fabuleux, ainsi que les problèmes qu'ils engendraient, n'étaient plus des énigmes intellectuelles abstraites, mais bien des difficultés spécifiques qu'il fallait résoudre. Un soir, il jeta son stylo et s'écria : « Seigneur, comme j'aimerais vivre dans ce siècle qui accomplira tant de merveilles! » Mais il eut aussitôt honte de ce qu'il venait de dire. Il éteignit sa lampe de bureau et se rendit dans la salle de séjour afin d'y rejoindre Rachel, qui écoutait du Pachelbel.

« Je déborde de reconnaissance, dit-il.

– Pour quoi? demanda-t-elle, immobile.

– Pour avoir reçu du destin, du hasard ou de Dieu, le bonheur de vivre à l'époque qui a vu l'invention de l'aviation – en cette période formidable où l'homme a pu conquérir les planètes.

– Et aussi pour avoir fait partie de la grande aventure.

– J'ai eu une chance incroyable. » Sa voix se brisa et il demeura un instant silencieux pour mieux écouter le canon dérouler sa trame complexe comme un écho organisé de l'espace extérieur. « Oui, nous avons eu de la chance. »

Dès qu'il eut tracé les grandes lignes de ses trois chapitres et identifié ses matériaux, il se mit à rédiger un condensé de tout ce que l'on savait des réactions humaines au vol spatial. Il avait pratiquement achevé la description du voyage vers Mars, quand ses anciens supérieurs de la N.A.S.A. l'appelèrent pour lui soumettre un projet qui pourrait parachever l'œuvre de sa vie : « Stanley, on nous demande de tous côtés de publier un texte officiel sur l'éventualité de la vie dans l'univers. Il y a les passionnés de soucoupes volantes, les spécialistes du L-5, une demi-douzaine de leaders religieux qui demandent que nous déclarions solennellement que la vie ne peut exister que sur Terre, sans compter tous les gens qui ont vu plusieurs fois *La Guerre des étoiles.* Si nous organisons un symposium avec des participants de tout premier ordre, accepterez-vous de le présider avec ce sang-froid que nous vous avons toujours connus? »

Mott aurait voulu entrer dans le téléphone pour serrer la main de son interlocuteur et accepter immédiatement, mais la sagesse l'emporta et il commença par se renseigner sur l'identité des participants.

« Il n'y aura que la crème, Stanley. Dix-neuf spécialistes, comme Sagan, Asimov, Cameron de Harvard, Bernie Oliver de chez Hewlett-Packard, John Pope. Nous aurons peut-être Freeman Dyson de Princeton. Vous aurez deux douzaines d'experts de la N.A.S.A. pour les questions techniques. Et nous inviterons deux cents observateurs représentant officiellement l'armée de terre, l'armée de l'air, les groupes religieux, les spécialistes de science-fiction. Nous tiendrons trois sessions pleinières ouvertes au public. »

Mott eut beaucoup de difficultés à répondre : depuis l'enfance, il s'interrogeait sur l'éventualité d'une intelligence extra-terrestre; aux instants les plus cruciaux de son existence, il s'était adressé à ces êtres invisibles comme s'ils pouvaient l'entendre. Mais il n'avait jamais réussi à décider vraiment s'ils existaient ou pas; cette occasion de préciser sa pensée, mais aussi celle de toute la communauté scientifique, était donc particulièrement bienvenue. Il pourrait enfin atteindre les horizons ultimes de la connaissance.

« Stanley, vous êtes là?

– J'accepte. »

Il rédigea plusieurs notices informatives à l'usage des dix-neuf invités officiels, puis il se rendit dans la splendide propriété du Vermont dépendant de l'université de Harvard, où les travaux se dérouleraient pendant quatre semaines. Avec un plaisir naïf, il surveilla la fabrication des plaques destinées à être apposées sur la porte des chambres d'hommes qu'il connaissait depuis des dizaines d'années : Ray Bradbury, Frank Drake, Kantankerous Kantrowitz, Gerard O'Neill de Princeton, Lederberg, lauréat du Prix Nobel, le petit et extrêmement brillant Phil Morrison du M.I.T. qui avait écrit un livre sur ce sujet, et Riccardo Giacconi, dont l'esprit était en perpétuelle ébullition. Tous ceux que Rachel baptisait affectueusement les « dingues de la course aux étoiles » seraient ainsi réunis, mais les discussions ne se limiteraient pas à eux seuls; parmi les deux cents observateurs se trouvaient toutes sortes d'experts prêts à se battre pour défendre leurs théories. La présence du révérend Strabismus serait tout particulièrement remarquée; à une certaine époque, ses connaissances scientifiques étaient aussi élevées que celles de n'importe quel autre participant, et il était le seul de cette assemblée à avoir rédigé deux thèses de doctorat dans la discipline maîtresse de ce symposium.

Ce ne serait pas une chose facile que de tenir en main tous ces ténors, mais Mott ferait de son mieux pour y parvenir.

Avant de pouvoir se consacrer à son nouveau travail, Mott dut participer à une discussion assez pénible. Le jour même de la prestation du sénateur Pope, il se rendit à son nouveau bureau, où se trouvaient déjà John Pope et Norman Grant. Après l'avoir accueilli avec une brusquerie qu'il ne lui connaissait pas, Penny dit :

« J'aimerais que vous me donniez quelques conseils. J'ai été nommée à la commission sur l'espace, et je voudrais savoir ce que devrait être le programme de la N.A.S.A. »

Mott s'inclina devant le nouveau sénateur en disant :

« L'Amérique doit poursuivre dans l'espace des buts pratiques et parfaitement définis. »

Cette réponse vague impatienta Penny :

« Quels sont-ils, au juste?

– Je puis vous le dire avec précision, mais je ne voudrais pas avoir l'air de me mettre trop en avant.

– Dites-le tout de même. En quelques mots.

– Une mission d'étude du Soleil. Du type polaire-solaire. » Il s'arrêta en pensant qu'elle allait lui demander de quoi il s'agissait, mais le sénateur Pope lui fit signe de poursuivre. « Une mission vers la comète de Halley. » Autre signe de tête. « Un grand télescope spatial. Des prélèvements automatiques d'échantillons sur Mars et, avant peu, une mission habitée. Des études intensives des diverses sortes de vols et de propulsions. Certainement, l'établissement d'une station permanente dans l'espace. Et surtout, des recherches approfondies en aéronautique.

– C'est réalisable? Dans l'état actuel des choses? »

Mott se tourna vers le professeur Pope, qui dit :

« Tout est possible, oui.

– Est-ce qu'on peut financer toutes ces inventions, insista-t-elle, et Mott se tourna alors vers le sénateur Grant.

– Dans l'état économique actuel, nous ne pouvons pas nous permettre la moindre d'entre elles.

– Pas même les recherches en aéronautique?

– L'industrie privée devrait prendre la relève, dit Grant, et Mott fit la grimace.

– Norman, comment faisions-nous pour avoir tout cet argent? dit Penny. Ces milliards que la commission accordait aux missions Apollo et Gemini?

– Tout allait mieux, alors, fit Grant avec une

certaine lassitude. A l'époque, nous nous croyions capables de tout. Nous avons changé. »

Le sénateur Pope se pencha vers ses conseillers et les observa attentivement :

« Je crains que le sénateur n'ait raison. » Mott faillit s'étrangler. « J'ai étudié le budget... j'ai vu les « programmes énormes qui ne peuvent être « réduits. Il ne reste plus rien pour l'espace. » Mott voulut protester, mais elle l'en empêcha : « Au-delà des fonctions ordinaires de la N.A.S.A., bien entendu.

– Cela ne suffit même pas à justifier une branche majeure du gouvernement, dit Mott.

– Exact », fit le nouveau sénateur. Il regarda son amie de longue date et décela en elle une dureté qu'il n'avait jamais remarquée. « Il est tout à fait possible que la N.A.S.A. doive fermer ses portes, définitivement.

– Mais vous étiez notre principal supporter », s'écria Mott.

Penny Pope fit celle qui n'avait pas entendu et demanda à Grant :

« Qu'en pensez-vous, Norman? »

Grant s'éclaircit la voix.

« Je n'ai jamais dit cela en public, et je ne vous en ai même pas parlé auparavant. Avant de mourir, le sénateur Glancey m'a confié : « Norman, je crois « que la N.A.S.A. devrait être englobée dans la « Défense nationale. »

– Oh! non, dit Mott, ce serait une erreur grossière. C'est tout à fait contraire aux décisions d'Eisenhower!

– En son temps, il avait raison, dit Grant, et vous vous souvenez que j'ai soutenu son programme. Mais la situation actuelle est entièrement différente. La mission, le budget, le soutien du public, les besoins militaires, tout est différent. Docteur Mott, votre agence devrait être démantelée. L'aviation et les communications aux industries privées, la navette à l'armée. Et on supprime le reste.

– Mais que faites-vous de la science? De la curiosité de l'homme?

– Les universités s'en chargeront », dit Grant.

Stanley Mott avait du respect pour les sénateurs, mais il ne les craignait pas; il les avait vus commettre de trop nombreuses erreurs et il lui était impossible de garder le silence devant ces deux-là prêts à en commettre une énorme :

« Si vous faites cela, vous reléguerez les Etats-Unis à une place qui n'est pas la leur. Nous avons des problèmes de la plus grande importance... »

Mme Pope l'interrompit d'un ton sec :

« Suivre vos conseils, c'est courir à la faillite.

– Je m'étonne de votre revirement, dit Mott.

– Si je puis m'immiscer, dit John Pope, je crois que la journaliste coréenne a tout dit dans son livre. » Il échangea un regard avec sa femme, puis sourit.

> « Une nation libre est capable de relever de nombreux défis, ainsi que l'Amérique l'a si bien prouvé avec la grande dépression, la seconde guerre mondiale, la création de la bombe atomique et les missions lunaires. Mais une nation ne peut relever deux fois le même défi, et c'est ce que l'on a vu avec le pénible épisode du Vietnam. Il faut à chaque fois l'excitation du changement, le désir de vaincre de nouveaux dangers ou de conquérir de nouvelles frontières. Lorsque John Pope est revenu de la face cachée de la Lune, son périple a marqué le retrait de l'aventure spatiale et l'Amérique s'est repliée sur elle-même pour exploiter ses ressources jusqu'à ce qu'un nouveau défi lui soit lancé. »

Le sénateur Pope hocha la tête.

« Nous avons défié la Lune, Mars, Jupiter et Saturne, et nous avons toujours été vainqueurs. Nous devons maintenant attendre la prochaine grande aventure. La N.A.S.A. a rempli son devoir. » C'est ainsi que s'acheva leur réunion.

En 1975, la N.A.S.A. avait très soigneusement étudié l'éventualité de la vie dans l'espace extérieur, et ses experts étaient parfaitement au courant de la situation; mais il n'en allait pas de même pour les autres participants au symposium – surtout pour ceux qui n'avaient pas de grandes connaissances scientifiques. Lors de l'ouverture de la session plénière réunissant les dix-neuf membres de la commission plus quarante-trois membres de la N.A.S.A. chargés d'apporter des explications pratiques, le docteur Mott rappela les règles du jeu :

> « Notre gouvernement nous a demandé de fournir un rapport simple et clair sur l'existence éventuelle de la vie dans le reste de l'univers. Si l'on prend la Terre pour centre, les divers cercles concentriques qu'il nous faut étudier sont la Lune, les planètes, notre galaxie, les autres galaxies, les quasars et les trous noirs récemment définis, ainsi que tout ce qui peut se situer au-delà.
>
> « Nous parlons toujours de deux formes de vie : d'une part, le niveau minimal d'existence reproductible, et d'autre part, les êtres sensibles qui pourraient nous ressembler. Ne perdons jamais de vue ces deux objectifs.
>
> « Nous partons avec un certain nombre de connaissances que nos prédécesseurs ne détenaient pas. Nous savons qu'il n'y a aucune

forme de vie sur la Lune, et nous pensons qu'il en va de même pour Mars. Nous avons de bonnes raisons de croire que la vie sensible n'existe pas dans notre système planétaire, et encore moins sur le Soleil. Il est hautement probable que même les formes minimales de vie n'existent pas sur des planètes comme Jupiter, Saturne et Uranus. Il vaut mieux rejeter d'ores et déjà toute théorie concernant des créatures humanoïdes vivant sur Jupiter ou sur Mars. Elles n'existent pas et n'ont probablement jamais existé.

« Voici qui nous amène à l'étude de notre galaxie, mais aussi des autres. Pour faciliter le travail, j'ai préparé un petit tableau que je vous demanderai de toujours avoir avec vous. Il répertorie une vingtaine d'étoiles et d'objets célestes et indique assez bien, je crois, les problèmes spécifiques que nous rencontrerons lorsque nous voudrons voyager vers ces objets lointains ou communiquer avec eux. Je vous en prie, gardez toujours ces données en tête lors de nos discussions. »

La feuille qu'il fit distribuer se divisait en six colonnes, aux informations étonnantes. En voici les cibles principales.

En présentant le tableau, il s'excusa devant ses collègues scientifiques : « J'aurais préféré donner ces chiffres sous la forme de puissance de 10, mais cela aurait posé des problèmes à un certain nombre de participants. Qu'ils sachent toutefois que, dans ce système, Altaïr, étoile de notre galaxie, se situe à $15{,}1 \times 10^{13}$ kilomètres, ce qui s'écrit, grosso modo, sous la forme d'un 15 suivi de 13 zéros.

« Le professeur John Pope est parmi nous, et c'est pour cette raison que j'ai commencé par Altaïr, dont il a rendu le nom célèbre lors de son périple

DIFFICULTÉS DE COMMUNICATION

Objectif céleste	*Distance par rapport à la Terre (en kilomètres)*	*Durée du voyage à 42 000 km/heure (en années)*	*Durée du voyage à la vitesse de la lumière (en années)*	*Temps écoulé (en années) entre l'émission et la réception du message*
ÉTOILES DE NOTRE GALAXIE				
Altaïr	15 100 000 000 000	428 544	16	32
Capella	444 000 000 000 000	1 260 000	47	94
Antarès	3 395 000 000 000 000	9 630 000	360	720
OBJETS EXTÉRIEURS À LA GALAXIE				
NGC-4565	188 000 000 000 000 000 000	535 000 000 000	20 000 000	40 000 000
Quasar 3C-73	9 438 000 000 000 000 000 000	26 000 000 000 000	1 000 000 000	2 000 000 000
Objet OQ-172	188 000 000 000 000 000 000 000	536 000 000 000 000	20 000 000 000	40 000 000 000

en solitaire. Avec une vieille Apollo, John, vous pourriez rejoindre votre étoile préférée en un peu plus de quatre cent vingt-huit mille années. Une fois arrivé, vous pourrez nous dire ce que vous voyez, mais votre message mettra seize années à nous parvenir. Ceux qui ont travaillé avec moi savent que je suis personnellement épris de l'objet NGC-4565. Si nous lui adressions un message, nous devrions attendre la réponse pendant quarante millions d'années. Il vaut mieux ne pas parler à tort et à travers de voyages sans problèmes ou de communication immédiate lorsque nous nous trouvons en présence d'objets célestes qui...

– A moins de faire un bond dans le temps, dit l'un des plus jeunes participants.

– Exact, et c'est de cela que nous parlerons demain », dit Mott.

Un expert de la N.A.S.A. exposa les faits bruts : « Notre galaxie comprend quelque quatre cents milliards d'étoiles. Il semble qu'il y ait en tout une centaine de milliards de galaxies semblables à la nôtre. Cela signifie que le nombre des étoiles peut être représenté par un quatre suivi de vingt-deux zéros. Si, comme notre Soleil, chaque étoile est entourée de neuf planètes, le nombre de ces planètes est de trente-six suivi de vingt-deux zéros. Si chaque planète possède une douzaine de satellites comme Jupiter ou Saturne, nous aboutissons à un nombre fantastique de mondes sur lesquels la vie extra-terrestre pourrait exister. Mais je crois que le docteur Kelly a quelque chose à dire à ce sujet. »

On entra alors dans le domaine de la spéculation. « Nous sommes en présence de quarante milliards de billions de planètes possibles, mais peut-être pouvons-nous réduire considérablement ce nombre. Sur cent étoiles prises au hasard, soixante-dix sont doubles, triples, ou encore plus complexes. Les trente autres sont des étoiles uniques, comme le Soleil. Nous avons de bonnes raisons de croire que les étoiles doubles ou triples ne peuvent avoir de planètes; elles seraient rapidement détruites par le passage répété de telles masses. Nous pouvons réduire notre nombre global de soixante-dix pour cent.

« Je veux attirer votre attention sur la remarquable analyse de Michael Hart : si la Terre avait été un peu plus près du Soleil, un effet de serre se serait manifesté il y a quatre milliards d'années et la vie telle que nous la connaissons aurait été impossible. De même, si la Terre s'était trouvée à cent cinquante millions de kilomètres de plus du Soleil, la glaciation aurait totalement paralysé toute activité. Nous voyons donc que la position très précise des planètes joue un rôle fondamental. »

– Monsieur », dit alors une voix forte. C'était le révérend Strabismus, pour la première d'une longue série d'interruptions. « Pourquoi la position exacte de notre Terre vous surprend-elle tant? Dieu a eu le désir de la placer très précisément en cet endroit. Il a pris tous vos savants calculs en considération.

– Quoi qu'il en soit, dit l'orateur en reprenant ses explications, la vie ne peut être possible que si une telle précision caractérise toutes les planètes auxquelles nous nous intéressons.

– La vie serait partout possible, si Dieu l'avait souhaité », dit Strabismus avant de se rasseoir.

L'orateur présenta une demi-douzaine de critères permettant de réduire considérablement le nombre de quarante milliards de billions de planètes; le résultat de ses opérations était si petit qu'il conclut par une phrase qui étonna l'auditoire :

« Les facteurs opposés à l'existence de milliards de sites possibles sont si nombreux que je croirais volontiers que la vie sensible n'a pu se développer qur sur la Terre, si particulière.

– C'est ce que la Genèse nous a toujours enseigné, dit Strabismus.

– J'ai une autre théorie sur la question, dit une voix de basse. Je vous la communiquerai demain, à onze heures. »

Mott donna ensuite la parole à un représentant du Cal Tech, qui développa un thème étonnant, dont l'énoncé était semblable à une lumière brillant dans les ténèbres :

« Nous allons évoquer des durées considérables, mais il y a une chose dont nous devons toujours nous souvenir : je ne sais quel est le nombre exact des civilisations dont nous parlons, mais elles se répartissent de façon aléatoire sur des milliards d'années. Il est fort improbable qu'une planète semblable à la nôtre dans la galaxie d'Andromède, sur laquelle des êtres sensibles très semblables à nous...

– Ils seront comme nous, intervint Strabismus, puisqu'ils auront été créés à l'image de Dieu.

– Il est fort improbable, reprit l'homme du Cal Tech, que ces êtres soient au même niveau culturel que nous. Selon les lois de la probabilité, ce serait même le contraire. Peut-être ont-ils évolué il y a un milliard d'années et sont-ils maintenant sur le déclin. Peut-être en sont-ils au premier stade de leur développement et ne découvriront-ils la communication radio que dans quatre milliards d'années. Nous avons mis tant de temps nous-mêmes. Dans toutes nos discussions, nous devrons avoir à l'esprit ce type de situation. » Il couvrit alors le tableau d'une série de lignes verticales partant du sommet; quelques-unes étaient assez brèves, d'autres assez longues, mais il n'y en avait pas une seule qui touchât le bord inférieur du tableau. « Voici une planète habitée de la galaxie d'Andromède.

Nous, nous sommes ici. Messieurs, souvenez-vous que cette Terre existe depuis quatre milliards d'années et que les êtres humains sont apparus il y a quelques millions d'années, mais que nous envoyons vers l'espace des signaux compréhensibles depuis quarante-cinq ans seulement. Imaginons qu'Andromède ait voulu communiquer avec nous il y a deux milliards d'années. Il n'y avait personne pour recevoir ces signaux; il y a un siècle, nous n'étions pas capables de maîtriser les techniques d'écoute. »

Sa théorie était si intelligemment présentée que le révérend Strabismus demanda calmement :

« Nous savons que l'univers ne pouvait exister aux époques dont vous parlez. La Bible est très claire sur ce point. Professeur, croyez-vous que le type de déséquilibre dont vous parlez – toutes ces civilisations qui n'ont aucune chance de communiquer entre elles – persiste aujourd'hui?

– J'en suis intimement convaincu.

– Je vous remercie d'avoir précisé une chose qui était restée aussi floue.

– Vous savez, elle est encore un peu floue pour moi », dit l'homme du Cal Tech.

La première journée s'acheva sur ces propos très conservateurs; le dîner, en revanche, fut très animé, et les scientifiques les plus jeunes annoncèrent qu'ils allaient réveiller tout le monde le lendemain matin; ces francs-tireurs de l'espace extérieur se réunirent à dix heures et demie du soir pour établir les grandes lignes de leurs allocutions; le thème en était l'avenir de la communication spatiale et les procédés entièrement nouveaux qu'ils comptaient employer.

La deuxième journée prit tout de suite l'allure d'un typhon sur le Pacifique, dont l'intensité augmente jusqu'à bouleverser la structure des îles. Un fougueux jeune homme du M.I.T. déclara :

« Vous devez rejeter les effrayantes statistiques du docteur Mott parce qu'il s'est refusé de prendre en compte la dilatation du temps. Pour les non-scientifiques, je dirais que c'est la conséquence majeure de la théorie einsteinienne de la relativité. Cela signifie que le temps à bord d'un vaisseau spatial est radicalement différent du temps terrestre. Si le professeur Pope, cité hier par le docteur Mott, devait s'envoler vers Orion, cela ne *lui* prendrait que trente ans, alors que trente et un siècles se seraient écoulés sur Terre.

Mott entendit deux écrivains de science-fiction dire : « Nous avons déjà expliqué tout cela il y a quarante ans. Ils prennent le train en marche! »

Un autre orateur dit :

« Imaginons quatre cents personnes enfermées dans un vaisseau spatial. Il accélère pour atteindre la vitesse de la lumière en moins d'une heure, puis il se glisse dans une distorsion temporelle qui permet à l'équipage d'atteindre n'importe quel point de la galaxie en l'espace d'une vie.

– Quand pensez-vous voir apparaître une telle forme de voyage?

– Aux environs de 2050; mais les visiteurs de la galaxie pourraient bien arriver avant. »

Strabismus prit plaisir à ces spéculations; cela lui rappelait l'époque où l'Universal Space Associates ne parlait que des petits hommes verts. « J'étais dans le vrai, dit-il à voix basse, avec seulement un peu d'avance. » Il écouta très attentivement des experts en transmission radio prédire que les éventuelles communications intra-galactiques s'effectueraient sur la bande des 1420-1662 mégahertz : « Cette bande occupe un espace entre les lignes spectrales des diverses composantes de l'eau. C'est pour cette raison que nous l'appelons le Point d'Eau; les créatures de l'espace se réunissent autour de lui, comme les animaux dans la prairie. »

C'est vraiment curieux, se dit Strabismus. Si je m'étais accroché à Yale ou à New Paltz, je pourrais être l'un de ces savants. J'en sais plus que tous ceux qui ont parlé jusqu'ici, à l'exception de Mott. Il écouta attentivement un orateur développer ce point précis : « Nous avons déjà beaucoup travaillé sur le problème du Point d'Eau. Nous avons envoyé des milliers de messages et nous avons passé de nombreuses heures à écouter avec les grandes oreilles d'Arecibo. C'est en se fondant sur la solidité de ces premières études que des hommes comme Sagan ou Oliver ont pu proposer des stratégies inédites. Tout ce que nous faisons part du principe que d'autres intelligences sont prêtes, et peut-être désireuses, de communiquer avec nous. »

Le troisième jour, des étudiants de Frank Drake, à l'université de Cornell, expliquèrent aux non-scientifiques la magistrale équation débouchant sur l'éventualité d'une forme de vie sur les autres planètes de la galaxie :

$$N = N_* f_p f_e f_l f_i f_c f_L$$

Les non-spécialistes émirent des grognements dès que l'équation fut inscrite au tableau, mais l'orateur s'empressa de leur fournir des explications : « En fait, c'est assez simple. Le premier N représente le nombre de civilisations de notre galaxie capables de communiquer avec nous. Ce chiffre nous est utile pour discuter de manière posée. Le second N_* représente le nombre d'étoiles connues de notre galaxie. Pour certains spécialistes, il est de cent milliards; pour d'autres, de quatre cents milliards. C'est cette dernière estimation que je retiendrai dans notre calcul. Les six lettres suivantes, et leurs indices, représentent des fractions; chaque indice symbolise un mot ou un concept capital. Le nombre de civilisations possibles diminue sans cesse quand on multiplie N* par chaque fraction. Première fraction : la portion d'étoiles possédant un système *planétaire.* Nous avons appris hier que cette portion était bien inférieure à la moitié, probablement de l'ordre du quart. Deuxième fraction : le nombre de planètes où la vie est possible du point de vue *écologique*; je répondrais une sur deux. Troisième fraction : la fraction de planètes où la *vie* est effectivement apparue. La lettre " l " est l'initiale de " life ", la " vie ", en anglais. Les biologistes croient que ce chiffre est de l'ordre de neuf dixièmes. Quatrième fraction : la fraction de planètes habitées sur lesquelles s'est développée une forme de vie *intelligente,* soit un dixième. Cinquième fraction : la fraction de planètes possédant une civilisation capable de *communiquer* vers l'extérieur, soit un tiers. Sixième fraction : quelle est la *longévité* d'une civilisation technique? C'est une question fondamentale, que nous avons abordée hier.

« Pour évaluer cette longévité, nous devons tenir compte de toutes les ressources philosophiques dont nous disposons. Nous ne pouvons, évidemment, nous fonder que sur notre expérience terrestre. Quatre milliards cinq cents millions d'années. Compétences techniques permettant la communication, quarante-cinq ans. Comme elles peuvent cesser d'un instant à l'autre, notre dernière fraction sera de 45/4 500 000 000, ou encore 1/100 000 000.

« Nous pouvons maintenant donner corps à notre équation :

Nombre de civilisations : N

$$N = 400\,000\,000\,000 \times 1/4 \times 1/2 \times 9/10 \times 1/3 \times 1/100\,000\,000 = 15$$

Cela signifie que, parmi les myriades d'étoiles de notre galaxie, il n'y en a probablement pas plus de quinze avec qui nous pourrions converser. »

Certains participants s'étonnant de la petitesse de

ce nombre et d'autres déclarant qu'il pourrait très bien n'y avoir qu'une et une seule société intelligente, l'orateur conclut avec fermeté : « Bien entendu, ces chiffres ne concernent que notre galaxie, la Voie lactée. Comme nous savons qu'il y a en tout cent milliards de galaxies, cela pourrait faire un peu plus d'un billion de civilisations disséminées dans l'univers. De quoi nous tenir quelque temps en haleine. »

Le quatrième jour éclata un conflit si violent, si fondamental, que l'existence même du symposium s'en trouva menacée. Il opposait la vieille garde, qui doutait beaucoup de l'éventualité des communications et des voyages interstellaires, aux jeunes loups qui croyaient fermement à ces deux possibilités.

« Nous détenons d'ores et déjà les principes technologiques qui nous permettraient d'envoyer un vaisseau dans la galaxie, dit un jeune homme.

– Je le sais bien, reconnut un représentant de la vieille garde, mais avez-vous calculé l'énergie nécessaire à une telle expédition? Non? Moi, si. Elle permettrait d'éclairer les Etats-Unis pendant les cinquante prochaines années.

– Nous inventerons de nouveaux modes de propulsion, reprit le jeune homme.

– Pour balayer les objections, vous parlez toujours de « nouveaux ceci » ou de « nouveaux cela ».

– C'est comme ça que nous avons balayé les objections que vous avez émises il y a quarante ans! »

Mott ne prit pas parti dans le débat, mais il avait toujours suivi de près les remarques sardoniques de Freeman Dyson, de Princeton, et si celui-ci disait que la communication et le voyage interstellaires pourraient apparaître plus tôt que prévu, il était assez enclin à le croire. Pourtant, un soir, après une séance particulièrement houleuse, il se promena seul dans la campagne du Vermont; là, il reconnut qu'il nourrissait depuis quelque temps une pensée qui, une fois énoncée à haute voix, le remplit de stupéfaction : « Peut-être sommes-nous uniques. Peut-être vivons-nous sur la seule planète qui ait permis l'éclosion de la vie. Peut-être... »

Une voix l'interrompit dans ses réflexions :

« C'est vous, Mott? » C'était Strabismus. « Avec vous, les idées sont comme des étoiles filantes.

– C'est pour cela que nous organisons des symposiums.

– Vraiment? Dites-moi, combien existe-t-il d'autres mondes selon vous? »

Ils marchaient côte à côte sous la voûte d'étoiles, et Mott lui répondit très franchement :

« J'étais sur le point de croire que la Terre était unique en son genre...

– Et vous vous êtes arrêté?

– Oui, Strabismus, parce que je crois que nos fractions sont encore trop conservatrices. Selon moi, il y aurait deux millions de sociétés avec qui nous pourrions communiquer d'une manière ou d'une autre. »

Ils cherchèrent un coin éclairé; dès qu'ils eurent trouvé un lampadaire, Strabismus tira de sa poche un morceau de papier :

« Mes fractions sont également plus élevées. J'arrive à un million. » Il plia la feuille de papier, la rangea dans sa poche et dit : « Mais ces chiffres sont pour ceux qui savent. Pas pour le grand public, ils ne feraient que le troubler.

– Et vous avez l'intention de le maintenir dans l'erreur?

– J'ai l'intention de travailler avec lui dans l'état où je le trouve.

– Vous voulez dire, manipuler les gens?

– Ce sont eux qui le demandent.

– Nous reparlerons de tout cela demain matin! »

Comme toutes les grandes conflagrations, le conflit majeur débuta par une flamme si petite qu'un enfant aurait pu l'éteindre, et personne n'aurait pu en prédire le potentiel destructeur. Il avait pour objet la fraction f, le nombre de planètes où la vie a pu se développer, et ce problème purement biologique se posa rapidement en termes de métaphysique et de valeurs religieuses. Le scientifique qui présentait les données de base eut une expression malheureuse : il dit que la vie pouvait évoluer d'elle-même toutes les fois que la soupe primitive contenait les ingrédients exacts, avec la température, la pression et l'environnement adéquats, et il croyait que ces règles étaient valables dans tout l'univers, de sorte que la genèse de la vie était possible dans des milliards de cas.

Les leaders religieux et quelques non-scientifiques trouvèrent l'expression *soupe primitive* particulièrement offensante et revinrent sur toutes les paroles conciliantes qu'ils auraient pu avoir au cours des premières journées du symposium. Un baptiste particulièrement fougueux, le révérend Hosea Kellog, de l'université biblique de Red River, s'écria :

« C'est par l'intervention de Dieu que l'homme a été placé sur Terre : il était pleinement humain et n'avait rien d'un chaudron où bouillonnent des substances chimiques. »

Le débat s'envenima rapidement, pour aboutir à un échange de répliques tout à fait incroyables :

« Vous prétendez donc, révérend Kellog, que Dieu ne sauve que ceux qui acceptent Jésus-Christ et que tous les autres sont condamnés aux flammes éternelles?

– C'est ce que dit la Bible.

– Est-ce que cela signifie que tous les juifs sont condamnés?

– Principalement les juifs. Ils ont eu la possibilité d'accepter Jésus et ils l'ont repoussé. Ils sont donc condamnés.

– Et tous les peuples d'Asie qui n'ont jamais entendu parler de Jésus? Et les Africains? Et les unitariens de ce pays, sans parler de ceux qui ne croient pas?

– Ils sont tous condamnés.

– Et les millions d'hommes qui sont nés avant la venue de Jésus? Il leur était impossible de le connaître. Sont-ils donc, eux aussi, en enfer?

– Oui. »

Le révérend Strabismus en personne ne put s'empêcher de trouver une telle doctrine trop extrémiste, et il étonna l'assemblée en la réfutant :

« Ma Bible prêche l'espoir pour tous. J'étais juif, mais j'ai vu la lumière, et je suis convaincu que Dieu m'accueillera au paradis. Mais cela ne signifie pas que je condamne tous les juifs de cette assemblée ou de ce pays qui n'ont pas trouvé la voie de la vérité. Si Dieu est assez grand pour avoir instauré le type d'univers dont nous parlons, il est également assez grand pour y laisser vivre une poignée de juifs ou de bouddhistes.

– Anathème! hurla Kellog. Maudit soit le jour où je vous ai accordé un doctorat en théologie! »

Les amis de Strabismus étaient plus nombreux que ceux de Kellog : cette condamnation de leur leader déclencha une véritable bagarre, puis les scientifiques se mirent à défendre leur droit à l'existence, tandis que les partisans de Kellog les condamnaient à leur tour. Cette histoire aurait bien pu mettre un terme au symposium si le docteur n'avait rapidement pris la décision de lever la séance jusqu'au lendemain.

Dès sept heures de matin, son téléphone se mit à

sonner et il reçut coup sur coup trois appels de la direction de la N.A.S.A. et un quatrième appel du sénateur Pope :

« Stanley, on vous a envoyé là-bas pour que les tigres ne sortent pas de leurs cages. Jetez-leur un quartier de viande et reprenez les choses en main.

– Comment êtes-vous au courant?

– Par le *New York Times,* le *Washington Post* et *Christian Science Monitor.* C'est en première page. Est-ce que vous envisagez de mettre un terme au symposium?

– Il n'en est pas question.

– Dans ce cas, remettez-leur les idées en place. C'est votre boulot. »

Il ne prit pas de petit déjeuner et jeta sur le papier quelques notes qui devraient calmer les esprits; mais en montant sur l'estrade, il vit que les participants étaient à nouveau prêts à s'affronter, et il comprit qu'il devait les réconcilier :

> « Hier soir, nous avons été témoins d'une pénible manifestation de la vieille et inutile querelle de la science et de la religion, et je me sens obligé, en tant que président, de faire une déclaration.
>
> « Je tiens à rappeler à mes amis scientifiques, à qui je dois personnellement tant de choses, que les nouvelles découvertes viennent toutes renforcer l'hypothèse d'un big bang d'où serait issue cette portion du cosmos, mais que personne, je dis bien personne, n'a été capable de fournir le plus petit indice scientifique sur la force qui a déclenché ce big bang. Si nos amis religieux insistent pour dire qu'il s'agit de leur Dieu, leur raisonnement est au moins aussi bon que n'importe quel autre, et je dirais même qu'il est meilleur.

« Je m'adresse à présent à mes frères religieux; je me sens le droit de les appeler ainsi, parce que mon père était lui-même un homme d'Eglise. Tous les indices prouvent que l'origine de la Terre est très ancienne, et que celle de l'univers est encore plus ancienne. Je crois très sincèrement en Dieu, mais je ne peux nier l'évidence, et je dis qu'il est du devoir des hommes de connaissance de réconcilier les deux points de vue qui se sont manifestés si violemment hier soir.

« Mes conclusions sont triples. Ce problème est si vital pour ce symposium et pour l'humanité en général que j'ai pris la précaution de les noter sur cette feuille de papier.

« Premièrement, une société ne peut exister sans une sorte d'arbitre destiné à juger le bien et le mal de tout acte. Sans ce guide constant, sans l'encouragement et la censure, nous risquons de retomber dans le barbarisme qui a frappé de nombreuses civilisations au cours de ce siècle. La science n'a pas la force morale de jouer ce rôle d'arbitre; la politique ne l'a pas non plus. Seul un système éthique en est capable, et nos systèmes éthiques traditionnels ont reçu le saint nom de *religions*.

« Deuxièmement, je ne me sens pas très concerné par les débats d'ordre doctrinaire et les différences entre les religions, et je crois qu'il en va de même pour les autres scientifiques, mais je suis un partisan farouche de l'action de structuration de la société exercée par la religion. Je n'aimerais pas vivre dans une communauté où les Eglises seraient absentes. Et j'ai souvent pensé la chose suivante : si j'étais un célibataire de vingt-quatre ans, muté par ma société dans une usine de Detroit, je ne fréquenterais pas les bars ou les dancings pour y trouver une femme. Je fréquenterais une église, une bibliothèque ou une université, parce que j'aimerais y rencontrer des gens qui partagent le même idéal que moi. La plupart des citoyens de ce pays soutiennent des Eglises et, par conséquent, l'impulsion religieuse qui leur a donné naissance.

« Troisièmement, je suis un homme de science qui n'a obtenu ce titre respectable qu'à quarante-quatre ans, et je n'ai accepté facilement aucune généralisation; je ne peux nier ou tenir sous silence toutes les preuves qui s'accumulent devant moi. Les photographies que la sonde Voyager 2 a transmises à la Terre nous ont montré quelle était la nature de la planète Saturne; indépendamment de ce que les anciens textes religieux peuvent en dire sous une forme poétique, cette nature s'impose à moi et je me sens lié par cette vérité.

« On m'a dit que le révérend Hosea Kellog, de l'université biblique de Red River, et le professeur Hiram Hellweiter, de l'université de l'Indiana, en étaient venus aux coups au plus chaud du débat. Leur enthousiasme est compréhensible et certainement pardonnable, car nous nous trouvons confrontés à de grandes décisions, et il est inévitable que la défense des opinions passe par la violence physique. Mais aujourd'hui, dans la pureté de ce matin, je demande à ces deux honorables personnes de se tendre la main, de même que je tends la main à chacun d'entre vous.

« Nous devons tous tenter de résoudre des problèmes d'une importance capitale, et c'est l'harmonie, pas la discorde, qui doit régner entre nous. Nous sommes capables d'atteindre les galaxies les plus lointaines et de déchirer le voile de la confusion qui a si longtemps obscurci notre compréhension. Qu'allons-nous faire de ce nouveau savoir? Nous avons vu que nous étions capables d'asservir l'atome d'hydrogène, mais comment allons-nous utiliser et discipliner cette connaissance? Mais il y a plus important et plus terrible : nous pouvons maintenant pénétrer la structure du gène humain afin de créer de nouvelles formes de vie. Comment allons-nous surveiller l'exercice de ce terrible pouvoir?

« Le jour n'est peut-être pas très loin, où nous nous retrouverons dans cette salle pour discuter, non plus de l'exploration des galaxies, mais de la façon dont l'Amérique devra utiliser ses stations spatiales pour lutter contre une autre puissance bien décidée à nous détruire.

« Cette première assemblée d'esprits ne doit pas être divisée. C'est main dans la main que nous devons explorer la structure de la matière, le fonctionnement de l'esprit humain et les chances de survie de notre société. Si nous sommes divisés, nous risquons de nous détruire. Mais si nous sommes unis, nous pouvons apporter la paix à cette Terre si menacée. »

Il s'assit, sous les acclamations des participants qui, dans leur grande majorité, recherchaient la conciliation dont il s'était fait l'apôtre; mais il était si épuisé nerveusement qu'il ne put présider la suite des débats. Il se dirigeait d'un pas mal assuré vers le fond de la salle, quand il sentit Leopold Strabismus le prendre par le bras. Ils firent quelques pas sur les pelouses inondées de soleil, et le révérend lui dit à voix basse :

« Oubliez-les un instant, cela vaut mieux.

– Leopold, j'ai remarqué que vous vous teniez à l'écart de la mêlée. Cela ne vous ressemble pas.

– Je voulais savoir ce que pensaient les êtres raisonnables, tels que vous.

– Nous autres, scientifiques, sommes convaincus que cette Terre que nous foulons aujourd'hui est sortir du chaos il y a plus de quatre milliards d'années et...

– Vous l'avez dit vous-même, Mott. Sortie du chaos. Et qui l'a tirée de ce chaos?

– Cela ne m'a jamais vraiment préoccupé. Ce pourrait être Dieu. La force primale. Le hasard. Ce n'est pas un problème pour moi.

– C'est sur ce point que nous sommes différents. Les hommes comme moi veulent des certitudes.

– C'est pour cela que vous interdisez l'enseignement de l'évolution, que vous bannissez la géologie?

– Les gens simples ne doivent pas être embrouillés. »

Mott fit un geste de la main en direction de la salle où les débats reprenaient de plus belle.

« Vous, moi, tous les participants de ce symposium, nous sommes tous des gens simples. Et nos parents étaient également des gens simples. Si nous pouvons nous atteler à ces questions et résoudre un jour les plus faciles d'entre elles, pourquoi les gens simples n'y parviendraient-ils pas? »

Le problème éternel était à nouveau posé. Tout avait commencé il y a plusieurs milliers d'années, le long des pistes de Mésopotamie et dans les déserts de Judée. Les ancêtres de Mott et de Strabismus avaient choisi des camps adverses en Assyrie et à Stonehenge. Ces mêmes questions avaient été soulevées dans les temples de Thèbes et de Machupicchu, mais aussi dans les universités de Bologne et d'Oxford. Elles se posaient aujourd'hui, une fois de plus, sur une colline du Vermont, et l'on en débattrait encore dans un millier d'années, sur une planète lointaine, dans quelque autre galaxie.

LES QUATRE FAMILLES

Mott, Stanley. Né à Newton, Massachusetts, en 1918.
Mott, Rachel Lindquist. Née à Worcester, Massachusetts, en 1920.
Millard, né en 1943.
Christopher, né en 1950.

Pope, John. Né à Clay, Fremont en 1927. Marine des Etats-Unis.
Pope, Penny Hardesty. Née à Clay, Fremont, en 1927.

Grant, Norman. Né à Clay, Fremont, en 1914.
Grant, Elinor Stidham. Née à Clay, Fremont, en 1917.
Marcia, née en 1939.

Kolff, Dieter. Né près de Munich, Allemagne, en 1907.
Kolff, Liesl. Née à Peenemünde, Allemagne, en 1916.
Magnus, né en 1947.

LES SIX PILIERS

Claggett, Randolph. Né à Creede, Texas, en 1929. Corps des marines.
Claggett, Debby Dee Cawthorn Rodgers. Née à Laredo, Texas, en 1926.

Lee, Charles, « Hickory ». Né à Teacup, Tennessee, en 1933. Armée de terre.
Lee, Sandra Perry. Née à Nashville, Tennessee, en 1937.

Jensen, Harry. Né à Orangeburg, Caroline du Sud, en 1933. Armée de l'air.
Jensen, Inger Olestad. Née à Loon River, Minnesota, en 1935.

Bell, Timothy. Né à Little Rock, Arkansas, en 1934. Pilote d'essai civil.
Bell, Cluny. Née à Little Rock, Arkansas, en 1937.

Cater, Edward. Né à Kosciusko, Mississippi, en 1931. Armée de l'air.
Cater, Gloria. Née à Kosciusko, Mississippi, en 1931.

Pope, John (voir les Quatre Familles).

LES AUTRES

Von Braun, Wernher. Né à Wirsitz, Allemagne, en 1912.
Funkhauser, Helmut. Né à Hambourg, Allemagne, en 1896.
Butler, Gawain. Né à Detroit, Michigan, en 1921.
Glancey, Michael. Né à Magnolia, Red River, en 1904.
Strabismus, Leopold (Scorcella, Martin.) Né à Mount Vernon, New York, en 1925.
Thompson, Tucker. Né à Columbus, Ohio, en 1912.
Rhee, Cynthia. (Rhee, Soon-Ka.) Née à Osaka, Japon, en 1936.

TABLE

IMPRIMÉ EN FRANCE PAR BRODARD ET TAUPIN
58, rue Jean Bleuzen - Vanves - Usine de La Flèche.
LIBRAIRIE GÉNÉRALE FRANÇAISE - 14, rue de l'Ancienne-Comédie - Paris.

ISBN : 2 - 253 - 03645 - 5 30/6042/3